O Livro de Ouro do Carnaval Brasileiro

FELIPE FERREIRA

O Livro de Ouro do

Carnaval Brasileiro

Ediouro

Capa e projeto gráfico:
Miriam Lerner

Preparação:
Juliana Romeiro

Copidesque:
Luiz Guerra

Revisão tipográfica:
Maria José de Sant'Anna

Produção editorial:
Cristiane Marinho

CIP - BRASIL. CATALOGAÇÃO-NA-FONTE
SINDICATO NACIONAL DOS EDITORES DE LIVROS, RJ

F441L

Ferreira, Felipe
O Livro de Ouro do Carnaval Brasileiro/ Felipe Ferreira. - Rio de Janeiro : Ediouro, 2004

il.
ISBN 85-00-01480-6

1. Carnaval - Brasil - História. I. Título.

04-3258. CDD 394.250981
CDU 394.25(81)

05 06 07 08 09 8 7 6 5 4 3 2 1

Rua Nova Jerusalém, 345 – Bonsucesso
Rio de Janeiro – RJ – CEP 21042-230
Tel.: (21) 3882-8200 – Fax: (21) 2260-6522
www.ediouro.com.br

ISTO É BOM, ISTO É BOM.
ISTO É BOM!
ISTO É MESMO MUITO BOM,
MUITO BOM!
BOM! BOM!

Sumário

A batalha das ruas

Uma festa nacional

Brasil pandeiro e outros sambas

Muitos Carnavais

Prefácio

O *Livro de Ouro do Carnaval Brasileiro*, escrito por Felipe Ferreira, nos conduz a uma viagem fantástica pela história do Carnaval, em sua vertente brasileira. Sem repetir os lugares-comuns de um roteiro de datas e acontecimentos lineares, o que confere originalidade de caráter à obra, Felipe demonstra sua experiência e sua vivência desenvolvendo idéias inéditas que ampliam o conhecimento sobre o assunto e produzem no leitor enriquecimentos do seu saber com fatos próprios.

Usando a técnica de movimentar a história dialeticamente entre o passado e o presente, o texto flui com leveza e não deixa o leitor perder o fio dos fatos e dos acontecimentos tão bem encadeados que estão.

Assim, o livro abre caminhos e dá as sugestões para que o leitor possa ampliar seus conhecimentos, além de nos trazer a certeza de ser o seu raciocínio fruto de uma longa militância carnavalesca.

Para que o leitor possa se iniciar no estudo do Carnaval brasileiro, Felipe Ferreira usa um dos versos mais sugestivos e representativos da sua história, produzido por três compositores da União da Ilha do Governador – J. Brito, Bujão e Franco – para o enredo "Festa profana":

Ê Boi Ápis
Lá no Egito, Festa de Ísis
Ê Deus Baco, bebe sem mágoa
Você pensa que este vinho é água?
É primavera!
Na lei de Roma a alegria é que impera

Oh! Que beleza!
Máscara negra lá no baile de Veneza.

Questionando a visão evolutiva tradicional da festa, o autor elabora uma magnífica e surpreendente síntese da história do Carnaval, desenvolvendo sua teoria do verdadeiro significado da palavra "carnaval".

Na primeira parte do livro, que traça a rota das festas carnavalescas anteriores ao Carnaval brasileiro, Felipe Ferreira procura situar as celebrações dos povos antigos como acontecimentos independentes do que hoje conhecemos como Carnaval e que, ultrapassando todas as etapas de desenvolvimento da festa, se mantêm como essencial.

Percorrendo as diversas manifestações carnavalescas, procurando captar a história do carnaval brasileiro por meio de uma versão ainda não vista, o autor chega ao final da década de 1930 demonstrando que a festa está em constante mutação e explicando como as escolas de samba assumiram o lugar de principais protagonistas. A abordagem da folia contemporânea retoma a idéia de um Carnaval plural, aberto a influências e a novas tendências tais como as novas mídias e a fragmentação pós-moderna. Um painel abrangente e instigante da maior festa popular do mundo.

Enfim, essa é uma leitura indispensável para quem procura decifrar o enigma do Carnaval; uma eterna esfinge a clamar: "decifra-me ou te devoro".

Hiram Araújo

Introdução

Quando fui convidado a escrever um livro sobre o Carnaval brasileiro achei que a missão não era só impossível, mas inconcebível. Como juntar num mesmo relato tantas festas, tantas folias, tantas pequenas comemorações, tantos fabulosos espetáculos que tomam nosso país nos três (ou quatro, ou cinco) dias dedicados à grande festa nacional? Como contar uma aventura que ainda se discute como foi que começou? Como explicar o que significa "carnaval", um conceito que "todo mundo sabe o que é" e que por isso mesmo significa uma coisa diferente para cada um?

Tendo dedicado toda minha vida ao assunto – seja como folião ou, mais tarde, como pesquisador –, imaginei que poderia embarcar nessa aventura sem sofrimento, navegando sobre as ondas tranqüilas de minha experiência e de meu conhecimento. Tempestades e calmarias me fizeram ver que não seria nada fácil transpor esse oceano e "descobrir" um caminho seguro para essa misteriosa Terra Carnavalis Brasilis *que parecia afastar-se a cada investida. Foi nesse momento que ouvi o som de uma outra embarcação que passava por mim. Uma pequena caravela sobre rodas que navegava determinadamente por cima das águas, carregando uma tripulação de mulheres piratas que cantavam, ao som de uma bandinha, uma*

Escola de samba Bambas da Orgia desfila no Carnaval de Porto Alegre, 25 de fevereiro de 2004. (Valdir Friolin/Zero Hora.)

Trio elétrico nas ruas de Salvador. (Adenor Gondim/NImagens.)

Carnaval nas ruas de Olinda. (Leo Caldas/Titular.)

música minha velha conhecida: "Quem foi que inventou o Brasil? Foi seu Cabral! Foi seu Cabral! No dia 21 de abril, dois meses depois do Carnaval!" E lá se foi a caravela, sacudindo-se feliz em direção a seu óbvio destino: o País do Carnaval.

A partir desse momento, percebi que o tal lugar aonde eu queria chegar não era um território demarcado, era um sonho, uma utopia, uma idéia feliz na qual a gente acreditava, como um "faz-de-conta" no Sítio do Picapau Amarelo, *ou uma "manhã de Carnaval" em Ipanema. Falar sobre o Carnaval, pensei, não era discorrer sobre fatos e datas e lugares, nem tentar explicar cada detalhe de cada festa de cada cidade de cada Brasil. Falar sobre Carnaval era inventar um Brasil dois meses depois do carnaval. Foi então que um vento que balança as palhas do coqueiro começou a soprar, empurrando meu barquinho – que a essa hora já tinha virado um grande trio elétrico iluminado – que navega em direção a um sol com a cor de maravilha que iluminava minha Brasilândia.*

O que a pequena história que abre esta introdução procura mostrar é o caráter eminentemente pessoal de qualquer tipo de narrativa abrangente sobre a festa carnavalesca do Brasil. Aquilo que se conhece atualmente como "Carnaval brasileiro" é na verdade o produto de diversos discursos que, ao longo dos últimos 150 anos, vem sendo lentamente elaborado através de variadas disputas de poder. Elite, povo, governo,

Enlameados na folia de Parati. (Marlene Bergamo/Folha Imagem.)

folcloristas, jornais, rádios, gravadoras, televisão, capitais, periferias, Rio de Janeiro, Salvador, escolas de samba, trios elétricos, Recife, São Paulo e frevos são alguns dos muitos atores envolvidos na construção de um significado para a grande festa nacional. A disputa de poder envolvida na determinação do que é este "nosso" Carnaval é, desse modo, determinante para sua compreensão.

Nesse sentido, optou-se por uma abordagem bastante original da história do Carnaval brasileiro, na qual os dados factuais deixam de ser o eixo da narrativa para servirem de exemplos das intrincadas relações de interesses envolvidos na elaboração da idéia de Carnaval no país. A forma "tradicional" de se contar a história da folia no Brasil procura isolar os diferentes formatos das brincadeiras, privilegiando suas peculiaridades. Estruturada na metade do século passado, essa maneira de compreender o Carnaval vem sendo sistematicamente repetida até os dias de hoje. Nossa proposta é romper com esse antigo costume e apresentar uma outra narrativa que enfoca não as diferenças entre cada categoria, mas suas relações, contatos e diálogos.

Apresentada como a grande expressão do Carnaval brasileiro, a festa do Rio de Janeiro exerceu, por diversas razões, um papel centralizador e determinante para a formatação da folia nacional. Compreender os processos ocorridos nas ruas centrais da então capital do país é entender como as tensões entre a festa desejada pela elite e as brincadeiras populares acabaram interagindo e produzindo um Carnaval característico desse espaço. Além disso, a partir das primeiras décadas do século XX, a festa carnavalesca carioca tornava-se o local simbólico da folia mestiça, transformando-se numa espécie de paradigma cultural popular da nação. Desse modo, o que chamamos de "Carnaval brasileiro" se estabelece não como um "resumo" ou uma "reunião" das diferentes festas carnavalescas do país, mas sim como uma espécie de sobreposição do modelo carioca sobre as diferentes folias Brasil afora. Em substituição à impossível tarefa de descrever todas as festas ligadas ao ciclo carnavalesco no país (coisa que se acreditava possível há meio século), propusemos uma abordagem que ressaltasse os múltiplos interesses envolvidos com a construção da idéia de "Carnaval brasileiro" estabelecendo uma base para a compreensão dos diferentes carnavais do Brasil.

Os agradecimentos, dirijo-os todos ao Doutor Ricardo Lourenço de Oliveira, atento leitor crítico dos meus primeiros esboços, e ao CNPq, que me permitiu, com sua bolsa de pós-doutorado, a dedicação necessária a esta empreitada.

A dedicatória, como sempre, vai para Marleny Ferreira, baiana da Imperatriz Leopoldinense e, também, minha mãe, e para minhas "crianças", Pedro, Natália e João Vitor, torcendo para que eles continuem sempre capazes de compreender o esplendor de todos os Carnavais.

De resto, é tocar o barco e navegar atrás da terra prometida, onde serei recebido, é claro, por índios do Cacique de Ramos cantando "Quero é esquecer a vida, cair na Avenida, me perder no povo..."

Maria Helena e Chiquinho, porta-bandeira e mestre-sala da Imperatriz Leopoldinense. (Moacyr Lopes Júnior/Folha Imagem)

Era uma vez...

A origem da festa carnavalesca está coberta de mistérios e controvérsias. Alguns afirmam que ela teria surgido nos ritos agrários das primeiras sociedades de classes, outros preferem considerar que a primeira folia aconteceu no Antigo Egito ou na civilização greco-romana. O certo é que só existem referências ao termo "Carnaval" a partir do século XI, quando a Igreja decide instituir o período da Quaresma. Daí em diante, a festa vai tomar várias formas até que, no século XIX, a burguesia parisiense "inventa" o Carnaval tal como o concebemos atualmente.

De onde vem o Carnaval

Imagine que estamos no Carnaval de 1989. Em todos os lugares do Brasil, em todos os blocos, bandas e bailes, em todos os pagodes, mesas de bares e rodas de batuques, um refrão se destaca e se transforma num dos mais marcantes sambas de todos os tempos. "Eu vou tomar um porre de felicidade, vou sacudir, eu vou zoar toda a cidade", cantam muitos brasileiros, festejando nosso gosto pela folia. Três jovens compositores – J. Brito, Bujão e Franco – haviam criado, para a escola de samba carioca União da Ilha do Governador, esse que se tornaria um verdadeiro hino da nossa "festa profana". Celebrar a alegria, comemorar a felicidade, exorcizar os problemas numa bebedeira de satisfação e volúpia... ao que parece, esta seria a principal função do Carnaval. E o samba prossegue, contando a história da festa numa batida irresistível para qualquer brasileiro: "Ê Boi Ápis, lá no Egito, festa de Ísis. Ê deus Baco, bebe sem mágoa, você pensa que este vinho é água. É primavera, na lei de Roma a alegria é que impera. Ó que beleza, máscara negra lá no baile de Veneza." Versos faiscantes que parecem resumir tudo o que se sabe sobre o Carnaval, de onde ele vem e para o que serve.

Mas será que a história é exatamente assim? Bem, nem tanto. É claro que a festa carnavalesca é a maior celebração de felicidade do planeta. Algo que nós, brasileiros, conhecemos como poucos outros povos, aliás. Resta também pouca dúvida com relação à ligação entre as celebrações festivas das antigas civilizações e as loucuras da folia contemporânea. Apesar disso, não dá pra se afirmar que já existia Carnaval no Antigo Egito ou nas civilizações greco-romanas, como muita gente boa já escreveu por aí. Explicando melhor: as festas em homenagem à deusa Ísis egípcia ou ao deus Baco romano, entre outras tantas, não são festas carnavalescas nem precursoras

Étienne Jeaurat, Le Carnaval des rues de Paris. *Óleo sobre tela.*
(© Photothèque des Musées de la Vile de Paris / Foto: D. Lifermann.)

somente do Carnaval, mas sim de todos os tipos de festas públicas populares que o mundo conheceu depois delas, incluindo as festas juninas, os rodeios e até mesmo o Natal ou o *Halloween.* Ou seja, muitas dessas festas possuem uma origem em comum mas não são necessariamente Carnavais, do mesmo modo que o homem e o chimpanzé possuem uma mesma origem mas não são, obviamente, a mesma coisa. As antigas festas babilônicas, chamadas sacéias, por exemplo, que remontam ao século III antes de Cristo, possuíam muitas dessas características "carnavalescas" – como exageradas comemorações e trocas de papéis entre o rei e um mendigo –, mas nem por isso podem ser consideradas festas carnavalescas. Assim, quando procuramos estabelecer as origens do Carnaval é preciso não confundir as festas e celebrações das antigas civilizações com aquilo que atualmente entendemos por Carnaval. Uma está na raiz da outra, mas não são a mesma coisa.

Festas do mundo antigo

As primeiras manifestações festivas "carnavalizadas", ou seja, com excessos, mascaradas e bebedeiras, de que se tem notícia razoavelmente segura são as das antigas civilizações, como a greco-romana e a mesopotâmica. Na Grécia Antiga, alguns ritos, como os da iniciação de jovens para a integração com a vida adulta, já incluíam pessoas mascaradas e fantasiadas. Neles, também eram comuns atividades em que brincadeiras aparentemente desordeiras serviam para reafirmar a ordem dos grupos sociais. Na Ática, por exemplo, havia um ritual em que as meninas se recolhiam por um certo período, imitando a vida do urso e sua hibernação. Em Esparta, os meninos eram treinados para se tornarem cidadãos através de exercícios que terminavam numa grande mascarada onde, por algumas horas, o comportamento era o oposto daquele que deveriam adotar na vida adulta: fantasiados de mulher, de velho ou de sátiro, os rapazes realizavam encenações obscenas ou humorísticas, com muita bebedeira e cantorias. Em Siracusa, um festival em honra à deusa Ártemis trazia anualmente à cidade grupos de pastores, com a cabeça enfeitada por coroas ou chifres, que desfilam pelas ruas distribuindo pão e vinho. Por fim, eles reuniam-se no teatro da cidade e realizavam uma disputa de cantos bucólicos.

As festas "pagãs"

Mas é somente nos primeiros séculos da Era Cristã que surgem relatos mais detalhados de divertimentos populares associando mascaradas, fantasias e desfiles processionais. No Antigo Egito, uma das festas mais famosas era a realizada durante a primavera em homenagem a Ísis, deusa da castidade que era invocada para superar grandes e pequenas tragédias da vida. A festividade, longe de se apresentar como uma orgia descontrolada, era caracterizada por atos piedosos. Apuleio, um cronista da época, descreve o evento em seu livro *O asno de ouro*, destacando que uma numerosa multidão enchia as ruas da cidade desde o início da manhã para assistir ou participar da procissão em honra à deusa. A comemoração era aberta por pessoas com disfarces variados como os de soldado, caçador, gladiador, magistrado, filósofo ou mesmo homens travestidos de mulheres. Logo a seguir vinham os sacerdotes, os músicos e o povo em geral. O objetivo final dessa celebração era levar até a praia uma espécie de maquete de navio sobre rodas e lançá-la ao mar como oferenda à deusa, que também protegia os navegadores. A festa se chamava *Navigium Isidis* (o Barco de Ísis) ou *ploiaphesia* (Festa do Barco Lançado). O costume de incorporar charretes em forma de pequenos navios às procissões também era comum em outras comemorações, como as Panatenéias que aconteciam em Atenas. É a presença, nas festas, desses pequenos barcos com rodas que acabou por fazer com que alguns pesquisadores considerassem tais celebrações como um exemplo de folia carnavalesca da Antiguidade, ao imaginar que o nome "Carnaval" teria origem em *carrus navalis,* ou seja, um carro em forma de navio. Hipótese que, anos mais tarde, foi suplantada por outra teoria que associa a palavra Carnaval à *carne vale*, ou "adeus à carne", como veremos mais adiante.

Alguns relatos descrevem outros tipos de festas que aconteciam na Antiguidade greco-romana e nas quais as práticas de transgressões, exageros e inversões das regras sociais eram características marcantes. As principais delas eram as dionisíacas, as lupercais e as saturnais. Celebradas no mês de março – as chamadas calendas de março, que marcam o início do ano da Antiga Roma –, as dionisíacas festejavam o deus Dionísio e eram marcadas por procissões de mascarados cobertos de peles e galhos, disfarçados de animais. As lupercais aconteciam no mês de fevereiro e eram realizadas em honra ao deus Pã – também conhecido como Luperco –, protetor dos rebanhos. Nelas, os sacerdotes do deus corriam seminus pela cidade batendo com galhos de árvores em quem estivesse em seu caminho, açoite que se acreditava trazer fecundidade às mulheres mais jovens e facilitar o parto das grávidas. Seguia-se um grande cortejo com a presença de charretes enfeitadas e

O uso de máscaras e disfarces era comum nas celebrações da Antiguidade e representava uma forma de contato com o elemento divino.
*(*Il Mondo Illustrato*, 20 fevereiro de 1847.)*

Uma forma prática de se transportar os barcos a serem lançados ao mar com oferendas ao fim das procissões era colocá-los sobre carroças, como mostra a ilustração, ou provê-los de rodas. A presença desses "carros navais" nas principais festas das antigas civilizações fez com que algumas pessoas imaginassem, erroneamente, que estaria aí a origem do nome Carnaval. (Pintura romana, século I. © Biblioteca Apostólica Vaticana.)

grupos de mascarados em que reinava uma grande licenciosidade. As saturnais, por sua vez, aconteciam perto de Roma, em meados de dezembro, para celebrar o fim do ano lunar. Festejo dedicado a Saturno, deus da agricultura e das sementes, este divertimento associava cantos e danças com trocas de presentes e grandes comilanças e bebedeiras. Não é por mera coincidência que essas festas que se davam aos deuses Saturno, Luperco e Dionísio aconteciam entre dezembro e março, período em que hoje brincamos o Carnaval, visto que os dias em torno da passagem do ano sempre foram considerados propícios a vários tipos de festejos por seu caráter limítrofe e ambíguo, marcando o final de um ciclo solar e o início de um novo tempo.

Outros lugares também tinham suas festas de inversão e exagero similares às greco-romanas, como o Antigo Egito, onde acontecia a procissão do boi Ápis, e a Babilônia, local das sacéias. A festa egípcia já era celebrada à beira do rio Nilo séculos antes da Era Cristã e consistia, basicamente, em uma procissão na qual a principal figura era um touro enfeitado. Seus chifres eram pintados, seu corpo envolto em fitas coloridas e coberto por ricos tecidos. O animal percorria as ruas da cidade tendo sobre ele uma criança e sendo seguido por grupos fantasiados e mascarados. A farra durava sete dias, nos quais aconteciam banquetes, danças e todo tipo de divertimentos. A celebração das sacéias babilônicas, por sua vez, durava cinco dias, nos quais, segundo relatos da época, a sociedade invertia seus valores, com os escravos dando ordens a seus donos e um prisioneiro sendo escolhido para substituir o rei. Durante o período festivo, o novo "rei" exibia-se no trono, comia as mais finas iguarias e dormia com as esposas reais. No último dia o escolhido era despojado de suas roupas, chicoteado e, por fim, enforcado. Um triste fim que marcava o retorno da sociedade às regras normais de conduta.

O carnaval que não é Carnaval

Todas essas celebrações de que falamos até agora tinham como principal característica o fato de determinarem momentos especiais do ano, marcados pelo exagero, pelo uso de máscaras e disfarces, pela presença de desfiles e patuscadas, nos quais as comilanças e bebedeiras pareciam escapar de qualquer controle, e pela sensação de que "tudo era permitido". Ou seja, eram eventos que hoje definiríamos, de uma maneira imprecisa, como um folguedo, uma bagunça festiva ou um carnaval. Nesse sentido, a palavra "carnaval" não se refere a um tipo específico de festa, mas sim a qualquer tipo de alegria coletiva, farra, banzé, folia, confusão, desordem ou simplesmente "festa". É por isso que costumamos, por exemplo, falar que a torcida de um grande time fez um carnaval ao comemorar a vitória no Campeonato Brasileiro, mesmo que a festa aconteça no mês de junho, ou seja, muito longe do período carnavalesco. Por outro lado, se alguém pergunta o que a gente vai fazer no Carnaval do ano que vem, sabemos muito bem que a pessoa não está se referindo a um momento de alegria qualquer, mas àqueles três ou quatro dias que antecedem a Quarta-feira de Cinzas. Pois é essa pequena confusão que tem causado muitas discussões entre os pesquisadores de Carnaval. Alguns estudiosos consideram que os dois significados da palavra "carnaval" são a mesma coisa e, por conta disso, afirmam que a festa carnavalesca existe há milênios, desde o início da sociedade de classes. Nesse sentido, até as comemorações das colheitas, como as do trigo ou da uva, já realizadas muito antes da Era Cristã, poderiam ser aceitas como "carnavais", pois suas descrições obviamente revelam a presença de "alegria coletiva, folguedo, folia, confusão ou desordem", conforme definem os dicionários. Essas comemorações realizadas em épocas remotas podem muito bem ser consideradas os primeiros eventos festivos da humanidade e, nesse sentido, estarem conectadas com todos os tipos de festejos que aconteceram e continuam a acontecer no mundo. Mas, certamente não podem ser confundidas com qualquer tipo de carnaval.

EXCESSOS E INVERSÕES

Essa idéia de que qualquer brincadeira e qualquer excesso ou inversão de valores podem ser considerados um "carnaval" é bastante antiga. Ela surge já nos primeiros anos depois de Cristo, quando os chamados Pais da Igreja (geralmente bispos que evangelizaram nos primeiros séculos do cristianismo, como Santo Ambrósio, Santo Agostinho e São Jerônimo) se recusavam a perceber a diferença entre as várias festas pagãs que aconteciam no final e início do ano. Todas essas celebrações com mascaradas e fantasias eram vistas igualmente como manifestações demoníacas e por eles denominadas genericamente de "paganismo", um outro nome para "bagunça", "folia" ou "carnaval". Até o século XVIII, todas as festas que aconteciam nos meses de dezembro, janeiro e fevereiro – como as saturnais, os ritos de inversão, as festas de loucos e os carnavais – eram vistas como se fossem uma mesma e, muitas vezes, condenável manifestação do populacho, ou seja, um "carnaval". Essa maneira de pensar chegou até nós e ganhou muita força a partir de meados do século XX. Nessa época, um estudioso russo chamado Bakhtin resolveu pesquisar o trabalho de Rabelais, escritor francês muito famoso que viveu no século XVI. Essa pesquisa acabou se transformando num livro que foi publicado em inglês, na década de 1960, no qual Bakhtin, entre outras coisas, falava sobre a idéia de "carnavalização". Para ele, as aventuras que Rabelais nos contava em sua série de livros sobre as peripécias dos gigantes Gargântua e de seu filho Pantagruel seriam uma verdadeira enciclopédia da cultura popular do século XVI na Europa. As cenas relatadas no livro mostram histórias exageradas, com situações que falam de um mundo divertido, cheio de personagens amalucados, um mundo que parece funcionar ao contrário daquilo que conhecemos normalmente. No universo das histórias de Rabelais nada se passa de modo normal. Gargântua fica onze meses na barriga de sua mãe, a giganta Gargamela, e ao nascer sai por sua orelha esquerda. De outra feita, quando Pantagruel cai doente, só encontra a cura depois de tomar uma série de remédios purgativos que o fazem urinar tão forte e tão quente que todo aquele líquido acaba indo

O gigante Pantagruel urina sobre a cidade de Paris numa cena tirada dos contos populares franceses comuns na Idade Média. Esse tipo de situação, ao mesmo tempo cômica e grotesca, seria associada às brincadeiras que aconteciam no período anterior à Quaresma e à idéia de carnavalização. (Gustave Doré, século XIX.)

formar as fontes de água termais de dois países: a França e a Itália. São essas histórias estranhas, divertidas e grotescas que fizeram com que Bakhtin começasse a imaginar a cultura popular como o oposto da cultura oficial representada pelo Estado e a Igreja, como algo ligado à inversão, ao exagero, à caricatura, ao humor.

A esse conjunto de comportamentos ele deu o nome de "carnavalização". Quer dizer, para Bakhtin, a carnavalização não está ligada somente ao período do Carnaval e a suas festas. Para ele, o mundo carnavalizado é o mundo das festas do povo, das brincadeiras grosseiras e das inversões típicas das brincadeiras populares do fim da Idade Média. Essa barafunda entre o conceito de "carnaval" e o de "carnavalização" vai fazer com que as duas idéias acabem se misturando, influenciando alguns estudiosos que acabam por concluir que onde tem festa, onde tem exagero, onde tem inversão também tem carnaval. Mas isso, como sabemos agora, não é necessariamente verdadeiro. O espírito da carnavalização, estudado por Bakhtin, pode se manifestar em qualquer época do ano e em qualquer lugar, seja nas comemorações do final da Segunda Guerra Mundial na Europa ou na festa do Purim entre os judeus. Já o Carnaval é uma coisa diferente e se apresenta como uma festa com data determinada, que acontece em certos países e em determinadas cidades do planeta, como no Recife, no Brasil, ou em Binche, na Bélgica, por exemplo. Em suma, no Carnaval existe carnavalização, mas nem toda carnavalização é um Carnaval.

A idéia de carnavalização vai se incorporar a todas as festas ocidentais caracterizadas pelo excesso e pela inversão. Com o tempo, a representação visual que pintores e desenhistas fazem das brincadeiras carnavalescas passa a dar grande destaque a esse clima de confusão e loucura. Descrevendo um dia de Carnaval em Roma, no século XIX, a ilustração procura resumir a balbúrdia, o humor e o nonsense *da festa, traços que se tornariam presentes nas representações visuais do Carnaval através dos tempos. (Bartolomeo Pinelli, 1812.)*

Procurando o Carnaval

A festa carnavalesca que conhecemos atualmente só passou a existir, de verdade, séculos depois das comemorações do boi Ápis, da deusa Ísis, das bacanais, lupercais e tantas outras festividades que não são precursoras somente do Carnaval, mas de muitas outras festas. Se é assim, se o Carnaval não existe desde tempos imemoriais, quando foi que ele surgiu, afinal? Muita gente se espanta com isso, mas na verdade quem "inventou" o Carnaval foi a Igreja Católica, por mais estranho e irônico que possa parecer.

O adeus à carne

A história começou no ano de 604 quando o papa Gregório I deliberou que, num determinado período do ano, os fiéis deveriam deixar de lado a vida cotidiana para, durante um certo número de dias, dedicarem-se exclusivamente às questões espirituais. Todo esse evento durava em torno de quarenta dias, lembrando os quarenta dias de jejum e provações passadas por Jesus no deserto antes de iniciar o seu ministério apostólico. Por causa disso o período ficou com o nome de "quadragésima" ou "quaresma". A usança foi-se espalhando, até que no ano de 1091, época do papa Urbano II, foi realizada uma reunião dos representantes da Igreja – chamada de Sínodo de Benevento – na qual se decidiu, entre muitas outras coisas, que estava na hora de se escolher a data oficial para o período da Quaresma. O primeiro dessa seqüência de dias passa a ser chamado de Quarta-feira de Cinzas, em vista do costume, que até hoje perdura, de se marcar a testa dos fiéis com uma cruz feita com as cinzas de uma fogueira, em sinal de penitência. A partir daí, estava legalmente decretado que durante os quarenta dias de privações os fiéis deveriam esquecer os prazeres da vida material e dedicar-se a elevar seu espírito a Deus e a meditar sobre Cristo e sua ressurreição, que seria festejada no fim da Quaresma, no domingo de Páscoa. Ou seja, nada de festas, brincadeiras, namoros, bebedeiras ou comilanças nesses quarenta dias. No período que ia da Quarta-feira de Cinzas ao domingo de Páscoa deveria reinar a temperança, o comedimento, a castidade e a austeridade, tudo isso acompanhado de um rigoroso jejum. É claro que, com o passar do tempo, foi-se estabelecendo o costume de se realizarem muitas festas nos dias imediatamente anteriores a esse longo período de abstinência. A atitude mais humana em relação a todo esse rigor é que, já que se haveria de ficar tanto tempo sem os deleites da vida, a melhor coisa a fazer seria esbaldar-se o mais possível até a hora da privação chegar. Um dos maiores prazeres daquela época era, como ainda é hoje para muita gente, comer uma boa maminha assada, um lombinho na brasa ou um torresminho crocante, pois a carne e as gorduras eram alguns dos alimentos mais apreciados e nutritivos durante o frio do inverno na Europa. Acontece que durante a Quaresma o consumo de carnes era proibido e incentivava-se um jejum muito restritivo no qual as carnes eram substituídas por peixes secos e salgados. Naquela época, que seria conhecida depois como alta Idade Média, o poder da Igreja era muito grande e seus dogmas não admitiam nenhum tipo de discussão. Ou seja, a proibição de se comer carne ou de se envolver com qualquer tipo de divertimento mundano era seguida ao pé da letra, principalmente pela população mais pobre. Pode-se imaginar o aumento absurdo no consumo das carnes de boi e porco às vésperas da interdição e a tristeza da população ao pensar que todas aquelas gostosuras não iam mais ser comidas dali a pouco tempo. Esses últimos dias de fartura antes dos quarenta dias de penúria começaram então a ser chamados de dias do "adeus à carne", que, em italiano, fala-se dias da "carne vale" ou do "carnevale". Surge assim a palavra para se definir o período do ano onde a comilança e a esbórnia corriam soltas, e que acabaria por se tornar uma espécie de antônimo da Quaresma: Carnaval. Ou seja, se não fosse pela invenção da Quaresma, não haveria Carnaval.

Durante muitos séculos o importante era festejar aqueles dias extraordinários de todas as maneiras possíveis, comendo alimentos bem gordurosos, cantando, bebendo, dançando e aproveitando cada momento antes das semanas de privações que estavam para se iniciar. Com tanta dança, tanta comilança e tanta bebedeira, não é de admirar que, em alguns anos, as festas que aconteciam no período do adeus à carne – ou seja,

Como se calcula o dia do Carnaval

A terça-feira de Carnaval é o dia anterior ao início do período da Quaresma e varia conforme a data da Páscoa. Essa ocorre sempre no domingo seguinte à primeira lua cheia após o equinócio de março (que pode cair nos dias 21 ou 22, dependendo do ano). Como a Quaresma dura 46 dias (40 dias + 6 domingos), a terça-feira de Carnaval se dará sempre 46 dias antes do domingo de Páscoa.

Ou seja, para se calcular os dias de Carnaval de um determinado ano é necessário (1) descobrir o dia do equinócio de outono (ou da primavera, se você estiver no Hemisfério Norte); (2) verificar quando acontecerá a próxima lua cheia; (3) verificar o primeiro domingo depois dessa lua cheia, que será o domingo de Páscoa; (4) descontar 46 dias. Esse dia será a terça-feira de Carnaval. Como a Páscoa pode cair entre 22 de março e 25 de abril, as datas limites para a terça-feira de Carnaval são 4 de fevereiro e 9 de março.

Para simplificar as coisas, publicamos uma tabela com as datas da terça-feira de Carnaval dos próximos 20 anos.

ANO	Data da terça-feira de Carnaval
2005	8 de fevereiro
2006	28 de fevereiro
2007	20 de fevereiro
2008	5 de fevereiro
2009	24 de fevereiro
2010	16 de fevereiro
2011	8 de março
2012	21 de fevereiro
2013	12 de fevereiro
2014	4 de março
2015	17 de fevereiro
2016	9 de fevereiro
2017	28 de fevereiro
2018	13 de fevereiro
2019	5 de março
2020	25 de fevereiro
2021	16 de fevereiro
2022	1 de março
2023	21 de fevereiro
2024	13 de fevereiro

Calendário, Florença, 1461. Museu Britânico, Londres.

no período do Carnaval – fossem ficando cada vez mais descontroladas e exageradas. Durante aqueles dias dedicados às brincadeiras, parecia que o mundo não era mais o mesmo. As ruas enchiam-se de gente fazendo tudo aquilo que não se devia, ou não se podia, fazer durante o resto do ano. As pessoas aproveitavam-se dos dias de Carnaval para revelar seus desejos ocultos, acertar contas com os vizinhos, ridicularizar os inimigos, declarar seu amor secreto por alguém e todas essas coisas que fazemos quando perdemos o controle e a censura da vida diária. Cada indivíduo, cada grupo de amigos, cada cidade brincava do jeito que achava melhor, pois, ao contrário da Quaresma, quando tudo era regulamentado pela Igreja, durante os dias de Carnaval parecia não existir leis, regras, fórmulas e nem nada que determinasse o que se podia, ou se devia, fazer.

Nesse primeiro momento, o Carnaval não é uma festa diferente das outras que aconteciam durante o ano, com seus excessos e descontroles. O que dava o caráter especial ao Carnaval, o que o distinguia das outras festividades, era a grande concentração de brincadeiras num mesmo período, a proximidade com a longa abstinência da Quaresma e o fato de a coisa toda ter dia e hora marcados para acabar, pois à meia-noite da Terça-feira Gorda – ou seja, ao primeiro minuto da Quarta-feira de Cinzas – tudo terminava e o mundo parecia reencontrar seu eixo.

O Carnaval da cidade de Nice, com suas batalhas de flores que resistiram ao tempo. (Jean Pierre Amet/Corbis.)

Imensas alegorias carregadas de foliões e temas ligados ao mundo contemporâneo são as principais características do Carnaval da cidade italiana de Viareggio. (Franco Origlia/Getty Images.)

Resumindo, o Carnaval não é o momento específico do ano no qual a vida "vira do avesso" ou "fica de cabeça para baixo", visto que inversões e exageros não são exclusividades da festa carnavalesca. Como bem definiu a pesquisadora Martine Grimberg no livro *Carnavals et masquerades*: "O Carnaval, antes de ser uma festa, é uma data." Isso quer dizer que não existe uma forma peculiar de se brincar o Carnaval. Esse pode se apresentar como um fantástico desfile de alegorias gigantescas, como se vê atualmente na cidade italiana de Viareggio, ou como uma suntuosa batalha de flores, em Nice, ou ainda como uma solene apresentação de grupos de mascarados, em Veneza, ou, quem sabe, uma frenética coreografia ao som dos últimos sucessos musicais, como se vê em Salvador, ou mesmo um bloco de jovens desfilando em roupas de praia ao som dos ritmos do momento pela orla do Leblon, no Rio de Janeiro. Todas essas festas tão diferentes têm em comum o fato de se realizarem num determinado período do ano quando "tudo pode acontecer". Todas são, cada uma a seu jeito, legítimas herdeiras daqueles dias de excessos que marcavam os últimos momentos de exagero e descontrole anterior à Quaresma. Todas se apresentam, desse modo, como produtos de um ato da Igreja Católica que gerou não somente a contrição, a penitência e a abstinência quaresmais, mas também a loucura e o descontrole de seu exato oposto carnavalesco.

A Igreja e a folia

Entretanto, se não foi intenção da Igreja inventar o período do Carnaval, após algum tempo muitas das autoridades eclesiásticas começaram a perceber as vantagens da festa. É bem verdade, pensavam alguns bispos e cardeais, que as brincadeiras descontroladas podiam incitar à violência, à desordem ou até mesmo a atitudes revolucionárias. Por outro lado, os dias de loucura também serviam como válvula de escape para as tensões acumuladas na labuta cotidiana. Outras festas, que podiam servir de momentos de distensão, existiam, é claro, em outros períodos do ano, mas até nisso o Carnaval poderia ser útil à Igreja. Ao "aceitar" o período do "adeus à carne" como um momento de relaxamento das pressões diárias, ela estaria demonstrando uma espécie de "boa vontade" com as tensões populares, podendo com isso condenar com mais rigor todos os outros excessos anuais. Era como se os padres estivessem dizendo: "Nós já permitimos ao povo seu momento de loucura antes da Quaresma, em troca exigiremos um comportamento exemplar durante o resto do ano." Como a própria Igreja definiria na época, as liberdades carnavalescas eram o furo no barril de vinho que permitia sair os gases e evitava sua explosão. Desse modo, a própria Igreja acabou por apoiar, mesmo que só extra-oficialmente, os excessos carnavalescos.

Depois de algum tempo, o período do Carnaval se fixaria definitivamente na civilização ocidental como "os três dias de loucura" antes da Quaresma. Toda uma série de costumes ligados àquela época do ano foi sendo, desse modo, associada às comemorações "carnavalescas". Tais como as "liberalidades de dezembro" das saturnais romanas ou os ritos de "liberação das almas" ligados à lua nova (período propício para o reenvio das almas para o outro mundo) ou ainda a "saída do urso", ritual anual que ocorria quarenta dias depois da lua cheia de Natal, perto, portanto, dos dias de Carnaval. A relação desses antigos costumes com o Carnaval podia ser notada nas liberdades características dos dias de folia, no costume de se consumir durante os dias de Carnaval alimentos que provocam gases, (para produzir no corpo o "sopro cósmico" das almas no céu) e na presença das fantasias de urso e de homem selvagem no Carnaval popular da Europa. A partir daí, o período do Carnaval passava a se incorporar aos usos e costumes das grandes cidades e das pequenas vilas européias e fixava-se como a principal festa profana – ou seja, não-sagrada – da civilização ocidental. Estava inventado e sacramentado o Carnaval.

Os dias de Carnaval da Idade Média

O período do adeus à carne iria receber vários nomes de acordo com cada época ou local: em 1097 – pouco depois do Sínodo de Benevento, portanto – era chamado de *carnelevarium*, em 1130, de *caramentran*, *carnisprivium* ou *carnelevare*, em 1195 era conhecido como *carnelevamem* e assim por diante. A profusão de nomes deixa perceber as variadas formas que podiam tomar essas festas, cada uma delas ligada a costumes e comemorações características de uma região ou de uma cidade. Toda essa diversidade de denominações não acontece por acaso, pois é exatamente nesse período, entre os séculos XII e XIII, que a festa começa a tomar os diferentes formatos que vão influenciar os Carnavais que conhecemos atualmente. A maioria dessas brincadeiras era diretamente ligada aos costumes das antigas festas pagãs e geralmente contavam com a presença de pessoas mascaradas e fantasiadas. Os principais disfarces eram os que procuravam imitar animais selvagens. Eles eram usados com o objetivo de assustar e afastar os espíritos dos mortos que, acreditava-se, rondavam pelo mundo naquele período do ano. Duas das fantasias mais comuns eram a de urso e a de homem selvagem. O disfarce de urso estava ligado a uma crença européia que dizia que esse animal, ao sair de sua toca no fim do inverno, poderia prever se o frio iria acabar logo ou se duraria ainda mais tempo. Caso o urso retornasse para sua hibernação, era sinal de que o frio iria continuar. Se, após acordar, eles saísse da toca, o inverno estaria prestes a terminar e todos comemoravam. A fantasia do homem selvagem, por sua vez, se referia a um personagem bastante conhecido na literatura medieval que, dizia-se, vivia no fundo das florestas, cercado de animais selvagens, com os cabelos desgrenhados e o corpo coberto de pêlos. Boccaccio, em seu *Decamerão*, descreve uma dessas fantasias: o corpo era besuntado

A figura do homem selvagem está ligada ao Carnaval por ser um símbolo da inversão e do descontrole associados ao período anterior à Quaresma. Barbudo, peludo, com o corpo coberto de folhas e um tacape nas mãos, esse personagem assustador pode ser visto até hoje em comemorações carnavalescas de algumas cidades européias. (La Mascarade de Valentin et Ourson, *1566, gravura em madeira baseada em Pieter Bruegel. Bibliothèque Royale, Bruxelas.)*

com mel e coberto de penas, uma máscara escondia a cabeça e, numa das mãos, o fantasiado carregava um grande porrete. Na verdade, essa figura assustadora representava uma espécie de elo entre o homem civilizado e a fera indômita. Essa imagem do homem selvagem estaria presente, com algumas modificações, nos séculos seguintes em brincadeiras carnavalescas de várias cidades do mundo. Ela poderá ser vista, inclusive, até nas brincadeiras de rua do início do século XX no Rio de Janeiro, na forma de um índio feroz, como veremos mais adiante.

A batalha entre Carnaval e Quaresma

Por enquanto voltemos à Europa, para podermos iniciar nossa viagem pelos antigos costumes do Carnaval medieval. É lá que, por volta do século XII, ouviremos falar, pela primeira vez, de uma curiosa batalha que colocaria em campos opostos dois lutadores incansáveis: de um lado o gordo e bonachão Senhor Carnaval e do outro a magra e triste Dona Quaresma. Estes dois personagens, representados em peças teatrais, contos e poemas humorísticos, se enfrentariam ano após ano, durante séculos, marcando a luta entre a fartura e a escassez característica do período do adeus à carne. Sua disputa era um verdadeiro símbolo do significado associado às festas do *carne vale* que começavam a se organizar na Idade Média.

Sabemos que foi o famoso estudioso italiano Guido Faba quem, no século XIII, escreveu pela primeira vez um texto sobre a luta entre o Carnaval e a Quaresma. Mas o mais antigo relato sobre o assunto que chegou até nós é uma obra francesa, também do século XIII, chamada *A batalha de Quaresma e Carnagem.* Nesse texto, o autor nos conta a história de dois senhores que disputam um estranho combate, no qual cada um mobiliza suas tropas. Do lado de Carnagem (que é como o autor chama o personagem que representa o período do adeus à carne, ou seja, o Carnaval), lutam carnes, toucinhos assados, bifes de porco, queijos, tortas e animais cozidos. Do lado de Quaresma, representado ainda como uma figura masculina, alinham-se peixes, como arenques, enguias e outros alimentos secos. O personagem Quaresma, nem um pouco simpático, ligava-se aos ricos e grandes proprietários de casas e abadias. Por sua vez, Carnagem, representando a abundância e a distribuição de riquezas, é o bom senhor amado por todos: humildes e poderosos, grandes e pequenos.

Nos séculos seguintes esse mesmo tema da batalha entre a Quaresma e o Carnaval reapareceria muitas vezes, principalmente em encenações teatrais representadas no período das festas carnavalescas, e tornar-se-ia uma das principais atrações dessas comemorações festivas. Os dois personagens, entretanto, sofrem grandes modificações com o passar dos anos. Pouco a pouco a figura do Senhor Carnaval vai se afastando da imagem de um cavalheiro bondoso e bonachão para se tornar, cada vez mais, o símbolo do exagero e da libidinagem. O Senhor Quaresma deixa de ser mostrado como um chefe feudal e passa a ser encarnado na figura de uma velha magra e ossuda, muito representada em desenhos e pinturas da época. Já no início do século XVI o Senhor Carnaval passa a ser visto exclusivamente como o símbolo da falta de medidas, e dos excessos associados para sempre às festas do período do adeus à carne. A partir daí, ele nunca mais sairá vitorioso das batalhas, restando apenas o consolo da certeza de seu retorno a cada ano. A história da modificação sofrida no destino do Senhor Carnaval deixa clara a transformação por que passaram as festas do período anterior à Quaresma, do século XII ao XVI. Tais transformações ajudaram a fixar na população a idéia de que os exageros carnavalescos eram uma exceção à regra da vida normal e não duravam para sempre. "Aproveite o dia de hoje", parecia querer dizer a mensagem oculta nesse enredo,

O quadro de Pieter Bruegel, de 1559, representa, alegoricamente, uma batalha do gordo Carnaval, montado sobre um barril de vinho, com a esquálida Quaresma. Em volta das duas personagens, uma variedade de cenas representando jogos e costumes de cada um dos dois momentos.
(Pieter Bruegel. A batalha do Carnaval e da Quaresma, *Kunsthistorisches Museum, Viena.)*

"pois amanhã a festa vai acabar". Isso reforçava a idéia de contraposição e ao mesmo tempo estreitava o laço em termos temporais entre o Carnaval e a Quaresma.

O PAÍS DA COCANHA

Uma outra história, muito difundida na Europa medieval, a chamada lenda do país da Cocanha, também faz parte do imaginário carnavalesco daquela época. Neste lugar de sonho a vida seria perfeita, pois nada faltaria aos seus habitantes. Ninguém sabia ao certo onde se encontrava essa região maravilhosa, mas todos sabiam de cor as coisas fabulosas que existiam por lá: doces cresciam em árvores, frangos assados voavam prontos para serem comidos, o vinho jorrava das fontes, bolos caíam do céu. O próprio palácio real era feito de açúcar, as ruas eram pavimentadas com massa de torta e, nas lojas, as comidas eram distribuídas de graça. Os habitantes desse país abençoado eram praticamente imortais, pois lá não havia guerra, e, assim que

Associado à fartura e aos excessos, o País da Cocanha era uma espécie de lugar do perpétuo carnaval, em tudo oposto aos rigores da vida cotidiana da Idade Média européia.
(Pieter Bruegel. O País da Abundância, *1567. Alte Pinakothek, Munique.)*

alguém atingisse 50 anos, voltava imediatamente a ter 10 anos de idade. Essa idéia de abundância e de barriga cheia estava diretamente associada ao que as pessoas pensavam do tempo carnavalesco medieval. Os dias festivos anteriores à Quaresma eram como se, por algum tempo, o Reino da Cocanha existisse de verdade. Brincar o carnaval era, desse modo, similar a deixar-se levar por todo tipo de prazeres ou exageros, num mundo que representava o exato contrário da dureza e da penúria da vida cotidiana de então. É este sentimento de excesso e de transbordamento que estará presente ainda hoje nas brincadeiras carnavalescas e será traduzido no "porre de felicidade" ou no "beber até cair" da festa contemporânea. Duas formas de definir a loucura carnavalesca através da idéia de uma fartura desregrada, sem limites ou responsabilidade.

As sociedades alegres

Não é por acaso, desse modo, que as brincadeiras carnavalescas do período medieval estivessem sempre muito ligadas à idéia de juventude, período da vida em que todos os sonhos são possíveis e momento em que podemos gozar de uma certa liberdade e de uma ausência de compromisso com as questões cotidianas da sobrevivência. Desse modo, são os jovens que, em última instância, irão comandar as principais brincadeiras carnavalescas de então. Em muitas cidades, o início do período de Carnaval era marcado por festejos encabeçados por crianças, como a "disputa dos galos", na qual, depois de uma série de jogos, o menino vitorioso era consagrado como o "rei dos galos". Seriam, entretanto, os adolescentes e os jovens que liderariam as principais galhofas carnavalescas nos séculos XIV e XV. Em algumas cidades, como Saint-Quentin, na França, grupos de rapazes participavam de corridas de cavalos cujos vencedores eram coroados com chapéus floridos e desfilavam triunfalmente pela cidade. Em finais do século XIV já era costume cada cidade ou pequeno vilarejo apoiar grupos de moços que se dedicavam a organizar vários divertimentos jocosos no período do Carnaval. Na verdade, esses grupos não se compunham exclusivamente de jovens, pois homens de 30 ou 40 anos também faziam parte deles, mas era a rapaziada que dava o tom das brincadeiras. Muitos grupos, com nomes curiosos que indicavam as cidades de origem, tornaram-se famosos como os Espantados de Douai, os Assombrosos de Cambrai, os Estultos de Amiens ou os Tolos de Ruão. Os grandes centros urbanos da época chegavam a possuir várias dessas turmas que se reuniam por idade, por local de moradia ou por profissão. Na cidade francesa de Perigueux, por exemplo, coexistiam vários grupos durante o período de Carnaval, com seus chefes assumindo verdadeiros postos honoríficos, tais como imperador de Verdu, rei da Ponte, duque de Limogeanne, abade de Saint-Silain ou marquês da Rua Nova. Com o passar dos anos, essas turmas, denominadas genericamente de sociedades alegres, passaram a ser a mais importante característica do Carnaval medieval. A mais famosa dessas sociedades alegres parece ter sido Companhia da Mãe Louca de Dijon. Sua organização, como relatado em 1610, incluía quatro sargentos, doze arautos, um capitão, um arquiteto-tesoureiro e um grupo de músicos, formando uma espécie de corte em torno de chefe com seus oficiais e tenentes.

Os charivaris

Inicialmente, a principal atuação desse tipo de sociedades era a de criticar e comentar as relações entre os casais da cidade ou bairro onde se encontravam, fazendo, assim, uma espécie de denúncia das situações que não eram consideradas normais

Uma sociedade alegre desfila pelas ruas de Ruão, no fim do século XVI. Sentado em sua charrete, o Abade carrega um cetro em forma de chifre de veado, símbolo dos chifrudos. À frente, um grupo abre caminho carregando tochas acesas seguido de músicos com tambores e flautas.
(Nicolas Dugord. Les triomphes de l'abbaye des Conards, *1587, xilogravura. Bibliothèque Nationale, Paris.)*

pela sociedade. Um de seus alvos preferidos eram as viúvas e os casamentos realizados entre pares considerados desproporcionados entre si. Isso incluía, por exemplo, um homem muito velho com uma mulher muito nova, ou um homem muito gordo com uma mulher muito magra, ou uma mulher muito pobre com um homem muito rico. Normalmente eram organizados cortejos que passavam em frente à casa escolhida, momento em que se realizava uma espécie de panelaço, batendo-se em caçarolas e sacudindo-se sinos na direção do lar dos "pobres" esposos. Essas brincadeiras agressivas eram chamadas de charivaris ou assuadas.

Com o crescimento do teatro de rua, no final da Idade Média, muitas das sociedades alegres passaram a representar peças ou esquetes, freqüentemente difamatórios, durante os dias de Carnaval, nos quais os "cornudos" eram um dos principais temas. Apesar da agressividade de certas brincadeiras, muitas vezes os próprios maridos traídos acabavam se integrando às sociedades, como aconteceu com um certo cavalheiro de Ruão, que foi criticado por haver perdido sua mulher infiel num jogo de dados, mas, provavelmente por essa mesma razão, seria eleito para o principal posto do grupo e acabaria se tornando abade dos Tolos de Ruão.

Apesar de constantemente condenadas pela Igreja, essas sociedades jocosas eram muitas vezes apoiadas pelos governos das cidades, que recebiam parte do dinheiro arrecadado pelas diversas taxas inventadas pelos grupos. Entre essas tarifas havia algumas bastante curiosas, como a "barbareta" (ou "gorjeta bárbara"), imposta pelos Estultos de Amiens, ou o "direito de engana-velha", cobrado pela Abadia do Maugoverno de Macon.

CORTEJOS JOCOSOS

A aproximação entre as sociedades e os governos das cidades acaba por transformar as brincadeiras carnavalescas em eventos cada vez mais organizados. No século XIV, na Suíça já se tem notícia de cortejos carnavalescos das corporações de ofícios, como a dos açougueiros ou a dos toneleiros que desfilavam com grandes máscaras representando seu grupo profissional. Na Alemanha, em 1475, é incluído pela primeira vez, no desfile realizado nos dias anteriores à Quaresma, um carro puxado sobre rodas. Conhecido pelo nome genérico de "O Inferno", esta alegoria geralmente representava um castelo, um jardim do amor, ou seres mitológicos como um basilisco, um dragão ou um gigante fingindo devorar crianças. Em 1497 já se tem notícia de uma festa na cidade francesa de Metz onde acontece, entre outras coisas, um casamento de gigantes, representados por bonecos colossais feitos especialmente para a ocasião, que desfilam por todo o centro urbano. Alguns anos depois, em 1510, o prefeito da mesma cidade volta a inovar e organiza uma festa no período do Carnaval, na qual uma carruagem transporta, em triunfo, os mestres artesãos da região, tendo à frente um certo mestre-entalhador Jehan, que desfilou vestido com um grande chapéu vermelho. Em ocasiões posteriores, o desfile apresentaria charretes com grupos de homens fantasiados de bobos da corte que desfilavam fazendo palhaçadas para a multidão, que, por sua vez, aplaudia com deleite sua passagem. Em 1521, ainda na cidade de Metz, dois grupos simularam uma batalha: o primeiro, vestido de arenques, representando a Quaresma, o outro, coberto de tripas e chouriços, fazia as vezes da Carnagem, que, como já sabemos, era um dos nomes pelos quais também era conhecido o Carnaval.

Outros interesses

A partir do século XVI, os senhores de terras e o próprio clero passaram a copiar os governos das cidades e vilas e a apoiar os costumes carnavalescos, com o objetivo de incluírem as taxas do *carnisprivium* em seus direitos senhoriais. Essa reunião de interesses fez com que, mesmo condenadas pela Igreja, essas formas de se brincar no período do Carnaval tenham-se estabelecido cada vez mais como um costume da sociedade européia. Um bom exemplo dessa "política de boa vizinhança" entre a Igreja e a folia carnavalesca pode ser constatado na Itália. Lá, a partir do século XV, o próprio papa Paulo II decide assistir oficialmente às festividades dos dias anteriores à Quaresma, transferindo as brincadeiras da Festa do Testácio – que acontecia ao pé do monte Testácio, perto de Roma, desde o século XIII – para a mais importante rua da cidade daquela época, a Via Lata. A principal característica dessas comemorações eram as corridas, ou pálios, entre homens a pé ou a cavalo. O evento era tão importante que o próprio nome da rua onde ele se realizava acabou sendo mudado de Via Lata para Via del Corso (que significa "rua da corrida"). Tal denominação persiste até hoje em Roma e acabou por qualificar uma famosa brincadeira carnavalesca no início do século XX, no Brasil, o corso, do qual falaremos mais à frente.

A folia no Renascimento

Os festejos do tempo do adeus à carne do final da Idade Média e início do Renascimento na Europa – período compreendido entre os séculos XV e XVI – são marcados por uma grande variedade de brincadeiras. Cada cidade, cada vilarejo, cada bairro comemora os dias de Carnaval a seu modo. Em muitos desses lugares persistem as figuras do urso e do homem selvagem. Em alguns, como vimos, as sociedades alegres são a grande atração, em outros surgem os famosos cavalinhos de madeira enfeitados e presos à cintura do brincante por suspensórios, conhecidos na França como *chevaux froux*.

A brincadeira dos chevaux froux *era uma espécie de torneio-balé representado nas cortes francesas durantes os dias festivos, incluindo-se aí o período do Carnaval. (*Les chevaux froux*, 1777. Biblioteca Museu Victoria and Albert, Londres.)*

Os desfiles de Florença

Entretanto é na Itália que se desenvolveriam as formas mais imponentes de brincadeiras carnavalescas do período. Foi lá, principalmente nas cidades da região da Toscana, que, a partir do século XV, iria transcorrer uma época fabulosa de grandes modificações na sociedade que dariam início ao que mais tarde seria conhecido como Renascimento. Uma das principais características dessa época foi o grande florescimento das artes, com uma quase inacreditável concentração de pintores, escultores e arquitetos que trabalhavam na construção e embelezamento dos palácios, igrejas e prédios públicos da região. Dentre as cidades mais ativas, uma delas, Florença, se destacou como a mais importante e prestigiosa de todas. As modificações e novidades que aconteceram por lá iriam influenciar a vida de toda a civilização ocidental e criar muitas das bases para o desenvolvimento da sociedade contemporânea. Uma das principais novidades surgidas na época foi o crescimento, em tamanho e importância, dos centros urbanos. Estes atraíam cada vez mais gente para a convivência nas cidades e passaram a determinar o novo modo de vida das pessoas. Muitos estudiosos, aliás, situam exatamente nesse período o início das metrópoles tais como as conhecemos hoje. Pode-se dizer também que, de um certo modo, a cultura do Renascimento realizava uma espécie de aproximação entre a elite e o povo. Todo esse novo modo de viver acabou por influenciar a forma como as pessoas se relacionavam, como comerciavam, como se locomoviam e até como festejavam, afinal, as festas são parte de uma sociedade e refletem o modo de vida de cada uma delas. Foi assim que nas cidades da Toscana do período renascentista acabou se aprimorando um tipo de festejo peculiar chamado "triunfo". Criados para comemorar as grandes datas das dinastias que estavam no poder, esses eventos consistiam em impressionantes desfiles pelas ruas da cidade, onde grupos a pé e alegorias sobre rodas se alternavam numa verdadeira parada de roupas e carros fabulosamente enfeitados, apresentando-se ao som de cornetas e tambores.

Inspirados nos desfiles triunfais dos imperadores romanos, nos desfiles de corporações típicos do final da Idade Média (os *ommegangs*, nos quais participavam também as confrarias religiosas) ou nas paradas solenes das "entradas reais" – que marcavam as visitas dos reis a cidades amigas –, esses triunfos tinham, como principal motivo, a exibição pública do poder dos príncipes. Os desfiles prestavam-se igualmente para marcar uma espécie de acordo entre o poder real e os comerciantes e banqueiros, que não pertenciam à nobreza e achavam que um bom modo de se aproximar do poder era exatamente ajudar a financiar o luxo e a pompa dessas imponentes paradas.

Apresentados por ocasião de vários tipos de comemorações, os triunfos logo encontraram um bom espaço nos dias de Carnaval e, em pouco tempo, transformaram-se no principal evento do período anterior à Quaresma nas cidades da Toscana. Por volta de 1450 já era costume a presença dos próprios nobres nas brincadeiras carnavalescas das cidades. Lourenço de Médicis, um dos mais importantes príncipes de todo o período, costumava inclusive compor versos especialmente para serem cantados durante os desfiles do Carnaval, como, por exemplo, o que se segue: "Todas as coisas estão ao contrário, tudo o que se pode imaginar. Nós seguimos igual à lagosta. Para agir como os outros agem, é preciso hoje ter os olhos atrás e não na frente." Seguindo o exemplo do poderoso governante, os jovens das famílias nobres caíam na brincadeira e percorriam a cidade, vestidos com luxuosas fantasias e organizados em grupos, tais como a Brigada das Galés ou a Brigada das Flores. Por volta de 1470, os triunfos se tornaram mais grandiosos, com as alegorias sendo executadas pelos grandes pintores e escultores da época, como Michelangelo, por exemplo. Cada carro costumava representar uma cena, também chamada de "quadro vivo", em que diversas pessoas fantasiadas encarnavam personagens ou figuras alegóricas que simbolizavam, por exemplo, os fundamentos divinos das monarquias. Os principais temas apresentavam cenas bíblicas (com as figuras de Deus, do Espírito Santo, do Bom Pastor), cenas morais (com a representação das sete virtudes ou dos sete pecados), cenas históricas, mitológicas ou mesmo políticas (com as figuras da Justiça, da Ordem, do Amor Popular ou do Poder). É interessante notar que os triunfos reuniam em suas apresentações todas as artes e permitiam um contato direto entre o governante e seu povo, servindo não só para ressaltar o poder e a glória dos príncipes, mas também para torná-los amados pela população da cidade.

Esse tipo de evento público marcava o aumento de importância das festas do Carnaval e sua crescente utilização como veículo valioso da política dos príncipes do Renascimento. Os triunfos apoteóticos eram o clímax do carnaval, feitos para o povo assistir extasiado, embora outras formas simultâneas de divertimento mais participativo também acontecessem. Ou seja, à parte o esplendor dos desfiles de alegorias, o Carnaval das cidades toscanas animava-se também com uma forte participação de grupos que se divertiam em troçarem uns com os outros. Um dos costumes desses grupos era o lançamento de ovos coloridos cheios de líquidos perfumados, como se

Este fabuloso desfile de alegorias ocorrido em Bruxelas no ano de 1615 foi realizado em honra de Isabella, esposa do arquiduque da Bélgica. Cada carro destacava características e temas marcantes da vida da arquiduquesa. No primeiro plano, à esquerda, por exemplo, a alegoria representa a fama, sobre a pilastra, cercada da corte. O esplendor dos carros marca o poder dos governantes e dá-nos uma idéia das paradas realizadas por toda a Europa nos dias de Carnaval.
(Denis van Alsloot. Ommeganck, *1616. Victoria and Alber Museum, Londres.)*

vê pelos versos de uma música feita para o Carnaval de 1544 intitulada *O canto do ovo*: "Mascarados, mulheres e fantasiados, apareçam todos pra fazerem, com os ovos, uma amorosa guerra. Ziffe, ziffe, zaffe, e serra, serra." O curioso refrão dessa cançoneta faz alusão aos proprietários de lojas em Florença, que, quando viam se aproximarem os grupos de jovens foliões dispostos a invadir seus estabelecimentos e sujá-los com o lançamento dos ovos, gritavam uns para os outros! "Serra! Serra!", ou seja! "Fecha! Fecha!"

A importância econômica e cultural das cidades da Toscana faria com que o espírito do Renascimento se espalhasse pelos principais centros urbanos da Europa. Com ele propaga-se também a idéia de que o período do Carnaval poderia ser um bom momento para os poderosos mostrarem sua força e influência através do esplendor de suas comemorações. Como se vê, uma festa que começou como uma espécie de compensação popular para um período de abstinência foi, pouco a pouco, interessando o poder constituído a ponto de acabar se tornando a própria expressão desse mesmo poder.

O Carnaval do Iluminismo

Nos séculos que se seguiram ao Renascimento, as grandes festas oficiais que aconteciam durante os dias de Carnaval tornavam-se cada vez mais sofisticadas e elitistas. Um dos mais destacados exemplos dessa nova forma de se brincar foram os festejos realizados em Veneza, principalmente a partir do século XVII, quando as festas nos dias de Carnaval tornaram-se mais "comerciais" em função do afluxo cada vez maior de visitantes interessados em participar das comemorações. A necessidade de lucro fazia com que a temporada de Carnaval da corte veneziana se estendesse, e a comemoração passou a durar toda uma estação, indo do início de janeiro até a chegada da Quaresma. Bailes e óperas cada vez mais suntuosos são organizados. Refletindo o esplendor da nobreza que dominava a cidade, durante os cerca de dois meses de duração da festa, grupos mascarados, fantasiados de dominós ou "bautas", perambulam pelas ruas e vias aquáticas do centro urbano veneziano, marcando o refinamento e a urbanidade da festa.

O mascarado veneziano gozava de total anonimato, garantido por lei. Tal costume incentivava as fofocas, as traições e toda sorte de intrigas entre os nobres que, protegidos pelas máscaras, desafiavam uns aos outros com a pergunta "Você me conhece?", seguida geralmente de revelações da vida íntima do outro. O centro das brincadeiras era a praça São Marcos, local onde os mascarados vinham se exibir – numa espécie de passeio a pé, conhecido como o *listone* – antes de se dirigirem para os bailes nos teatros. Esses bailes "venezianos" entraram para a história das comemorações mundiais pela riqueza de sua decoração, pelo esplendor das fantasias da nobreza (escondidas do populacho sob as grandes capas dos dominós e das "bautas") e pelo clima de sofisticação e libertinagem, característicos da cidade. O crescimento

Uma das fantasias características do antigo Carnaval veneziano era a "bauta". Composta de um manto negro, curto ou longo, vestido sobre a roupa, era completada com um chapéu de três pontas e com uma máscara geralmente branca, chamada "larva". Vista em segundo plano na imagem, a fantasia de dominó compunha-se de uma grande capa ligada a um capuz e tem origem nas roupas dos monges que uniam capuz e capa para se proteger contra o mau tempo. Em Veneza, essa vestimenta passou a ser usada juntamente com uma máscara. O uso de dominós e "bautas" tinha a função de esconder a identidade de seu portador e permitir que, assim disfarçado, o mascarado pudesse cometer todos os excessos. (Museu Correr, Veneza, c. 1760. Intercontinental.)

em importância dos bailes à moda de Veneza marcava uma nova fase nas comemorações galantes dos dias de Carnaval. Isolados em seus salões e teatros, os nobres venezianos acabaram por criar um evento que buscava se desligar totalmente das brincadeiras populares.

As cortes européias

O sucesso das suntuosas paradas florentinas e dos sofisticados bailes mascarados venezianos iria servir como motivo para que as principais cortes européias decidissem incentivar esse tipo de comemorações durante os dias de Carnaval. Na França de finais do século XVII, o próprio rei Luís XIV incentivava a proliferação de bailes, ao comandar pessoalmente festas mascaradas realizadas nos salões reais. Uma delas, que teve lugar na Terça-feira Gorda do ano de 1658, no castelo da cidade de Blois, consistiu em uma série de apresentações de grupos fantasiados representando temas variados como "Juno e Vênus", "A Virtude", "O Apaixonado", "A Riqueza", "O Espírito", "Baco", "O Ciúme" ou "O Amor", tudo terminando com um grande balé. O poder e a fama de Luís XIV – o chamado Rei Sol –, modelo de monarca copiado em todo o Ocidente, acabou por fazer com que esse estilo de festividade fosse cada vez mais imitado por praticamente todos os poderosos da Europa. Esse tipo de espetáculo sofisticado, mais próximo de uma representação teatral do que de algo que possa ser chamado verdadeiramente de festa carnavalesca, fez com que as comemorações oficiais se tornassem cada vez mais ritualizadas. Em muitas cidades os festejos nos dias de Carnaval realizavam-se como verdadeiros espetáculos encenados para o deleite do povo, que assumia o papel de espectador. Em 1697, a cidade de Apt, por exemplo, realizou um Carnaval em forma de justas, de torneios, de disputa de poemas, de desafios e duelos onde dois grupos de cavaleiros se enfrentavam para uma platéia de nobres e gente do povo. Por sua vez, os bailes mascarados se multiplicaram, marcando o isolamento cada vez maior da festa carnavalesca "oficial" em espaços fechados e seu afastamento do Carnaval popular. A moda se espalhou e, nos anos 1770, já apareciam nos jornais franceses descrições de bailes sofisticados que aconteceram durante os dias de Carnaval nas cidades de Paris, Bourges e Aix. Embora cada vez mais afastadas de suas origens populares, as comemorações carnavalescas das elites, em finais do século XVIII, buscariam inspiração para suas representações,

Representações teatrais sofisticadas com figurinos elaborados serviam de inspiração para as diversões carnavalescas da elite européia no século XVII. Fantasias como as do Homem de Fogo *ou do* Homem de Gelo*, representam bem o gosto da época pelos temas alegóricos. (Balé Real da Festa de Baco, 1651. Bibliothèque Nationale, Paris.)*

quadros vivos, balés e fantasias no imaginário das festas e costumes do povo, como veremos mais à frente no Carnaval romano relatado por Goethe. Entretanto já em 1701, por exemplo, a cidade de Aix apresentava um espetáculo carnavalesco em honra aos duques de Berry e da Borgonha, no qual se realizava uma batalha de laranjas, ao estilo popular, entre dois grupos que representavam o melhor da juventude da cidade, os Rosas contra os Azuis. Por sua vez, a *Commedia Dell'Arte*, diversão bastante difundida entre as camadas populares durante todo o ano, surgia também como um dos assuntos mais atraentes para as brincadeiras carnavalescas, principalmente por causa de seus personagens originais como Pulcinela, Pantaleão, Capitão Espavento e o trio que ficará mais famoso: Pierrô, Arlequim e Colombina. Apesar dessa notável aproximação com os costumes populares, o Carnaval das elites mantinha-se profundamente afastado dos significados presentes nos primeiros tempos da festa. A brincadeira dos donos do poder apresentava-se cada vez mais como jogos de máscaras, de disfarces e de tensões que tudo escondem e tudo revelam, no modelo do baile veneziano. Os exageros, as inversões e as caricaturas grotescas das brincadeiras carnavalescas medievais eram meros pretextos – ou temas – para uma festa cada vez mais sofisticada, teatral e elitista.

O costume de se comemorar o tempo do adeus à carne iniciado pela gente do povo lá no século XII deixava de ser aquele evento quase exclusivamente popular de então e passava a se incorporar a outros extratos da sociedade. A nova e sofisticada festa, com seus efeitos cenográficos e suas fantasias luxuosas, acabou por chamar para si todas as atenções e fez com que muitas pessoas imaginassem que a brincadeira característica da comemoração popular tivesse deixado de existir. Mas os festejos do Carnaval do povo não haviam desaparecido, eles continuavam vivos, tanto no mundo rural quanto nos centros urbanos. Entretanto, diferentemente da elegante folia dos salões da nobreza, a festa das ruas continuava tensa, disputada e cheia de enfrentamentos. Muitas vezes essas tensões eram marcadas por charivaris violentos entre as camadas populares e os governantes das vilas. Um exemplo foram as lutas que aconteceram durante as comemorações carnavalescas da cidade de Salon-de-Provence, entre 1741 e 1763, nas quais o povo rechaçou a pedradas as cavalgadas e bailes mascarados da nobreza.

Procurando reagir a essas provocações, a elite de então elaborou um outro discurso sobre a festa popular. Essa nova forma de ver a folia das classes menos favorecidas procurava associar as brincadeiras do Carnaval do povo à idéia de loucura

A Comédia dell'Arte

O interesse do famoso pintor francês Jean-Antoine Watteau por temas ligados às tradições teatrais italianas iria colaborar na difusão dos personagens da Commedia dell'Arte *na corte de seu país. Buscando recuperar a grandeza da época dos Luíses, a burguesia parisiense do século XIX incorporaria as delicadas figuras do pintor a seu rol de temas para fantasias dos bailes mascarados. Pierrôs, como o da obra "Atores italianos", colombinas e arlequins tornar-se-iam parte importante do imaginário carnavalesco de Paris e, por extensão, das principais cidades do mundo. (Jean-Antoine Watteau.* Atores italianos, *óleo sobre tela. Nacional Gallery of Art, Washington.)*

No século XVI, surgiram pela primeira vez na Europa grupos de atores profissionais representando cenas teatrais. Como esses comediantes dominavam a "arte" da representação, sua forma de apresentação ficou conhecida como "comédia da arte" ou, na Itália, onde esse estilo se desenvolveu inicialmente, *Commedia dell'Arte*.

Essa maneira de atuar era caracterizada por uma espécie de improviso no qual alguns personagens fixos contracenavam entre si com base num enredo geralmente muito simples. As histórias apresentadas eram de inspiração bem popular e cada ator se especializava em um personagem específico. Cada um desses personagens tinha um tipo bem característico, com roupas, personalidades e sotaques marcantes, para facilitar a identificação com o público. Alguns deles eram caracterizados por serem fofoqueiros, outros por sua ingenuidade, outros ainda por seu temperamento irascível ou fanfarrão. Uns eram patrões, outros empregados, uns bonitos, outros feios, ou seja, a platéia sempre acabava se identificando com um ou outro. Alguns desses personagens tiveram muito destaque, como o Doutor Pantaleão (rico e pão-duro), o advogado Tartaglia (gago e míope) ou o Capitão Espavento (exagerado e falastrão). Mas os três mais famosos acabaram sendo Arlequim, Pierrô e Colombina. Arlequim era o empregado trapalhão que se mete em todo tipo de confusão. Pierrô representava o rapaz simplório e crédulo, incapaz de perceber as traições de sua amada Francisquinha. Colombina era a empregadinha pobre e intrigante, sempre envolvida em estripulias amorosas.

Com o sucesso desse tipo de teatro na França, não tardou muito para que certos personagens fossem incorporados às fantasias dos bailes mascarados de Paris. Não se deve esquecer que, em seus primeiros tempos, os bailes de Carnaval entremeavam músicas, danças e representações teatrais, o que deve ter inspirado o figurino da elite francesa. O trio Pierrô, Arlequim e Colombina acabaria por agradar mais ao gosto francês. Após algum tempo eles vão perdendo seu caráter satírico e ganhando uma aura romântica, mais adequada à sofisticação da folia parisiense. Com a chegada da moda dos bailes ao Brasil, finalmente aportariam em nosso país esses três personagens que, atualmente, são quase que um símbolo do Carnaval.

e irracionalidade. Pensava-se na época que esses costumes populares eram procedimentos muito antigos, tradições milenares ligadas a hábitos tidos como rústicos que, por causa disso, estariam em vias de desaparecer. A grosseria das festas do povo seria um sinal do "primitivismo" desse costume que, desse modo, iriam se extinguir em pouco tempo.

Documentando os costumes populares

A percepção de que as festas e carnavais populares estariam com os dias contados acabou fazendo com que alguns estudiosos passassem a se interessar pelo assunto e a dedicar seu tempo a estudá-los e descrevê-los "antes que acabassem". Nesses estudos, o povo acabaria por ser visto como único dono das grosserias e alegrias do "verdadeiro" Carnaval, em oposição às elites, que, na opinião dos estudiosos, teriam "deturpado", e praticamente exterminado, o sentido original da festa. Pensava-se então que o Carnaval "autêntico" só poderia ser encontrado em regiões que estivessem isoladas da civilização. Lugares que, por causa desse isolamento, não tivessem ainda perdido a "inocência" dos tempos antigos. Por estarem afastados dos grandes centros urbanos, imaginava-se que as festas carnavalescas dessas regiões teriam ficado livres das influências "perniciosas" da civilização urbana. É a partir de então que vai se fixar a idéia da oposição entre dois "carnavais": um sofisticado, elegante, galante, luxuoso, com fantasias elaboradas e alegorias imponentes mas afastado do "genuíno" sentido carnavalesco, e outro popular, irracional, exagerado, cômico, sujo e, como se pensava então, essencial e puro. Por antiga que seja, essa forma de ver o Carnaval persiste até hoje, de um modo ou de outro. Apesar disso, esses "dois carnavais" não podem ser considerados como festas "opostas" e isoladas uma da outra. As duas maneiras de se brincar freqüentemente se influenciaram mutuamente. Se nos salões dos monarcas franceses a festa atingia seu ápice de sofisticação e, sem dúvida, de afastamento da brincadeira popular, outros locais existem, como já vimos, que aproximam os dois extremos.

Um bom exemplo desse contato entre as duas formas de festejos pode ser percebido em um cortejo carnavalesco que teve lugar na cidade de Barcelona, em 1633. Por sua descrição, nota-se claramente a reunião de um formato sofisticado e elaborado de desfile a temas e elementos de caráter nitidamente populares. A festa, acontecida uma semana antes do Carnaval, foi realizada em honra ao soberano e representava um desfile jocoso do rei Beluga e de sua rainha. Acompanhado de grupos de músicos, o cortejo apresentava diversos personagens do romance *Dom Quixote*, muito popular na época. Cada um desses personagens desfilava carregando um estandarte contendo versos humorísticos, escritos em linguagem simples. Além disso, participavam do desfile centenas de outros personagens, fantasiados como habitantes dos países da Europa e das Américas. Atrás de toda essa tropa, surgia um carro enfeitado com galhos de laranjeira e flores artificiais, seguido de um esquadrão de pessoas fantasiadas de turcos, persas e húngaros, além de vários menestréis e músicos com diferentes instrumentos. A seguir vinha um grupo de africanos cantando e dançando ao som de tambores. No final do cortejo, desfilavam o rei e a rainha da festa agradecendo a todos. A mistura de elementos característicos dos triunfos renascentistas com outros ligados à cultura das camadas populares dá-nos um exemplo da dimensão das influências que os carnavais de elite e do povo exerceram um sobre o outro.

O Carnaval de Roma

Outro bom exemplo desse verdadeiro diálogo entre os diferentes tipos de festas carnavalescas pode ser encontrado em Roma, em finais do século XVIII. A festa da cidade destacava-se então como um espaço que conseguia aliar a rudeza das brincadeiras populares às diversões aristocráticas dos mandatários da Igreja. O Carnaval romano era ao mesmo tempo violento e sofisticado, com jogos que mobilizavam boa parte da população, corridas desenfreadas de cavalos e desfiles ostentatórios de carruagens luxuosas, tudo sob as vistas e o controle cerrado do próprio papa.

Interessado em recolher todo tipo de informação sobre eventos populares, o escritor alemão Goethe relatou num diário, em 1790, tudo o que presenciou quando esteve em Roma no período do Carnaval daquele ano. O texto reveste-se de grande importância pelo fato de ser considerado como uma das mais minuciosas descrições de uma festa carnavalesca feitas até então. No início de sua narração o autor escreve uma frase que se tornaria famosa, na qual afirma que o Carnaval de Roma não é uma festa que se dá ao povo, mas que o povo dá a si mesmo. A partir da publicação do texto, trinta anos depois de ter sido escrito, isso iria servir de argumento para aqueles que consideram o Carnaval uma festa exclusivamente popular. Entretanto o sentido que Goethe quis dar a essa afirmativa era de que a festa não era totalmente custeada pelo governo e que a polícia controlava as brincadeiras com muita tolerância. Ou seja, os festejos não eram nem totalmente populares nem exclusivamente

O tema do Carnaval de rua romano é uma constante nas ilustrações do início do século XIX. O grande destaque é a diversidade de personagens que convivem numa espécie de festa idealizada que iria povoar o imaginário dos carnavais ao redor do mundo. (Bartolomeu Pinelli. Carnaval em Roma, *c.1820, desenho. Rome Collezione P.Antonacci. © AKG/Intercontinental Press.)*

oficiais, mas uma reunião de ambos. Mais adiante o escritor destaca que durante os dias de carnaval quase tudo é permitido, ressaltando que nesse período as diferenças entre o povo e os poderosos parecem não existir e todos se comportam com bom humor. Tudo isso, sustentava Goethe, seria uma demonstração da persistência das saturnais da Roma Antiga. Com isso, ele buscava fazer uma ligação direta da folia romana de finais do século XVIII com as festas pagãs primitivas, estabelecendo assim uma espécie de origem milenar para a brincadeira. Muito do que foi falado sobre as festas carnavalescas a partir de então baseou-se nesse texto que, desde essa época, tem sido utilizado

A fantasia de quáquer era uma das mais comuns no Carnaval romano da virada para o século XIX e representava uma espécie de crítica aos exageros das classes dominantes com suas perucas que podiam atingir proporções descomunais, seus rostos exageradamente maquiados, suas lupas imensas e seu comportamento ridiculamente afetado. (Bartolomeu Pinelli, 1812.)

Festa da burguesia italiana, o Carnaval de Roma apresentava-se como uma diversão galante que terminava com uma brincadeira bastante peculiar: o jogo dos moccoli. *Bastante pictórica, a brincadeira se utilizava de uma vara com uma vela acesa na ponta, adereço sempre presente na folia carnavalesca de diferentes épocas e locais.* (La smozza. *Publicado por Colnaghi Son & Co., 1830. Biblioteca do Museu Victoria and Albert, Londres.)*

como uma espécie de modelo para os estudos sobre o Carnaval. Entretanto, quando passamos a ler os detalhes da descrição dos festejos, cuja tônica eram corridas de cavalo e passeios de fantasiados em carruagens, percebemos que as brincadeiras romanas pouco têm a ver com as antigas festas pagãs, ou melhor, têm tanto a ver com as saturnais quanto quaisquer outras festas. Na verdade, muito mais do que uma simples atualização das comemorações pagãs greco-romanas, o Carnaval descrito por Goethe representa o gosto e os costumes de seu tempo, como, aliás, ainda acontece com todos os diferentes carnavais do mundo.

Segundo o relato de Goethe, a principal característica da festa romana de finais do século XVIII eram as corridas de cavalo, que encerravam as atividades de cada um dos dias de Carnaval. Antes das disputas, os animais apresentavam-se cobertos de um pano branco enfeitado de fitas coloridas e desfilavam pelas ruas sob a algazarra geral. Concentradas na Via del Corso, as atividades festivas atraíam boa parte da população da cidade que desfilava subindo e descendo a rua em suas carruagens, ou mesmo a pé, formando uma multidão que se espremia nas laterais do caminho ou entre um veículo e outro. Muitas dessas pessoas passeavam mascaradas, escondendo o rosto por trás de fantasias como a de polichinelo, "quáquer" (geralmente um homem gordo, de peruca branca e roupas cheias de rendas), mendigo, marinheiro ou camponês, entre outras. Todo este ajuntamento de gente produzia uma grande algazarra, ampliada pelo lançamento mútuo de pequenas bolinhas coloridas de gesso ou de confeitos de açúcar, chamadas de *confetti*. Ao cair da noite, a multidão se dispersava e muitas das pessoas se dirigiam aos teatros para assistir a comédias, ou mesmo tragédias, intercaladas com óperas cômicas. Em alguns locais aconteciam os *festini*, grandes bailes de máscara, nos quais a principal fantasia era a de tabardo (*tabarro*), uma espécie de dominó à romana, e onde se dançavam à moda inglesa, ou seja, em filas de contradança. Por volta das duas da tarde do dia seguinte, um toque de sinos dava início a um novo dia de festas. O último dia de Carnaval em Roma era marcado por uma brincadeira inusitada. Duas horas antes da chegada da noite, as pessoas se retiravam, para retornarem quando já estivesse escuro, carregando velas acesas (*moccoli*), geralmente presas na ponta de varas de madeira. O jogo carnavalesco consistia em procurar apagar as velas dos outros, mantendo a sua acesa enquanto se gritava "Morte a quem carrega uma vela!"

A fabulosa descrição do Carnaval romano feita por Goethe fez com que aquela festa alcançasse uma posição de destaque no início do século XIX, quando o texto foi enfim publicado. Apesar de decadente após mais de trinta anos da visita do escritor, a folia das ruas de Roma passou a ser considerada um verdadeiro modelo carnavalesco mundial. Todos os mais importantes centros urbanos da Europa procuraram realizar um Carnaval ao estilo italiano, revivendo a antiga animação das ruas de Roma e dos salões de Veneza.

Confete, serpentina e lança-perfume: as novas armas do Carnaval

O costume de se jogar pequenos projéteis sobre outras pessoas, como sinal de alegria, já era relatado nos casamentos e batizados italianos no século XV. A famosa descrição do Carnaval de Roma, feita pelo escritor Goethe em sua visita à Itália, na década de 1780, já se referia aos *confetti* que eram jogados pela multidão que se espremia na Via del Corso. Diferentemente dos atuais, entretanto, esses projéteis eram, na verdade, pequenos confeitos açucarados (daí o nome "confetti") que logo foram substituídos por pastilhas de gesso.

Em 1851, o Carnaval ainda incipiente da cidade de Nice já começava a atrair a população das regiões vizinhas para participar de suas batalhas de pequenos buquês de flores e *confetti*, aos quais se juntariam grãos, como feijões e grão-de-bico, cobertos ou não de açúcar ou gesso.

São esses *confetti* de gesso e grãos que seriam utilizados no Brasil nos primeiros bailes mascarados e, principalmente, nos passeios das sociedades carnavalescas. "Os *bouquets* e os *confetti* serão os projéteis de guerra dos galhofeiros invasores" anunciava o Congresso das Sumidades Carnavalescas em seu primeiro desfile pelas ruas do Rio de Janeiro, em 1855.

Apesar de sua origem galante, a brincadeira de se lançar *confetti* degenerava-se rapidamente. Na cidade de Nice, em meados da década de 1860, jogavam-se, à guisa de divertimento carnavalesco, não somente buquês, grãos e bolinhas de argila ou de gesso, mas balas, laranjas, farinha, cinzas ou o que mais aparecesse nas mãos dos foliões. Muitas pessoas do povo catavam os *confetti* do chão e os vendiam a bom preço para os brincalhões ansiosos por nova munição. Não é de se admirar, portanto, que a burguesia de Nice passasse a usar máscaras de tela de metal ou óculos, especialmente vendidos para proteger as faces das senhoras e os olhos dos senhores do ataque dos pequenos projéteis.

Com o tempo, o papel picado começaria a substituir os objetos mais pesados. No Brasil sabe-se que em 1875 um cidadão pernambucano teve a idéia de substituir a água das bisnagas por pequenos pedaços de papel, conforme relata Leonardo Dantas em sua *Antologia do Carnaval do Recife*. Durante algum tempo esses papéis picados seriam parte integrante da brincadeira carnavalesca brasileira. O jornal *O Estado de S. Paulo*, de 8 de fevereiro de 1891 (citado por Maria Isaura Pereira de Queiroz em sua dissertação "A burguesia se diverte no reinado de Momo") comentava sobre a "chuva de estalo e de papéis picados microscopicamente", que cobria as ruas da capital paulista durante os dias de folia.

Entretanto, será somente em 1892 que o confete tomará a forma de pequenos círculos que conhecemos hoje, cortados em papéis coloridos com predominância da cor branca, podendo ser, também, perfumados, prateados ou dourados. A moda surgiria em Paris durante o Carnaval de 1892 quando

O surgimento do lança-perfume em embalagem metálica – o famoso Rodo Metálico – contribuiu para sua disseminação nas festas carnavalescas de todo o país. (A Mascarada, *1934.)*

foram vendidos cinqüenta mil quilos de confetes por dia(!). Como o Carnaval do Rio de Janeiro desse mesmo ano tinha sido transferido, por motivos de salubridade, para o mês de junho, os confetes ao estilo francês acabariam sendo o grande sucesso do ano tanto na França como no Brasil.

Em pouco tempo a brincadeira se espalharia por todas as principais cidades do país. Em 1896, o comércio de Porto Alegre publicava anúncios da nova moda. No mesmo ano o jornal *O Estado de S. Paulo* descrevia batalhas de confete nas ruas de São Paulo destacando que os brincalhões despejavam "grandes sacos de *confetti* nas damas de sorridente feição" que "respondiam gloriosamente às formidáveis batalhas de que eram alvos, polvilhando com esses papéis multicores muitas barbas de azeviches". (*O Estado de S. Paulo*, 18 de fevereiro de 1896, segundo Maria Isaura Pereira de Queiroz.)

Além de mais delicados, os confetes permitiam a utilização de vários apetrechos desenvolvidos para lançá-los. Em Paris aparecem os cilindros de papel fino com base de metal que, quando acesos, explodiam lançando os papéizinhos a até três metros de distância. Outro apetrecho bastante apreciado pelos franceses era uma espécie de garrafa de champanhe que, quando aberta, lançava confetes em lugar de bebida. Athos Damasceno relata a utilização, em Porto Alegre, dos chamados "fuzis", pequenas espingardas de ar comprimido que "atiravam" confetes, e das garrafas feitas de material frágil que se quebravam sem machucar deixando escapar os pequenos papéis.

Verdadeiros símbolos do Carnaval de finais do século XIX, os confetes franceses teriam desde cedo a companhia da não menos famosa serpentina. Surgidas também em Paris um ano após os confetes, em 1893, essas longas fitas de papel parecem possuir uma origem bastante curiosa, se formos acreditar no que relatava a imprensa francesa da época. Consta que a inspiração para a produção das serpentinas veio dos rolos de fita azulada utilizados pelos telégrafos de então. Ao final das transmissões, as tiras de papel enroladas perdiam sua serventia e acabavam sendo usadas pelas jovens telegrafistas que lançavam-nas umas sobre as outras para se divertirem nas pausas do trabalho. Apesar de um pouco fantasiosa esta é uma das poucas narrativas que procura traçar a origem de uma brincadeira tão difundida nas folias do mundo todo.

Considerados como versões mais civilizadas dos antigos acessórios que os foliões usavam para azucrinar uns aos outros nas brincadeiras de carnaval, o confete e a serpentina sobreviveram até hoje. Seu maior "rival" no século XX, seria o lança-perfume. Em 1900 já se pode ler nos jornais sobre a existência de uns tais "pulverizadores" que podem muito bem ser uma espécie primitiva desse apetrecho carnavalesco. Mas é o ano de 1906 que marca o aparecimento, no Rio de Janeiro, dos primeiros vidros cheios de cloreto de etila fabricados pela empresa Rodo. O esguicho frio e perfumado que se evaporava rapidamente conquistaria o coração dos foliões brasileiros. Os delicados recipientes de vidro eram, entretanto, um motivo de preocupação, pois podiam-se quebrar causando acidentes. Em 1926, surge a solução para o problema na forma de uma nova embalagem inquebrável, feita de alumínio dourado. A segurança do novo produto, e o retorno da moda dos bailes mascarados, no início dos anos 1930, fariam com que o lança-perfume chegasse mesmo a desbancar o confete e a serpentina na preferência popular. Foi somente em 1961, que uma lei do presidente Jânio Quadros, iria banir, definitivamente, o uso do lança-perfume no país, acusado de ter se tornado uma espécie de droga que era cheirada em lugar de ser esguichada sobre as pessoas.

A importância do confete, da serpentina e do lança-perfume reside no fato de serem elementos carnavalescos que procuraram aliar a "loucura" da folia típica do Entrudo, à sofisticação das brincadeiras ao estilo francês. Confete e serpentina são, desse modo, grandes símbolos de um Carnaval que é, ao mesmo tempo, popular e sofisticado.

As ruas de Paris tomadas pelas serpentinas. (L'Illustration, *25 de fevereiro de 1893.*)

A "invenção" do Carnaval no século XIX

Na primeira metade do século XIX, duas cidades iriam disputar a hegemonia do poder mundial: Londres e Paris. Cada uma delas, a seu modo, exerceu forte influência no mundo que se reorganizava após as profundas modificações decorrentes da Revolução Industrial e da Revolução Francesa. Enquanto a capital da Inglaterra se fixava como pólo econômico-financeiro do novo século, Paris se estabeleceria como o principal centro cultural do período, fazendo jus ao título de "Capital do Século XIX". É nessa cidade envolvente e influente que iria surgir a festa carnavalesca como a conhecemos atualmente.

Revolução e Napoleão

Durante o período revolucionário – de 1789 a 1804 – as brincadeiras carnavalescas eram consideradas perniciosas à população francesa. Em 1790, o jornal *Revolução de Paris* publicou um texto que procurava ridicularizar o Carnaval declarando o seguinte:

> Um povo livre deve ter prazeres diferentes de um povo escravo. Era para nos confundir sobre nossa verdadeira miséria e sobre nosso vergonhoso servilismo que a antiga polícia pagava ano após ano aquela multidão de alcagüetes que corriam mascarados não se esquecendo de se exibir para o rei, para lhe mostrar que o povo era rico e feliz.

Desse ano em diante, as autoridades, com medo de complôs, editariam medidas cada vez mais restritivas contra o Carnaval – tais como leis municipais proibindo o uso de máscaras e o aluguel de fantasias – e ainda imporiam o toque de recolher nos

A partir do século XIX, Paris passa a ocupar o lugar de principal centro do Carnaval mundial. Começa, desse modo, o estabelecimento de todo um imaginário festivo para a cidade. A Pont Neuf, mais antiga ponte de Paris, é eleita como um dos lugares carnavalescos por onde deviam passar as diferentes manifestações da folia à francesa, tais como o Boi Gordo, as charretes enfeitadas e os grupos a passeio. (Guillaume-Fréderic Ronmy, Mascarade sur le Pont-Neuf, *óleo sobre tela.© Photothèque des Myusées de la Vile de Paris / Foto: Ph. Ladet.)*

dias de folia. Em 1792, durante o período de Carnaval, a municipalidade de Paris chegaria a pregar cartazes pela cidade informando que: 1º – é proibido andar fantasiado pelas ruas; 2º – não se pode expor ou vender máscaras ou fantasias após às 11 da noite; 3º – ninguém pode organizar bailes de máscara públicos; 4º – nem organizar bailes públicos sem ter obtido permissão da polícia; e 5º – estes bailes não podem se prolongar além das 11 da noite. Apesar de todo esse controle, certas manifestações populares com sentidos semelhantes ao Carnaval começavam, pouco a pouco, a surgir durante as festividades revolucionárias. Um exemplo disso foram as grandes fogueiras, realizadas em 1793 por toda a França, com o objetivo de ridicularizar e exterminar o poder eclesiático. Durante esses eventos, eram organizados cortejos jocosos, similares a charivaris carnavalescos, onde os desfilantes, vestidos de sacerdotes, zombavam dos costumes da Igreja.

Com o fim do período revolucionário e a instauração do Império Napoleônico, em 1804, a brincadeira carnavalesca elegante retornou aos salões sofisticados na forma de pomposos bailes à fantasia. Seria somente na década de 1830, entretanto, após a queda de Napoleão e a consolidação da nova burguesia endinheirada no poder, que as elites parisienses começariam a impor um novo estilo de se festejar o período carnavalesco. Apesar de pouco perceptível à primeira vista, a mudança que iria ocorrer seria profunda e instalaria as bases do Carnaval contemporâneo.

Como vimos até agora, a brincadeira que acontecia nos dias anteriores à Quaresma variava, como até hoje varia, de lugar para lugar. A única coisa em comum entre os bailes ao estilo veneziano das grandes capitais européias e as arruaças grosseiras dos bairros populares e das pequenas vilas era o fato de acontecerem num mesmo período. Não havia, na verdade, uma festa característica dos dias de folia que antecediam os quarenta dias de penitência impostos pela Igreja. O período do Carnaval era visto como alguns dias para serem festejados do jeito que melhor aprouvesse a cada indivíduo, grupo, cidade ou sociedade. A idéia de que o Carnaval seria uma forma especial de comemoração, com jeito próprio e com brincadeiras específicas, só vai surgir a partir das primeiras décadas do século XIX, na Paris dos anos 1830.

A BURGUESIA SE DIVERTE

Nessa época o poder estava, mais do que nunca, nas mãos dos detentores do dinheiro, ou seja, dos banqueiros e financistas das altas-rodas e dos comerciantes e funcionários das classes médias. É a reunião dessa gente em Paris que daria à cidade a grande projeção que ela teria nesse período. Donos do capital e possuidores de grande influência na sociedade ocidental, os burgueses parisienses recriavam sua cidade, tornando-a adequada a seus negócios e a seu lazer. Dentro dessa nova perspectiva, mostrar-se em passeios e festas passou a ser tão importante quanto realizar boas transações comerciais ou financeiras. Os bons negócios aconteciam nos bancos e nas bolsas de valores e de mercadorias, enquanto as festas ocupavam outros espaços, espalhando-se por todo o ano, mas concentrando-se num período tradicionalmente dedicado às comemorações e excessos: os dias de Carnaval. O Renascimento, com seus triunfos florentinos e bailes venezianos, havia deixado claro que o período carnavalesco era um grande momento para os poderosos mostrarem ao povo o seu poder e estabelecerem contato entre si. Os donos do poder parisiense rapidamente perceberam os prazeres e as lucrativas negociações que poderiam resultar das festas carnavalescas e, pouco a pouco, começaram a implantar uma brincadeira que refletia o seu modo de ver o mundo.

Até então, as diferentes formas de se divertir durante o período de Carnaval eram todas consideradas igualmente "carnavalescas", fossem elas do povo ou da elite. Entretanto, com o advento da nova concepção de Carnaval da burguesia francesa, a coisa mudou de figura. A festa carnavalesca só seria considerada "verdadeira" se fosse brincada ao gosto e ao modo decidido pelas elites dominantes. Aquilo que não se enquadrasse no gosto dessas classes era imediatamente desqualificado e considerado algo brutal e grosseiro, indigno de ser chamado de Carnaval. O importante disso tudo é que, pela primeira vez, o Carnaval será tratado como uma festividade com um formato específico e não mais como um período do ano onde acontecem diferentes comemorações. Brincar o Carnaval passaria então a ser considerado um divertimento que espelhava os gostos da elite.

Para deixar claro o que ela considerava como o verdadeiro e único Carnaval, a burguesia parisiense, legítimo símbolo das elites burguesas do século XIX, procura instaurar na festa carnavalesca da cidade o luxo e o esplendor dos grandes bailes mascarados do passado. O período de Carnaval passa a concentrar os maiores bailes à fantasia da temporada de inverno, cujo maior símbolo era o baile da Ópera, que, com isso, tornar-se-ia o modelo imitado por todos os bailes carnavalescos elegantes de Paris e do mundo.

Os *bals masqués* e as *promenades* de Paris

O sucesso dos bailes carnavalescos patrocinados pelas elites parisienses faria com que a moda se espalhasse por todas as camadas da população. Bailes de diferentes níveis se disseminaram pela cidade, incluindo desde os sofisticados eventos dos salões particulares até verdadeiros mafuás nas regiões periféricas. Entretanto, mesmo reunindo as camadas mais pobres da sociedade, esses bailes promovidos pelas classes menos abastadas não deixavam de atrair o interesse de membros da elite. Muitos burgueses se divertiam nos sofisticados bailes públicos ou privados da elite, mas também freqüentavam aqueles das camadas menos favorecidas. Buscava-se, nesse contato, a face divertida e excitante da arraia-miúda numa atitude traduzida num verbo muito comum na França da época: "encanalhar-se", ou seja, misturar-se com o povo.

Além disso, a moda dos bailes iria gerar uma forma de agrupamento peculiar, principalmente de membros da burguesia, na qual assembléias de foliões se organizavam

A loucura dos bailes carnavalescos parisienses serviria de inspiração para a implantação do carnaval burguês em outros países. (L'Illustration, *20 de fevereiro de 1858.*)

com o objetivo de extrair o máximo deleite desses eventos durante o período carnavalesco: as sociedades. Publicado em 1842, o regulamento jocoso de uma dessas agremiações – Os Badouillards – expõe com clareza as intenções folionas de seus componentes. "Todos os sócios são iguais perante a farra", começava a carta de intenções. "Serão privados de seus direitos civis todos os sócios que não estiverem bêbados logo na entrada do baile", prosseguia o texto. "Qualquer dama que quiser participar do grupo não será forçada a exibir qualquer certificado de boa conduta", continuava, e terminava afirmando que "os membros da sociedade deverão se apoiar mutuamente nas brigas e receber socos uns pelos outros". Pelo teor desses deveres e direitos, já se pode perceber que o Carnaval inventado pela burguesia parisiense estava longe de ser somente a festa elegante e sofisticada que se poderia imaginar de início.

Apesar do grande sucesso dos bailes, o Carnaval de Paris não se resumia a esse tipo de evento festivo. Uma outra forma de participar da folia estava sendo aprimorada pelas elites da cidade, baseada, dessa vez, nos passeios, tais como os que tinham sido relatados no Carnaval romano da Via del Corso. Apesar do clima bem pouco convidativo do frio fevereiro invernal parisiense, uma das ações mais características da burguesia do século XIX era mostrar seu poder ocupando as ruas da cidade. Esse tipo de apropriação das vias públicas atingia seu apogeu nos momentos festivos e possuía a dupla função de marcar a dominação daquela elite sobre as áreas urbanas e estabelecer um momento de congraçamento entre seus elementos. Desfilar pela larga seqüência de avenidas que formavam o chamado Boulevard sobre carruagens, berlindas, caleches, cupês e landaus puxados a cavalos era ao mesmo tempo uma diversão e um ato social dos mais elegantes na Paris oitocentista. É claro que o período carnavalesco logo se destacaria como um dos momentos mais propícios a esse tipo de exibicionismo. As carruagens enfeitadas carregando sofisticados grupos de foliões fantasiados pontilham as grandes avenidas parisienses durante as tardes de Carnaval.

A festa carnavalesca da capital francesa impunha-se como a mais importante e elegante da sociedade ocidental e servia de modelo vitorioso para as brincadeiras mais populares da cidade e para as folias de outros centros urbanos do mundo. Faltava, entretanto, um detalhe importante para que o Carnaval parisiense consolidasse o sucesso obtido e se impusesse definitivamente como a grande festa de meados do século XIX. Era preciso mostrar ao mundo que a folia da cidade possuía um passado e que era, portanto, a herdeira legítima de um festejo com raízes fincadas na história. Na virada para o século XIX fixou-se a idéia da origem milenar da festa carnavalesca. Considerava-se então, como vimos, que as bacanais e saturnais da Antiga Roma já eram espécies de carnavais. Contudo, para os parisienses que procuravam justificar sua festa como a mais importante do mundo, essa não era uma

boa informação, visto que nesse caso os italianos seriam os legítimos herdeiros do genuíno carnaval. Era preciso buscar algum tipo de festividade carnavalesca antiga que pudesse ligar a folia francesa do século XIX aos grandes rituais da Antiguidade.

O Boi Gordo

Como vimos, as cidades européias eram palcos de múltiplas atividades festivas durante o período do adeus à carne. A região parisiense não seria uma exceção a essa regra. Entre os muitos eventos populares que ali aconteciam, o Desfile do Boi Gordo se destacaria por sua originalidade e por seus visíveis laços com a mitologia greco-romana. Esse antigo costume não possuía uma origem determinada, o que fazia crer que teria surgido em tempos remotos, pertencendo, desse modo, a alguma tradição gaulesa, o que o caracterizaria, aos olhos da época, como um forte elo entre o presente e a Antiguidade. Até então, essa brincadeira, organizada pelos açougueiros da região de Paris, consistia num desfile de um boi cevado que passeava pela cidade enfeitado de fitas e guizos, carregando um menino vestido de Cupido, antecedido por um grupo de pessoas fantasiadas de deuses do Olimpo. A referência às divindades greco-romanas acentuava a relação entre a festa francesa e sua possível origem remota. Todas essas características acabaram por fazer com que esse costume fosse recuperado pela burguesia para assumir o papel da grande tradição do carnaval parisiense, sendo saudado em livros e jornais como a essência primitiva do carnaval da cidade. Em pouco tempo o Desfile do Boi Gordo foi se reorganizando e se tornando uma parada que atraía a atenção de toda a cidade. Ao formato original foram-se atrelando carros alegóricos cada vez maiores carregando os grupos de "deuses". A escolha do boi que desfilaria pela

O Desfile do Boi Gordo em 1844. As modificações ocorridas no Desfile do Boi Gordo incorporaram elementos das paradas e triunfos renascentistas, tais como grupos fantasiados e alegorias de gosto barroco como a que se vê na extrema direita da ilustração. (Bibliothèque Nacionale de France.)

cidade passou a ser uma disputa nacional e servia de divulgação para a produção pecuária do interior do país. Em pouco tempo grupos fantasiados foram-se incorporando ao cortejo e, logo após, novos carros alegóricos se somaram ao desfile. Na segunda metade do século XIX, os carros se multiplicariam e passariam, muitas vezes, a ser alugados para que lojas anunciassem seus produtos. O próprio comitê organizador dos festejos passou a ser subvencionado por grandes empresas que incentivavam os concursos e disputas para a escolha dos animais, com o intuito de valorizar seus produtos e organizar desfiles cada vez mais faustosos.

DESCENDO A LADEIRA

Apesar de inventado e incorporado por sua burguesia, o Carnaval parisiense, como aliás todos os carnavais a partir de então, não se resumiu aos festejos outorgados pela elite. Uma outra festa, mais popular, surgia nos espaços entre a folia sofisticada dos salões e os desfiles. A grande dificuldade de se estudar estas festas do povo de Paris é o fato de que as principais fontes de pesquisa do Carnaval da cidade serem as descrições feitas pela e para a burguesia. A imagem do Carnaval popular apresenta-se sempre deformada, sendo geralmente descrita como uma festa de vícios e exageros, que, apesar disso (ou talvez exatamente por isso), exercia um grande fascínio sobre as elites. Poucos autores citam as brincadeiras de rua de Paris durante o período de Carnaval. Mas alguns eventos, como a Descida da Courtille, deixam transparecer uma festa popular bastante animada e muito influenciada pelos modos e modas do Carnaval da burguesia. Uma rápida vista de olhos sobre a "Descida", com seu cortejo reunindo bêbados, vadias, gente do povo, membros da elite e remanescentes de todas os bailes carnavalescos de Paris, numa espécie de comemoração das últimas horas de folia antes do amanhecer da Quarta-feira de Cinzas, dá a medida da popularidade do evento. Ou seja, enquanto acontecia a festa burguesa dos bailes nos teatros do centro da cidade, outras festas, menos comentadas pela imprensa, enchiam os bares e tavernas da periferia, mobilizando uma parte considerável da população da cidade.

DEFININDO O CARNAVAL

Procurando anular a importância e o alcance popular dessas festas carnavalescas periféricas, a elite parisiense utiliza-se de um recurso que se tornará bastante comum a partir de então: passa a desacreditar o que não se enquadra em seus projetos. Desse modo, o que seria considerado como verdadeiro Carnaval eram as comemorações previamente decididas pelos detentores do poder e fartamente divulgadas pela imprensa. Bailes, passeios e desfiles de boi gordo recebem a chancela da elite. Todo o resto passa a ser presumido como evento excluído do carnaval, sendo portanto digno de reprovação ou, pior ainda, sendo legado ao esquecimento. Desse modo, entender o carnaval após o século XIX é compreender a disputa travada para se saber quem é seu dono. De um lado, a elite, que inventa o próprio significado da folia e procura impor a festa imaginada por ela como a única e verdadeira, de outro lado,

A Descida da Courtille foi um dos motivos mais comuns nas descrições do Carnaval parisiense. Na ilustração, o grupo de foliões acaba de descer da região periférica, famosa por seus bares com vinho e diversões baratas, entrando pelos portões que delimitavam a cidade de Paris, onde o desfile terminava, já na manhã da Quarta-feira de Cinzas. (Charles-Gaugiran Nanteuil, A Descida de Courtille, *óleo sobre tela. © Photothèque des Musées de la Vile de Paris / Foto: Berthier.)*

as camadas populares, divididas entre a atração pelos fascinantes eventos que a elite propõe e o saudável impulso de esculhambação.

Em meados do século XIX, o Carnaval parisiense estava completo. Os passeios quase exclusivos da burguesia, os bailes para todas as classes sociais e o Desfile do Boi Gordo, legitimando a festa como uma antiga tradição, davam às classes dominantes da cidade os elementos necessários para estabelecer a capital francesa como o grande reduto carnavalesco mundial. De acordo com esse pensamento, a folia podia estar morrendo no resto do mundo, como se afirmava nos jornais, mas em Paris ela estava mais viva do que nunca. A conseqüência dessa forma de pensar é a de que caberia a esta cidade manter acesa a chama da folia mundial e mostrar a todos como se fazia o verdadeiro Carnaval.

É essa crença na supremacia da festa burguesa e as ações daí decorrentes que seriam exportadas para as grandes capitais do Ocidente, que, por sua vez, procuraram espelhar-se no modelo parisiense para criar seu carnaval. Entretanto, apesar da forte influência francesa, cada uma dessas cidades iria desenvolver a festa a seu modo, refletindo suas peculiaridades e o maior ou menor poder de suas elites (e de suas camadas populares). A cidade do Rio de Janeiro, capital do Império Ultramarino Português e, posteriormente, capital do Império do Brasil, não seria exceção a essa regra, como veremos.

Afinal, o que é o Carnaval?

Já vimos que os significados do Carnaval variam com o tempo e se modificam ao sabor das opiniões e interesses das pessoas e dos grupos envolvidos com a festa. Quando alguém afirma que o Carnaval possui origem milenar e que os antigos festejos greco-romanos já eram uma espécie de Carnaval, está procurando destacar a associação da festa carnavalesca com a idéia de inversão da vida cotidiana, marcando um afastamento temporário da normalidade estabelecida. Esse modo de pensar acaba por justificar o pensamento de que existe uma espécie de linha evolutiva carnavalesca. Ou seja, a festa teria começado como uma verdadeira bacanal descontrolada e iria, pouco a pouco, "civilizando-se" até chegar à folia burguesa do século XIX. Esta seria, portanto, a verdadeira essência do Carnaval, herdeira de antigas tradições que teriam "sobrevivido" a muitas gerações para desabrochar em Paris.

Por outro lado, o mesmo raciocínio – ou seja, ver o Carnaval essencialmente como a festa da inversão – pode acabar levando à conclusão de que a folia carnavalesca já teria acabado há muito tempo. Um bom número de pesquisadores afirma, inclusive, que o Carnaval deixou de existir no final da Idade Média e que tudo o que aconteceu depois não passou de uma longa decadência marcada pela interferência cada vez maior das classes dominantes sobre a "verdadeira" festa do povo.

Mas esse não é o único modo de se compreender a folia carnavalesca. As festas da Antiguidade na verdade não "evoluíram" para se tornar o Carnaval contemporâneo. Bacanais, festas de loucos e carnavais são festejos diferentes com lógicas próprias unidas pelo fato de serem, todas elas, festas. Os ritos de exagero, inversão ou deboche presentes em todos esses eventos aproximam-nos mas não os tornam "fases" distintas de uma mesma festa.

Como vimos, pode-se considerar que só existe Carnaval após o estabelecimento, pela Igreja, de uma data fixa para a Quaresma, no século XI. Isso quer dizer que a festa carnavalesca se estabeleceu não como um tipo de festejo único (seja de inversão, de deboche ou de exagero), mas sim como um período do ano. Uma data comparável ao período de Natal, por exemplo. Durante o tempo do Carnaval, que antecedia os quarenta dias de penitências quaresmais, as camadas populares se esbaldavam do jeito que podiam, cometendo toda espécie de excessos para compensar os dias de carência que estavam para começar. As festas que aconteciam no período carnavalesco tinham um caráter eminentemente popular por uma razão simples: era o povo que devia obedecer rigorosamente às limitações da Quaresma. A elite, como sempre, tinha seus meios de burlar as imposições da Igreja, seja impondo seu poder sobre a autoridade religiosa, seja comprando o direito de cometer certos excessos durante os dias de penitência. Quer dizer, nos dias de carnaval, o povo festejava a seu modo, dando assim a impressão de que era ele que controlava a situação naquele período. Só aparentemente os dias de festas anteriores à Quaresma seriam um momento marcado pela inversão de poder. Entretanto, as festividades que aí aconteciam não eram necessariamente eventos de inversão da ordem estabelecida. As brincadeiras de inversão se destacavam, sem dúvida, como as mais presentes na festa, expressando os desejos e as opiniões do povo, que comandava boa parte da folia em seus primeiros tempos. Mas outras formas de festejar também estavam presentes, como os exageros, as caricaturas e os descontroles, característicos de todas as festas públicas populares ontem e hoje. Aos poucos, esses dias de Carnaval vão se estabelecendo como o principal momento festivo anual e passam a atrair o interesse cada vez maior das classes dominantes. Isso não representou, entretanto, nenhuma modificação na essência da idéia de Carnaval. Este continua sendo o período festivo anterior à Quaresma, aglutinador de festejos variados, sejam eles do povo ou da elite.

Desse modo, compreender a festa carnavalesca apenas como um evento de inversão acaba por simplificar seu sentido, limitando-a a um número determinado de acontecimentos e deixando de lado toda uma série de festejos que não seriam considerados como parte integrante do Carnaval. Não é por acaso que essa idéia de Carnaval como festa da inversão seria utilizada pela burguesia francesa do início do século XIX. Na verdade, foi exatamente durante aquele período que se procurou estabelecer a idéia de "evolução da festa carnavalesca". Para a elite parisiense, tal processo culminaria, é claro, em seu Carnaval, que seria o verdadeiro e legítimo herdeiro de um festejo milenar. Todo o resto, ou seja, tudo o que não estivesse incluído em seu conceito de Carnaval, era por ela considerado como não-Carnaval. Esse procedimento seria utilizado para a implantação da festa carnavalesca em outros países, inclusive no Brasil, como veremos nos próximos capítulos. O importante agora é entendermos as conseqüências desse modo de se pensar a folia carnavalesca.

Quando se considera o Carnaval somente como uma festa de inversão, estamos reduzindo a folia a uma única forma de expressão. Essa forma varia de acordo com o pensamento de cada um. Para uns o Carnaval de elite é o único que existe (é claro que os que pensam assim são, geralmente, membros dessa elite). Para outros somente o Carnaval das camadas populares é legítimo e válido (muitos pesquisadores, sejam ou não da elite, pensam desse jeito e dedicam um bom tempo em detectar influências "perniciosas" sobre a festa popular "verdadeira"). Para outros, ainda, o Carnaval seria uma mistura de festejos da elite e eventos populares. Aparentemente mais razoável, esta posição esconde, entretanto, uma armadilha, pois alguém precisa determinar quais os festejos que são dignos de fazer parte dessa "mistura". Essa idéia de Carnaval é a mais difundida atualmente e causa muitas vezes acirradas discussões sobre se esta ou aquela brincadeira deve ou não ser considerada legitimamente carnavalesca ou se este ou aquele grupo está se afastando do verdadeiro espírito do Carnaval.

A outra forma de se compreender o Carnaval aproxima-se da concepção que existia antes do século XIX. O Carnaval, na verdade, não é uma festa que possua uma forma específica. Ele é o produto da imposição, pela Igreja, das privações da Quaresma. Tal fato acabou criando um período que os diferentes grupos da sociedade concordaram em determinar como o grande momento festivo do ano. A festa carnavalesca se estabelece, então, a partir de uma convenção, ou seja, todos estão de acordo que aqueles dias anteriores à Quaresma são o tempo da comemoração. A partir dessa concordância inicial, entretanto, as disputas se estabelecem, pois cada um dos grupos procura ocupar o espaço da festa e impor seu ponto de vista e sua forma de brincar. Se no início do Carnaval não havia grandes lutas pela conquista das ruas dos burgos medievais (que eram quase exclusivamente ocupadas pelas festas do povo), aos poucos, com o envolvimento cada vez maior das classes dominantes, a querela se torna mais e mais importante, a ponto de podermos afirmar atualmente que é exatamente essa batalha que faz com que o Carnaval tenha sentido.

Este verdadeiro enfrentamento entre as diferentes formas de brincar apresenta-se, entretanto, como uma "guerra" muito especial. É certo que em alguns momentos a disputa carnavalesca pode apresentar choques violentos e embates sangrentos (como, por exemplo, as lutas na cidade de Romans, ocorridas em 1580, relatadas no livro *O Carnaval de Romans*), mas na maioria das vezes as pendengas se resolvem através de outros tipos de enfrentamentos, que geram não somente discordâncias mas principalmente encontros e diálogos. As batalhas carnavalescas não precisam ser lutas físicas, podendo se apresentar como embates simbólicos entre diferentes formas de brincar. Nestes casos, dependendo do poder da cada um dos contendores, a balança pode pesar para um ou outro lado. Na Paris do século XIX, por exemplo, o imenso poder da burguesia da cidade sufocará lentamente as brincadeiras mais populares, que passaram a ser consideradas como exemplo de barbárie e incivilidade. O resultado disso é a lenta decadência da festa parisiense, que pouco a pouco vai perdendo importância no cenário mundial, suplantada pelo carnaval de cidade de Nice. No Rio de Janeiro, a coisa vai acontecer de modo distinto, visto que a burguesia fluminense, mesmo procurando imitar o modelo francês, não tem poder suficiente para sufocar a festa que brota das camadas populares. Todos esses processos, entretanto, não se dão sem que haja um intenso diálogo entre as diferentes festas que se influenciam mutuamente, produzindo novas formas carnavalescas que, por sua vez, irão dialogar entre si num movimento dinâmico e contínuo de criação e recriação da folia.

Desse modo, ver o Carnaval como um momento e um espaço de tensão faz com que possamos entender as muitas festas que compõem a grande festa. O Carnaval não deve ser considerado apenas como tempo da inversão, mas sim como uma tensão criadora que acontece num momento especialmente reservado para esse tipo de disputa. Abrem-se, com isso, as portas da folia para tradições e novidades, para antigos formatos e novas propostas, para a velha baiana e os novos repiques, para os antigos deboches numa praça medieval européia e para os sons elétricos dos trios nas ruas de Salvador.

Isenta da obrigação de ter um sentido preestabelecido, a festa carnavalesca ocupa livremente as ruas e os salões daqueles centros urbanos que podem exibir a felicidade de se entregar à folia uma vez por ano. É este o caso do Brasil com suas belas cidades onde o Carnaval reina. E é para este lugar, que já foi chamado de País do Carnaval, que iremos nos dirigir agora. Mas não sem antes darmos uma passadinha em Portugal para entendermos a folia que nosso país ganharia de herança.

Marcado pelo sentido da inversão e do deboche, o Carnaval destaca um momento de excessos antes das limitações e penitências impostas pela Quaresma.
(Carnaval, *baseado em Hieronymus Bosch. Museu Mayer Van den Bergh, Antuérpia.)*

Entrudo: o carnaval antes do "Carnaval"

Trazido ao Brasil pelos primeiros colonizadores portugueses, o Entrudo acabaria se tornando o grande festejo dos dias de Carnaval e uma verdadeira mania nacional. No início do século XIX, entretanto, a nova sociedade brasileira começaria a buscar uma festa que substituísse os excessos "entrudísticos", que passavam a ser considerados grosseiros e indignos de um país independente, afastando-se do passado português e vinculando-se à modernidade francesa.

Brincadeira portuguesa

No início do mês de março de 1850 morria, no Rio de Janeiro, o arquiteto Grandjean de Montigny. Na época, seu nome já havia adquirido grande destaque no Brasil por ter consolidado o espírito do estilo neoclássico no país. Entretanto, nem sua grande influência sobre as artes brasileiras nem sua idade avançada o impediram de ser alvo de uma brincadeira carnavalesca conhecida como Entrudo. Encharcado por baldes d'água, o ilustre artista contraiu uma pneumonia que acabaria causando o seu falecimento, aos 74 anos de idade, cerca de duas semanas após a brincadeira.

Embora considerado no século XIX um divertimento brutal e incivilizado – além de condenado por seus efeitos nefastos –, o chamado jogo do Entrudo seria, durante muitos anos, a forma mais difundida de se brincar durante os dias de Carnaval em terras brasileiras. Seja em Porto Alegre, Florianópolis, Salvador, Fortaleza, Recife, São Paulo ou Rio de Janeiro, o costume de se lançar águas, pós de todos os tipos, cinzas, líquidos imundos ou perfumes sobre quem passasse por perto tomava conta de boa parte da sociedade nos três dias dedicados às brincadeiras carnavalescas. Durante séculos os brasileiros divertiram-se com o jogo do Entrudo nos dias de carnaval. Não é de espantar, desse modo, o grande interesse e a importância dessa brincadeira tão falada, difundida e bastante comentada em qualquer obra sobre a história da nossa folia.

Apesar de muito bem adaptado às terras do Brasil, esse tipo de comemoração chegou até nós vindo de Portugal onde, como em toda a Europa, havia o costume de se festejar alegremente os últimos dias antes da chegada da Quaresma. Em terras lusitanas, os festejos adquiriram características próprias, com um marcado gosto pelas

Muitas vezes descrito como brutal e grotesco, o Entrudo seria a mais difundida brincadeira carnavalesca brasileira até meados do século XIX. (Frederico Guilherme Briggs, O jogo do Entrudo, *1840, litografia.)*

lambanças e pelo consumo das famosas filhoses, espécie de doce frito, feito com ovos e farinha. Luiz Edmundo, em seu *Recordações do Rio antigo,* ressalta o caráter anárquico do Entrudo em Lisboa nos séculos XVIII e XIX. As brincadeiras, bastante agressivas, incluíam ataque aos passantes, que recebiam sobre suas cabeças ovos, farinhas, cabaças de cera cheias de água, tremoços, sacos de areia e até moringas ou tachos de cobre.

Como era de se esperar, também em Portugal as brincadeiras do Carnaval tinham variações. O Entrudo na capital do reino era marcado por troças e logros, tais como besuntarem-se escadas para provocar tombos, lambuzarem-se maçanetas com matérias fedorentas, colar uma moeda no chão para ver alguém tentando pegá-la sem sucesso ou servir uma sopa cheia de pimenta antegozando a reação de quem fosse tomá-la. Por outro lado, a fuzarca no interior do país tinha como principal elemento os charivaris, onde a rapaziada das aldeias aproveitava para fazer todo o tipo de zombarias com os habitantes do lugar.

Serrando a "velha"

Muitos dos deboches feitos pelos aldeões portugueses durante o Carnaval lembram uma certa brincadeira, relatada já no século XVIII, que costumava acontecer no final da Quaresma e se chamava "Serração da Velha". É possível que a inspiração para o curioso nome desse festejo tenha saído dos gritos de "Serra! Serra!" emitidos pelos comerciantes de Florença preocupados em fechar as portas de seus negócios antes que eles fossem invadidos pela folia carnavalesca, como vimos no capítulo anterior. Entretanto, se não existe certeza da origem do nome e da brincadeira, sabe-se que o divertimento era levado a cabo por jovens que produziam grande barulho batendo paus e latas pelas ruas dos povoados portugueses e que a patuscada era dirigida preferencialmente contra as pessoas mais idosas. A rapaziada trazia sempre um grande boneco, geralmente feito de palha, representando a tal velha, que deveria ser literalmente serrada enquanto o grupo gritava "Serra a velha!". Muitas vezes, em lugar do boneco, era um dos rapazes que representava a figura de uma velha bem decrépita, quase uma bruxa. A graça da brincadeira consistia no fato de que, sob a ameaça de ser serrada, a velha decidia distribuir seus bens aos habitantes da aldeia. Na verdade, essa distribuição de bens acabava sendo uma crítica à sociedade local. A velha decidia, por exemplo, deixar sua enxada, como herança, para o homem mais preguiçoso, para ver se com isso ele se animava a trabalhar, ou legava seus cabelos para algum ancião careca casado com uma mulher mais jovem, esperando que ele, tendo recuperado os cabelos, fosse capaz de impedir as escapadas da esposa nas noites de domingo, e assim por diante. É provável que as farras da rapaziada incomodassem os criticados, mas certamente divertiam todo o grupo que se reunia para assistir a elas. A semelhança dessa brincadeira com os charivaris que aconteciam no resto da Europa é notável, a ponto de a serração da velha ser considerada uma espécie de charivari português. Além disso, muitos elementos de contato também parecem existir entre a Serração da Velha e a Malhação do Judas, que acontece até hoje em muitas cidades brasileiras, no sábado de Aleluia, onde um boneco recheado de palha é queimado em praça pública após a leitura de um testamento jocoso que critica situações da vida diária ou mesmo da política.

Dona Quaresma e Seu Entrudo

Mas o importante para nós é que divertimentos similares a esses aconteciam também nos dias de Carnaval, principalmente no interior de Portugal. Durante sua

Relatada desde os tempos coloniais, a malhação do Judas é considerada como uma espécie de charivari brasileiro. (Fletcher & Kidder e Van Inger & Snyder, Malhação de Judas, *1866, xilogravura, Rio de Janeiro.)*

realização, eram comuns os passeios jocosos pelas ruas das pequenas cidades, nos quais realizava-se o casamento de dois bonecos de palha, um representando uma mulher, às vezes chamada de Dona Quaresma, outro em forma de uma figura masculina, freqüentemente chamado de João. Muitas vezes os bonecos tinham outros nomes, de acordo com a região em que ocorria a festa, mas em geral eram chamados de entrudos, palavra que em Portugal significa pessoa ridícula ou muito gorda. O nome genérico dos bonecos de palha parece ter acabado por se confundir com o da própria brincadeira: Entrudo ou, melhor dizendo, Entrudos, já que muitos jogos e brincadeiras diversas do Carnaval português foram e ainda são assim chamados.

No Entrudo lusitano dos bonecos gigantes, os brincantes saíam em passeio pelas ruas da cidade, cantando cançonetas, muitas vezes obscenas, e lançando xingamentos às pobres figuras de palha que acabavam por servir de motivo para os desabafos da sociedade local. A coisa muitas vezes descambava para a agressividade e as ofensas, e o lançamento de projéteis sobre os bonecos geralmente fazia parte da diversão. No final do último dia da festa, com a proximidade da Quaresma, as figuras de palha eram queimadas numa grande fogueira, marcando a chegada do período das cinzas, e um enterro burlesco era realizado, seguido, na maioria das vezes, pela recorrente leitura de um testamento, nos moldes daquela realizada durante a Serração da Velha e a Malhação do Judas do final da Quaresma.

Mais do que um congraçamento, a brincadeira do Entrudo em Portugal possuía um caráter de conflito, que dava a ela sua característica especial. Eram comuns as disputas entre os sexos, as "invasões" dos cortejos de uma aldeia a outra e as farsas imitando brigas. Até os enterros dos bonecos podiam-se apresentar em forma de lutas, expressas na agressividade manifestada contra o pobre Entrudo, sempre muito maltratado.

O costume de se realizarem brincadeiras e desfiles com a presença de grandes bonecos é difundido em vários lugares da Europa, sendo que uma das mais antigas referências sobre o assunto data do século XII e faz menção à presença de figuras gigantescas em festejos nas cidades portuguesas de Évora e Alenquer. A forte relação do povo lusitano com essas imensas figuras pode ser constatada no gigante Adamastor, "de disforme e grandíssima estatura", personagem de *Os Lusíadas*, de Camões. Inicialmente, os gigantes que se apresentavam nas festas populares européias costumavam representar personagens bíblicos e lendários como Golias, que foi derrotado pelo pequeno Davi, São Cristóvão ou Sansão. Com o passar do tempo, elementos pagãos, como a figura do semideus grego Hércules, começam a fazer parte dos festejos. Já nos séculos XVII e XVIII são comuns as brincadeiras que associam os casamentos de gigantes com o período carnavalesco, o que reforça as condenações aplicadas pela Igreja contra o antigo costume, agora considerado como profano. Mas é somente no século XIX que esses grandes bonecos estarão definitivamente ligados aos Carnavais que surgiam também em outros países da Europa. Na França, muitos desses personagens gigantescos, como o Binbin da cidade de Valenciennes ou o Gargântua, de Bailleul, surgem nesse período, incorporando movimentos e fazendo parte de alegorias sobre rodas.

O mais importante a se destacar disso tudo é o empenho que o povo das cidades de Portugal dedicava a esse tipo de festividade no período do Carnaval. Uma festa com grande influência das brincadeiras medievais difundidas em boa parte da Europa e que será trazida ao Brasil pelos portugueses que aqui vieram colonizar as terras do Novo Mundo.

O primeiro Carnaval brasileiro

Obviamente, os primeiros colonos portugueses que chegaram em terras brasileiras trouxeram consigo não somente seus pertences, mas também seus hábitos e costumes. Considerando o poder exercido pela Igreja na época do Descobrimento do Brasil, podemos imaginar, com uma certa facilidade, que as festas e feriados religiosos lusos fossem rigorosamente obedecidos na Colônia. A Quaresma seria um bom exemplo, pois era respeitada em Portugal, que seguia todos os preceitos recomendados pela Igreja, como a abstinência de qualquer carne vermelha durante todo o período. Tudo isso nos leva a crer que com a chegada dos primeiros portugueses colonizadores no Brasil já começasse a existir por aqui algum tipo de festividade nos dias que antecediam a Quaresma, isto é, algum tipo de brincadeira no carnaval. Se em terras lusitanas jogava-se o Entrudo há bastante tempo, como já vimos, aqui não se deveria fazer outra coisa. É o que a mais antiga referência a essas festividades nos diz. Ela foi relatada por Leonardo Dantas Silva, em sua introdução à *Antologia do Carnaval do Recife,* que localizou o primeiro registro de que se tem notícia sobre o Entrudo no Brasil nas "Denunciações do Santo Ofício em Pernambuco". De acordo com o texto, em 10 de novembro de 1593 um certo Diogo Gonçalves afirmou que, em 1553, o casal Diogo Fernandes e Branca Dias, moradores do Engenho Camarajibe, perto da cidade de Olinda, dera de comer algumas tainhas secas a seus trabalhadores, "numa terça-feira de entrudo". O denunciante prossegue afirmando que o mesmo casal reunira sua gente durante a Quarta-feira de Cinzas e oferecera a todos, como alimento, uma grande porca abatida naquele dia. As referências à obediência às restrições alimentares da Quaresma no Brasil e ao dia de Entrudo permitem supor que algum tipo de festividade já acontecia por aqui em 1553, no período do Carnaval.

Outras citações sobre o Entrudo aparecem em documentos posteriores, do início do século XVII, e destacam o caráter urbano que a brincadeira adquiriu por aqui. Era inclusive comum que durante o período anterior à Quaresma os grandes fazendeiros e os pequenos lavradores deixassem suas habitações rurais e se dirigissem às vilas mais próximas para participarem das diversões dos chamados "dias gordos", que, durante muito tempo, foram similares às acontecidas em Portugal. Entretanto, apesar de menos habitual, existem algumas referências à presença do Entrudo no meio rural, onde o divertimento contava até com a participação de padres e vigários.

Do mesmo modo que acontecia em toda a Europa, as festas do período anterior à Quaresma no Brasil não tinham um formato estabelecido. Cada cidade, cada vila, cada região comemorava os últimos dias de esbórnia antes das privações quaresmais do modo que melhor aprouvesse a seus habitantes. No ano de 1815, por exemplo, Koster, um viajante inglês, relata que, na ilha de Itamaracá, em Pernambuco, os festejos do Entrudo compreendiam a apresentação de um dançarino que se equilibrava sobre uma corda, seguida de um folguedo popular dramatizando o batismo de um rei mouro e de uma espécie de cavalhada entre mouros e cristãos, terminando com os jogos do Entrudo propriamente ditos, que incluíam o derramamento de líquidos sobre os passantes. Esse costume, que alguns observadores chegaram a associar com antigas tentativas de se batizar à força pessoas renitentes, acabou se difundindo por todo o país. Com o passar dos anos, as brincadeiras herdadas de Portugal foram sendo modificadas e adaptadas ao gosto da Colônia e os jogos do Entrudo no Brasil adquiriam características próprias, sendo marcados não somente pelo lançamento de pós ou líquidos sobre quem estivesse por perto, mas também pela intensa participação de toda a sociedade na brincadeira.

MOLHADELAS E ENFARINHAMENTOS

A idéia geral do divertimento, que tomaria conta de praticamente todas as principais cidades brasileiras a partir do século XVII, consistia basicamente em se molhar o desavisado oponente e, sempre que possível, completar o serviço lançando pós variados, tais como o alvaiade (um pó branco usado para pintura de paredes), o vermelhão (sulfato de mercúrio pulverizado e utilizado na composição de tintas), polvilho ou pó de sapato (um pó escuro que entrava na composição da graxa). Aparentemente simples, a brincadeira, entretanto, tinha lá suas regras que, apesar de não escritas, eram seguidas pela população. Para começar, havia dois tipos básicos de

O Entrudo Familiar variava conforme a casa em que ocorria. Nas famílias mais abastadas a brincadeira tendia a ser mais civilizada. A medida em que a posição social do grupo afastava-se da elite o jogo das molhaças tornava-se mais agressivo e mais próximo do Entrudo Popular. (Augusto Earle. Folguedos durante o Carnaval no Rio de Janeiro*, c. 1822-3, aquarela. National Library, Camberra, Austrália.)*

Entrudo: um que acontecia dentro das casas e entre amigos e que chamaremos de "familiar" e outro que tomava conta das ruas, envolvendo basicamente a população mais pobre e os escravos, que denominaremos de "popular".

O Entrudo Familiar, realizado em geral no interior das residências, envolvia todos os membros do grupo doméstico em preparativos que começavam muitos dias antes da brincadeira. Um dos costumes mais difundidos era o de se preparar pequenas bolas de cera, do tamanho aproximado de um punho fechado, contendo água ou líquidos perfumados, para serem lançadas sobre as pessoas. Boa parte dos habitantes da casa participava da fabricação desses projéteis que seriam estocados em local seguro e devidamente jogados sobre as visitas no momento apropriado. Por sua aparência arredondada, seu tamanho e sua cor, quase sempre esverdeada, essas bolinhas começaram a ser chamadas de limões-de-cheiro ou, quando maiores e amareladas, laranjas-de-cheiro. Outro apetrecho também usado na diversão eram as seringas. Apesar de muito menos comuns que os limõezinhos, esses objetos, geralmente feitos de folhas-de-flandres, foram pouco a pouco conquistando espaço na brincadeira, por sua grande capacidade de armazenamento de líquido.

Como fazer limões-de-cheiro

Os pequenos, delicados e atazanantes limões-de-cheiro eram um gênero de primeira necessidade nas brincadeiras do Entrudo no Brasil até a primeira metade do século XIX. Alguns escravos viam nas bolinhas de cera uma boa oportunidade de ganhar algum dinheiro e preparavam tabuleiros cheios de limõezinhos para serem vendidos de porta em porta. Muitas famílias decidiam preparar suas próprias reservas de munições e reuniam as mocinhas e os escravos para se dedicarem à sua execução. Em seu livro *Festas e tradições populares do Brasil*, Mello Moraes Filho descreve o processo de fabricação desses famosos projéteis por um grupo de escravas que produz as pequenas peças para a venda posterior.

> Em volta de um fogareiro, sobre brasas a miúdo ateadas, fumava, num caburé meio d'água, espessa camada de cera fundida. As fabricantes de laranjinhas espetavam, em ponteiros, limões naturais de tamanho irregular.
>
> Uma das velhas dispunha o carmim, o anil e o verdete, para o colorido da massa; as moças tomavam de um canivetinho, com que incisavam a delgada película das esferas translúcidas que esfriavam; as meninas folheavam livrinhos de pão-de-ouro; e as raparigas arranjavam os tabuleiros e bandejas, no chão da sala.
>
> Logo que a cera estava no ponto, desenvolvia-se o trabalho sucessivo das operárias afanosas, trabalho por vezes distribuído com método pelos industriais. Retirado do fogo o caburé, a fim de abaixar a fervura, metiam no lastro oleoso e colorido os limões previamente untados de sabão. Sobre uma cadeira havia uma tigela com cera morna, que servia para soldar as bandas separadas e embutir o orifício deixado pelo cabo por onde os seguravam.
>
> Findo este processo, enchiam as delicadas cápsulas com águas aromatizadas de essências de canela, rosas, cravo, etc., servindo de conduto ao líquido um pequeno funil de Flandres.
>
> Depois, tapavam-nas, encobrindo a saliência resultante com um pouco de pão-de-ouro ou de prata, que deixava de ser um recurso de arte, para ser um enfeite de bom gosto.
>
> À proporção que as laranjinhas ficavam prontas, uma rapariga arrastava um tabuleiro para junto da sinhá-velha, que as contava, tirando-as de entre os dedos, e as enfileirando por dúzias.

Ou seja, sobre um pequeno fogareiro, numa panela de barro chamada de caburé, derretia-se a cera enquanto as mulheres espetavam alguns limões em palitos de madeira.

À cera líquida e fervente, misturavam-se alguns corantes que poderia ser o carmim (para dar um tom avermelhado), o anil (um tom azulado) e o verdete, ou acetato de cobre, que era o mais comum (para um tom esverdeado).

Inicialmente realizada para prover as necessidades das brincadeiras carnavalescas dentro das casas, a fabricação de limões-de-cheiro torna-se uma atividade bastante atraente para as camadas mais desvalidas da população, que aproveitavam para lucrar alguns tostões com a verdadeira loucura entrudística que tomava conta da cidade. (O Mequetrefe, *n. 300, ano 9, 1883.)*

Quando a cera estivesse completamente derretida, retirava-se o caburé do fogo, esperava-se um pouco para a temperatura baixar e mergulhava-se o limão, previamente untado com óleo, dentro do recipiente, retirando-o em seguida e deixando-o de lado para que a cera que o envolvia esfriasse.

Para destacar a cera dos limões era feito um corte com canivete e, delicadamente, se retirava a fina película que se formara. As partes separadas e a abertura deixada pelo palito eram rejuntadas com cera morna.

As bolinhas ocas eram, então, enchidas de águas perfumadas com a ajuda de um pequeno funil.

O orifício deixado pelo funil era fechado com cera morna e o pequeno calombo que resultava coberto por um fragmento de folha de ouro, que dava um toque sofisticado ao acabamento.

Os limões já prontos eram cuidadosamente arranjados sobre tabuleiros e postos à venda, nas ruas da cidade, durante os dias de Entrudo.

O comércio dos limões-de-cheiro devia ser bem lucrativo, pelo que se pode concluir através da profusão de anúncios nos jornais como o que se segue

"O ENTRUDO! O ENTRUDO! Vende-se na rua S. José n. 77, limões de cheiro bem cheirosos". (*Diário do Rio de Janeiro*, de 30 de janeiro de 1845)

Nas últimas décadas do século XIX os delicados limões e laranjas de cera foram sendo gradativamente substituídos pelas bisnagas e bolinhas de borracha.

Com o estoque de munições pronto, a família estava preparada para a chegada dos dias do Entrudo. Almoços eram marcados para reunir os amigos e grandes comilanças aconteciam, muitas vezes com a presença das filhoses lusitanas ou de sonhos, durante a sobremesa. A disposição festiva, as comidas e as bebidas liberavam os espíritos e davam o incentivo que porventura faltasse para que, repentinamente, uma das moças da casa, quase sempre a mais recatada, aparecesse de repente, de um cômodo vizinho, armada com um bom número de limõezinhos e começasse a lançá-los sobre as visitas. Em lugar de se ofender com a agressão, os visitantes começavam a lançar, sobre a agressora, pedaços de pão, vinho que restasse nos copos, restos de frutas ou o que mais estivesse à mão e que não fosse causar nenhum dano físico grave ao atingido. Em pouco tempo a algazarra era geral e todos os presentes estavam envolvidos na brincadeira. O descontrole aparente da confusão que se formava não era tão desregrado quanto se possa imaginar, a começar pelo fato de que todos os presentes já sabiam muito bem como o almoço iria terminar. Ninguém aceitaria um convite para visitar um amigo nos dias de Entrudo sem saber que seria devidamente ensopado ao final do ágape festivo. Algumas exceções inocentes, entretanto, poderiam acontecer, como veremos mais adiante, mas a grande maioria dos brasileiros sabia muito bem o que significavam os dias que antecediam a Quaresma nas terras de nosso país e podia prever o que lhe aconteceria ao pagar uma visita exatamente naquele período. Outra regra não escrita era a que limitava o vigor dos ataques eventualmente dirigidos aos patriarcas das famílias. Estes senhores recebiam umas poucas investidas com os limões, mas mantinham sua dignidade de chefes dos clãs familiares. Muitas vezes, enquanto a farra comia solta no resto da casa, os venerandos senhores fumavam placidamente na sala reservada para este fim, que existia em todas as boas residências brasileiras. Uma outra das regras não escritas, mas rigorosamente obedecida, era a de que os escravos poderiam ser alvo dos projéteis mas nunca deveriam revidar, aceitando a brincadeira com bom humor e paciência.

É claro que tais regulamentações subentendidas muitas vezes não era cumpridas, o que causava grandes desconfortos a algum patriarca encharcado pelas filhas de seu sócio nos negócios, por exemplo. Apesar de tudo, a tendência entre as famílias era minimizarem-se esses contratempos, em nome da alegria e da descontração geral propiciadas pela brincadeira. As conseqüências poderiam, entretanto, ser bem mais sérias para um escravo mais animado, que achasse divertido revidar os limões que lhe encharcassem a casaca de serviçal.

O Entrudo Familiar

Na verdade, o que se depreende disso tudo é que o que chamamos de "Entrudo Familiar" era, no século XIX, uma festa privada cujos atores mais importantes seriam os jovens e, principalmente, as mulheres. Estas tinham se tornado, já no início do século XIX, as responsáveis pela gerência do lar e de todas as suas cerimônias, inclusive das brincadeiras entrudísticas. Desse modo, desde a produção dos limões-de-cheiro até sua utilização como arma da batalha, cabia ao sexo feminino o comando da ação relacionada a boa parte da folia do Brasil colonial. Eram as jovens filhas das famílias brasileiras, por exemplo, que muitas vezes tomavam a iniciativa de lançar os limõezinhos sobre algum rapaz que lhes interessasse, aproveitando-se dessa rara oportunidade de exercer algum controle sobre seu próprio destino. É

A brincadeira do Entrudo era difundida por toda a sociedade e se apresentava de diferentes formas de acordo com o grupo social que se envolvia com a guerra de limões-de-cheiro, seringa e, anos mais tarde, bisnagas cheias dos mais variados líquidos. (O Século, *15 de janeiro de 1882.)*

claro que os rapazes, muitas vezes lisonjeados com a escolha, tiravam proveito da atmosfera de sutil licenciosidade para arriscar tocar, através do lançamento de um limãozinho-de-cheiro, alguma das partes proibidas do corpo das jovens, como os ombros ou, suprema audácia, o colo. Machado de Assis, em seu conto "Um dia de Entrudo", passado em 1848, decreve a forte vinculação das molhaças com as relações românticas entre os jovens das famílias brasileiras. A mãe de uma personagem declara à prima Angélica: "Ia eu agora lá dentro, quando encontrei na sala de jantar a um canto, adivinhem o quê? Encontrei seu filho Benjamim quebrando limões no ombro de minha filha! Que desaforo! Fiquei sem saber de mim..." Outro personagem, ao chegar à casa de Angélica, é imediatamente entrudado pelos filhos da anfitriã, o que acaba incentivando seu romance com a irmã dos rapazes. Ou seja, além de servir como fator de agregação social, possibilitando contatos e bons negócios entre os membros das elites, a aparentemente inocente brincadeira do Entrudo Familiar também facilitava o encontro dos jovens das "boas famílias" e incentivava a aproximação entre eles. Uma quadrinha, publicada no *Periódico dos Pobres*, do Rio de Janeiro, em fevereiro de 1853, ressalta o clima de romance que podia cercar estas situações:

> Quem prazer não sente n'alma
> Quando uma laranjinha
> Atirada com cuidado
> Vai molhar a sinhazinha?

O resultado desse "prazer n'alma", além de um eventual resfriado, era geralmente um bom casamento que agradava a todos, pois a união de duas estirpes através de seus filhos era uma das principais formas de manutenção do poder no tempo colonial. Esse tipo caseiro de Entrudo espalhou-se por grande parte dos lares brasileiros, mostrando sua importância e as relações de interesse nele envolvidas. A oportunidade de socialização oferecida pela brincadeira iria exercer considerável influência em boa parte da sociedade brasileira, incentivando todo tipo de contatos e trocas de favores entre os grupos envolvidos na folia.

O jornal *Marmota Fluminense*, do Rio de Janeiro, publicaria em 4 de fevereiro de 1853 um texto em que se destacavam os interesses sociais envolvidos na brincadeira do Entrudo Familiar, ressaltando o prazer que se sente "quando aquelas pessoas que nos merecem estima, veneração, e amizade, descendo da altura em que se coloca o nosso respeito, vêm até nós, para divertir-se conosco, provando assim a importância que merecemos!" Fica claro o caráter socializante desse tipo de Entrudo, no qual "moças e velhas, velhos e meninos, todos se pregando logros, todos dizendo graças, dançando, cantando e rindo", participam deste ritual de agregação tão caro às famílias brasileiras de então.

Escravos e estrangeiros

Acostumados com essas brincadeiras, e interessados nas vantagens delas decorrentes, os habitantes das cidades brasileiras passaram a achar natural seu lado agressivo e a extrapolar nos excessos delas decorrentes. Verdadeiras batalhas de águas, perfumes e toda espécie de líquidos passaram a acontecer cada vez com mais freqüência dentro dos lares. Os agressores e alvos preferenciais eram, como já vimos, os jovens e as crianças. Mas, no final das contas, toda a família acabava por se envolver na troça. Dois tipos de pessoas, entretanto, sofriam mais do que os outros com a coisa: os escravos e os estrangeiros. Os negros que trabalhavam nas casas de família, por sua própria condição de escravos acabavam servindo de alvo fácil para os ataques, sem poder nunca revidá-los. Era comum, entretanto, uma espécie de Entrudo particular entre os serviçais que repetia as mesmas regras hierárquicas do divertimento senhorial. Ou seja, os escravos particulares dos donos da casa tinham uma espécie de precedência sobre os criados menos qualificados, repetindo entre si a escala social da família branca.

Os estrangeiros, por sua vez, eram outros alvos muito cobiçados pelos entrudistas. Sua inocência em relação à dimensão das agressões – ou seu total desconhecimento da festa, no caso dos recém-chegados ao Brasil – fazia com que eles fossem os candidatos ideais às molhadelas e enfarinhamentos. Uma grande fonte de diversões e risadas para as famílias brasileiras durante o Entrudo era o ar de indignação, espanto ou susto que tomava conta dos forasteiros, ao se verem ensopados enquanto visitavam, candidamente, uma residência amiga, em retribuição a um convite para o que parecia ser um singelo almoço em família nos dias anteriores à Quaresma. Em 1808, John Luccock, um viajante inglês familiarizado com os costumes brasileiros, relatou um fato acontecido nos dias de Entrudo quando ele e alguns companheiros estrangeiros recém-chegados ao país dirigiam-se à casa do governador, na cidade de Rio Grande. No caminho, seus amigos se espantaram ao serem alvejados por um grupo de mascarados a cavalo, com bolas contendo água, coisa que muito divertiu o viajante conhecedor dos costumes locais.

Mais tarde, para espanto geral, o grupo descobre que os tais mascarados entrudistas eram, nada mais nada menos, do que as próprias filhas do mandatário. Outro viajante, Ferdinand Denis, francês que esteve no Brasil no século XIX, relata a loucura que tomava conta da cidade do Rio de Janeiro nos dias de Entrudo. Seu texto destaca a visita a uma residência, na qual foi recebido com uma chuva de "ovos" amarelos e verdes, impiedosamente lançados em seu rosto pelas belas jovens e senhoras da família. Louis-François Tollenare, também francês, conta a experiência que teve na cidade do Recife, em 1817, informando, indignado, que o "Entrudo não admite outros folguedos, senão o de assaltos recíprocos com bolas de cera cheias d'água no rosto". Convidado a lanchar na casa de uma vizinha, o ingênuo viajante teve seu corpo molhado por várias garrafas d'água que foram despejadas sobre sua cabeça, ensopando-o completamente. A atitude decidida das mulheres nessas brincadeiras impressionou e encabulou Tollenare, que afirmou não desejar ver "nem minha irmã nem minha esposa, no meio das recreações do entrudo". No final de seu relato ele destacaria que "o que se passa nas ruas entre os escravos e a baixa plebe ainda é mais violento: depois das laranjadas vêm as garrafadas, as imundícies e as cacetadas".

O Entrudo Popular

O que o Senhor Tollenare acabou por perceber é que, além das brincadeiras caseiras, havia um outro divertimento muito mais brutal e violento – também chamado de Entrudo – que acontecia nas ruas das cidades brasileiras no período de carnaval. Um divertimento que reunia grande parte dos marginalizados da sociedade e que permitia a eles alguns momentos de diversão. Mas uma diversão tão desbragada que dava a impressão de que, naqueles dias, eram os marginalizados que controlavam a sociedade, o que obviamente estava longe de ser verdade. Entretanto, a conclusão de que as vias públicas das cidades estavam entregues ao desvario entrudesco durante os dias de comemoração carnavalesca não era de todo desprovida de sentido. Basta lembrarmos que grande parte das famílias ficava em suas casas, ou na casa de amigos, cuidando de lançar ou revidar seus limões-de-cheiro e suas seringas, o que fazia com que nos dias do Entrudo os logradouros da cidade se encontrassem, mais do que nunca, entregues àqueles que em todo o período colonial eram seus verdadeiros ocupantes: os negros escravos e os pobres em geral.

Para compreender o que acontecia nas ruas das cidades brasileiras durante o período do Carnaval, é preciso entender algumas características da sua ocupação. Até o século XIX, os principais centros urbanos do país não eram locais convidativos ao passeio. Suas vias eram, em geral, sujas, estreitas, sem calçadas para pedestres e pavimentadas com pedras irregulares (um tipo de calçamento chamado de "pé-de-moleque"). Os membros das famílias de posses evitavam a todo custo sair às ruas e o máximo que se permitia às senhoras e senhoritas era observarem, discretamente, o movimento externo através das treliças que guarneciam as janelas das casas (chamadas de gelosias ou rótulas). Mesmo os homens, chefes de família, evitavam permanecer muito tempo pelas vias públicas, limitando-se a atravessá-las quando fosse necessário e utilizando-se, sempre que possível, das charretes e carruagens para deslocamentos mais longos. O resultado disso era que os logradouros dos centros urbanos brasileiros eram espaços quase exclusivamente ocupados pelas classes subalternas, com grande destaque para os negros escravos. Estes, por já possuírem uma cultura que incentivava a ocupação das ruas, tornaram-se os "donos" dos espaços públicos coloniais, principalmente em cidades portuárias, como Rio de Janeiro, Recife ou Salvador. Durante os séculos XVIII e XIX era comum um viajante chegar ao Rio de Janeiro e se espantar com a quantidade de negros que tomavam conta das ruas, a ponto de muitos deles comentarem que parecia que estavam chegando ao continente africano. Muitos desses escravos que ocupavam as vias públicas trabalhavam para seus donos vendendo mercadorias ou fazendo pequenos serviços manuais. Ao final do dia, retornavam para as casas de seus proprietários e lhes davam o dinheiro ganho com o seu suor, ficando com uma pequena parte para as suas economias pessoais. Eram chamados de escravos de ganho e foram bastante comuns em algumas cidades brasileiras. Como não executavam nenhum serviço caseiro,

Johann Moritz Rugendas, Mercado na Praia dos Mineiros, *in* Viagem pitoresca através do Brasil, *século XIX.*

Os chafarizes das cidades tornavam-se movimentados pontos de encontros de negros escravos nas principais cidades do Brasil.
(Johann Moritz Rugendas, Carregadores de água, *in* Viagem pitoresca através do Brasil, *século XIX.)*

viviam quase todo o tempo andando pelas ruas, apregoando suas mercadorias – tais como frangos e perus, ervas, flores, doces, lingüiças e cestas – ou seus serviços – como o de barbeiro, carregador e aguadeiro. Este último serviço era de vital importância para a vida colonial, visto que as casas não contavam com fornecimento de água encanada, sendo necessária sua constante reposição. A incessante atividade fazia com que as fontes e chafarizes fossem animados centros de reunião dos escravos urbanos, que precisavam encher continuamente panelas e baldes com água para limpeza ou cozinha. Pode-se imaginar o constante burburinho, nos centros urbanos coloniais, causado pela presença de escravos perpetuamente se deslocando nas ruas e praças das cidades ou batendo papo nos chafarizes. São exatamente esses escravos, aliados a brancos pertencentes às camadas mais desfavorecidas da população, que iriam desenvolver um gosto todo especial pelo que chamamos de Entrudo Popular.

Muito mais agressivo e espontâneo que o Entrudo Familiar, a brincadeira do Entrudo Popular espalhada pelas ruas era basicamente um grande furdunço no qual

Encarregados de lançar ao mar os dejetos das residências coloniais, os escravos chamados tigres foram responsáveis por boa parte da má-fama do Entrudo Popular. (A Semana Ilustrada, *1861, p.36. Coleção particular.)*

qualquer tipo de líquido ou pó podia ser usado como munição atirada sobre o oponente. Acostumados com as gamelas e baldes cheios de água, que eram constantemente carregados num vaivém entre as fontes e as residências de seus donos, os escravos não hesitavam em jogar seu conteúdo na cabeça de quem passasse por perto. O revide não demorava a vir em forma de mais água ou, dependendo da disponibilidade, de qualquer outro líquido ou pó que estivesse à mão. Água suja da sarjeta, restos de comida, areia, fragmentos de estuque caídos das paredes, em suma, o que estivesse à mão, era transformado em munição pelos entrudistas. Sair às ruas durante os três dias que antecediam a Quaresma nas cidades coloniais brasileiras era um ato de extrema imprudência ou de expressiva ignorância. Não que um escravo fosse cometer a "inconcebível barbaridade" de molhar ou emporcalhar um senhor que passasse pelas ruas, pois, como sabemos, o castigo seria inevitável, mas, considerando-se a confusão que tomava conta das vias públicas nos dias de Entrudo, não devia ser fácil para um honrado fazendeiro ou um imponente homem de negócios esquivar-se dos respingos de alguma gamelada dirigida a algum popular que estivesse próximo. Acidentes aconteciam, é claro, mas deveriam ser evitados, ainda mais no caso particular de uso de líquidos imundos. Havia uma espécie de hierarquia entre o povo que freqüentava as ruas, e muitas vezes um escravo pessoal de algum senhor valia-se de sua função para exigir o respeito de outros escravos com funções de importância menos reconhecida, como os temidos "tigres". Estes últimos eram escravos que transportavam as fezes e urinas das casas, para serem despejadas em alguma praia reservada para isso.

O serviço era geralmente realizado à noite, para se evitar os horários de maior afluxo às ruas e um possível esbarrão em algum cidadão que cruzasse o caminho. Mas, durante o período do Entrudo, dá para imaginar as conseqüências de um encontro com esses carregadores. Boa parte da extrema má fama do Entrudo provém exatamente da utilização desses dejetos como revide de alguma brincadeira.

A aquarela procura apresentar um verdadeiro mostruário das brincadeiras do Entrudo Popular, na cidade do Rio de Janeiro, nas primeiras décadas do século XIX. Uma seringa é utilizada por um escravo para molhar uma mulher negra que acaba de ter seu rosto pintado de branco por outro escravo. Dentro da loja, outro grupo de negros diverte-se lançando limões-de-cheiro uns sobre os outros. Ao fundo, alguns escravos passam pela rua enquanto um deles parece lançar algo sobre os demais. Notar que o espaço público é ocupado exclusivamente por escravos, enquanto um grupo, provavelmente de senhores brancos, diverte-se no segundo andar de sua casa, devidamente isolado do burburinho das ruas.
(Jean Baptiste Debret. Die Dentrudo. *1823, in* Viagem pitoresca e histórica ao Brasil, *século XIX.)*

Outros materiais bastante utilizados no Entrudo Popular eram os pós (tais como o alvaiade, o polvilho, o vermelhão ou o pó de sapato, anteriormente citados). No Brasil colonial causava grande hilaridade a visão de um negro escravo com o rosto pintado de branco ou de alguma outra cor clara. A famosa aquarela de Debret intitulada *Die Dentrudo*, que descreve uma cena de Entrudo na cidade do Rio de Janeiro, na década de 1820, mostra em destaque uma negra escrava esquivando-se de um esguicho de água, lançado por um jovem negro, ambos com os rostos pintados de branco.

Aproveitando-se desses momentos de regozijo e do relaxamento dos costumes provocado pela atmosfera de liberdade festiva, os negros escravos não somente se entregavam às molhaças, mas também realizavam festas a sua maneira. Não era raro ver-se, durante os dias comemorativos do Entrudo, grupos de escravos exibindo-se em cortejos processionais, com danças e músicas, chamados de Congos ou Cucumbis, denominações que variavam de acordo com a região onde a manifestação ocorresse.

A confusão entrudística

A divisão entre Entrudo Popular e Entrudo Familiar, sugerida neste trabalho, não era entretanto oficial e nem tão rígida quanto poderia parecer, existindo muitos pontos de contato entre essas duas formas da brincadeira. Boa parte das residências das cidades coloniais brasileiras dava diretamente para as vias públicas, incentivando a relação entre as duas formas de brincar. Não era raro que os moradores de alguma casa ao nível da rua ficassem de tocaia perto de alguma janela, esperando para lançar laranjinhas de cera ou um punhado de pó sobre um transeunte desavisado que passasse por perto. Os moradores das casas de sobrado (de dois andares) ou assobradadas (elevadas por um porão, em relação ao nível da rua) aproveitavam-se de estarem mais alto e esperavam um inocente ou corajoso passante com baldes ou gamelas cheias de água, que eram impiedosamente vertidos de suas janelas ou balcões sobre o infeliz, para alegria e pândega geral.

Muitas vezes o passante agredido achava-se com o direito de revidar a afronta e invadia a casa dos entrudistas, chegando às vias de fato com seus ocupantes. É claro que este eventual pedestre que se sentia no direito de corresponder ao ataque com outro ataque não poderia ser um escravo, pois estes deveriam, como sempre, receber, calados e com bom humor, as gameladas líquidas ou as nuvens de pó que lhes fossem jogadas. O mesmo não se aplicava, entretanto, a um cidadão branco que, por alguma infelicidade, tivesse que percorrer as ruas da cidade naqueles três dias dedicados às diversões do Entrudo. Mais uma vez, os visitantes estrangeiros eram, por sua inocência, os objetos mais cobiçados dos ataques. Grandjean de Montigny, o vetusto e admirado arquiteto citado no início deste capítulo, deve ter sido alvo de um desses ataques líquidos vindos de algum sobrado, pois é difícil imaginar que alguma família carioca pudesse ter convidado o respeitado artista para seringá-lo ou lançar limões sobre ele.

Nem mesmo a Igreja estava livre do espírito irreverente que tomava conta das cidades brasileiras durante os dias de Entrudo. Em 1841, o importante Mosteiro de São Bento, no Rio de Janeiro chegaria mesmo a ser invadido pela polícia, chamada para debelar a rebeldia de alguns colegiais que haviam se insubordinado e decidido zombar dos padres aproveitando-se das liberdades daqueles dias, conforme relata o *Diario do Rio de Janeiro*, de 19 de fevereiro de 1841.

De qualquer modo, eram grandes as confusões resultantes do hábito de se jogar o Entrudo difundido em nosso país. Podemos imaginar os distúrbios que ocorriam em nossas cidades coloniais a partir de um relato um tanto tardio, mas bastante variado em suas descrições, dos problemas decorrentes das molhadelas. Comentando fatos ocorridos nos três dias anteriores à Quaresma, um jornalista carioca critica, no periódico *O Mágico*, de 29 de fevereiro de 1852, o caráter provocativo do Entrudo, relatando que um certo senhor, ao receber um banho de água cheirosa, subiu à casa do agressor e quebrou, com sua bengala, tudo que encontrou pela frente. O contrário também ocorria, ou seja, alguém que passasse pela rua poderia entrudar os moradores de alguma casa térrea, como relata o mesmo jornalista: "Um homem de idade avançada porque um rapaz parou defronte da janela, e alguns limões atirou à filha, o velho desceu com um vergalho e atirou-lhe também algumas lambadas."

Condenações

Com tudo isso, as condenações ao Entrudo (das quais já se tem notícia desde 1608) tornam-se cada vez mais comuns. É bom notar, entretanto, que essas censuras dirigem-se quase exclusivamente ao Entrudo Popular, poupando sempre a "inocente" brincadeira familiar. Em 26 de julho de 1832, por exemplo, a Câmara Municipal de Cidade de Desterro (atual Florianópolis) fez publicar um ofício que decretava a proibição do "jogo do Entrudo" dentro do município, ressaltando que "qualquer pessoa que publicamente o jogar, incorrerá na pena de 2$000, a 8$000 de condenação" e acrescentando que, se o infrator for um escravo, será preso por seis dias, "caso seu dono não providencie o castigo de 50 açoites". O uso da palavra "publicamente" não é por acaso, pois o que está sendo nitidamente proibido é a brincadeira das ruas e não aquela que acontece nos lares. Em suma, apesar de similares em seu espírito moleque e brincalhão, os dois tipos de Entrudo eram vistos de formas bem diversas pela sociedade. Enquanto a brincadeira familiar era aceita, incentivada e, muitas vezes, louvada como um divertimento saudável da qual participava toda a família, a "baderna" popular sofria cada vez mais condenações e críticas. O ideal, para as elites das cidades brasileiras, seria preservar a festa caseira e dar-se um fim à confusão das ruas. Ou seja, seriam permitidos, e até incentivados, os limões-de-cheiro e as seringas dentro dos lares, enquanto a confusão desregrada das ruas deveria ser condenada. É claro que esse desejo não poderia se realizar, visto

que, como sabemos, boa parte das molhaças e enfarinhadelas públicas contava com a eventual participação das mesmas famílias que censuravam o rebuliço externo. É por essa razão que o Entrudo, proibido na rua e aceito dentro das casas, continuava a existir, cada vez mais animado nos ambientes privados e públicos, sem se preocupar com as reclamações e proibições, cada vez mais contundentes. Ao que parece, o que realmente incomodava as elites não era exatamente os banhos de água ou de pós, mas sim a possibilidade de descontrole encoberta pela festa. A brincadeira do Entrudo desejada pelas famílias brasileiras deveria ser um momento de descontração jocosa, que incluísse a população desvalida como simples espectadores ou, preferencialmente, como alvos das gameladas sem entretanto direito a revides violentos. Em suma, todos queriam participar da festa, todos gostavam de entrudar o próximo, mas nem todos teriam o direito de revidar como bem lhes aprouvesse. Se os escravos, os desvalidos e o povo em geral desejassem brincar, que o fizessem entre si, respeitando as hierarquias e os direitos dos senhores e de suas famílias. Se a coisa não acontecesse deste modo, a solução seria chamar a polícia,

O Entrudo Familiar e o Entrudo Popular muitas vezes se confundiam.
A algazarra dentro das casas podia ser tão grande quanto a confusão nas ruas.
(Entrudo e Carnaval de 1880. Revista Ilustrada, *14 de fevereiro de 1880. Biblioteca Nacional, RJ.)*

alertar os jornais ou usar todos os recursos possíveis para colocar a brincadeira dentro dos padrões considerados aceitáveis.

Qualquer argumento usado para controlar o fuzuê popular era válido. Em 1831, por exemplo, a Sociedade de Medicina do Rio de Janeiro realizou um estudo procurando mapear todas as doenças que pudessem ser causadas direta ou indiretamente pelo Entrudo, com o objetivo de ressaltar os males de saúde dele decorrentes. O poder público não fica atrás e, ano após ano, reedita posturas municipais ameaçando os entrudistas com penas de prisão ou açoitamento. As reclamações contra as brincadeiras populares tornam-se cada vez mais freqüentes. "Por que razão imitando as nações mais cultas, não eliminamos o bárbaro e grosseiríssimo divertimento do Entrudo", reclama o jornal *O Carapuceiro*, do Recife, em 15 de fevereiro de 1834. Em 7 de março de 1848, um leitor do *Jornal do Commercio*, do Rio de Janeiro, critica os "insultos e desaforos dos moleques da Rua do Ouvidor, esquina da da Quitanda" onde "uma dúzia de galopins arrastavam para dentro de uma folha [poça] de água pessoas sossegadas" sem que nenhuma autoridade aparecesse. Pode-se perceber que o problema não era somente a "grosseria" da brincadeira em si, mas também o fato de os entrudistas serem "gente desclassificada" atacando pessoas de bem.

As quadrinhas publicadas no periódico *O Mágico* (29 de fevereiro de 1862) destacam a sensação de intolerável inversão de valores e de insegurança propiciadas pelo Entrudo Popular

> O tal brinquedo de Entrudo
> Que lhe chamam Carnaval,
> É uma idéia infernal;
> Confundem-se hierarquias,
> É tudo igual em três dias.
> [...]
> Por exemplo um melquetrefe
> Vir às casas sem licença,
> Sem cerimônia e sem detença
> Entrudá-lo e quebrar tudo
> É um arbítrio de entrudo.

Apesar de todas as proibições, condenações e até prisões e punições de indivíduos apanhados divertindo-se em molhar outras pessoas, a brincadeira não esmorece. Por outro lado, mantinha-se a tradição do Entrudo Familiar, incentivado e até louvado na imprensa. O resultado é que os mesmos jornais que desaprovavam a brincadeira numa página publicavam logo adiante anúncios de limões-de-cheiro vendidos a quem

O gosto da população brasileira pelo jogo do Entrudo acabou por fazer com que a polícia procurasse impedir a brincadeira através de proibições periódicas do uso de limões, seringas e bisnagas, sem obter grande sucesso. (Jornal do Brasil, *8 de fevereiro de 1901.)*

quisesse comprar, destacando endereços e nomes dos produtores. Os maiores consumidores desses projéteis continuavam a ser as famílias, que se mantinham interessadas nas vantagens sociais provenientes das brincadeiras e muitas vezes recorriam ao comércio para se abastecerem dos delicados limõezinhos. No fundo, ninguém queria abrir mão da diversão e não era a falta de limões que iria atrapalhar. Na década de 1840 a própria Câmara de Deputados da cidade do Rio de Janeiro (chamada, na época, de Senado) suspende suas sessões nos dias que antecedem a Quaresma, pois seus membros queriam se dedicar aos tradicionais divertimentos do período. Ou seja, a elite não queria abrir mão de seus dias de brincadeira, apesar do desejo de excluir da festa os elementos populares.

Resolvendo o "problema"

A solução para resolver este difícil dilema seria buscar algum outro tipo de festa que pudesse substituir o Entrudo. De preferência, alguma forma de brincadeira que dificultasse a participação dos negros e do populacho em geral e que refletisse os

A condenação do Entrudo valia-se de todos os recursos possíveis como, por exemplo, a publicação de caricaturas destacando os malefícios provenientes da brincadeira, tais como, doença, bancarrota, prisão ou mesmo a morte. (Frederico Guilherme Briggs, O jogo do Entrudo, *1840, litografia.)*

novos tempos e a nova sociedade que se instalara no Brasil nas primeiras décadas do século XIX. É assim que, em 1841, a Freguesia de Santa Rita, na região central da cidade do Rio de Janeiro, manda publicar (no *Diario do Rio de Janeiro*, de 16 de fevereiro) um edital no qual informa sua disposição de fazer valer a proibição do "jogo d'Entrudo" e informa que a Câmara dos Deputados estava preparando para o ano seguinte "um programa de divertimento público, que não terá os inconvenientes do Entrudo". Um ano depois nenhuma atitude tinha sido tomada pelos deputados, e um artigo, publicado no periódico *O Brasil*, de 8 de fevereiro de 1842, ironizava os políticos e criticava a "logração famosa que pespegou ao público desta capital a ilustríssima câmara" não apresentando "os divertimentos que solenemente nos prometera em um dos seus editais do ano passado". O povo, conclui o jornal, continua "jogando Entrudo como nunca" enquanto espera as decisões oficiais.

A percepção de nossas elites de que algo precisava ser feito para enfrentar o aparente descontrole do jogo do Entrudo iria atingir seu mais alto grau na primeira metade da década de 1840. Fervilham nos jornais reclamações e críticas às molhaças e agressões entrudísticas. As autoridades tentavam prender, advertir e punir os brincalhões. Mas como fazer ceder uma estripulia que envolvia quase todas as cidades brasileiras? As leis e posturas que se sucediam periodicamente, desde o século XVII, poderiam surtir algum efeito temporário sobre as camadas mais desvalidas da população. A apreensão de um ou outro tabuleiro com limões-de-cheiro que negras escravas ofereciam à venda nas ruas ou a prisão de alguns arruaceiros mais agressivos, todos, é claro, das classes mais baixas, poderia satisfazer a opinião pública por algum tempo. Mas que efeito poderiam ter essas ações se grande parte dos habitantes dos centros urbanos brasileiros estava, de um modo ou de outro, ocupada em se entregar de corpo e alma às brincadeiras do Entrudo, que continuava a "deitar as manguinhas de fora", como destacava o *Marmota na Corte,* de 27 de fevereiro de 1852?

A solução imediata para tentar resolver esse "problema" viria não das autoridades nem das casas senhoriais, mas sim de uma camada social que se fortalecia no país e procurava formas de ocupar seu espaço: a burguesia. É este grupo em ascensão – após as mudanças econômicas acontecidas no mundo a partir da Revolução Francesa e as mudanças políticas ocorridas no Brasil a partir da Independência – que buscará em Paris o que parecia ser o remédio que o Carnaval de nosso país estava precisando. Como veremos, a nova forma de se divertir, capaz, imaginava-se então, de trazer os ares da civilização européia para fazer frente à barbárie entrudística, seria o baile mascarado, do qual nos ocuparemos a seguir. Entretanto, apesar de todas as investidas contra sua persistência, as brincadeiras agressivas e "bárbaras" continuariam a "deitar as manguinhas de fora" durante o Carnaval. Sob outros disfarces, o Entrudo permaneceria "assombrando" os sonhos carnavalescos da burguesia brasileira por muitos e muitos anos.

Bailes e passeios

Grande sucesso dos festejos carnavalescos de Paris, os bailes mascarados seriam trazidos para o Brasil como uma espécie de solução para a bagunça causada pelo Entrudo. Ocupar os salões com a folia à francesa, entretanto, não foi suficiente para acabar com a esbórnia das ruas. Os passeios das primeiras sociedades carnavalescas procurariam exercer o duplo papel de mostrar ao povo o "verdadeiro" Carnaval e de ocupar os espaços do Entrudo com a nova folia "civilizada".

Uma nova festa para um novo país

Como vimos no capítulo anterior, durante quase trezentos anos, a brincadeira do Entrudo reinou soberana no período carnavalesco das principais cidades brasileiras. Mas, em torno da década de 1830, a situação ia começar a se modificar. Desde o começo do século XIX o Brasil vinha passando por grandes modificações. Em 1808, a instalação da Família Real Portuguesa na cidade do Rio de Janeiro faria com que o centro do Império Ultramarino Português (ou o que restava dele naquela época) se transferisse para a antiga colônia, ou seja, para o Brasil. Este foi um fato inédito na história mundial. Pela primeira vez um monarca europeu estabelecia o centro de seu poder num país da América. Junto com a família real, boa parte da corte portuguesa também se deslocaria para cá e se fixaria no Rio de Janeiro, então capital do país. A cidade se transformaria rapidamente com a chegada de uma leva de cerca de 15 mil novos, e sofisticados, habitantes de modos europeus, que trazem para cá seu gosto pelas novidades da cultura ocidental, traduzido, entre outras coisas, na criação da Biblioteca Nacional, no surgimento de jornais – que apresentavam ao país notícias da capital, das províncias e das principais nações do mundo –, na abertura de teatros e, em pouco tempo, no gosto de se passear pelas ruas.

Em tudo isso nota-se a influência dos costumes de um certo país que se destacava, já naquela época, pela sofisticação dos costumes e pela intensa vida mundana: a França. Em 1816, a Missão Francesa, encarregada por D. João VI de civilizar o Brasil, traria para cá uma leva de pintores, escultores, gravadores e arquitetos franceses que deixariam importantes referências em nossa cultura. Muitas das idéias que fizeram a cabeça dos habitantes das principais cidades brasileiras nesta primeira metade do século XIX tinham a marca da civilização francesa. A principal dessas idéias

A vinda da Família Real trouxe para a capital do Brasil um grande contingente de novos habitantes acostumados à mundanidade das cortes européias. A chegada ao Rio de Janeiro, em 1817, da Princesa Leopoldina, vinda da sofisticada Áustria para se casar com D. Pedro I, foi motivo de grandes festas nas ruas e salões da cidade. (Jean Baptiste Debret. Desembarque da Princesa Real Leopoldina, *in* Viagem pitoresca e histórica ao Brasil. *século XIX.)*

foi a que trouxe os ideais de libertação que acabariam influenciando a própria Independência do Brasil. É exatamente após o surgimento de um país independente da Coroa portuguesa, em 1822, que a influência francesa se fará sentir com mais vigor. Tudo o que fosse ligado ao passado lusitano era visto como atrasado e ultrapassado. A França representava um farol de liberdade e modernidade que deveriam ser almejadas e copiadas. É este espírito de distanciamento do domínio lusitano e de aproximação ao modelo cultural francês que vai fazer com que em pouco tempo a nova elite brasileira (composta de grandes comerciantes, banqueiros, profissionais liberais e fazendeiros) passasse a rejeitar ainda mais tudo o que tivesse relação com Portugal, deixando-se docemente influenciar pelas modas e modos ditados por Paris, considerada então a capital do mundo civilizado.

É claro que as antigas brincadeiras do Entrudo, que, como vimos, aconteciam nas principais cidades brasileiras no dias que antecediam a Quaresma, vão parecer cada vez mais um costume indigno de um país que desejava se igualar às principais nações do mundo. Lêem-se a cada dia, na imprensa, notícias condenando o Entrudo e acusando-o de imoral e promotor de desordem, como no artigo publicado no *Diário de Pernambuco,* de 6 de fevereiro de 1837, relatado pela pesquisadora Rita de Cássia B. de Araújo em seu livro *Festas: máscaras do tempo,* que destacava a reprovação, pela civilização e pela religião, da "devassidão" presente na brincadeira:

Nós que professamos uma Religião que condena todas as devassidões, que é pura, fundada na moral [...]; nós que pretendemos apurar nossa civilização, e levá-la ao grau das nações cultas, nós devemos porventura caprichar de excessos, de loucura, promover a desmoralização e os crimes, nas turbulências e devassidões das festas de Baco, Saturno e de Flora? Não por certo.

A elite carioca, é claro, manifestava os mesmos sentimentos de repulsa em relação à entrudança de sua coirmã recifense. Em 1841, já se sabe de uma postura da Câmara Municipal do Rio de Janeiro proibindo o "jogo do Entrudo" e condenando quem for pego nesta prática a uma pena de oito dias de prisão, ou de cem açoites, no caso de o contraventor ser um escravo. O curioso é que boa parte da população da cidade não parecia dar a mínima bola para esta proibição e ia ao comércio comprar os famosos limões-de-cheiro já prontos, como já comentamos no capítulo anterior. Incentivos aos brincantes do Entrudo partem dos comerciantes, que fazem publicar seus anúncios oferecendo ao público a principal "arma" da brincadeira, nos quais até o endereço do "contraventor" era divulgado sem nenhum pudor. O *Diario do Rio de Janeiro*, de 20 de fevereiro de 1841, publica reclames que anunciam despudoradamente os produtos proibidos: "Limões-de-cheiro, vendem-se na Rua dos Ourives de frente do Largo de Santa Rita, sobrado n. 821" ou "Vendem-se fôrmas de limões-de-cheiro na Rua dos Quartéis de Bragança próximo a S. Bento n. 19: preço 240 rs". Essa situação iria persistir por algum tempo, opondo, de um lado, a opinião da elite e das autoridades, ambas unidas contra o Entrudo, e, de outro, a grande maioria da população brasileira, adepta das seringas, das laranjas e dos limões-de-cheiro.

Percebendo que não seria com simples leis que se daria o extermínio da "insidiosa" brincadeira, a elite carioca decide atacar o costume das molhaças e gameladas de outro modo. Em lugar de ingenuamente procurar proibir as grosserias, busca-se substituí-las por uma nova forma de brincar. O "antigo" Entrudo – uma diversão sem um formato fixo, não consistindo em nenhuma espécie de dança, música ou vestuário específicos – deveria então ser substituído por uma brincadeira elegante, formalizada, com regras e etiquetas definidas. É claro que esta "nova forma de brincar" seria buscada em Paris, de onde vinham todas as modas, e onde, já há algum tempo, fazia furor o jeito elegante e moderno de comemorar a folia: os bailes à fantasia.

Os bailes mascarados

Realizados inicialmente nos salões particulares dos mais nobres habitantes da capital francesa, os chamados *bals masqués*, ou *bals costumés*, aconteciam no período carnavalesco e geralmente consistiam em uma seqüência de números musicais e de danças realizados por grupos especialmente ensaiados para o evento. Em seu livro *De la walse au tango* Jacques Boulanger relata, por exemplo, que em fevereiro de 1813, no palácio da rainha Hortense, realizou-se um baile carnavalesco onde foi apresentado um balé chamado *Os peruanos*, seguido de quadrilhas à moda suíça e napolitana. Durante os eventos, o público elegante localizava-se em torno do salão para apreciar as apresentações, não havendo, na maioria das vezes, nenhum contato entre quem assistia e quem se apresentava. Muito apreciados pela nobreza parisiense, estes bailes, entretanto, eram restritos ao estreito círculo de convidados de seus anfitriões.

Os primeiros eventos que podem ser considerados como bailes públicos carnavalescos, na França, vão ser aqueles realizados na Ópera de Paris, ainda no século XVIII. Criado em 1716 pelo regente Felipe de Orléans (que reinou durante a menoridade de Luís XV), o chamado Baile da Ópera seria palco de fantásticas e licenciosas mascaradas durante os anos 1700. Naquela época, além de assistirem a balés com temas variados, os convidados do rei se divertiam participando da nova dança recém-importada da Inglaterra, a *country dance*, ou contradança, que se opunha aos solenes minuetos dançados até então na corte francesa. Estas festas, das quais só poderia participar quem tivesse títulos, rendas ou presença de espírito, de acordo com as regras da época, terminariam quando da explosão da Revolução Francesa e só retornariam, sem os excessos anteriores, no período napoleônico.

Causando verdadeiro furor nos foliões parisienses, o galope infernal, inventado por Musard, marcava um momento de total delírio e paroxismo dos bailes carnavalescos da primeira metade do século XIX. Similar ao tradicional galope, o galope infernal era caracterizado pelo ritmo acelerado da música e pela verdadeira correria no salão, onde todos os pares se movimentavam juntos numa verdadeira onda humana que levava de roldão quem estivesse pela frente. (Gustave Doré. O galope infernal © *Photothèque des Musées de la Vile de Paris / Foto: Pierrain.)*

Mas seria entretanto nos anos 1830, com a tomada do poder pela burguesia endinheirada de Paris, que se estabeleceria a popularidade dos Bailes da Ópera. Em 1832, o novo diretor do Teatro da Ópera anunciava que os bailes deixariam de ser apenas um local de reunião ao som de trechos de músicas de orquestra – onde a única fantasia permitida era a de dominó – para passarem a ser espetáculos noturnos alternando músicas dançantes e balés. Interessado na novidade, a afluência do público foi estrondosa na noite de inauguração, com a multidão exigindo que a apresentação dos bailarinos fosse logo interrompida para se começar a execução das músicas dançantes. Apesar da tentativa de intervenção da polícia, as chamadas "danças indecentes" tomaram conta da festa que, conta-se, terminaria numa esbórnia na sala de espera do teatro. Após algumas tentativas de se retornar ao discreto evento do ano anterior, em pouco tempo o salão da Ópera de Paris adquire fama internacional por abrigar o mais famoso e imitado baile de Carnaval de todo o século XIX. O formato festivo é copiado por diversas outras salas de espetáculo a ponto de, em 1835, um pequeno livreto relatar que naquele ano estavam previstos para acontecer, durante o Carnaval, bailes públicos em pelo menos seis teatros parisienses: o teatro do Palais-Royal, o Variétés, o Cirque-Olympique, o da Porte Saint-Martin, o Théâtre-Nautique e a Opéra-Comique. Este último contando, inclusive, com várias atrações como loterias, danças inusitadas e a presença de uma ponte chinesa suspensa no meio do salão.

Mas seria em 1839, entretanto, que um maestro chamado Philippe Musard iria revolucionar definitivamente os bailes carnavalescos parisienses. Dotado de um grande senso de espetáculo, o maestro alternava, em seus bailes, trechos musicais sérios com outros dançantes, eliminando os bailados. A fórmula agradaria profundamente ao público ávido de novidades que, em delírio, superlotava o salão. Os bailes promovidos pelo maestro terminavam sempre com um acontecimento espetacular: Musard subia à cena, acenava para a orquestra e, como sinal para o *grand finale*, quebrava uma cadeira no palco e começava a reger uma música acelerada, que logo ficaria conhecida como "o galope infernal". Os pares lançavam-se furiosamente à dança agitada ao redor do salão, até a exaustão. Em pouco tempo, esta fórmula de sucesso seria copiada em muitos bailes carnavalescos não só em Paris, mas em várias das mais importantes cidades do mundo.

Os primeiros bailes no Brasil

A moda que havia tomado Paris se espalharia por diversas cidades do Ocidente e, em pouco tempo, os bailes carnavalescos à francesa já estavam aclimatados em terras brasileiras. A partir dos anos 1840, boa parte dos principais centros urbanos do país começaria a realizar bailes nos dias de Carnaval, como aquele promovido em janeiro de 1840 pela Sociedade União dos Gamenhos em sua sede, na Rua do Sabão, no Rio de Janeiro, ou os que foram realizados no Hotel Itália, no Largo do Rocio, em janeiro de 1845. É o primeiro desses bailes do Hotel Itália, acontecido no dia 18, que muitos historiadores do nosso Carnaval consideram o pioneiro em terras brasileiras. Um evento de sucesso que se repetiria no ano seguinte, organizado dessa vez por uma sociedade dançante chamada de Constante Polca. Vivaldo Coaracy, em *Memórias da Cidade do Rio de Janeiro*, relata entretanto que já em 1835 aconteceram bailes mascarados públicos no Hotel Itália e no Café Neuville. Em Porto Alegre, os bailes à fantasia parecem ter surgido em 1841, e no Recife sabe-se da existência de um baile mascarado particular já em 1845, ao qual compareceriam 33 pessoas fantasiadas, de acordo com Leonardo Dantas Silva. Todos esses bailes eram eventos sofisticados, com regras de comportamento, como a proibição de fumar, a obrigatoriedade de se fazer silêncio durante as danças e a reserva do salão exclusivamente para quem estivesse mascarado. O controle era a tal ponto rigoroso que existia até uma "polícia da sala" encarregada de fazer cumprir o regulamento. A maioria desses eventos acontecia em salões particulares e nem sempre eram noticiados pela imprensa, o que, até certo ponto, explicaria a discordância com relação a qual teria sido o primeiro baile mascarado carnavalesco no Brasil.

No dia 21 de fevereiro de 1846, entretanto, seria realizado no Rio de Janeiro um baile que acabaria se destacando de todos os outros já ocorridos anteriormente. A festa acontecera no Teatro São Januário, tendo sido organizada por uma cantora de teatro, chamada Clara Delmastro. Apesar de não ter sido o pioneiro, esse baile teria uma repercussão inédita nos jornais da capital, devido provavelmente a seu luxo, organização e animação, sem precedentes em terras brasileiras. Realizado nos moldes das festas parisienses de então – com músicas e danças –, o evento organizado pela Sra. Delmastro incluía tudo o que pudesse agradar à elite do país. Tanto aqui como na França, os novos donos do poder queriam mostrar a força de seu dinheiro de todas as maneiras possíveis. E que modo melhor de exibir riqueza e sofisticação do que num bom baile à fantasia durante o período do Carnaval, como se fazia naquela época em Paris? E foi exatamente o que aconteceu. Nos dias que antecederam os dois bailes, marcados para as noites de 21 e 24 de fevereiro, já se podiam ler, nos principais jornais da corte, informações sobre o que iria ocorrer durante os eventos. Duas orquestras animariam o imenso salão que abrangeria não somente a platéia do teatro, mas todo o espaço normalmente destinado ao palco, unidos e decorados para formarem uma área de diversão digna da sofisticação do público. O preço por pessoa, nada barato, seria de dois mil réis, com os camarotes sendo vendidos à parte, por cinco mil réis. Ou seja, uma família de seis pessoas gastaria a pequena fortuna de 17 mil réis para passar uma noite "aos usos e costumes da Europa", como se dizia então. Para efeito de comparação, naquele ano o aluguel de uma escrava para lavar, passar e engomar por um mês ficava em torno de 14 mil réis. O preço dos convites, entretanto, incluía o direito da família de levar consigo seus escravos para atendê-la durante a noite de gala, pois naquela época não se podia imaginar que alguém pudesse sair à rua sem estar circundado por sua criadagem particular, nem mesmo durante um baile à fantasia. Afinal de contas, quem iria ajudar os amos na difícil tarefa de vestir os elaborados costumes em salas reservadas exclusivamente para este fim pelo próprio teatro?

Apesar da imponência da empreitada, o risco do investimento era muito grande e a promotora do evento chegaria mesmo a publicar, no *Jornal do Commercio*, de 19 de fevereiro de 1846, um anúncio do evento que terminava implorando, literalmente, a afluência do público: "A empresária, pois, confiando na generosidade e benevolência do público desta corte, lhe implora humildemente a sua proteção, a fim de poder tornar brilhante este divertimento, tão conhecido na Itália e França."

Para alívio de Delmastro, a sociedade carioca respondeu com entusiasmo ao pedido e acorreu ao teatro com a disposição de quem estava cada vez mais ávida por este tipo de diversão, ao mesmo tempo jubilosa e elegante. Afinal, que melhor método poderia existir para se divertir durante o período carnavalesco longe das brincadeiras grosseiras do Entrudo?

O SUCESSO

Cavalheiros e damas das mais importantes famílias compareceram em suas melhores roupas de gala, ou vestidos com fantasias como aquelas que se usavam nos bailes parisienses mais chiques. O que se viu foi uma profusão de indumentárias curiosas, como as de palhaço, turco ou fidalgo, que davam ao salão um ar decididamente europeu. Dentre todas as fantasias, a de dominó era a mais difundida. Ela consistia numa grande capa presa a um capuz e tendo uma máscara cobrindo os olhos. Não é de admirar a presença deste disfarce nos salões brasileiros, visto que, desde 1830, eles eram uma verdadeira instituição nos bailes carnavalescos da Ópera de Paris. Lá, encobertos pela capa e pela máscara, os dominós, geralmente mulheres, abordavam os senhores encasacados com a tradicional pergunta "Você me conhece?" e revelavam segredos e pecadilhos do pobre homem assediado. A brincadeira continuava, com a misteriosa encapuzada prometendo guardar suas indiscrições em troca de pequenos favores, tais como balas de açúcar ou uma boa ceia no final do baile em algum dos restaurantes parisienses abertos até de manhã especialmente para receber esses fregueses. Essa brincadeira, comum nos carnavais de Veneza desde o século XVII e muito apreciada nos bailes franceses do século XIX, seria incorporada aos bailes ocorridos no Brasil.

Pois foi este clima de diversão, esplendor e "intrigas" que tomou conta do baile carioca de 1846 e encantou a cidade. Às 3 horas da manhã, o inspetor do teatro, também conhecido como mestre-sala, deu por encerrada a festa promovida por Delmastro, mas os efeitos desse evento inesquecível iriam perdurar por muito tempo na vida foliã do Rio de Janeiro e do Brasil.

O par formado pelo elegante senhor de casaca e a misteriosa mulher escondida sob o disfarce de dominó tornou-se um dos símbolos dos bailes carnavalescos elegantes de Paris no século XIX. Assediado pela figura feminina, o cavalheiro, docemente constrangido, aceitava a singela chantagem e entregava-se aos caprichos da intrigante. (Journal Amusant, *15 de fevereiro de 1868.)*

A intriga

A idéia de "espírito" está intimamente ligada ao Carnaval. Ter espírito significa saber até onde se pode chegar com as brincadeiras sem se tornar inconveniente ou grosseiro. A falta de espírito é uma das acusações lançadas contra o Entrudo Popular. A ilustração destaca o surgimento do espírito na figura de um sócio dos Fenianos que salta de uma garrafa empunhando um estandarte e faz voar senhores engravatados, polícia, padres e freiras, prováveis alvos das críticas jocosas das Sociedades Carnavalescas no carnaval de 1870.
(O Mosquito, *6 de março de 1870. Biblioteca Nacional, RJ.)*

Parte inseparável dos bailes à fantasia desde o início do século XIX, a intriga consistia, basicamente, em uma espécie de conversa entre uma mascarada (na maior parte das vezes o papel de intrigante era ocupado por uma mulher) mantida em anonimato sob uma fantasia de dominó, e algum participante do baile, geralmente um senhor de aspecto respeitável, que tivesse sido reconhecido e identificado pela intrigante. A brincadeira teria surgido nas festas e praças de Veneza, mas foi sua difusão nos bailes da Ópera de Paris que a alçou ao gosto da elite de então. Uma boa intriga devia excitar as duas partes envolvidas: uma buscando mostrar que conhecia detalhes nem sempre louváveis da vida da parte intrigada e a outra procurando escapar das perguntas cheias de malícia com respostas espirituosas. Muitas vezes, a conversa acabava num restaurante ou até mesmo numa alcova, onde a identidade da mascarada era finalmente revelada. Em alguns casos, inclusive, descobria-se que o que se pensava ser uma bela intrigante sob o manto de um dominó negro era, na verdade, um rapaz levando a extremos a situação da intriga.

É este tom de crítica, humor e libertinagem que, mais tarde, será chamado de "espírito". Já não mais associado a uma figura misteriosa mas às picardias e ironias das fantasias e alegorias carnavalescas. Ter espírito equivalia a saber utilizar-se de tiradas sarcásticas e, também, a sair delas. No caso do Carnaval, o espírito se manifesta na sagacidade dos chistes e brincadeiras, no humor crítico das fantasias, nas insinuações maliciosas das letras de músicas ou poemas e nos comentários políticos das alegorias que desfilavam pelas ruas.

A intriga, ou espírito, sobreviveu durante muitos anos nos Carnavais das grandes cidades brasileiras, onde o mote "Você me conhece?", proferido por um mascarado, ainda pôde ser ouvido nas brincadeiras carnavalescas de salões e de rua até a primeira metade do século XX.

Pode-se dizer, entretanto, que a intriga não morreu pois ela continua a existir nos enredos satíricos, nas marchinhas e sambas críticos dos blocos, no espírito iconoclasta dos Carnavais de rua de todo o Brasil e em tudo aquilo que se convencionou chamar de "espírito carnavalesco".

MAIS BAILES

Depois das bem-sucedidas investidas iniciais, a moda dos bailes à fantasia se expande rapidamente em terras brasileiras. No ano seguinte, 1847, a Sociedade Constante Polca anuncia, no *Jornal do Commercio*, de 23 de janeiro, um baile particular, para sócios e convidados, "dado em aplauso à aproximação do Carnaval, que na Europa costuma ser festejado antecipadamente". Mas bailes públicos também aconteceram em três locais distintos do Rio de Janeiro: no Teatro São Pedro de Alcântara, no Teatro de São Francisco e no Tívoli. Este último apresentaria, junto às danças e músicas tradicionais, uma encenação jocosa acompanhada de cantorias, com o curioso título de "A Morte do Carnaval ou A Ressurreição do Bacalhau". Aliás, mais do que apenas um salão, o Tívoli se apresentava como um verdadeiro complexo de divertimento, consistindo num grande pavilhão montado no meio de uma chácara, circundado por alamedas espaçosas e iluminadas à noite, com arcos cobertos de trepadeiras, muitos assentos nos passeios, lugares para toaletes, salas de descanso, salões de jogos e locais para vendas de iguarias e refrescos. Um requinte digno de qualquer cidade européia. No mesmo ano de 1847 a cidade do Recife também já anunciava dois bailes públicos, um no Teatro Público e outro no Teatro de Apolo. Em 1859 já se têm notícias de um baile mascarado em Florianópolis com danças e lançamento de flores e de frutas ocas de cera recheadas de papel picado, confeitos ou amêndoas. No ano seguinte o Teatro São João, em Salvador, realiza seu primeiro baile de mascarados onde são ouvidos trechos da ópera *A Traviata*. Em 1867, no Teatro do Largo do Palácio, acontece o primeiro baile carnavalesco paulistano, ao som de quadrilhas, polcas e valsas, algumas delas ouvidas pela primeira vez naquela cidade. Em suma, a moda dos bailes mascarados durante o período carnavalesco, que havia desembarcado no Rio de Janeiro, começava a tomar conta das principais cidades brasileiras.

A moda se estabelece

As fantasias

A obrigatoriedade de usar fantasias, regra aplicada em muitos dos bailes no período, iria gerar um próspero comércio de vendas e aluguel de roupas, máscaras (de arame, veludo ou cera), cabeleiras e barbas. Anúncios começam a ocupar as páginas dos jornais informando ao público sobre a disponibilidade no comércio de diversas fantasias. A loja Ao Cacique, do Rio de Janeiro, por exemplo, informava no *Jornal do Commercio,* de 6 de fevereiro de 1847, que recebera um carregamento de materiais para a confecção de fantasias, entre eles

> plumas de todas as cores [...], *plumets* (à la Henri IV), franjas de plumas para bordar saiotes, arminho para bordar mantos e botas, meios chapéus dourados e esmaltados (à *renaissance*), cestinhas de flores para jardineiras, ricos costumes de índios do Pará, e flores de todas as qualidades.

Em 17 de fevereiro de 1852 já se podia ler no jornal *Marmota na Corte*, uma coluna de modas que recomenda os disfarces a serem usados, de acordo com o que se tem notado em Paris e Londres. Trajes como o de Carlos VI de França, os de Luís XIV e Luís XV ou os dominós à veneziana eram recomendados às pessoas da boa sociedade. "Disfarces esquisitos", destacava o texto, deveriam ser deixados para as classes baixas. Em 1860, um certo Bazar Paulistano disponibilizava aos foliões da cidade de São Paulo um variado sortimento de acessórios para fantasias sofisticadas, destacando especialmente as cestinhas forradas de seda e enfeitadas de flores artificiais. Em 1889, a loja A Libertadora, de Fortaleza, vendia um variado sortimento de máscaras

A sofisticação das fantasias usadas nos bailes carnavalescos do século XIX reflete o gosto da sociedade da época pelas culturas "exóticas" e pelo estudo do passado. Além do evidente bom-humor dessas iniciativas, a folia cumpria, assim, um papel didático e educativo. Esperava-se que o povo assistisse deslumbrado a essas verdadeiras "aulas" de História e Geografia. (Mandarim Chinês. *New York Daily Graphic, 24 de fevereiro de 1876.)*

para senhoras, homens e meninos "sendo tipos de mocidade, velhice e caricatos". Em Porto Alegre, a loja Pequeno Boudoir Carnavalesco anunciava, para a folia de 1887, dominós, pierrôs, polichinelos e até *chicards* bordados a ouro e prata. No ano seguinte, uma dupla de cabeleireiros franceses estabelecidos na cidade, Allard e Roullier, oferecia um serviço de caracterização e de arranjo de perucas, apliques e cachos.

UM BOM NEGÓCIO

Mas nem só os comerciantes de fantasias e acessórios lucravam com os bailes. Outros tipos de negócios, como o de restaurantes, também prosperavam à sombra dos salões carnavalescos. Na capital do Brasil, o Hotel Ravot, por exemplo, informava no *Jornal do Commercio,* de 13 de fevereiro de 1847, que ficaria aberto durante todas as noites em que acontecessem bailes mascarados, oferecendo ceias quentes e frias para os foliões exauridos pela folia, como era costume em Paris. Além do comércio organizado, o cidadão comum também se aproveitava da folia para aumentar seus rendimentos, e novos modos de lucrar com a festa não paravam de surgir, como o de um certo proprietário de imóvel no Rio de Janeiro que oferecia "quartos decentes para os máscaras se vestirem, ficando-se responsável pelos objetos que os mesmos deixarem depositados" (*Jornal do Commercio,* de 4 de março de 1848). Não é de admirar, desse modo, o interesse que existia em torno desta nova brincadeira de Carnaval.

A fantasia

A fantasia do Carnaval brasileiro, tal como a imaginamos atualmente, tem origem nos bailes mascarados trazidos para cá na primeira metade do século XIX. São esses bailes, "à italiana", que a sociedade francesa, do início do século XIX, tomaria como padrão para realizar suas festas mascaradas.

O Brasil iria importar da França não somente a idéia dos *bals masqués* mas também os próprios modelos das roupas. Com isso surgiriam, nos primeiros eventos carnavalescos acontecidos no Rio de Janeiro, toda uma série de personagens ao gosto da burguesia européia. Um exemplo: o desfile público inaugural, em 1855, do Congresso das Sumidades Carnavalescas. Em pouco tempo, entretanto, fantasias menos elaboradas e mais adaptadas à esbórnia dos bailes começaram a ser trazidas de Paris. Pierrôs, *débardeurs*, *titis*, e *chicards*, passavam a freqüentar os salões brasileiros e os comentários da imprensa. De todas estas indumentarias, a mais curiosa e inusitada é a de *chicard*. Um pequeno folheto intitulado "A fisiologia do *chicard*", publicado na França em 1842, procurava explicar este estranho personagem carnavalesco. Segundo o texto, para ser um *chicard* era preciso ter uma vestimenta estranha e impossível, um traje ridículo e bizarro, espantoso, incrível e muito desarrumado. O verdadeiro *chicard*, prosseguia a descrição, deveria usar somente uma bota, mas está única bota precisava ser longa e estar rasgada. O outro pé deveria estar calçado com um sapato raso, novo e envernizado, encimado por uma fivela de prata. A perna referente ao pé calçado com o sapato deveria estar coberta por uma calça de boca larga. A camiseta precisava ser enfeitada com botões de pierrô. Na cabeça seria usado um imenso elmo de bronze, tendo por cima, obrigatoriamente, uma pluma comprida e espessa, mas um tanto quanto desgastada, como as plumas dos chapéus das atendentes do comércio da época. O absurdo da descrição dá uma boa idéia do espírito carnavalesco e iconoclasta da fantasia e do furor que ela deve ter causado tanto em Paris quanto no Brasil. Entretanto, apesar da minuciosa descrição, a fantasia não possuía um formato fixo e definido. As características mais comuns do *chicard* eram o grande elmo, encimado por longa pluma ou outro adereço, e as botas de cano alto. Coelho Netto, no seu *Carnaval de outrora*, comentava que os *chicards* do Rio de Janeiro usavam roupas "de cetim, cabeleira branca ou loura,

O diabinho (ao lado) e o velho (no alto) eram fantasias bastante difundidas no Carnaval popular do século XIX. (Cenas da vida carioca. Raul Pederneiras, 1924.)

em bucres, gorros de plumas ou capacetes encimados de lanternas que, à noite, acendiam, ou de aves, bonecos, garçotas ou cata-ventos". As variações dessa curiosa fantasia eram, na verdade, infinitas e dependiam da ousadia e do bom humor carnavalesco dos rapazes que a vestiam.

Homens fantasiados de mulher eram bastante comuns nos bailes carnavalescos do século XIX. Tais fantasias geralmente enfatizavam o ridículo da situação através da oposição entre as roupas femininas e barbas ou bigodes masculinos. (Journal Amusant, *5 de fevereiro de 1870.)*

É este espírito ao mesmo tempo sofisticado e brincalhão que a fantasia do carnaval popular carioca irá herdar. O Entrudo, por sua própria natureza inocente, grosseira e simplória, era um tipo de brincadeira que não incentivava o uso de fantasias. Mas, ao sair às ruas com suas arruaças e tambores, as classes menos favorecidas iriam acabar se espelhando nas indumentárias sofisticadas e jocosas usadas pela elite nos bailes e passeios, adaptando-as, é claro, a sua estética e a suas limitações financeiras. É assim, baseado na elaborada fantasia de Mefistófeles, que surgem os disfarces de diabinho, por exemplo, tão comuns no Carnaval de rua de todo o Brasil, ou ainda a elaborada roupa de nobre usada pelos "velhos" (ou cabeções) dos cordões, inspiradas nos sofisticados trajes da elite do século XVIII. Todas essas fantasias populares que se apresentavam "avulsas", ou seja, isoladas, sem fazer parte de um clube, ou grupo, eram genericamente chamadas de "princeses".

É esta herança do luxo formal e conceitual dos trajes elegantes, aliada à releitura feita pelo povo, que irá marcar o espírito das fantasias do Carnaval dos ranchos, por exemplo, famosos pela elaboração de suas vestimentas rebordadas e suntuosas. É, também, este mesmo espírito que presidirá o surgimento das primeiras fantasias das escolas de samba no Rio de Janeiro. Não é de se estranhar, desse modo, a presença de trajes aparentemente "nobres" que despontam entre os malandros, cabrochas e baianas nos grupos de samba cariocas das décadas de 1940 e 1950. O gosto pela roupa elaborada, pelo brilho e pelos acabamentos de aparência suntuosa é parte da herança de nosso povo, que desde muito tempo soube se aproveitar das formas e materiais sofisticados para criar fantasias que são a expressão mais verdadeira da riqueza e variedade de nossa cultura popular.

A fantasia de chicard *permitia as mais variadas improvisações. O limite era a ousadia do homem que a usava. A roupa de* titi, *simples, barata e sensual, difundiu-se em Paris e, logo depois, nos bailes brasileiros.* (Le Charivari, *6 de janeiro de 1864.)*

Enquanto isso, dentro dos salões, o grande *frisson* girava em torno das novidades que seriam apresentadas nos bailes. Além das danças galantes, como as quadrilhas ou contradanças, cada salão oferecia um leque de diversões diferente, tais como corridas de sacos, músicas de bandas e, muitas vezes, a apresentação de "uma brilhante valsa" como peça de encerramento.

O "Carnaval"

A ordem e sofisticação previstas para os bailes à fantasia fazem com que a elite da época decida reforçar a distância que separa sua festa das brincadeiras grosseiras que teimavam em resistir nas ruas das cidades brasileiras. Pouco a pouco, o termo "Carnaval" vai sendo utilizado exclusivamente para descrever a festa sofisticada dos bailes e dos passeios das elites, reservando-se para as brincadeiras populares o nome de Entrudo. Esta oposição entre Entrudo e Carnaval, muito destacada pela imprensa da época, persistiria por quase cem anos e serviria para colocar, de um lado, a festa oficial e organizada e, de outro, todas as brincadeiras que não se deixassem domar pelas regras estabelecidas. É por essa razão que durante todo o século XIX e nas décadas iniciais do século XX podiam-se ler nos jornais referências constantes à continuidade do Entrudo. Este "Entrudo" a que as condenações se referiam, entretanto, pouco se parecia com as gameladas, seringadas e batalhas de limões-de-cheiro do período colonial que vimos anteriormente. Ele se manifestava então através dos variados tipos de brincadeiras populares que ocupariam boa parte das ruas das cidades. Voltaremos ao assunto mais adiante. Por enquanto o importante é percebermos que a moda dos bailes serviu para que a elite brasileira pudesse impor ao país uma forma de divertimento cuja sofisticação e galanteria estariam para sempre ligadas, de um jeito ou de outro, ao Carnaval do país.

Nem tudo são flores

Se o principal objetivo dos bailes era abrir as portas dos ventos da civilização às comemorações carnavalescas brasileiras, em pouco tempo ficou claro que nem tudo funcionava como esperado. Em sua edição de 4 de março de 1848, o *Jornal do Commercio*, do Rio de Janeiro divulgava uma série de normas que deveriam ser seguidas por quem desejasse brincar nos salões do Teatro São Pedro de Alcântara. Nelas, ficam expressamente proibidos o jogo do Entrudo, os assobios, os gritos e as assuadas (ou seja, as desordens) dentro do recinto. Além disso, os mascarados e dominós deveriam ter sua privacidade respeitada, sendo vedado arrancar-lhes as máscaras, e era recomendado que as conversas mantivessem o nível da decência. Pelo teor das proibições, podem-se imaginar os tipos de excessos que ocorriam durante os bailes, excessos estes debitados à falta de traquejo social da elite tupiniquim. Sobre o assunto, um cronista do jornal carioca *O Brasil*, de 9 de março de 1848, relatava o seguinte:

> Os ditos picantes, e espirituosos, as intrigas e enredos que estejam dentro dos limites da decência são certamente a parte mais importante que tem de desempenhar aquele que se mascara!... É isto o que infelizmente não encontramos nos bailes a que assistimos, [...] não podemos deixar de atribuir semelhante falta ao acanhamento, e à pouca prática que eles têm desta espécie de divertimento.

Em 1849, a polícia já proíbe que se ande mascarado pelas ruas da corte, obrigando a quem quisesse freqüentar um baile a se vestir nas salas apropriadas, encontradas nos locais dos eventos. As regulamentações se sucedem e, em 1855, o chefe de polícia do Rio de Janeiro faz pública uma série de proibições oficiais que incluem: a obrigatoriedade de identificação de todos os mascarados sempre que solicitados pela autoridade competente; a proibição de uso de qualquer tipo de paus, bengalas ou outras formas de armas; e a nomeação de dois inspetores encarregados de executar as ordens das autoridades em cada salão. A situação fica tão tensa que, nesse mesmo ano, a polícia do Rio de Janeiro suspende a festa à fantasia que se realizava na casa de um rico dono de terras, porque este não aceitara que a autoridade impusesse o regulamento policial dentro de sua propriedade, como noticiou o *Diario do Rio de Janeiro*, de 17 de fevereiro.

Muitos bailes

O SUCESSO

Apesar de todas as regulamentações, ou talvez por causa delas, a popularidade dos bailes só faz aumentar. Em janeiro de 1856, por exemplo, estoura nos jornais da capital do país uma polêmica sobre a autorização para a lotação máxima para as festas de três teatros diferentes, como noticiou o *Correio Mercantil*, de 21 de janeiro. Durante uma semana discute-se o absurdo de teatros com variadas capacidades de público terem sido autorizados a atulhar seus bailes com a mesma quantidade de foliões. Paralelamente a este inchamento, aos poucos os concertos e as contradanças vão dando lugar aos ritmos mais modernos como as valsas e os *schottischs* (ritmo que mais tarde se transformaria no brasileiríssimo xote), além, é claro, do impressionante galope infernal, moda trazida diretamente dos *bals musards* que incendiavam o Carnaval de Paris da época. "O público, quando trata de bailes mascarados, não quer saber de concertos", afirmava o *Jornal do Commercio*, de 1º de fevereiro de 1856, notando que o gosto dos freqüentadores dos bailes torna-se cada vez menos sofisticado e cada vez mais folião.

Surgem bailes para todo o tipo de público que pudesse pagar alguma quantia pela entrada para o divertimento. Obviamente, isso excluía o populacho, que, sem dinheiro para investir na entrada e na fantasia necessárias para a folia dos salões, continuava a se divertir com a brincadeira livre e desinibida das ruas, chamadas, ainda e sempre, de Entrudo, ou a freqüentar os bailes na condição de serviçais dos foliões. Por outro lado, a licenciosidade começava a se infiltrar nos eventos dos salões, a ponto de um artigo publicado no Rio de Janeiro, no jornal *O Brasil*, de 18 de fevereiro de 1852, reclamar da presença de mulheres vestidas

Música e dança

Os chamados bailes à fantasia acontecidos no Brasil no início do século XIX eram bastante diferentes daquilo que imaginamos atualmente. Trechos de óperas eram executados por uma orquestra, divertimentos musicais eram apresentados por bandas, bailados jocosos eram dançados, jogos, como corridas de sacos, eram disputados pelos participantes e, em momentos determinados, os casais se reuniam para, aí sim, dançarem valsas, polcas, *schottisches* ou quadrilhas. Essa era uma espécie de bailado onde os pares executavam diversos passos, chamados de figuras, mais ou menos como um minueto, só que bem mais animado. As quadrilhas também eram chamadas de contradanças e eram variações da *country dance* inglesa ou da *contredance* francesa. A corte de Luís XV, na França do século XVIII, aderira à *contredance* por causa de seu ritmo animado e de sua coreografia mais espontânea, fazendo com que, em pouco tempo a moda se espalhasse por todo o país. Após a Revolução Francesa, a elite retomaria o gosto pela quadrilha que foi sofrendo curiosas adaptações de acordo com o interesse dos organizadores dos bailes parisienses (e brasileiros), que anunciavam contradanças aos estilos suíço, napolitano e até chinês! Os nomes quadrilha e contradança eram usados para denominar não somente as coreografias, mas também os próprios ritmos que acompanhavam as danças. Alguns teatros encomendavam quadrilhas especialmente para seus bailes de Carnaval, como foi o caso do Teatro Lírico Fluminense, que mandou compor a música intitulada *União Veneziana* para saudar aquela sociedade durante seu baile carnavalesco de 1857.

Um bom exemplo da programação de um baile é aquela divulgada pelo Teatro São Januário, no Rio de Janeiro, para o Carnaval de 1849. A diversão começava com uma comédia, intitulada *O jogo do*

*A dança do cancã foi um dos elementos que marcaram o avanço das classes menos favorecidas sobre os bailes carnavalescos. Seu principal passo era o lançamento da perna o mais alto possível. Associada ao frenético ritmo do galope infernal esta dança se tornaria uma das principais marcas da cultura popular francesa. (*Le Charivari, *11 de fevereiro de 1872.)*

Entrudo em Lisboa, continuava com a ária *Romântico estafado*, prosseguia com o que é descrito como o "baile mágico" intitulado *A magia do carnaval ou A seringa monstro* e terminava com "um dançado" onde três cavalheiros se apresentam vestidos de sílfides. Dá para se imaginar as brincadeiras jocosas de que foram alvo estes três corajosos senhores em meio a todos esses divertimentos. Como se pode perceber, a música e a dança são apenas uma das atrações destes primeiros bailes que consistiam, na verdade, em uma espécie de espetáculo de variedades.

Aos poucos, os ritmos mais acelerados, como as polcas, valsas e *schottisches*, vão crescendo de importância, incentivando cada vez mais as danças e aumentando a animação dos bailes. Na década de 1850, as grandes atrações desses eventos deixam de ser os concertos e áreas sinfônicas para se concentrar nessas músicas dançantes, como no Grande Baile Mascarado do Teatro Provisório, de 1854, no Rio de Janeiro, que apresentou quadrilhas como a *Le Dimanche du Sonneur*, valsas como *Tagliomi* e *schottisches* como *La Calabraise*. (*Jornal do Commercio*, 5 de janeiro de 1854.)

Na década de 1850, já se ouvia falar da presença, nos bailes mascarados brasileiros, de uma verdadeira epidemia dançante que tomava conta das festas similares na França: o galope infernal. Mas o "pior" estava por vir e, como sempre, proveniente da moderna Paris: o cancã. Surgido já nos anos 1830, na capital francesa, o cancã, ou *chahut*, derivava de uma espécie de dança lasciva espanhola chamada cachucha, que havia feito grande sucesso a partir da apresentação de grupos de dançarinos espanhóis na França do começo do século XIX. O cancã era dançado, inicialmente, como uma espécie de quadrilha popular, mas, num certo momento os pares bailavam livremente e "inventavam" os mais variados passos. Um desses passos era o famoso levantar de pernas, característico do que conhecemos atualmente como o cancã francês. A associação destes movimentos com a música dos galopes geraria um verdadeiro frenesi nos salões parisienses onde as "danças indecentes" tomariam conta dos salões. Como seria de se imaginar, é claro que os bailes brasileiros importariam, rapidamente, essa nova moda. A febre do cancã chegou a tal ponto no país que, em 1890, um jornal brasileiro publica, escandalizado, que famílias distintas haviam sido vistas bailando ao ritmo vulgar no baile do Clube São José, no Rio de Janeiro.

No início do século XX, novos ritmos são incorporados aos bailes tais como os *cake-walks*, dos negros americanos, os maxixes e os charlestons. Mas será a chamada marchinha que tomará conta dos salões carnavalescos e, logo depois, das ruas das cidades brasileiras. De acordo com Edigar de Alencar, em seu livro *O carnaval carioca através da música*, a marchinha, uma mistura da polca, do *one-step* e do *ragtime*, seria uma espécie de sucessora da marcha-rancho, que teve em *Ó Abre Alas*, de Chiquinha Gonzaga seu marco inicial. A moda da marchinha se fixaria no carnaval do Rio de Janeiro em 1920, após o sucesso de *Pé de anjo*, de Sinhô, e conheceria seu grande apogeu nas décadas de 1950 e 1960 com as composições de Lamartine Babo e Braguinha, dois dos maiores compositores do nosso país. Na mesma época, o aparecimento daquele que ficou conhecido como o primeiro samba gravado, *Pelo telefone*, em 1917, marcaria o início de um período áureo da música carnavalesca popular que conquistava os salões mais sofisticados e estabelecia a verdadeira trilha sonora dos grandes bailes do Carnaval brasileiro.

Nas décadas seguintes, novas expressões musicais iriam se juntar à folia, tal como os frevos e os sambas-enredo. Surgido nas ruas do Recife, o frevo conheceria uma grande expansão a partir da década de 1930, geralmente associado aos clubes de frevo, com suas músicas sem letras, compostas para serem tocadas e dançadas. O mesmo período verá o aparecimento do samba-enredo nas escolas de samba do Rio de Janeiro. O grande destaque que este gênero iria conhecer, principalmente a partir da década de 1960, deve-se ao envolvimento cada vez maior da elite intelectual brasileira com as manifestações da chamada cultura popular e ao interesse crescente da indústria fonográfica nesse gênero musical. O sucesso do samba-enredo *Chica da Silva*, do Salgueiro, no Carnaval de 1963 e o lançamento do primeiro disco com as músicas das escolas de samba em 1968 são dois importantes marcos dessa trajetória.

Apesar de demorar quase um século para se fixar na folia brasileira, a música especificamente carnavalesca, e as danças a ela ligadas, acabariam por se tornar uma das mais destacadas peculiaridades do carnaval do país. Nossa folia pode se orgulhar de ser a única no mundo a ter um ritmo próprio embalando seus bem-aventurados foliões.

de sílfides que serviam de decoração a um baile, exibindo pernas e seios em posições voluptuosas. A história tornou-se ainda mais picante quando se soube que este evento, organizado pela Sociedade Portuguesa de Beneficência, teria sido realizado em favor de asilos de caridade.

Produções esmeradas

Para satisfazer os desejos de um público cada vez mais ávido de novidades cintilantes, os bailes tornam-se verdadeiras superproduções, aliando o luxo das decorações à surpresa de apresentações espetaculares cada vez mais grandiosas. Em 1º de fevereiro de 1853, uma notícia no *Jornal do Commercio*, do Rio de Janeiro informava que o baile do Paraíso (novo nome do antigo Tívoli) apresentaria, a seus espantados freqüentadores, a grande novidade do momento: "um caminho de ferro com os competentes carros movidos a vapor os quais posto que em ponto pequeno são a imitação dos de Londres, França e Hamburgo, e trabalharão de hora em hora até o fim do baile". Como se vê, os bailes não serviam somente como um divertimento brejeiro e inconseqüente, mas tinham a função de ponto de encontro das elites endinheiradas e eram utilizados até como espaço para divulgação das mais recentes novidades tecnológicas, como o trem a vapor, por exemplo.

Entretanto, para, entre outras coisas, impulsionarem bons negócios, os bailes não podiam descuidar de suas atrações. Dentre seus divertimentos mais chamativos, destacavam-se as montagens teatrais e cenográficas grandiosas, preparadas especialmente para o evento. Em 1856, por exemplo, o Paraíso prepara um grupo de atores figurantes para representar um espetáculo que mostraria "todo o esplendor da corte do Imperador da China", seguindo-se o evento da apresentação de várias contradanças ao estilo chinês. Esse tipo de exibição teatral, ao gosto europeu, é bastante semelhante aos chamados *tableaux* característicos do Carnaval de Nova Orleans e de Toronto da época.

As produções aumentam de complexidade e, em 1861, o Teatro São Pedro de Alcântara, no Rio de Janeiro, já contratava um cenógrafo para decorar seus salões ao estilo "clássico e barroco". O resultado parece ter sido grandioso, pois, segundo

Os tableaux *eram grandes cenas em que pessoas fantasiadas apresentavam uma espécie de quadro estático abordando um tema predeterminado com o objetivo de distrair e maravilhar os freqüentadores dos bailes.* (Momus recebendo as estações ano. Tableau *apresentado no terceiro baile de Momus, realizado em Nova Orleans, 1876. Foto: Leonard V. Huber.)*

a descrição publicada no *Diario do Rio de Janeiro*, de 3 de fevereiro de 1861, as galerias do teatro foram divididas por estátuas de cariátides que sustentavam figuras de meninos com grandes festões de flores. Além disso, no fundo do salão, um pórtico levava a um jardim com iluminações especiais, denominado de Jardim das Fadas. Para culminar, todo o espaço fora feericamente iluminado, por 22 lustres a gás e os camarotes enfeitados com cortinas, colchas, flores, bandeiras e máscaras burlescas. A sofisticação era tanta que o próprio prédio do teatro seria decorado com bandeiras, tendo, em seu terraço, a banda marcial de fuzileiros tocando entre exóticos vasos com arbustos. A ordem era aliar criatividade e extravagância, criando-se uma espécie de espetáculo de luzes, formas, músicas e danças inusitadas para o deleite dos foliões, que caíam na farra como se não houvesse amanhã. Em outras cidades as cenas se repetiam, como no baile, citado por Athos Damasceno em seu livro *O Carnaval porto-alegrense no século XIX*, realizado em 1881, em Porto Alegre, na sede da Sociedade Venezianos. A decoração envolvia todo o salão. O teto fora dividido em nove quadros com molduras de ouro destacando anjos com festões de flores. As colunas foram recobertas com "ornamentos simulando escamas de ouro e prata". As paredes das janelas apresentavam enfeites com grupos de palmeiras e plantas ornamentais. Ao fundo do salão decorações representavam cenas de Veneza, com os canais de Rialto e da Igreja de São João e São Paulo.

Os freqüentadores dos bailes, por sua vez, buscavam apresentar-se com vestimentas e acessórios à altura da grandiosidade dos eventos. O luxo e a variedade das fantasias se multiplicam, a ponto de a loja Galeria de Vestuário Niobey – situada na Rua do Ouvidor, centro do Rio de Janeiro – publicar, no *Jornal do Commercio*, de 28 de fevereiro de 1862, um anúncio oferecendo nada mais nada menos que 65 tipos diferentes de ricos disfarces carnavalescos para quem quisesse se divertir num baile à fantasia, entre os quais Mandarim Chinês, Mefistófeles, Pescador Napolitano, Corsário Grego, Louco Flamante, Oficial das Guardas Francesas, Astrólogo de Madagascar, Camponês da Galícia, Zuavo, Escocesa, Pierrô e Pierrete. Isso sem falar nos indefectíveis dominós, e em máscaras, cabeleiras, barbas, bigodes e outros acessórios essenciais ao folião elegante.

Os bailes das Sociedades Carnavalescas

As últimas décadas do século XIX vão marcar a separação cada vez mais nítida entre os bailes da elite endinheirada e aqueles freqüentados pelas classes intermediárias da população, mais permeáveis às influências do povo. Os bailes públicos passam a incorporar boa parte do espírito saudavelmente esculhambado do Entrudo Popular, enquanto que os bailes privados das classes mais abastadas tornam-se cada vez mais eventos fechados e exclusivos. É assim que ficamos sabendo, por um cronista da *Revista Ilustrada*, de 20 de março de 1886, que a aristocracia carioca realiza seus eventos carnavalescos na casa dos membros da alta sociedade onde "os cavalheiros aparecem-nos transformados em Richelieus, em Astrólogos, em mercadores de Bagdad, em Pierrôs e até em Sultões. As damas são mais poéticas. Preferem as *toilettes* vaporosas de Noites, de Maintenons, de Vivandeiras, e Odaliscas".

O que havia acontecido de importante, na verdade, era o surgimento de um outro tipo de baile carnavalesco que se situava na fronteira entre a esbórnia dos bailes públicos dos teatros e a sofisticação afetada dos bailes privados nas mansões da elite endinheirada. Muitos desses bailes "intermediários" eram aqueles promovidos pelas chamadas Sociedades Carnavalescas. Na verdade, os primeiros bailes à fantasia de que se tem notícia em terras brasileiras foram organizados por grupos de pessoas que estabeleciam suas atividades sociais (saraus, leituras, jogos, passeios e danças) em entidades inspiradas nas associações e nos clubes franceses e ingleses, chamados, muito propriamente, de sociedades. Dentre as muitas atividades sociais organizadas por esses grupos, as reuniões dançantes – ou "assembléias de bailes" – eram as mais freqüentes e, no Rio de Janeiro, movimentavam os sócios da União dos Gamenhos e da Constante Polca, às quais já nos referimos, e de outros clubes como a Sociedade de Recreação Campestre ou a Sociedade Nova Harmonia.

Num primeiro momento, foram estas sociedades recreativas que organizaram as festas à fantasia para a diversão de seus sócios. Em pouco tempo, a idéia dos bailes é encampada, como vimos, por empresários, como Clara Delmastro, que passaram a realizar os eventos em locais públicos, onde a única coisa que poderia impedir a entrada de um cidadão seria a falta de dinheiro para pagar o convite. O que, convenhamos, já era uma boa forma de limitar a entrada nos salões. Após algum tempo, as antigas sociedades recreativas, por seu lado, deixam de organizar bailes exclusivos para os seus sócios e começam a participar das folias preparadas pelos teatros.

Estabelece-se o costume de os sócios se reunirem na sede de sua sociedade para partirem juntos em direção ao baile, numa espécie de cortejo festivo onde os foliões passeavam em suas carruagens abertas pelas ruas que estivessem no caminho entre sua sede e o local da festa. Toda esta pândega devia chamar a atenção do povo nas ruas que não tinha como ignorar a alegria e o esplendor daquela folia prestes a começar. Em pouco tempo, alguns teatros começam a incentivar estes cortejos com objetivo de atrair mais freqüentadores para as suas festas. Em 1848, por exemplo, o Tívoli publicava anúncio, no *Jornal do Commercio*, de 2 de março, conclamando a população carioca a acompanhar uma rica charrete com pessoas fantasiadas, que sairia de sua sede no fim da tarde e para lá retornaria horas depois. A "única exigência é que os interessados se apresentem no local combinado à hora marcada, mascarados e a cavalo". O *Diario de Pernambuco*, de 1º de março de 1852, também sugeria que a pessoa que quisesse se divertir às vésperas da Quaresma vestisse sua fantasia e passeasse pelas ruas antes de se dirigir ao baile de máscaras. Desse modo, a presença de pessoas fantasiadas transitando pelas ruas das cidades brasileiras durante os dias de folia marcaria um passo importante no surgimento daquilo que mais tarde ficaria conhecido como Carnaval de rua.

É nesse contexto que dois grupos de representantes da elite carioca decidem fundar, em 1851, aquelas que parecem ter sido as primeiras sociedades eminentemente carnavalescas da cidade, o Congresso das Sumidades Carnavalescas e a Sociedade Carnavalesca União Veneziana. Pela primeira vez, no Brasil, grupos de pessoas se organizavam com o principal objetivo de se divertir durante os dias de Carnaval. Mais uma vez seria o Carnaval francês que serviria de inspiração para a nova festa importada pela elite brasileira, pois em Paris grupos de rapazes já se reuniam em *sociétés*

*Em 1881, duas sociedades dividiam a preferência da população no Carnaval da cidade de Porto Alegre: a Sociedade Carnavalesca Esmeralda e a Sociedade Carnavalesca os Venezianos, realizando desfiles inspirados na folia burguesa do Rio de Janeiro. (*O Século*, 1881.)*

carnavalescas desde o início dos anos 1840, como a dos Badouillards, da qual já falamos. Diferentemente da França, porém, a formação dessas sociedades aqui no Brasil seria bem mais "familiar", ao menos nos primeiros anos. Desse modo, em 18 de fevereiro de 1855, serão os rapazes e moças da nossa mais fina sociedade que, associados ao Congresso das Sumidades Carnavalescas, saem de sua sede sobre carruagens abertas, em direção ao baile do Teatro de São Pedro, num passeio que ficará marcado na história do Carnaval brasileiro e do qual falaremos mais adiante.

O surgimento do Congresso das Sumidades Carnavalescas colhe os louros do pioneirismo através de saudações efusivas nos principais jornais cariocas e mesmo de outras cidades brasileiras. Tamanha receptividade incentiva, já no ano seguinte, que a Sociedade Carnavalesca União Veneziana e o Clube Carnavalesco decidam se juntar ao pioneiro Congresso nas ruas e bailes da cidade. Em poucos anos, uma profusão de sociedades carnavalescas organizadas irá surgir, inicialmente no Rio de Janeiro e, logo depois, em Florianópolis (1858), São Paulo (1860), Recife (1862), Porto Alegre (1874), Salvador (1884) e em muitos outros centros urbanos do país, marcando os bailes e as ruas do Carnaval brasileiro com sua forma elegante de participar da folia. Boa parte do esplendor presente em nossa festa carnavalesca atual é devida a este primeiro e importante passo realizado pelo sócios do Congresso das Sumidades Carnavalescas, no Rio de Janeiro.

Se os passeios dos membros das sociedades carnavalescas empolgavam as ruas das cidades, suas chegadas no recinto dos bailes eram ansiosamente esperadas e efusivamente saudadas pelos freqüentadores dos salões, pois sua presença marcava uma espécie de garantia de diversão para os foliões nos teatros. A disputa pela visita das principais sociedades aos salões dos bailes é imensa. Em 1857, o Teatro Lírico Fluminense deu uma prova de seu prestígio e anunciou, nos jornais, a passagem por seus salões da Sociedade União Veneziana e do Congresso das Sumidades Carnavalescas. A chegada de ambas foi saudada com girândolas de foguetes e até mesmo uma quadrilha especialmente composta para ser apresentada na ocasião, intitulada "União Veneziana", foi tocada pela orquestra do baile. A própria decoração dos salões aludia, muitas vezes, às sociedades que estariam presentes ao evento. O Teatro São Pedro de Alcântara, por exemplo, enfeitou seus camarotes para os bailes do Carnaval de 1858 com os estandartes das Sumidades e da União Veneziana, como relata o *Jornal do Commercio*, de 13 de fevereiro.

POMPA E HUMOR

A participação cada vez mais ativa das sociedades na animação dos bailes criaria uma espécie de espetáculo de variedades, onde cada uma buscava superar as outras em pompa e humor carnavalescos. Em 7 de fevereiro de 1864 lia-se no *Jornal do Commercio*, que o Teatro Lírico organizara toda uma série de eventos previstos para se desenrolar durante suas festas. Cada uma das sociedades convidadas pela administração do teatro estava programada para adentrar os salões numa hora determinada e se apresentar de acordo com um programa pré-fixado. A primeira apresentação prevista era a da Sociedade dos Boêmios, cujos sócios passearam em roda no salão precedidos de seu estandarte. Após, seguiu-se o Clube X, que desfilou pelo recinto executando seu hino. A seguir, os Estudantes de Heidelberg começaram seus folguedos recitando "discursos em todas as línguas, mortas e vivas". Logo depois, a Sociedade Carnavalesca Títeres do Diabo percorreu o teatro fazendo saudações à festa. Seguiu-se a Sociedade Nova Cromática com sua "panficoromalógica" entrada. Ao final, adentrou os salões a Paulicéia Vagabunda, composta de estudantes de São Paulo. Podemos imaginar cada um desses grupos de rapazes, perfilados, realizando estranhas e jocosas coreografias, recitando poemas em línguas inexistentes, realizando, em suma, verdadeiras apresentações humorísticas para espanto e divertimento dos freqüentadores do baile. A descrição das atividades previstas para a entrada de algumas dessas sociedades no baile do Tívoli do dia seguinte, publicada no *Jornal do Commercio*, de 26 de fevereiro de 1865, pode dar uma idéia mais detalhada do clima pândego e surrealista que tomava conta das festas carnavalescas quando esses grupos se apresentavam nos salões:

> Os *Zuavos*, disciplinados e rigorosamente vestidos, entrarão no salão às 10 horas em ponto, debaixo do comando de seu garboso chefe, que depois de fazer manobras o seu corpo marchará em continência em redor do teatro, cumprimentando as outras sociedades, e dispersando-se depois estarão sempre alerta e prontos para o primeiro toque a reunir.
>
> [...]
>
> Às 10 1/2 horas em ponto da noite, na hora fatídica em que o diabo corre solto pela terra, os Boêmios farão a sua entrada, e, precedidos pelo seu democrático estandarte, correrão todo o teatro ao meio de vivas ao som de uma gritaria satânica, e tomarão posse de seus clássicos camarotes, onde belas poesias serão recitadas, e onde depois de meia noite estarão visíveis a todas as moças bonitas que os quiserem honrar.

Esse tipo de brincadeira, apresentando uma série de manobras jocosas realizadas ao som de marchas militares, também estaria presente nos Clubes Pedestres do Carnaval pernambucano de final do século XIX, famosos por seus movimentos em grupo coordenados ao som de marchas e dobrados. De fato, essas manobras existem até hoje, nos grupos que se apresentam no Carnaval da cidade de Colônia, na Alemanha, e nas famosas Marchas de Lisboa, características da Festa de Santo Antônio, realizada anualmente na capital portuguesa.

No Rio de Janeiro da segunda metade do século XIX, essas brincadeiras alcançavam grande sucesso, e não é de admirar que os bailes disputavam quase a tapa a presença das principais sociedades em seus salões. Era comum verem-se diferentes teatros anunciando a visita das mesmas sociedades em suas dependências numa mesma noite. Não causam nenhum espanto, portanto, as verdadeiras homenagens que cada baile prometia aos grupos que se dispusessem a se apresentar em seus salões. Taças e decorações com motivos alusivos às sociedades, camarotes especialmente reservados, recepções como fanfarras e outros mimos faziam parte do conjunto de agrados destinados a atrair a boa vontade dos jovens participantes das sociedades carnavalescas. Apesar de todos os afagos, podemos supor que não deveria ser muito fácil participar-se dos grupos mais requisitados. A brincadeira começava geralmente às três ou quatro horas da tarde, quando os sócios se reuniam em sua sede. A partir de uma certa hora, o grupo passeava pela cidade em carruagens, a cavalo ou mesmo a pé, com a obrigação de demonstrar uma constante alegria que deveria entrar pela noite adentro. Em algum horário, entre as dez horas e meia-noite, os sócios estavam chegando em seu primeiro baile, no qual se apresentariam e ocupariam por um tempo os camarotes a eles destinados. Horas depois os rapazes já deviam estar cumprindo o mesmo ritual em outro teatro, onde os desfiles e brincadeiras se repetiriam. Muitas vezes um terceiro baile encerrava a noite. Com toda essa atividade, quase ininterrupta, imagina-se que em poucos anos as principais sociedades estivessem se sentindo excessivamente assoberbadas pela faina carnavalesca e um tanto ou quanto exploradas pelos empresários dos bailes.

Alguns desses grupos começam a retornar, deste modo, ao costume das antigas sociedades recreativas de organizar bailes exclusivos para os seus sócios, eventos realizados inicialmente em teatros ou salões alugados especialmente para este fim. O pioneiro Congresso das Sumidades Carnavalescas já havia promovido, em 1856, um baile privativo nos salões do Clube Fluminense. Em 1859, as sociedades Miríades, Congresso Juvenil e Nova União Comercial também passam a realizar bailes à fantasia particulares para seus sócios e convidados. Mas é o Clube Musical Zuavos Carnavalescos que parece ter sido o primeiro a realizar um baile em sua sede própria, em 1871, inaugurando uma longa linhagem de festas que marcaram, por seus excessos e esplendores, a rivalidade das principais sociedades cariocas nas últimas décadas do século XIX.

A IMPORTÂNCIA DOS BAILES

Apesar de consideravelmente isolados das camadas populares, os bailes carnavalescos tiveram uma enorme importância para a formação do Carnaval brasileiro. A principal delas foi a de fornecer à folia das ruas toda uma série de modelos a serem imitados e reelaborados pelos foliões que não tinham condição de freqüentar as festas dos teatros e salões. Ao entrar em contato com a beleza e originalidade das indumentárias que a elite desfilava pelas ruas antes de entrar nos salões, o povo das cidades brasileiras conheceria um outro tipo de folia e associaria a idéia de fantasia à brincadeira carnavalesca.

A projeção que os bailes alcançariam nas décadas que se seguiram a seu surgimento acabaria por fazê-los um dos principais elementos da "oficialização" que a festa iria sofrer a partir da década de 1930, quando bailes como os do Municipal do Rio de Janeiro ou o Bal Masqué no Recife tornar-se-iam verdadeiros ícones da folia brasileira. Além disso, a loucura dos bailes marca o primeiro passo consciente do longo caminho em direção a uma festa carnavalesca própria de nosso país. Esses alegres eventos foram as primeiras tentativas que a elite brasileira faria para substituir a brincadeira do Entrudo, considerada antiga e grosseira, por uma festa mais galante e adequada à nova posição que o Brasil pretendia ocupar entre as nações do mundo civilizado.

Máscaras na rua

Em 5 de fevereiro de 1853, o *Periódico dos Pobres*, do Rio de Janeiro, publicava um texto cheio de esperanças num novo tempo para o Brasil. O assunto, porém, não era a política nem a situação econômica da nação, mas sim as diversões que aconteciam na cidade durante os dias de comemoração do período carnavalesco. Um trecho do artigo declarava o seguinte:

> A Sra. Civilização que tudo invade, que como despótica soberana, quer tudo reger e dominar, tem tentado derrubar o império do entrudo para sobre ele firmar o seu trono carnavalesco, com todo seu imenso séqüito de Dominós, Débardeurs, Palhaços, Chicards, Rippaillards [...].

Apesar de falar de uma festa, assunto geralmente ligado às amenidades, o texto apresentava algumas metáforas um tanto belicosas, destacando uma espécie de disputa entre a poderosa Sra. Civilização, de um lado, e o renitente Entrudo do outro. Acompanhada de alguns ajudantes – nas figuras de famosas fantasias carnavalescas, como o dominó ou o *chicard* – a "despótica soberana" Civilização tinha por objetivo dominar a situação e destronar o Entrudo de seu império carnavalesco. O tom triunfal deixa, entretanto, transparecer uma certa insegurança quanto ao desfecho desta verdadeira guerra que parecia estar sendo travada em solo brasileiro e de suas principais batalhas, que aconteciam na cidade do Rio de Janeiro, capital do Império.

Com efeito, na virada para os anos 1850, a situação das brincadeiras carnavalescas no Brasil estava bastante indefinida e o antigo Entrudo parecia longe de ceder seu posto para o novo carnaval dos bailes preparado para substituí-lo. Um dos responsáveis por esse impasse era a própria elite brasileira, ou pelo menos uma parte dela, que continuava impavidamente a jogar seu Entrudo costumeiro nos dias dedicados às brincadeiras carnavalescas. Desse modo, os renitentes limões-de-cheiro não deixavam de voar dentro das casas, ensopando, com suas águas perfumadas, os colos das mocinhas e as lapelas dos rapazes e senhores.

A implantação dos bailes mascarados marcou a primeira tentativa de trazer os ares da modernidade aos dias de brincadeiras carnavalescas no Brasil. Mas logo ficou claro que não bastava apresentar à sociedade brasileira um exemplo de brincadeira sofisticada para que a adesão a ela fosse automática. A presença de pessoas e grupos mascarados pelas ruas das principais cidades brasileiras também não foi suficiente para acuar o Entrudo. Em suma, mesmo com a implantação dos sofisticados bailes carnavalescos importados da França, a nossa grande brincadeira nos dias anteriores à Quaresma continuava sendo a molhadela e o enfarinhamento geral. Os chamados máscaras acabaram por se tornar novos alvos para os projéteis vindos das residências familiares. Deslocar-se pelas ruas antes dos bailes com belas fantasias era um convite à chuva de limões e laranjas de cera, bolinhas de gesso e todos os outros projéteis dos quais se muniam os lares brasileiros. Eram comuns as reações dos mascarados a algum agressor e não raro a espada que enfeitava uma fantasia servia de arma contra o avanço de algum entrudista. O *Diário de Pernambuco*, de 12 de fevereiro de 1853, chegou a sugerir que as espadas das indumentárias fossem substituídas por similares feitas de papelão para evitar um desfecho trágico para tal tipo de briga. Além disso, alguns populares começaram a andar pelas ruas com fantasias livremente inspiradas naquelas que a elite usava. O grande problema era o uso das máscaras que eventualmente poderiam servir para encobrir as ações de alguém mal-intencionado. A polícia tentava coibir o livre trânsito pelas ruas de pessoas disfarçadas após um certo horário, mas sem muito resultado.

Ou seja, a presença dos máscaras nas ruas das cidades não teve o resultado que se poderia esperar. A partir dessa premissa, os adeptos de civilizar-se a festa carnavalesca brasileira só tinham duas opções: a primeira seria recuar e desistir do intento, a segunda reaparelhar-se para uma ação mais consistente. O espírito folião falou mais alto e um novo projeto de ação foi posto em prática. Dessa vez muito mais consistente e organizado.

Surge o "Carnaval"

Fica claro, a partir da década de 1850, que o exemplo dos bailes nos teatros e a exibição pública dos máscaras não eram suficientes para desbancar o Entrudo, uma brincadeira que tinha raízes muito profundas na sociedade brasileira. A ação civilizadora de uma nova forma de diversão carnavalesca precisava ocupar os espaços do Entrudo Popular – ou seja, as ruas – e ser apresentada, claramente, como portadora de um novo tempo para o país. A estratégia da elite não somente deveria incluir uma nova forma de se brincar o Carnaval, mas deixar claro que essa nova diversão também ocupasse o espaço do antigo Entrudo. Uma conquista que se realizasse tanto nos corações do povo quanto no próprio espaço ocupado por sua brincadeira. Fica também claro que a solução para fazer frente ao Entrudo teria que surgir dentro do próprio grupo interessado em dar fim ao antigo costume e não de providências de um órgão oficial, pois desde 1841 a Câmara de Deputados do Rio de Janeiro – que, como vimos, também gozavam da folgança – prometia, mas nunca criava, um projeto para substituir o Entrudo. A solução, como acontece freqüentemente, estava mais próxima do que se podia imaginar.

A nova expressão da folia criada pelas elites deveria ser definida como o contrário do Entrudo, marcando sua oposição ao que era antigo e apontando na direção da modernidade. Um Carnaval sofisticado como a festa dos bailes, mas capaz de mostrar-se pelas ruas com um esplendor nunca imaginado pelas lambanças folionas coloniais. Essa nova brincadeira, surgida na década de 1850, seria os passeios à fantasia que, após algum tempo, passariam a ser considerados pela elite, juntamente com os bailes de máscaras, a verdadeira e única festa carnavalesca. A ação em favor da valorização dos passeios e bailes seria tão forte que a partir de então a palavra "carnaval" passaria a ser usada, cada vez mais exclusivamente, para descrever a brincadeira sofisticada, reservando-se o termo Entrudo para qualquer tipo de jogo grosseiro que acontecesse nos dias dedicados à folia.

Um dos principais objetivos da burguesia brasileira, com a implantação de uma nova forma de se divertir durante o Carnaval, era acabar de vez com as brincadeiras consideradas grosseiras, chamadas genericamente de Entrudo. O ágil e elegante personagem representando o Carnaval dá uma estocada no desajeitado boneco que faz o papel de Entrudo, cujas pernas são seringas, o corpo e o chapéu têm a forma de bisnagas e carrega uma cesta com os sempre presentes limões-de-cheiro. (Revista Ilustrada, *n. 238, 1881. Biblioteca Nacional, RJ.)*

Carnaval x Entrudo: uma falsa oposição

A partir de meados do século XIX, o Entrudo passa a ser considerado como o anti-Carnaval. Ou seja, dentro do conceito de "Entrudo" são incluídos todos os tipos de eventos (como brincadeiras, músicas ou danças) considerados indignos de fazer parte do "verdadeiro Carnaval" desejado pela elite liberal brasileira. Esse procedimento explica o que muitos estudiosos chamam de "a persistência do Entrudo" na festa carnavalesca do país. Na verdade, o que persiste não é exatamente a antiga brincadeira grosseira descrita como o Entrudo do período colonial. O que continua a existir é a resistência das camadas populares à sofisticação organizada do Carnaval proposto pela burguesia.

A partir da implantação da festa elegante trazida pela elite, toda e qualquer reação ao novo formato da brincadeira carnavalesca passaria a ser classificada, e condenada, como Entrudo. Com isso, molhadelas e enfarinhamentos são colocados na mesma categoria dos batuques negros, dos passeios desorganizados de grupos de foliões, das violas populares lusitanas ou de qualquer outra forma não-convencional de diversão envolvendo as camadas mais desvalidas da população. Tudo isso passa a ser chamado de "Entrudo", ficando, automaticamente, de fora do que seria o "legítimo Carnaval".

Entretanto, esta classificação não é rígida ou imutável. Com o passar dos anos, algumas dessas brincadeiras anteriormente consideradas "Entrudo" foram deixando de ser encaradas como marginais e passaram a ser consideradas válidas pelas elites, sendo, com isso, incluídas dentro do chamado Carnaval. Esta aceitação de divertimentos anteriormente vistos como grosseiros, e sua incorporação à "verdadeira" folia, não impedia, entretanto, que outras formas de diversão continuassem surgindo. Essas novas brincadeiras costumavam ser, inicialmente, classificados como Entrudo e, portanto, condenadas como não-carnavalescas até serem incorporadas, ou não, pela festa "legítima". Este processo dá-se continuamente fazendo com que a palavra Entrudo permanecesse, por muitos anos, a freqüentar as crônicas carnavalescas como sinônimo de baderna e como uma espécie de resumo de tudo aquilo que não podia ser chamado de Carnaval.

Essa aparente "oposição" entre o Carnaval e o Entrudo, entretanto, é falsa por duas razões. A primeira delas, como acabamos de ver, é o fato de que os conceitos sobre o que é Carnaval e o que é Entrudo variam com o passar dos anos. Os grupos semi-organizados que andavam pelas ruas batendo tambores acabaram sendo incorporados à folia sob o nome de zé pereiras. Um outro exemplo: em 1890, os jornais do Rio de Janeiro lamentavam a falta de animação carnavalesca na Rua do Ouvidor que teria sido palco "somente" de apresentações de conjuntos populares negros como o Cucumbis Africanos e a Sociedade dos Cucumbis Carnavalescos. Entretanto, pouco mais de dez anos depois, grupos similares a esses seriam louvados como a expressão mais legítima do Carnaval brasileiro.

A segunda razão é que, ao contrário do que a imprensa da época costumava afirmar, Entrudo e Carnaval não são totalmente opostos e nem "inimigos" um do outro. Estas duas formas de brincadeira, na verdade, estabeleceram, desde o princípio, um proveitoso diálogo capaz de permitir o surgimento de diversões que incorporavam a sofisticação do "Carnaval" burguês e a alegre ausência de compromissos do "Entrudo" popular. Ou seja, os limões-de-cheiro, ou brincadeiras similares "típicas" do Entrudo (como as bisnagas, surgidas posteriormente) marcavam presença nos bailes sofisticados e nos passeios de máscaras. Por outro lado, as fantasias elegantes são reinterpretadas pelo povo que as incorpora a seus blocos. Estes são apenas dois exemplos entre tantos que mostram que é mais importante dar atenção às trocas culturais entre o "Entrudo" e o "Carnaval" do que destacar sua falsa oposição. No fundo, é exatamente nessa "conversa" entre as diferentes formas de se brincar que vai residir a principal característica da nossa folia.

Atualmente já não se usa mais o termo "Entrudo", mas a idéia do não-Carnaval persiste. Tudo que não se enquadra dentro do conceito de organização é desqualificado como bagunça ou violência. Tudo que não se encaixa dentro da idéia de tradição passa a ser considerado pernicioso e "globalizante". Ou seja, a tensão continua, e com ela a riqueza dos encontros inusitados e dos diálogos que mantêm viva a festa carnavalesca brasileira.

Elemento típico do Entrudo, a seringa era, entretanto, utilizada pelos foliões dos bailes da burguesia, tanto no Brasil quanto na França. (Journal Amusant, *15 de fevereiro de 1868.)*

Começando o passeio

Os primeiros passeios de grupos de pessoas fantasiadas pelas ruas das cidades se deram, como já vimos, com as sociedades organizadoras de bailes carnavalescos que decidiram reunir seus sócios em suas sedes para que todos seguissem juntos até os locais das festas. Diferentemente dos máscaras que passeavam pelas ruas aleatoriamente, escolhendo seus caminhos de acordo com sua conveniência, os membros das sociedades estabeleceram uma espécie de itinerário, fixado antecipadamente, que partia da sede da entidade em direção ao teatro onde o baile teria lugar. Bastante simples, esses roteiros serviam para manter uma certa ordem no deslocamento, facilitando o trabalho da polícia e evitando a dispersão dos sócios que, juntos, tinham muito menor probabilidade de sofrer algum tipo de ataque entrudístico, ou que teriam, ao menos, mais condição de reagir coletivamente à investida.

Embora já ocupassem, de algum modo, as ruas das cidades durante as tardes de Carnaval, esses passeios eram apenas uma brincadeira que antecedia o divertimento principal, os bailes. Impunha-se, entretanto, o surgimento no Brasil de um novo tipo de diversão carnavalesca. Um passeio que bastasse a si mesmo. Um deslocamento festivo que se mostrasse ao país não mais como um preâmbulo de outro divertimento, mas como uma brincadeira com valor próprio.

As Sumidades Carnavalescas

O evento que marcaria a implantação dessa nova forma de brincar iria acontecer na cidade do Rio de Janeiro, no ano de 1855, quando se realizaria pela primeira vez o passeio de um grupo de amigos intitulado Congresso das Sumidades Carnavalescas.

Mesmo antes de seu primeiro desfile, o grupo já contava com a simpatia e a divulgação da imprensa carioca. Quatro dias antes do evento, o *Jornal do Commercio*, de 14 de fevereiro de 1855, já informa a seus leitores sobre o passeio, destacando que

> montados em belas equipagens [cavalos] e vestidos com elegância e primor, os membros do *Congresso* atravessarão a cidade em todos os ângulos e invadirão os *faubourgs* da *gentry* e da *fashion* fluminense. Os *bouquets* e os *confetti* serão os projéteis de guerra dos galhofeiros invasores; e esperam ser combatidos com iguais armas.

De fato, com todo o apoio não só da imprensa como também das autoridades e mesmo da polícia do Rio de Janeiro (que prometia ser rigorosa na execução do código de postura proibindo o jogo de Entrudo dentro do município, como destacava o *Correio Mercantil*, de 31 de janeiro de 1855) e com toda a expectativa das elites liberais, o primeiro desfile do Congresso das Sumidades Carnavalescas, realizado em 18 de fevereiro de 1855, resultou num estrondoso sucesso. Após o encontro no Hotel Pharoux (na Rua Primeiro de Março), cujo salão foi utilizado pelos foliões para vestirem as suas fantasias, o grupo partiu para seu longo passeio que terminaria no Teatro São Pedro (na Praça Tiradentes). A repercussão do evento foi proporcional à sua divulgação e, dois dias depois, o grupo realiza novo passeio, dessa vez bem mais curto mas igualmente triunfal. Durante suas duas passeatas os sócios promoveram a distribuição de um folheto cujo teor, divulgado pelo *Jornal do Commercio*, de 21 de fevereiro de 1855, não deixava dúvidas quanto aos objetivos do evento que eram a "abolição total dos usos carranças [ultrapassados] do defunto Entrudo" através do confisco "das fôrmas de limões e seringas anacrônicas que ainda restarem no canto de algum armário carunchoso" e a "regeneração solene pelos confeitos, pelas flores, pelos carros triunfais, pelo concurso dos trajos cosmopolitas e heterogêneos de todas as hierarquias e todas as épocas".

Ao ocuparem o espaço das ruas do Rio de Janeiro, naqueles dois préstitos carnavalescos, os o grupo de foliões tinham a intenção clara de agir contra uma brincadeira considerada antiga e ultrapassada e sabiam muito bem que as armas de seu principal contendor, os limões e as seringas, deveriam ser extirpadas para que o "verdadeiro" Carnaval, feito de confeitos, flores e carruagens transportando foliões com ricas fantasias, pudesse reinar e mostrar ao povo sua expressão cosmopolita.

O primeiro desfile do Congresso das Sumidades Carnavalescas

Na quarta-feira anterior ao Carnaval de 1855, dia 14 de fevereiro, o *Correio Mercantil*, do Rio de Janeiro, publicava uma detalhada descrição do que seria o desfile de Congresso das Sumidades Carnavalescas no domingo seguinte. Buscava-se, com isso, não só atrair o público para o evento mas, principalmente, dar aos possíveis espectadores as informações necessárias para uma boa compreensão do que seria mostrado. Esse primeiro passeio carnavalesco de um grupo fantasiado organizado especialmente para isso percorreria boa parte do centro do Rio de Janeiro, chegando até os bairros do Catete e Flamengo, redutos da melhor sociedade da capital. Ficavam bastante claras as intenções dessa nova brincadeira: civilizar a festa e ocupar os espaços das principais ruas da cidade.

De acordo com o jornal, o desfile, previsto para se iniciar às três horas da tarde do dia 18 de fevereiro, constaria de doze carruagens abertas carregando mascarados (das quais onze caleches, e um faetonte), uma banda de música, um grupo de clarins, o deus Momo carregando o estandarte (possivelmente também sobre uma carruagem aberta), um grupo de rapazes fantasiados a cavalo e duas patrulhas de cavalaria. Note-se a ausência de mulheres entre os desfilantes. As únicas referências femininas são a princesa Kara-Fátima-Hanoum (sem explicações sobre a presença ou não de uma dama para representá-la) e uma fantasia de *bayadère* (espécie de bailarina indiana) usada por um membro da diretoria que, possivelmente, é o primeiro travesti a se apresentar num desfile organizado no carnaval brasileiro. Segue-se uma descrição detalhada do cortejo:

1º grupo: "Uma patrulha de cavalaria municipal permanente."

2º grupo: "Banda de música marcial de Árabes da divisão de Abd-el-Zuleik-Pachá."

3º grupo: "Clarins da princesa Kara-Fatima-Hanoun."

4º grupo: "O deus Momo conduzindo o estandarte do *Congresso das Summidades Carnavalescas*."

5º grupo: "Primeira série de carruagens com membros do *Congresso*."

"O 1º caleche conduzindo um Dominó, um *Majo*, e um cavalheiro com as vestes de D. Pedro-o-justiceiro."

"O 2º com um Montanhês Escocês, um *Balochard*, um Palhaço e Lord Fingar."

"O 3º com o Príncipe do Indo, Gualtério (do *Pirata*), um *Hussard-pipé-de canchichicocandard* e um Escocês."

"O 4º com Temístocles (o general ateniense), Faustino I (Souluque), imperador do Haiti, Benvenuto Cellini, e Gonçalo-Gonzales, rei dos Maragatos."

"O 5º com um Toureador Andaluz, um Finlandês, um *Incroyable* (do tempo do diretório) e um Calabrês."

"O 6º (faetonte), conduzindo parte dos membros da diretoria; o 1º, disfarçado com o trajo régio de Luiz XIII, o 2º, em *Bayadère*, o 3º, em capitão dos Mosqueteiros da Rainha (reinado de Luiz XV), e o 4º, em Nostradamus."

6º grupo: "Um séquito de cavaleiros disfarçados em; – Pajem de Frederico I, Contrabandista Espanhol, Oficial dos guardas de Luiz XV, Hussardo Polaco, Mago, Cavaleiro Espanhol do século XVI, Lord Buckingham, Hussardo Prussiano."

7º grupo: 2ª série de carruagens

"O 7º caleche – com o Grão-Sultão, Van-Dick, um *Pierrot* e um Bretão do departamento de Plougastel."

"O 8º – com dois Camponeses Húngaros, um Voluntário de Luiz XV e um Camponês Escocês."

"O 9º – com Danrzik, um *Joueur de raquette*, Carlos IX e o Cavalheiro de Bussi."

"O 10º – com um Russo da Finlândia, um Campônio Romano e um Índio Tamoio."

"O 11º – com um Oficial Prussiano (século XVIII), um Fidalgo Andaluz, um Mexicano e o Senhor da Fronde."

"O 12º – com um *Titi*, um Espanhol, e o Pastor Watteau e um *Rigoleur*."

8º grupo: "Fecha o préstito outra patrulha de cavalaria."

Dois dias depois do primeiro passeio, o *Correio Mercantil* saúda o evento fazendo votos de que "para o ano recrudesça o brilho desse espetáculo" que a elite oferece gratuitamente ao povo. Um dos efeitos dessa apresentação, segundo o jornal, seria a educação das massas, permitindo que "senhoras de mais elevada hierarquia e apurada educação" pudessem "passear impunemente por entre a turba-multa". Não é de admirar o bom comportamento da população, que, além de certamente impressionada com o desfile de belas carruagens e fantasias elaboradas, deve ter sido severamente controlada pelas autoridades competentes, como se pode constatar pela presença de patrulhas de cavalaria abrindo e fechando o préstito e pelos agradecimentos, publicados pelo grupo, no *Jornal do Commercio*, de 25 de fevereiro, dirigidos ao ministro da Guerra, ao chefe de polícia e a um certo coronel Solidônio, pelo apoio ao evento. Podemos imaginar o impacto visual que a reunião de tantas fantasias sofisticadas – como as de príncipes medievais, Mefistófeles, nobres setecentistas, Colombinas ou Pierrôs – deve ter causado à população da cidade. A riqueza visual e o luxo dessas elaboradas indumentárias devem ter funcionado como uma espécie de "aula" de civilização aos habitantes dos centros urbanos brasileiros.

A marcha triunfal do Congresso das Sumidades Carnavalescas define um momento simbólico importante do carnaval brasileiro. Além de servir de parâmetro para tantos outros préstitos que iriam ocupar as ruas da capital e dos grandes centros urbanos do país na segunda metade do século XIX, esse desfile já demonstrava a tensão que iria estar presente, a partir de então, no Carnaval das ruas brasileiras. Essa disputa, que já se pressentia naquele primeiro desfile, seria entretanto uma das forças que gerariam a originalidade de nossa festa carnavalesca, como veremos mais adiante.

Por enquanto, fiquemos com as comemorações e tensões daquele Carnaval de 1855. De um lado a alegria de se saber a importância do que havia acontecido, manifestada num artigo do *Correio Mercantil*, de 22 de fevereiro. Nele destacava-se o novo Carnaval, descrito como a "ruidosa e frenética alegria" que tomou conta da festa naquele ano, ressaltando-se as ruas apinhadas de gente e a presença de numerosos mascarados. Fechando com chave de ouro os dias de brincadeira, um baile do Teatro São Pedro reuniria, segundo o jornal, mais de cinco mil pessoas de todas as classes, que saudaram ao progresso, à civilização, à abolição do Entrudo antigo, à imprensa do Brasil e aos chefes de polícia "que concorreram para a abolição do Entrudo antigo".

A certeza da vitória da civilidade do novo Carnaval sobre o "carrança" Entrudo, entretanto, não impedia que atitudes policialescas tivessem que ser tomadas para evitar o descontrole geral. Atitudes tais como a aplicação das instruções policiais relativas aos bailes mascarados, publicadas no *Correio Mercantil* do Rio de Janeiro, de 18 de fevereiro de 1855, que em seu artigo 8º destacava que "não é permitido a nenhum indivíduo, desde o toque-de-recolher, nas noites de bailes, até as 4 horas da madrugada do dia seguinte, apresentar-se nas ruas da cidade, mascarado, sob pena de ser preso por suspeito". As suspeitas, que recaíam sobre qualquer um que andasse mascarado pelas ruas, deixavam entrever o clima de tensão que ainda reinava no Carnaval brasileiro, apesar da aparente certeza de que uma nova era carnavalesca estava raiando naquele ano.

Entretanto, apesar da necessidade de um rígido controle, o principal objetivo dos adeptos dos passeios estava cumprido. O sucesso daquele primeiro préstito foi indiscutível e sua repercussão por todo o país não poderia ter sido maior. O resultado de todo esse investimento – que reuniu foliões, autoridades e imprensa – foi enorme e, já no ano seguinte, o Congresso das Sumidades Carnavalescas se sentiria forte o suficiente para convidar o famosíssimo compositor de óperas italiano Giuseppe Verdi a compor dois hinos a serem cantados em seu passeio nos dias de carnaval. Verdi chegou a enviar carta aceitando o convite, mas não se tem notícia dessas composições.

Mais sociedades

Seguindo os passos da "Carnavalesca", outros dois grupos desfilariam pelas ruas do Rio de Janeiro no Carnaval de 1856: o Clube Carnavalesco e a Sociedade Carnavalesca União Veneziana. Esta última trazendo em seu nome, pela primeira vez, a palavra "sociedade" que, anos mais tarde, seria usada para definir os principais grupos que desfilariam no Carnaval do Brasil. Na verdade, o destaque dado a esses dois clubes parece ter encoberto a existência de outras sociedades menores. Note-se que o *Jornal do Commercio*, de 2 de fevereiro de 1856, publicou um anúncio que se refere aos préstitos dos três principais grupos e a "muitas outras sociedades e mascaradas" programadas para aquele ano, que infelizmente permaneceram anônimas. De qualquer modo, dois anos depois, em 1858, já se tem notícia de que a Sociedade Euterpe Comercial se juntara aos principais grupos, promovendo um desfile, com os seus sócios fantasiados com a indumentária de zuavos que os faria famosos, como detalhava o *Jornal do Commercio*, de 15 de fevereiro de 1858.

Em 1859 já se ouvia falar do préstito da União Carnavalesca de Botafogo. Em 1861, o Congresso das Damas se juntaria aos grupos que desfilavam pelas ruas do Rio de Janeiro. Em 1862 seria a vez da Sociedade Boêmia. Em 1863 aparece a Sociedade Carnavalesca Estudantes de Heidelberg, o Clube X, a Cromática e o Clube Ó, este último organizado especialmente para promover a festa do enterro simbólico do Carnaval. Em suma, poucos anos depois do desfile da Carnavalesca já existiam dezenas de sociedades desfilando pelas ruas do Rio de Janeiro.

Por essa altura, outras cidades brasileiras já começavam a copiar o que se fazia na corte e usavam o novo Carnaval dos préstitos de mascarados e sociedades para tentar expulsar o antigo Entrudo, que também reinava por suas ruas nos dias de folia.

Em 1858, em Florianópolis, já se tinham referências de dois grupos que apresentavam préstitos nos dias de Carnaval, a Sociedade Harmonia Carnavalesca e a Sociedade União Carnavalesca. No ano seguinte surgiam outros dois grupos: a Sociedade Carnaval Desterrense e a Sociedade Recreio Carnavalesco. Em 6 de fevereiro de 1860, a cidade de São Paulo assistiu ao desfile da Sociedade Carnavalesca Piratininga, anunciando a chegada da folia para dali a umas semanas. Um ano depois três sociedades se apresentavam pelas ruas da cidade: os Filhos da Candinha, a Panela de Bronze e os Estudantes de Salamanca. Em 1870, no Recife, as sociedades Asmodeus, Garibaldina e Comuna Carnavalesca já participavam dos bailes mascarados na cidade. Em 1873 tem-se notícia de sociedades carnavalescas nas cidades de Rio Grande e Pelotas, no Rio Grande do Sul. Em 1874 desfilavam pela primeira vez, em Porto Alegre, dois grupos que ficariam famosos no Carnaval gaúcho: a Sociedade Carnavalesca Esmeralda e a Sociedade Carnavalesca Os Venezianos. Em 1883 apresentava-se, pela primeira vez, nas ruas de Fortaleza a Sociedade Carnavalesca Dragões de Averno. Em 1884 seria a vez de Salvador ver passar um cortejo carnavalesco com grupos fantasiados e um carro alegórico: o Clube Carnavalesco Cruz Vermelha. No ano seguinte desfilaria pela capital baiana o Clube Carnavalesco Fantoches da Euterpe, com participantes da alta sociedade soteropolitana, juntamente com outros grupos, como o Saca Rolhas, o Cavalheiros de Malta, o Clube dos Cacetes e o Grupo dos Nenês.

Zuavo era o soldado da Argélia a serviço do exército francês, conhecido por seu uniforme vistoso. Desfilar com todos os seus membros fantasiados de zuavos passaria a ser uma das características da Sociedade Euterpe Comercial, que, mais tarde, seria conhecida como os Zuavos Carnavalescos. (Vincent van Gogh. O zuavo sentado, *1888, óleo sobre tela. Coleção particular.)*

O sucesso das sociedades é comemorado no Brasil não só como uma brincadeira capaz de controlar as estrepulias do Entrudo ou pelo menos reduzi-las, mas também como uma festa criada pela determinação e poder da própria elite, sem ajudas oficiais, como se pode perceber em um texto do *Jornal do Commercio* do Rio de Janeiro, de 23 de fevereiro de 1857, publicado dois anos depois do grande desfile das Sumidades, que comemora o triunfo da empreitada.

> Folgai! A edilidade e a polícia acabaram com o vosso entrudo, e em troca dele prometeram-vos mundos e fundos, e por fim de contas não vos deram nada: mas vós soubestes criar um Carnaval digno de uma capital rica e civilizada! [...] Folgai! Correi à praça da Constituição e ao Passeio Público, e se puderdes contar as folhas dos bosques e as areias do mar, contai os máscaras.

Em suma, a partir da fagulha inicial lançada no Carnaval do Rio de Janeiro, em 1855, a explosão de préstitos compostos de grupos fantasiados sobre carruagens e, eventualmente, de algum tipo incipiente de alegoria tomaria conta da folia brasileira. Trinta anos depois daquela famosa tarde na capital do Império do Brasil já se podia dizer que as sociedades eram a mais difundida forma organizada de brincadeira carnavalesca do país. Uma das mais importantes razões desse sucesso foi, sem dúvida, a força empreendedora da nova burguesia brasileira. Sua determinação em substituir o antigo jogo de limões, seringas e gamelas do Entrudo pela nova diversão de mascaradas e desfiles triunfais, que passou a ser chamada de Carnaval, mostrou-se bastante efetiva. É claro que se continuava brincando no Entrudo, mas, contando com o apoio inestimável de boa parte da imprensa brasileira, o Carnaval parecia ter conseguido impor a modernidade francesa sobre a tradição lusitana, conquistando os corações do povo brasileiro.

Entretanto não foram somente os ares da modernidade os responsáveis pelo sucesso do novo formato de brincadeira dos dias de Carnaval. Apesar de se apresentar como uma festa contemporânea, os desfiles triunfais com grupos fantasiados e alegorias elaboradas não eram novidade em solo brasileiro. O país era, na verdade, um solo fértil para o Carnaval desejado por sua burguesia. As festas, procissões e desfiles realizados nas cidades brasileiras desde o século XVI já haviam preparado o terreno e apurado o gosto da população para esse tipo de manifestação.

Um país festeiro

AS FESTAS BARROCAS

Desde as primeiras tentativas de colonização do Brasil, ficou claro, para os portugueses, a necessidade de alguma forma especial de catequese que conseguisse mostrar aos índios os valores da nova civilização. A barreira da língua era difícil de ser transposta, principalmente quando os conceitos a serem ensinados eram tão diferentes daqueles conhecidos pelos "selvagens" que habitavam a América portuguesa. As palavras e idéias européias não encontravam tradução consistente nas línguas indígenas. A solução encontrada foi a utilização de performances, que incluíam músicas e encenações, apresentadas em tablados ou em desfiles pelas aldeias para o encantamento dos indígenas. Já no século XVI sabe-se da organização, pelos padres catequistas jesuítas, de grupos misturando meninos portugueses e índios que realizavam procissões associando características religiosas e profanas, como cantorias, cruzes, maracas e outros símbolos cristãos e pagãos. Esse tipo de manifestação já prenunciava a profusão de festas barrocas que iriam incorporar, em terras brasileiras, diferentes formas de expressões festivas, tanto populares quanto da elite. Em 20 de janeiro de 1583, por exemplo, o Rio de Janeiro realizou uma festa em honra a seu padroeiro com comemorações populares organizadas pelo padre-geral dos jesuítas e pelo governador-geral Salvador Corrêa de Sá. O evento contou com a simulação de um combate marítimo, com desfile de barcos enfeitados (um deles contendo uma relíquia de São Sebastião e apresentando um rapaz representando o martírio do santo) e com uma procissão, encerrada por meninos índios cantando, dançando e usando cocares.

As festas oferecidas à população do Brasil acentuavam a identificação entre Igreja e Estado e procuravam diminuir as tensões ligadas à diversidade étnica e às distinções

*A influência da religiosidade lusitana fez com que os desfiles das procissões religiosas brasileiras se apresentassem como momentos importantes de congraçamento e de contato social nas cidades brasileiras. (*Préstito das Endoenças*, c. 1722, nave da igreja da Santa Misericórdia, Salvador, Bahia.)*

sociais da colônia. É importante notar que a Igreja Católica possuía características próprias no Brasil, visto que era vinculada à Coroa portuguesa e, desse modo, subordinada ao rei de Portugal. Até meados do século XIX os cultos e festejos realizados por aqui privilegiavam as manifestações coletivas públicas de fé, representadas pelas festas, procissões e novenas, sem distinção entre o sagrado e o profano. Desse modo, durante tais eventos o povo não guardava a atitude de recolhimento característica das manifestações religiosas, mas participava ativamente, intervindo nas representações religiosas e posicionando-se contra ou a favor dos personagens. As festas no Brasil colonial se apresentavam como um espaço de encontro entre as diferentes culturas presentes no país, muitas vezes colocando em contato danças tradicionais lusitanas, danças negras, instrumentos populares portugueses e marimbas indígenas. Em 1760, por exemplo, a cidade de Santo Amaro, na Bahia, foi palco de uma comemoração em louvor do casamento de D. Maria de Portugal com seu tio D. Pedro. Esses festejos, que duraram vários dias, contaram, entre outras coisas, com o desfile de cortejos de dançarinos, missa na Matriz de Nossa Senhora da Purificação, procissão solene, danças de artesãos de vários ofícios e uma embaixada de congos.

PROCISSÕES

Dentre as comemorações religiosas do período colonial, as procissões destacavam-se como a principal expressão de fé. As confrarias ou irmandades religiosas ficavam responsáveis por sua promoção. Cada confraria venerava um santo específico e representava um determinado grupo social, étnico ou de vizinhança. Mesmo grupos discriminados, como o dos negros e escravos, possuíam irmandades próprias, como aquelas ligadas a Nossa Senhora do Rosário, São Benedito ou Santa Ifigênia. O desfile de uma procissão era um dos espetáculos mais disputados, e o povo se comprimia pelas ruas por onde ela passaria, competindo pelos melhores lugares para ver as personalidades presentes ao evento e encantando-se com os tecidos brocados e com os efeitos cenográficos dos andores e estandartes. Nos relatos de sua experiência no Brasil durante o século XIX, reunidos no livro *Uma parisiense no Brasil*, Adèle Toussaint-Samson notava a importância dos dias de procissão, considerados a grande festa do país, e destacava que o próprio Imperador D. Pedro não deixava de acompanhar, junto com a imperatriz, a procissão do Corpo de Deus, na Quinta-feira Santa.

Entre as procissões importantes destacava-se a realizada na Quarta-feira de Cinzas, marcando o fim do período carnavalesco e o início da Quaresma. Por essa proximidade com a folia, a Procissão das Cinzas geralmente acabava descambando para o deboche e a zombaria, pois muitos que assistiam à sua passagem tinham deixado a farra de três dias consecutivos havia apenas poucas horas. Além disso, a presença de grandes andores representando cenas da Paixão de Cristo, da Bíblia ou das vidas de santos dava à procissão um caráter alegórico que, aos poucos, passa a ser confundido com a brincadeira carnavalesca. Na Procissão das Cinzas realizada na cidade do Rio de Janeiro, por exemplo, havia entre dez e vinte desses andores que se apresentavam ricamente adornados. Sobre eles colocavam-se imagens de roca luxuosamente vestidas, muitas delas coroadas com resplendores de ouro ou prata. A seu lado seguiam fiéis e confrades vestidos de carrascos ou com outras indumentárias alusivas às cenas. Um dos mais imponentes desses andores era o de São Francisco de Assis, com a imagem do santo ajoelhada diante de um enorme crucifixo que suplantava a altura de dois andares. Vivaldo Coaracy informa que com o passar dos anos a Procissão das Cinzas foi cada vez mais sendo considerada como uma espécie de encerramento das brincadeiras carnavalescas, incorporando em seu desfile figuras mascaradas típicas de outras procissões e atraindo os gracejos e brincadeiras do povo que assistia à sua passagem. Com isso, as arruaças e conflitos durante o desfile eram cada vez mais presentes, o que tornava necessária a constante intervenção policial para manter a ordem. A confusão entre a procissão sagrada e o Carnaval profano chegou a tal ponto que, em 1861, o desfile foi suprimido e nunca mais se realizou. Rita de Cássia Barbosa de Araújo nos conta que a mesma procissão, no Recife, no século XVIII, era aberta por uma figura mascarada – vestida com túnica e tendo a cabeça e os ombros cobertos com um capuz – chamada de papangu, curioso personagem que, até hoje, faz parte das brincadeiras carnavalescas e reisados de diversas regiões do Brasil. Nos andores da procissão eram representados quadros vivos com cenas da Bíblia (como o Juízo Final, o Paraíso ou Adão e Eva) e temas religiosos (a penitência, a oração, a Fé e a Caridade, por exemplo). Muitas vezes essas cenas acabavam descambando para o cômico ou incitando a participação do povo, que torcia pelos santos e contra os demônios, prevenia Adão e Eva sobre as brigas de seus

As festas negras em honra aos santos católicos eram alguns dos poucos momentos em que os escravos podiam expressar sua religiosidade na rígida sociedade escravocrata brasileira. Nos dias de comemorações religiosas e no Carnaval a comunidade negra obtinha as autorizações necessárias para realizar suas festividades, que, mesmo baseadas nos rituais da Igreja, ainda possuíam muitos elementos da cultura africana. (Johan Moritz Rugendas. Festa de N. Sra. do Rosário, *padroeira dos negros.)*

filhos, Caim e Abel, ou zombava da figura da morte. A confusão entre o sagrado e o profano parece ter atingido seu paroxismo com os relatos, recolhidos pela pesquisadora, sobre as festas em louvor a Nossa Senhora dos Guararapes, em Pernambuco, que terminavam com uma festividade em honra a Baco. Nela, o povo, carregando galhos de árvore, precedia a figura do deus grego, que desfilava com uma coroa de folhas na cabeça, sentado em cima de um barril com uma garrafa de vinho na mão.

As irmandades negras também organizavam suas procissões, como aquela, em louvor a São Gonçalo, realizada em 1745 pela Igreja dos Pardos da Senhora do Livramento, em Pernambuco, citada por Mary del Priore em seu livro *Festas e utopias no Brasil colonial*. Nela, cantos e danças "ao modo etiópico" eram apresentadas ao som de violas, pandeiros e marimbas enquanto um grupo desfilava imitando a corte do rei do Congo, com um rei, um príncipe, dois embaixadores, sete sobas [chefes africanos], nove capitães da guarda, três mocambos (um dos quais nu empunhando arco e flecha representando a África), duas serventes do rei e seis carregadores de caudas. Seguia-se a esse grupo a dança de um soba mágico, na qual participavam vários bichos, entre os quais um leão, um cavalo, um camelo, uma onça, um cão, um urso, um unicórnio, um macaco, um jacaré, um boi e um elefante ricamente vestido. Além disso, havia um grupo de meninos índios e a representação de um ataque dos guardas reais a um grupo de índios vestidos de penas e armados de arco e flecha. Uma mistura bastante curiosa de tradições negras, brancas e indígenas que teria reflexos no carnaval dos grupos populares geralmente associados aos cordões anos mais tarde. Ou seja, mais do que simples representações da religião católica imposta pelo europeu, as procissões e festas religiosas do Brasil colonial eram momentos de intenso diálogo entre as culturas que conviviam em nossa terra e marcavam o gosto de nossa população pelas paradas e desfiles cujos enredos sagrados acabavam sendo apresentados ao longo dos trajetos, misturando referências de vários grupos culturais.

Festejando os reis

Além dessas manifestações religiosas, outros tipos de eventos, de profundo gosto barroco, se apresentavam em nossas cidades coloniais: os chamados festejos reais que procuravam celebrar as datas importantes na vida dos governantes, criando uma espécie de laço de intimidade ilusório entre o poder e o povo e destacando o culto à personalidade do rei. Tais comemorações não tinham datas certas para acontecer, ocorrendo de acordo com o calendário de eventos sociais da realeza e comemorando fatos marcantes do Reino e das colônias, datas importantes da Família Real ou entradas de soberanos e autoridades nas cidades e vilas. Do mesmo modo que acontecia com relação às festas religiosas, toda a cidade acorria a esses festejos cívicos, dos quais muitos moradores eram constrangidos a participar iluminando suas casas ou contribuindo através de corporações de ofício e irmandades, em troca de prestígio e poder político. As festas cívicas eram excelentes oportunidades para as classes dominantes exibirem suas riquezas usando trajes suntuosos, ornamentando suas carruagens e vestindo seus empregados e escravos. Geralmente essas festas duravam uma semana, sendo iniciadas por uma encamisada (divertimento eqüestre em que os participantes se apresentavam mascarados com uma espécie de saco – chamado de camisa – ou com um casaco com capuz). Também eram comuns nessas comemorações a representação de alardos (luta entre cristãos e mouros), escaramuças (combates simulados), touradas e jogo de canas ou argolinhas entre grupos de cavaleiros, assim como a representação de comédias e o desfile de companhias mascaradas. Cada classe social participava da festividade a seu modo. A organização de comédias, saraus, banquetes e jogos de cavalaria ficava geralmente a cargo das classes mais abastadas. Os negros e pardos participavam através de suas irmandades, em cortejos religiosos que exibiam as chamadas "danças de pretos", como os congos, talheiras e cucumbis. Às corporações de ofício cabia a execução das danças coletivas. Rita de Cássia Barbosa de Araújo descreve a apresentação, em 1760, na Bahia, dos diversos festejos realizados em comemoração do casamento de D. Pedro com D. Maria, que, como já citamos, são um ótimo exemplo da variedade de eventos que faziam parte de uma festa colonial. A comemoração se iniciou com as chamadas "danças dos ofícios". A primeira delas foi apresentada pelos ourives, que, trajados a caráter, realizaram uma contradança e uma dança de "xafaris" com máscaras. Os taverneiros executaram danças ciganas e mouriscas. Os alfaiates fizeram suas danças levando à cintura uma tesoura. Os sapateiros trouxeram uma alegoria representando um navio com velas e apresentaram uma contradança com dançarinos vestidos ao estilo inglês. Os ferreiros representaram, com seus bailados, a lenda de Hércules e da hidra de sete cabeças. Nos dias seguintes apresentaram-se os pretos. Os deputados patrocinaram a apresentação de óperas e combates simulados. Os nobres ofereceram jogos de cavalaria e carros alegóricos. O Tribunal de Inspeção organizou touradas e carros triunfais. Os estudantes apresentaram máscaras avulsas e uma procissão triunfal. No final, os comerciantes ofereceram fogos de artifício.

Outras das festas oficiais realizadas no Brasil colonial eram os cortejos régios, ou procissões triunfais, geralmente apresentados para marcar a visita de alguma grande autoridade a uma cidade. Nireu Cavalcanti relata em seu livro *O Rio de Janeiro setecentista* que, em 1747, a cidade receberia o cortejo que trazia seu novo bispo, com a construção de arcos triunfais no caminho da procissão, além de cobrir as ruas por onde passariam as autoridades com tapetes de areia e flores. Os prédios das principais ruas foram recobertos de tapetes e colchas de seda e damasco (a cargo de seus inquilinos) e alguns cidadãos ricos chegaram a contratar conjuntos musicais para tocar em frente a suas casas. Ainda no Rio de Janeiro, em 1762, junto com as comemorações em louvor ao nascimento de D. José, herdeiro do trono português (que incluíram touradas, jogos de argolinha entre cavaleiros encarnados e azuis e danças variadas como a dos alfaiates e a do rei do Congo, representada pelos pardos), desfilaram três carros alegóricos, um representando as quatro partes do mundo e os deuses pagãos, outro, patrocinado pela Irmandade de São José (que reunia carpinteiros, marceneiros e pedreiros), era puxado por pavões e apresentava uma disputa entre cristãos e mouros, e o terceiro, produzido pelos sapateiros, mostrava índios caçando feras. As comemorações se repetiram um mês depois, quando um grande espetáculo de fogos de artifício, no qual um navio sobre rodas bombardeava um castelo, teve lugar no Campo de São Domingos.

Em 1786, por ocasião do casamento de D. João VI, foram promovidas grandes festas no Rio de Janeiro nos dias 2, 3 e 4 de fevereiro. O grande destaque das comemorações foi um imponente desfile no qual, segundo Rita de Cássia Barbosa de Araújo, pela primeira vez no Brasil desfilaram os chamados "carros de idéias" que representavam cenas históricas ou mitológicas em forma de grandes cenários, com músicos e dançarinos. Muitas vezes esses carros levavam grupos mascarados com disfarces referentes ao tema representado. Em certos momentos, os carros paravam e os personagens que estavam sobre ele apresentavam uma cena. No cortejo de 1786 desfilaram seis carros de idéias: o carro de Vulcano (com uma montanha de onde saíam chamas, puxado por uma serpente que cuspia fogo e se movimentava), o carro de Júpiter, o carro de Baco (enfeitado com folhas e cachos de uva, jorrava vinho), o carro dos Mouros, o carro das Cavalhadas Sérias (com dez metros de altura) e o carro das Cavalhadas Jocosas, acompanhado de 24 cavaleiros fantasiados.

Mas não só a visita de autoridades portuguesas ou acontecimentos da vida da corte eram motivos de cortejos. A chegada de membros da realeza de outros países

Dois momentos do cortejo promovido no Rio de Janeiro em 1876 para comemorar o casamento de D. João VI. O Carro das Cavalhadas Sérias (acima) representava o templo de Himeneu. O Carro de Baco (abaixo), jorrando vinho, trazia no topo a figura do deus pagão.
(in Relação dos magníficos carros que se fizeram de arquitetura, perspectiva e fogos... *1876. Biblioteca Nacional, RJ.)*

também propiciava a realização de festejos pelas ruas das cidades brasileiras. Muitos desses cortejos reais eram realizados por representantes de países africanos – como os emissários do rei do Congo que visitaram Pernambuco em 1643 para negociar com Maurício de Nassau ou o grupo do Daomé que visitou a Bahia em 1750. Estas "embaixadas africanas" eram bastante comuns no Brasil e tinham por objetivo negociar a paz, realizar tratados comerciais, organizar casamentos ou outros eventos similares. Marcadas por grande pompa, algumas dessas embaixadas foram protagonizadas pelos próprios reis africanos que desfilavam pela cidade carregados sobre cadeiras seguidos de sua comitiva.

Em suma, muito antes dos desfiles de carruagens com seus máscaras e, eventualmente, alegorias – importados pela burguesia brasileira, na segunda metade do século XIX, para civilizar nosso Carnaval –, a população das principais cidades do Brasil já vinha tendo contato com desfiles e festejos que incluíam cortejos processionais com carros alegóricos carregados de pompa, luxo e originalidade. Sagrados ou profanos, esses cortejos incorporavam costumes populares, o que incentivava a participação direta do povo, que muitas vezes acabava se excedendo. Desse modo, mesmo não podendo ser considerados como eventos carnavalescos, as procissões e cortejos prepararam o espírito do povo brasileiro para a nova folia trazida pela burguesia. Descrevendo o Carnaval de Olinda, José Ataíde observa, em seu livro *Olinda, Carnaval e povo,* que há séculos os personagens principais são os mesmos no Carnaval e nas procissões das várias irmandades católicas daquela cidade e que apenas "trocam-se as fantasias pelas túnicas e os hábitos; as alegorias pelos andores; os adereços pelos círios e paramentos religiosos". Sagrado e profano se confundiriam de tal modo nesses eventos que, certa vez, os habitantes de Igarassu chegaram a se ajoelhar para reverenciar o estandarte do Clube dos Lenhadores, confundindo seu desfile com uma procissão. Outro exemplo dessa mistura seria a descrição da alegoria de uma sociedade, publicada no periódico *A Federação*, de Porto Alegre, em 22 de fevereiro de 1909, que compara a beleza da rainha do Carnaval com Nossa Senhora: "Virgem Santa do Céu! Como é bela a moça / E como, feito d'alma, o seu olhar se adouça / E se expande e se estende e sobre nós reflora! / Ei-la...! Deixem passar o seu andor singelo! / Abram alas...! Avante ó devotos do Belo: / – Vai passar a Rainha – a Nossa Grã Senhora!" (Citado por Alexandre Lazzari em seu livro *Coisas para o povo não fazer.*)

Não é de estranhar, portanto, a grande aceitação que os préstitos carnavalescos oitocentistas tiveram não somente entre as elites afrancesadas, mas também no seio das camadas mais desvalidas da população. Longe de representar uma total novidade e opondo-se a seus próprios objetivos, os passeios carnavalescos da burguesia realizaram a proeza de unir o ímpeto folião de dois pólos aparentemente opostos. Ao contrário do esperado, o povo dos grandes centros urbanos brasileiros não se contentaria em representar o papel de espectador passivo da "civilidade" carnavalesca dos préstitos, mas procuraria participar da nova brincadeira de todos os modos possíveis, seja incorporando-se aos desfiles, seja inspirando-se neles para criar novos divertimentos ou ainda torcendo pelos grupos e "dialogando" com os desfilantes através de seu velho arsenal entrudístico. Com isso, a partir do surgimento das primeiras sociedades, as ruas por onde passavam os desfiles seriam protagonistas importantes da formação do Carnaval ao estilo brasileiro.

É o que veremos a partir de agora.

CLUB DOS
CLUB DA TIJUCA
TENENTES DO DIABO
POLITICA

A batalha das ruas

As ruas do centro do Rio de Janeiro foram atores importantes para a organização da folia nacional. Elas representaram não somente o palco preferencial das sociedades carnavalescas, ao estilo da elite, como também se estabeleceram como o espaço que iria permitir e incentivar o surgimento dos grupos carnavalescos populares. É através das disputas e diálogos ocorridos nessas estreitas vias que o Carnaval carioca começaria a estruturar a festa que seria o modelo para todo o país.

Abram alas que eu quero passar

A situação do Carnaval brasileiro a partir dos anos 1850 era de total euforia, ao menos aparentemente. O projeto de importação de um Carnaval mais civilizado, elaborado por uma parte da elite nacional capitaneada pelas classes dominantes do Rio de Janeiro, parecia ter alcançado absoluto sucesso. A imprensa noticiava que as ruas das cidades brasileiras enchiam-se, cada vez mais, de grupos de foliões desfilando organizadamente, de acordo com os modelos importados da França que, como se viu, vieram ao encontro do gosto brasileiro pelas festas e procissões barrocas. Entretanto o triunfo do novo Carnaval resultou em alguns transtornos, não previstos inicialmente, visto que nenhum desses contratempos era encontrado nos desfiles realizados na França. Sob este enfoque, os fatos acontecidos nas ruas do Rio de Janeiro serão um exemplo para a compreensão da nova festa carnavalesca brasileira.

O Carnaval da capital do Império do Brasil seria o modelo copiado por todos os grandes centros urbanos do país, os quais, mesmo não passando por situações exatamente idênticas, acabariam mais tarde por repetir as soluções elaboradas no Rio de Janeiro. As vicissitudes da folia carioca, longe de diminuírem o poder da festa carnavalesca brasileira, acabariam por insuflar ainda mais sua força e permanência. As tensões acontecidas no centro urbano da capital, a partir desse período, resultariam no surgimento, durante as primeiras décadas do século XX, daquilo que se tornaria o Carnaval brasileiro por excelência.

Para entendermos como se deram os acontecimentos, podemos resumir os problemas enfrentados pelo novo Carnaval em três questões principais: (1) o excesso de grupos a disputar o exíguo espaço do centro da cidade do Rio de

Ao contrário do que se podia imaginar, o Carnaval desorganizado das ruas foi um dos principais fatores na formação de uma folia tipicamente brasileira. *(Angelo Agostini.* Revista Ilustrada, *1884. Biblioteca Nacional, RJ.)*

Janeiro, (2) a competição entre as ruas para se tornarem palcos da folia e (3) a, até certo ponto indesejada, adesão da população da cidade às brincadeiras. Abordaremos a seguir cada um desses temas.

Formas de organização

Como já vimos, diferentemente do que acontecia com os participantes da brincadeira do Entrudo, as sociedades carnavalescas não se deslocavam aleatoriamente pela cidade, sendo na verdade uma espécie de procissão, organizada em diversos setores dispostos em seqüência, que seguia por um trajeto definido, indo de um ponto de partida a um ponto de chegada preestabelecidos. A própria organização interna da passeata obedecia a alguns critérios. Apesar de a sucessão de carruagens com mascarados não seguir a nenhum tipo de lógica ou enredo, as fantasias que se apresentavam em cada uma delas deviam ser previamente submetidas à coordenação dos passeios. Algumas sociedades encomendavam diferentes figurinos, feitos especialmente para a ocasião, que ficavam à disposição dos sócios, como fez a Sociedade União Veneziana no carnaval de 1859. No dia 13 de fevereiro, o *Correio Mercantil* publicava uma convocação aos componentes daquele grupo para que escolhessem "seus figurinos de fantasias, os quais já estão desde já à sua disposição na Rua do Ouvidor n. 107, loja". Outra possibilidade era que cada sócio cuidasse de sua própria fantasia. Nesse caso, era comum a publicação nos jornais de convocações para que os membros dos grupos informassem à direção da sociedade, em tempo hábil, qual indumentária iriam usar no passeio. Um exemplo dessa situação foi o chamamento publicado por um certo Príncipe Hysson, Primeiro Secretário da Sociedade Tenentes do Diabo, no *Jornal do Commercio* do Rio de Janeiro, de 21 de fevereiro de 1868, convocando os sócios que fariam parte do passeio daquele ano para "inscreverem-se na caverna", como era chamada a sede do grupo, "todas as noites, das 7 às 10 horas, para se poder organizar o programa". A divulgação desse "programa", descrevendo o significado de cada uma das fantasias que desfilariam pela cidade, seria um elemento importante para que se realizasse um dos objetivos das sociedades, que era o de serem devidamente identificadas e apreciadas pela população. Além da experiência estética que o cortejo oferecia, o povo, possuindo as informações necessárias, poderia identificar cada um dos elaborados trajes em desfile e, com isso, desfrutar mais profundamente da nova festa. Em suma, a nova brincadeira carnavalesca ocuparia o espaço urbano de uma forma muito mais organizada e controlada que as loucuras perpetradas pelos escravos e pelo povo em geral durante a brincadeira do Entrudo Popular. Esse era difuso, desorientado e desorganizado, ocupando todas as ruas da cidade indiscriminadamente. O Carnaval dos passeios trazido pelos clubes – outro dos nomes por que eram conhecidas as sociedades –, ao contrário, era concentrado, orientado e articulado, impondo desse modo uma nova organização espacial da folia.

Regras de comportamento

Mas, apesar de toda disciplina e método necessários para se colocar um desfile na rua, a forma de ocupação apresentada pelas passeatas não obedecia a leis ou regulamentos oficiais preestabelecidos. Embora as sociedades divulgassem antecipadamente, na imprensa, seus planos para cada Carnaval, eles eram traçados de acordo com sua conveniência e não levavam em conta os planos dos outros grupos. Ou seja, cada sociedade decidia, a seu bel-prazer, seus pontos de partida e chegada, seu itinerário, a hora de saída, a velocidade do deslocamento do passeio, a existência ou não de pausas durante o percurso – para descanso ou comemoração – e a duração dessas interrupções. Nenhum tipo de autoridade constituída se envolvia com o assunto. Provavelmente porque, sob a ótica dos detentores do poder de então, esta brincadeira estava em muito boas mãos. O controle sobre esses clubes era na verdade exercido internamente, em reuniões periódicas que decidiam desde a admissão de novos sócios até a modificações nos estatutos e, é claro, a organização dos festejos, incluindo-se aí a entrega de senhas para os desfiles. Estas senhas, muitas vezes em forma de distintivos, eram previamente informadas à polícia, que, com isso, reconheceria os desfilantes e protegeria o grupo da invasão dos máscaras avulsos. A identificação dos sócios era, desse modo, fundamental para a manutenção da boa ordem interna das sociedades. Thais Luzia Colaço, em sua dissertação de mestrado *O Carnaval no Desterro: século XIX*, destaca, por exemplo, a existência de um edital, no carnaval de Florianópolis de 1879, que lembrava às sociedades sua obrigação de apresentar à polícia a relação dos sócios e as senhas que seriam distribuídas. Além disso, cada associado devia pagar uma mensalidade, e quem não estivesse em dia com essa obrigação seria impedido de fazer parte do passeio. Esse conjunto de normas e fiscalizações internas mantinha coeso o grupo de desfilantes e dava às autoridades a tranqüilidade necessária para deixar as sociedades livres de controles oficiais.

Com isso, grande parte da repressão dirigia-se, obviamente, para o Entrudo Popular. Na verdade, a partir do surgimento das sociedades, o controle e a punição das molhadelas e enfarinhamentos tornaram-se cada vez mais severos. Isso ocorreu porque, se antes as ruas das cidades estavam entregues, durante o período de Carnaval, aos pobres e desvalidos em geral, a partir do advento dos passeios a elite passaria a ocupar as mesmas ruas "infestadas" pelos entrudistas. É bem verdade que muito raramente acontecia de um grupo em desfile ser alvejado por seringadas provenientes de populares ou de escravos. Como dissemos, as leis eram severas e a polícia estava sempre protegendo os passeios. Mas a presença de pessoas das classes mais abastadas nos desfiles e a intenção de apresentar uma diversão "civilizada" durante o Carnaval faziam com que a repressão ao Entrudo nos lugares por onde as sociedades passariam se tornasse uma das condições para o sucesso dos passeios. Sufocando-se as badernas populares, abria-se espaço nas ruas para os espectadores "civilizados", capazes de compreender o valor dos passeios e dispostos a louvar e aplaudir o espetáculo que lhes era oferecido.

Ao mesmo tempo, outra das condições para o êxito dos desfiles era exatamente a presença de espectadores. Exibir-se para a boa sociedade e, principalmente, para o populacho era um dos grandes prazeres dos desfilantes,

Os desfiles das sociedades eram efusivamente saudados pela população durante os passeios. Essas manifestações de alegria podiam, muitas vezes, exceder os limites da civilidade e acabar descambando para uma confusão freqüentemente condenada como Entrudo. (Revista Ilustrada, *n. 709, fevereiro de 1896. Biblioteca Nacional, RJ.)*

motivando sua participação nos passeios. A aclamação das ruas, ou seja, o reconhecimento popular do valor civilizador das sociedades, era a maior recompensa que se poderia esperar. Em 12 de fevereiro de 1874, o jornal *A Reforma*, de Porto Alegre, referindo-se às duas grandes sociedades da cidade deixava clara essa situação ao afirmar:

> Como os antigos paladinos da Idade Média, que batiam-se galhardamente só para receberem em troca um sorriso, ou uma lembrança grata da dama de suas afeições, assim também venezianos e esmeraldinos, à porfia, se atiram à luta, aspirando, como único galardão, a uma recepção estrondosa, a uma manifestação de simpatia.

Como já vimos, as luxuosas fantasias utilizadas nas passeatas eram as mesmas que seriam apresentadas nos bailes à noite, para onde a maioria dos desfilantes se dirigia ao fim dos passeios. Ou seja, a exibição pública das elaboradas indumentárias, que seriam vistas mais tarde no ambiente fechado dos salões e teatros, era uma grande justificativa para toda a diversão. Pois bem, para se ter certeza da afluência de pessoas interessadas em assistir à passagem dos grupos era preciso criar interesse na população, o que se conseguia através não somente da divulgação do significado de cada uma das roupas apresentadas, mas também com o estabelecimento de um caminho, na forma de roteiro previamente definido e informado pelos jornais. O resultado dessa estratégia parece ter sido bastante positivo, visto que as descrições dos passeios publicadas na imprensa davam um grande destaque para a acolhida das sociedades, manifestada através de gritos de bravo e pelas risadas da multidão.

Os descartados e os escolhidos

Um dos primeiros resultados de todas essas transformações na forma de brincar o Carnaval seria a concentração da festa carnavalesca em certos espaços privilegiados da cidade do Rio de Janeiro. O Entrudo, por sua própria característica, envolvia todos os recantos habitados dos centros urbanos. Em qualquer esquina, sobre qualquer balcão, podia esconder-se alguém disposto a lançar, em cima do passante distraído, uma boa bacia cheia de água ou uma laranja de cera recheada de líquido perfumado. Os passeios, ao contrário, tinham necessariamente que privilegiar umas ruas em detrimento de outras. Uma das conseqüências disso era que certos logradouros passaram a ficar de fora do espaço dedicado ao Carnaval ou, ao menos, do Carnaval determinado pelas elites. Concentrando-se a folia carnavalesca num certo número de ruas, relegava-se o resto da cidade a uma espécie de degredo. O espaço da folia começava a se sobrepor ao espaço do Carnaval imaginado pela burguesia que, com isso, buscava controlar e impedir o Entrudo. Em 7 de março de 1859, o *Jornal do Commercio* deixava clara essa modificação, ao publicar o texto de um leitor criticando a concentração dos passeios das Sumidades Carnavalescas e da União Veneziana em "algumas ruas privilegiadas, deixando silencioso e triste o resto da cidade, outrora tão divertida".

Por outro lado, essa nova geografia da folia fazia com que surgissem espaços eminentemente carnavalescos. Antes da implantação dos passeios das sociedades, toda a cidade estava quase que igualmente envolvida na brincadeira, não havendo grande distinção entre locais carnavalescos e não-carnavalescos. Após a introdução dos desfiles, uma certa área do centro da cidade do Rio de Janeiro (e, mais tarde, de outros centros urbanos brasileiros) começava a se impor como o "espaço do Carnaval". Os pontos principais que definiam essa área eram as sedes dos grupos (locais de partida dos passeios), os teatros, ou salões, para onde as sociedades se dirigiam ao final de seus deslocamentos, assim como também alguns lugares simbólicos por onde o desfile deveria passar. Esses lugares delimitavam, a grosso modo, uma área de concentração carnavalesca, que ia desde a Rua Primeiro de Março, a leste, até a Praça da República, a oeste, e do Passeio Público, ao sul, até o Largo de Santa Rita, ao norte.

Encontros, impasses e outras tensões

Em poucos anos, com o aumento do número de grupos, esse quadrilátero, já bastante exíguo, torna-se cada vez mais disputado. Podemos imaginar, sem muita dificuldade, os impasses que surgiam, com grande freqüência, a partir do encontro de duas ou mais sociedades pelas ruas do centro da cidade. As dezenas de grupos desfilavam sempre após as cinco da tarde, seguindo, cada um deles, seu roteiro particular, planejado, como já comentamos, sem consultar os dos demais. Com isso, os grupos estavam constantemente deparando-se uns com os outros, seja cara a cara, seja impedindo os cruzamentos de ruas, seja ocupando a rua por onde o outro queria passar e assim por diante. As disputas de poder entre esses grupos deviam ser dignas de ver. Se dois grupos chegassem ao mesmo tempo em um cruzamento, qual dos dois teria a preferência de passar na frente do outro? Um grupo que decidisse estacionar numa determinada rua deveria seguir em frente se outro clube viesse atrás querendo passar pela mesma artéria? Se duas sociedades dessem de frente uma com a outra numa mesma rua estreita, qual deveria recuar, com suas carruagens, bandas e cavalos, para permitir a passagem da outra? Essas situações quase sempre se resolviam com uma grande dose de diplomacia e negociação. Mas em muitos casos apelava-se para discussões ou mesmo para a violência física. Deve-se notar que, com o passar dos anos, tinham surgido novos grupos que contavam, cada vez mais, com a participação de pessoas de diferentes estratos da sociedade. Se entre dois grupos compostos de rapazes das melhores famílias as contendas eram solucionadas com elegância, o mesmo não acontecia quando as sociedades envolvidas agregavam pessoas menos acostumadas a esse tipo de gentilezas.

Para piorar as coisas, outros tipos de grupos começavam a querer se apresentar naqueles espaços que, cada vez mais, se definiam como os lugares do Carnaval. Esses grupos não eram sociedades ou clubes estruturados, mas conjuntos de pessoas que, inspirados pelos espetáculos dos préstitos, decidiam se auto-organizar para passearem pelo centro da cidade. Falaremos sobre esse assunto mais adiante. O importante, no momento, é sabermos que a confusão reinante nos dias de folia no centro do Rio de Janeiro devia ser enorme, principalmente se lembrarmos que, além disso tudo, ainda havia os recalcitrantes entrudistas, com seus limões e seringas que se aproveitavam de qualquer descuido das autoridades para exercer seu "direito à molhaça" sobre mascarados de qualquer nível social.

Organizando a "bagunça"

Resumindo a situação, começava a ficar cada vez mais clara a necessidade de algum tipo de providência para dar um mínimo de organização à confusão carnavalesca que, no Rio de Janeiro, atingia um nível nunca imaginado. Uma das sugestões mais óbvias, e mais repetidas, seria o disciplinamento dos roteiros das sociedades numa ordem predefinida e num espaço previamente delimitado. Já em 1857 um texto publicado no *Jornal do Commercio*, de 23 de fevereiro, destacava a Praça da República e o Passeio Público como os lugares prediletos dos máscaras e sugeria que se determinasse "um certo numero de ruas para o passeio", pois "assim se localizaria a festa, e todos poderiam apreciar tudo". Nenhuma providência nesse sentido, entretanto, seria tomada. Em 13 de fevereiro de 1863, o mesmo jornal lembrava que até aquele momento a cidade do Rio de Janeiro não havia adotado um sistema para as festas do Carnaval que pudesse concentrar os passeios dos máscaras. Apesar das sugestões, a coisa continuava a mesma, e a confusão reinava absoluta na folia carioca. As autoridades mantinham-se surdas aos apelos da lógica e desinteressadas da organização direta da festa carnavalesca, concentrando sua atuação, como sempre, na repressão às brincadeiras menos organizadas, resumidas ao que continuava sendo chamado de Entrudo. Em 1872, o periódico *Semana Ilustrada*, de 18 de fevereiro, sugeria objetivamente e, ao que parece, pela primeira vez a unificação dos itinerários das sociedades, propondo uma reunião entre elas, onde se resolveria

> que o passeio de todas essas companhias reunidas começará no dia tal às 4 horas da tarde em ponto, principiando o préstito pela sociedade tal (que tirou a sorte n. 1) e seguindo-se a de n. 2, 3, etc. etc. assim reunidas fazem tal teatro ponto de partida, e percorrem as ruas tais e tais. Desta forma haverá *união* e o público pode procurar os lugares convenientes, onde esta grande serpente (porque para muitos o é) passa, e, depois de tê-la visto na Rua Primeiro de Março, e querendo vê-la mais uma vez, o pode na Rua do Hospício. Assim se faz em todas as grandes cidades da Europa, e o público gostará mais do que atualmente.

Apesar de bastante razoável, a sugestão não mobiliza as sociedades nem obtém resposta das autoridades, que se mantêm determinadas a deixar nas mãos dos próprios clubes esse tipo de regulamentação. A coisa continuaria desse modo, aliás, até a década de 1930, quando o Estado resolveria impor sua tutela à festa carnavalesca, como veremos mais tarde. Algumas tímidas tentativas de organização dos desfiles, entretanto, aconteceriam antes disso. A primeira delas ocorreria em 1881, quando, segundo o *Jornal do Commercio*, de 2 de março, as sociedades se apresentaram pela Rua do Ouvidor conforme uma ordem preestabelecida, por entre bravos, palmas e saudações da multidão. Apesar do aparente sucesso, a empreitada não vingou. Somente seis anos mais tarde, em 1887, iria acontecer outra tentativa de unificação dos préstitos, capitaneada dessa vez por quem mais se interessava pelo assunto. Desse modo, como destacou o *Jornal do Commercio*, de 20 de fevereiro de 1887, as três principais sociedades da época – os Tenentes do Diabo, os Fenianos e os Democráticos – organizariam seus desfiles em conjunto pela primeira vez, estabelecendo um roteiro e uma ordem de apresentação, com o objetivo de "evitar encontros". A experiência foi repetida no ano seguinte, com os Fenianos sendo substituídos pelo Congresso dos Fenianos. Em 1889, entretanto, as três sociedades voltavam a desfilar independentemente, cada qual seguindo um roteiro próprio. Somente em 1891 haveria outra tentativa de se organizarem os horários e itinerários dos desfiles das principais sociedades, fato que não se repetiria mais naquele século. É importante notar, entretanto, que o esforço de unificação dos desfiles limitou-se apenas àqueles três clubes. A grande maioria dos grupos que passeavam pelas ruas do centro do Rio de Janeiro não participaria de nenhuma dessas tentativas de organização, o que significa, na prática, que a confusão e a tensão entre os grupos continuavam a ocorrer como sempre naquela confusão de ruas estreitas e apinhadas de gente.

DOMINGO, TERÇA... E SEGUNDA

Outra questão interessante a ser destacada, no tortuoso e lento caminho da auto-organização do carnaval brasileiro, eram os dias destinados aos passeios. Desde 1855, com o desfile do Congresso das Sumidades Carnavalescas, os dias eleitos para as passeatas eram o domingo e a terça-feira de Carnaval. Isso acontecia por um motivo muito simples: cansaço. Imagine um grupo de foliões fantasiados com trajes elaborados, desfilando pela cidade, em pleno verão, desde as cinco horas da tarde de domingo, primeiro dia de Carnaval, parando ocasionalmente para festejar em torno de uma banda e seguindo sua jornada até a noite, momento de início do baile, quando a turma entrava num teatro para se divertir até alta madrugada. O resultado dessa pândega era que na segunda-feira os participantes estavam totalmente exaustos e incapacitados para qualquer tipo de folia. Esta recomeçava somente na terça-feira, dia mais nobre do Carnaval, para terminar na manhã da quarta-feira, muitas vezes confundindo-se com a solene Procissão das Cinzas que se aprontava para descer as escadas da Igreja da Penitência, no Rio de Janeiro, como já vimos. Desse modo, o segundo dia de Carnaval, ou seja, a Segunda-feira Gorda, passou a ser considerado menos importante e, por causa disso, nesse período, as ruas da cidade acabavam sendo ocupadas por brincadeiras consideradas "menores". Machado de Assis, ao comentar sobre o Carnaval em sua coluna "Bons Dias!", na *Gazeta de Notícias,* de 27 de fevereiro de 1888, menosprezava a segunda-feira de Carnaval. "Mas lá chegam os três dias", comentava o escritor, "quero dizer os dois, porque o do meio não conta; lá vêm, e agora é a vez de alugar a berlinda, sair e passear." Coelho Neto referia-se à folia da segunda metade do século XIX, em seu texto *O carnaval de outrora,* nos seguintes termos: "A segunda-feira era dia morto, só para a mascarada miúda e alguns bailes familiares. Terça-feira era o grande dia." É interessante notar que essa situação se repetia no Carnaval das principais cidades brasileiras. As ruas de Porto Alegre, por exemplo, teriam abrigado somente "grupos de máscaras sem significação" na Segunda-feira Gorda de 1878, segundo relata Alexandre Lazzari.

A principal conseqüência da menor atenção dedicada ao segundo dia de Carnaval seria a ocupação dos espaços carnavalescos, naquele dia, por outras formas de brincadeira, ou seja, por grupos que, por sua desorganização e liberdade, foram imediatamente incorporados ao que se chamava de Entrudo. Trataremos desse fato, e de suas conseqüências, mais adiante.

O TRIUNFO SOBRE RODAS

Por enquanto, voltemos às passeatas que reinavam gloriosas no Carnaval das ruas brasileiras no domingo e terça-feira gordos. Como vimos, os primeiros passeios dos clubes carnavalescos compunham-se, basicamente, de carruagens enfeitadas, sobre as quais se encarapitavam pessoas usando as mais diversas fantasias. A herança barroca das festas coloniais brasileiras e a inspiração trazida dos desfiles parisienses – como o do tradicional Desfile do Boi Gordo – fazem com que alguns dos grupos comecem a incorporar os chamados "carros de triunfo" em seus passeios.

Uma das primeiras referências de carros alegóricos desfilando pelas ruas do Rio de Janeiro numa parada carnavalesca é o já citado "carro triunfal" que saíra na tarde dos dias 10 e 12 de fevereiro de 1850 da casa de divertimentos Paraíso, destinada a promover os bailes à fantasia por ela organizados. Mas é em 1857 que o recém-criado Recreio Carnavalesco Pavunense apresentaria, em seu passeio pelas ruas do Rio de Janeiro, aquela que pode ter sido a primeira alegoria a desfilar dentro de um grupo organizado do Carnaval brasileiro: um navio puxado por três juntas de bois. A descrição publicada no periódico *Marmota Fluminense*, de 6 de março de 1857, não deixa dúvidas quanto ao caráter alegórico do carro, que representava "uma embarcação de guerra com duas baterias de peças de artilharia, à proa do lado de bombordo lia-se por cima da alcaixa [borda] do navio – NÃO CARRANÇA – a estibordo, via-se suspensa a âncora pelas competentes amarras". A alegoria carregava ainda três bandeiras: a brasileira na popa, a portuguesa no mastro grande e uma bandeira tricolor, na proa, onde se lia em dourado a palavra CARNAVAL. Sobre o navio seguiam oito pessoas representando o comandante e a tripulação. Como se pode perceber, esse carro não deve ser confundido com as carruagens decoradas ocupadas por mascarados que costumavam desfilar nos outros grupos. Ele apresentava-se como um verdadeiro, e pioneiro, carro alegórico carnavalesco, incluindo inclusive uma crítica ao Entrudo carrança (ou seja, tradicional) e uma louvação ao Carnaval, não por acaso escrito em grandes letras douradas. Em poucos anos, as principais sociedades passariam a incorporar os carros triunfais em seus passeios, que a partir de então começariam a ser conhecidos como préstitos.

Os clubes mais importantes chegam a realizar dois desfiles diferentes, um mais burlesco, no domingo, e outro mais pomposo, na terça-feira. O préstito burlesco apresentava alegorias críticas, comentando os problemas nacionais. O passeio de gala, por sua vez, desfilava com carros triunfais mostrando cenas alegóricas, como "As pirâmides do Egito" ou "As Valquírias". Em ambos os préstitos desfilavam os carros de fantasiados, ou seja, as carruagens com máscaras.

Le Petit Journal
SUPPLÉMENT ILLUSTRÉ
Huit pages : CINQ centimes
DIMANCHE 16 FÉVRIER 1896
LE BŒUF GRAS A PARIS
Reconstitution du Char de d'Artagnan (1844)

O Desfile do Boi Gordo parisiense, com suas alegorias, fantasias, alas e estandartes seria um dos modelos inspiradores das sociedades carnavalescas brasileiras. (O Boi Gordo em Paris: reconstituição do carro de D'Artagnan – Carnaval de 1844. Le Petit Journal – Supplement illustré, *n.276, Paris, 16 de fevereiro de 1896. AKG/Intercontinental.)*

Organizando o trânsito

Alguns desfiles dos principais clubes atingem proporções descomunais. Em 1875, por exemplo, os Tenentes do Diabo anunciavam a presença de nada menos que 253 (!) carros em seu passeio. A imponência atingida pelos grupos mais importantes acabaria por fazer com que eles se destacassem das outras sociedades e passassem a ser conhecidos como as Grandes Sociedades.

Em finais dos anos 1860, essas Grandes Sociedades já eram a principal atração do Carnaval, chamando a atenção da imprensa e de um público cada vez mais interessado em suas apresentações. Aumentava a afluência de pessoas vindas de todos os bairros

A centralidade da Rua do Ouvidor, com seu comércio sofisticado, suas editoras e as redações dos maiores jornais da capital, fazia com que ela se tornasse um ponto de passagem obrigatório para as manifestações carnavalescas em fins do século XIX. A concentração de grupos e de espectadores transformava a estreita artéria num verdadeiro burburinho e numa caixa de ressonância da folia brasileira.
*(*O Mosquito*, 4 de março de 1876. Biblioteca Nacional, RJ.)*

e subúrbios cariocas para o centro da cidade com o intuito de assistir à passagem desses cortejos fabulosos. Se, por um lado, o poder público continuava se omitindo com relação à organização dos desfiles, por outro, as autoridades cariocas colaboravam com a folia através da ordenação dos fluxos de deslocamento. Em 1868, por exemplo, a Estrada de Ferro D. Pedro II (atual Central do Brasil) informava à população, pelos jornais, sobre a criação de um trem extraordinário, à meia-noite, partindo "da corte" para o então longínquo subúrbio de Cascadura, com o intuito de facilitar o retorno dos foliões a suas casas ao fim dos desfiles. Anos depois, em 1876, o chefe de polícia fazia publicar no *Jornal do Commercio*, de 24 de fevereiro, uma série de medidas destinadas a facilitar o trânsito nos dias de folia. Entre elas a interdição de estacionamento em várias ruas do centro, a criação de mãos de direção em outras, a organização de locais especiais para o ponto final dos bondes e a proibição, a partir das cinco horas da tarde, do "trânsito de carros e qualquer veículo de condução pela Rua do Ouvidor, com exceção dos que conduzirem sociedades carnavalescas ou pessoas com máscara". Esse terá sido, muito provavelmente, o primeiro esquema especial de trânsito implantado para as festas carnavalescas no Brasil.

Nos últimos anos do século, outras providências eram tomadas, além da organização do tráfego e das áreas de estacionamento. A principal delas seria a implantação de policiamento ostensivo nas áreas mais importantes e movimentadas. Em 1895, por exemplo, o *Jornal do Commercio*, de 23 de fevereiro, anunciava um esquema de patrulhamento, que seria mantido do anoitecer da sexta-feira anterior ao Carnaval até a manhã da Quarta-feira de Cinzas, em diversos trechos dos logradouros centrais da cidade do Rio de Janeiro, com destaque especial, é claro, para a Rua do Ouvidor.

A grande afluência de pessoas ao centro da cidade, seja para assistir aos passeios dos grupos e dos fantasiados avulsos, seja para fazer parte das numerosas sociedades que desfilavam pelas ruas, seria uma das características mais marcantes da festa carioca. Em 1888, a *Revista Ilustrada*, de 18 de fevereiro, publicava uma análise do movimento dos bondes, trens e barcas durante o Carnaval e chegava à orgulhosa conclusão de que trezentas mil pessoas haviam se deslocado para o centro do Rio de Janeiro nos três dias de Carnaval! Sobre este tema, Coelho Neto conta que "depois da passagem da última sociedade [...], começava a debandada [das ruas]. Enchiam-se os teatros e os salões das sociedades e o regresso aos lares longínquos tornava-se um problema. Os bondes subiam com gente até a tolda, e o desfile a pé por essas ruas [...] era lento".

Toda essa multidão, que acorre dos bairros e periferias da capital do Brasil para ver o Carnaval, era um considerável público consumidor, bastante atraente para quem estivesse interessado em ganhar algum dinheiro durante os dias de folia. Não é de estranhar, desse modo, o interesse demonstrado pelos moradores e comerciantes das ruas centrais em atrair para seu logradouro ao menos uma parte da grande festa que encantava toda a cidade. A competição entre as ruas para sediar algum tipo de folia se constituiria, desse modo, em outra importante característica, além de outra fonte de disputas, do Carnaval carioca.

Tenentes do Diabo, Fenianos e Democráticos: as Grandes Sociedades

Diferenciando-se das sociedades carnavalescas em geral por sua maior organização, por seu tamanho e pela presença de imponentes alegorias, as chamadas grandes sociedades dominaram todo o carnaval da segunda metade do século XIX até as primeiras décadas do século XX. Três desses clubes carnavalescos, como também eram chamadas as sociedades mais importantes, destacaram-se por sua grandiosidade e por sua participação ativa no carnaval do Rio de Janeiro, servindo como modelo para a folia burguesa das grandes cidades brasileiras: o Tenentes do Diabo, o Fenianos e o Democráticos.

Tenentes do Diabo

O mais antigo desses grupos era o Tenentes do Diabo. Fundado em 1855 como o nome de Euterpe Comercial, dedicava-se, no início, basicamente a participar de bailes aos quais os sócios compareciam vestidos de zuavos, após desfilarem a pé pela cidade. É com essa fantasia que o grupo iria tornar-se famoso, principalmente depois de terem decidido abandonar um baile para ajudar a debelar um incêndio que acontecia nas proximidades. O fato, acontecido na Terça-feira Gorda de 1861, foi amplamente noticiado nos jornais que destacavam a bravura e o desprendimento dos rapazes e pediam que eles fossem recebidos com honras no Carnaval do ano seguinte. (*Jornal do Commercio*, de 17 de fevereiro de 1861) Em 1863, o grupo era conhecido como Sociedade Euterpe Comercial Zuavos Carnavalescos. Quatro anos depois, os jornais já publicavam o roteiro dos "Tenentes do Diabo", destacando que esse era o novo nome dos "antigos Zuavos" (*Jornal do Commercio*, de 3 de março de 1867). A origem da curiosa denominação é controversa mas a explicação mais plausível (e divertida) parece ser aquela que um antigo presidente do clube teria relatado a Eneida. Segundo essa versão, em 1861, uma grande discussão irrompera durante a assembléia geral dos Zuavos, que se reuniam para decidir quais dos sócios passariam a ter o título de tenentes, o mais alto grau da hierarquia do clube. No calor da discussão, o presidente da mesa, irritado com a confusão reinante, teria suspendido a sessão gritando: "Vão todos ser tenentes do diabo!" Em lugar de se aborrecerem, os rapazes receberam com bom humor a esculhambação e decidiram seguir a "recomendação" do presidente. Tornaram-se todos Tenentes do Diabo. Os sócios do clube, cujas cores eram o vermelho e o preto, chamavam-se de "baetas" (um tipo de pano rústico usado para fazer cobertores baratos) e sua sede denominava-se "caverna".

Os Democráticos

O Clube dos Democráticos surgiu em 1867 sob o nome de Democráticos Carnavalescos. A história que envolve sua origem é bastante curiosa, envolvendo um grupo de foliões que teria fundado, com seus parcos recursos, a Sociedade Carnavalesca dos Vinte Amantes e comprado um bilhete de loteria com a promessa de criar um poderoso clube carnavalesco caso fossem premiados. A sorte parece ter sorrido para os rapazes que usaram o dinheiro do prêmio para cumprir o prometido. A sede do clube chamava-se "castelo", suas cores eram o preto e o branco e os sócios eram conhecidos como carapicus, peixe comum no litoral brasileiro.

O Fenianos

No Carnaval de 1870, os jornais já publicavam o roteiro do Clube dos Fenianos, fundado, segundo Eneida, em dezembro do ano anterior, como uma dissidência do Tenentes do Diabo. O nome procurava homenagear o grupo de rebeldes irlandeses que lutavam contra a dominação da coroa inglesa em seu país. Como destaca Jota Efegê, em seu livro *Figuras e coisas do Carnaval carioca*, o clube foi fundado com o objetivo de "condenar para sempre o uso das bolinhas de cera" e de "acabar de vez com a seringa e a bota a Bonaparte", associando o "atraso" do entrudo ao governo imperial. Como as outras duas sociedades mais importantes, os Fenianos eram antiescravistas e costumavam reunir dinheiro para comprarem a alforria de escravos que, geralmente, eram libertados durante o Carnaval. A sede do grupo era apelidada de "poleiro", os membros chamavam-se "gatos" e suas cores eram o vermelho e o branco.

O símbolo dos Fenianos. Tendo ao centro o sol "que nasce para todos". (Jornal do Commercio, 9 de fevereiro de 1875. Biblioteca Nacional, RJ.)

Política e literatura

A intensa participação dos Clubes Carnavalescos na política nacional faria com que esses grupos se envolvessem com as grandes questões da época, como o fim da escravidão e a implantação de um governo republicano. Realizavam também, fora do período de Carnaval, reuniões literárias e musicais em suas sedes e publicavam revistas tais como *Demócrito* e *Fantasma* (Democráticos), o *Facho da Civilização* (Fenianos) e o *Diabo da Meia-Noite* (Tenentes do Diabo).

Brigas, pufes e críticas

Apesar da razoável gentileza que reinava entre os clubes carnavalescos, quando o assunto era Carnaval a coisa esquentava e os jornais apresentavam páginas inteiras de comentários jocosos e críticas mordazes que cada grupo publicava contra seus "adversários". A situação acabaria desaguando nos chamados pufes, que Eneida descreve como "uma espécie de desafio guerreiro em versos que as sociedades atiravam uma às outras exaltando a si próprias e diminuindo o mérito das adversárias". Essa verdadeira mania parece ter aparecido nos jornais em 1877 e era acompanhada com interesse pela população. Inicialmente de caráter bélico, esses pufes acabaram por servir de veículo aos ideais das grandes sociedades. Muitas vezes redigidos por literatos famosos – como Olavo Bilac que, sob pseudônimo, escrevia os versos dos Fenianos – os pufes podiam criticar a situação política e incitar o povo, como esse exemplo, publicado pelos Fenianos:

Tu que humilde e submisso
Curvas-te ao mando dum rei
Que te oprime, que te esmaga
Com as algemas da lei
...
Que tens no peito do atleta
Toda bondade secreta
Dos corações bons, humanos
Mas também tens todos os rugidos
Dos leões enfurecidos
Nos areais africanos

No início do século XX, os temas políticos, presentes nos pufes e nos carros de crítica, eram uma das características mais fortes dos desfiles das Grandes Sociedades. Democráticos, Tenentes do Diabo e Fenianos travavam uma verdadeira batalha para ver quem ousava mais nos comentários e caricaturas da situação da época.
*(*O Malho, *20 de fevereiro de 1909.)*

No mesmo espírito dos pufes havia os chamados carros de críticas que nada mais eram que grandes alegorias tratando de temas polêmicos da vida política ou cultural do país.

A importância das Grandes Sociedades foi consideravel e elas marcariam um momento relevante do Carnaval brasileiro. Não é a toa que Eneida dedica o maior capítulo de seu livro a contar a história desses grupos que trouxeram a marca da espetacularidade a nossa folia.

Em crônica publicada em 1928, intitulada "O Carnaval de outrora", Coelho Neto procura dar uma idéia do *frisson* que corria pelo Rio de Janeiro às vésperas dos grandes préstitos e do esplendor de seus desfiles:

Desde cedo, para garantir lugar em alguma das ruas ou praças do itinerário das sociedades, começava a afluência ao centro da cidade. Muitos traziam matalotagem e arranchavam-se onde melhor ficassem e aí passavam o dia. [...] À tarde o movimento recrescia. Era quase impossível varar-se a Rua do Ouvidor e com que ansiedade toda aquela gente oprimida, pisada nos calos, acotovelada, beliscada, esperava o clangor dos clarins anunciando a entrada da primeira sociedade.

Estandarte do Tenentes do Diabo, com a figura do elegante cavalheiro "infernal" sobre uma garrafa de champanhe que acaba de espocar.
*(*Revista Ilustrada, *17 de fevereiro de 1877. Biblioteca Nacional, RJ.)*

De repente um som longínquo agitava a turba. Ah! então é que era aperto. [...] Os grandes carros alegóricos representavam grutas miríficas, marchetadas de malaquita, com águas vítreas despenhando-se de penhascos de ouro; caramanchéis floridos; cavernas e labirintos submarinos, onde brincavam cardumes de nereidas e tritões de escamas fúlgidas; templos de colunas giratórias; pagodes chineses; nuvens de gazes diáfana, estrelada, envolvendo deusas muito conhecidas no mundo de Vênus; trirremes de ouro guarnecidos por marinheiros experimentados em viagens a Civeta; árvores em cujos galhos oscilavam redouças que balançavam criaturas [...] temidas das mães de família e em carros imponentes, de complicado artifício, as lindas porta-estandartes sustentavam as glórias dos clubes, com muito orgulho, ostentando em *maillots* as formas pecaminosas, que os clarões dos fogos de bengala punham em realce e sorrindo, acenando de cabeça correspondiam aos aplausos frenéticos da multidão com beijos que tiravam da boca nos dedos apinhados, lançando-os a esmo.

E as guardas de honra, os séquitos eqüestres de ninfas ou de amores, as cavalgadas das amazonas, os enxames de borboletas e libélulas de asas de escumilha em carrinhos leves, toda a grei venusta, em ostentosa exibição de formas, dava maior encanto aos carros de fantasia nada inferiores aos de agora na riqueza dos veículos nem na formosura das passageiras.

Mas entre o deslumbramento de um carro alegórico e um esquadrão de heteras a gargalhada cascalhava estrondosa à passagem de uma "crítica" comentando um acontecimento do ano, com personagens conhecidas, afeiçoadas em estafermos de porte agigantado e a troça vivaz, por vezes irreverente de um sócio espirituoso e gárrulo, a cujo aceno o monstro se movia desengonçadamente, um tanto perro, rangendo as molas, bracejando, esperneando, vomitando cobras e lagartos ou engolindo, com voracidade, propinas e negociatas.

Os blocos e as ruas

O ano de 1855 marca um momento simbólico da folia brasileira não somente por ser o ano do primeiro passeio do Congresso das Sumidades Carnavalescas, mas também por um outro fato, ao qual geralmente se dá pouca atenção mas que seria determinante para a formação da nossa festa carnavalesca. Logo após o Carnaval daquele ano o *Jornal do Commercio,* de 25 de fevereiro, publicava uma pequena notícia em que a diretoria das Sumidades agradecia o apoio que altas autoridades nacionais haviam dado a seu passeio. A lista incluía, por exemplo, o ministro da Guerra (por ceder a banda de música militar para acompanhar o passeio), o chefe de polícia (pela proteção policial), o Coronel Solidônio José Antonio Pereira do Lago (por colocar a música de seu batalhão tocando no Passeio Público) e o Comendador João Caetano dos Santos (por ceder o Teatro São Pedro para a ceia). Ao final, o grupo carnavalesco agradece aos moradores das ruas por onde passou o préstito por seu bom acolhimento e destaca o trecho da Rua das Violas (atual Teófilo Otoni) situado entre a Rua da Candelária e a da Quitanda, "pela recepção magnífica, triunfal, régia diremos, que prepararam às *Sumidades Carnavalescas*". Os moradores daquele pequeno quarteirão (que sobreviveu às modificações por que passaria o centro da cidade do Rio de Janeiro nos anos posteriores) podiam se orgulhar de estarem iniciando um processo da maior importância para a implantação da festa carnavalesca no Brasil. Aquele trecho limitado de rua mostrava, através da recepção "magnífica" oferecida ao novo Carnaval das passeatas, o interesse das populações urbanas brasileiras em participar da nova festa que se anunciava. É claro que esse entusiasmo não iria eliminar ou excluir a antiga brincadeira do Entrudo, mas ficava claro, a partir daquele momento, que com a adesão das ruas aos passeios das sociedades havia surgido um oponente poderoso às antigas molhaças. Apesar de não se esquecer do velho Entrudo, o Rio de Janeiro abria os braços para o novo Carnaval.

Enfeitando as ruas

No ano seguinte a imprensa já procurava incentivar a participação e o apoio da população carioca aos passeios. Duas semanas antes do Carnaval o *Jornal do Commercio*, de 26 de janeiro de 1856, informava que grandes recepções estavam sendo preparadas, em diferentes pontos da cidade, para o Congresso das Sumidades Carnavalescas durante sua passeata e destacava, em sua edição de 5 de fevereiro (Terça-feira Gorda), que "os moradores da Rua das Violas entre Candelária e Quitanda adornaram domingo o seu quarteirão para receber as sociedades carnavalescas", ressaltando mais uma vez a postura vanguardista daquele trecho de rua que pode se orgulhar de ter realizado a primeira decoração de rua para o Carnaval brasileiro.

O pioneirismo da Rua das Violas e o incentivo das sociedades e da imprensa deram frutos, pois, nos anos seguintes, cada vez mais ruas decidem realizar recepções aos passeios dos clubes carnavalescos. Em 1858, a Rua do Ouvidor, entre as do Ourives e Latoeiros, preparava "uma brilhante recepção à sociedade carnavalesca União Veneziana" (*Jornal do Commercio*, de 13 de fevereiro de 1858). Outras ruas, como a do Conde, dos Ciganos, das Violas, de S. Pedro, do Ouvidor, Direita e a Praça da Constituição "mostraram-se embandeiradas e graciosamente ornadas" para receber as sociedades (*Jornal do Commercio*, de 15 de fevereiro de 1858). Ou seja, pouco a pouco, os principais logradouros do centro do Rio de Janeiro começavam a se mobilizar, e a investir, para valorizar e atrair para si a passagem dos grupos. É interessante notar que não eram exatamente as ruas, em sua totalidade, que se organizavam para receber as sociedades, mas sim os diferentes quarteirões que as constituíam. Essa forma de organização social deixa claro que os grupos que preparavam as recepções às sociedades eram formados por pessoas que mantinham um estreito relacionamento de vizinhança, típico das cidades coloniais brasileiras e uma das características sociais importantes do Rio de Janeiro do século XIX. São esses grupos de amigos, vizinhos e compadres que ajudariam a determinar os rumos da festa carnavalesca no Brasil ao se organizarem para decorar seus trechos de rua e, paralelamente, ao se reunirem em grupos para desfilarem por essas mesmas ruas, como veremos mais adiante.

Além do óbvio prazer em fazer parte ativa de uma importante festa da cidade, havia, é claro, muitos outros interesses envolvidos na participação efetiva das ruas nas brincadeiras carnavalescas. Alguns desses interesses implicavam lucro, pois desde o advento dos bailes o comércio urbano percebeu que poderia ganhar um bom dinheiro vendendo mercadorias ligadas à nova forma de folia. Eram comuns, nos jornais, anúncios de aluguel de carruagens abertas (ou "sem cabeça", como eram chamadas), para serem utilizadas por grupos de máscaras que desejassem participar ativamente dos passeios. Algumas famílias alugavam janelas ou sacadas para quem quisesse assistir mais confortavelmente à passagem dos grupos. Materiais de decoração, tais como "iluminações chinesas", eram oferecidos aos "cavalheiros influentes nos festejos carnavalescos" que "dignamente desejam fazer suas recepções a diferentes sociedades" (*Correio Mercantil*, de 4 de março de 1859).

As sacadas das residências eram locais privilegiados para se assistir e participar com segurança da folia das ruas brasileiras. A população, que corria às ruas com o objetivo de ver passar os grupos carnavalescos organizados, aproveitava os momentos de espera para se divertir de uma forma menos civilizada.
(Revista Ilustrada, *29 de feveveiro de 1884. Acervo do Instituto de Estudos Brasileiros/USP, São Paulo.)*

A DISPUTA DOS QUARTEIRÕES

A menção a "cavalheiros influentes" destaca a importância de certos conjuntos de pessoas que, daí em diante, concentrariam boa parte das atividades de organização das recepções festivas oferecidas por cada trecho de rua às sociedades: as chamadas comissões de festejos. Esses grupos de empreendedores eram geralmente contratados pelos moradores de determinado trecho de rua para cuidarem da recepção a ser organizada em louvor às sociedades que por ali passassem. Alguns quarteirões não se contentam em somente apresentar decorações para atrair os passeios para seus espaços e passam a elaborar toda uma série de atrações e manifestações, capazes de destacá-los dos outros trechos de ruas. É importante notar que a ação desses quarteirões, e de suas comissões, não dependia de nenhum tipo de incentivo do poder público, representando, ao contrário, a força da burguesia liberal brasileira, capaz de se organizar admiravelmente bem para tirar bons proveitos econômicos e festivos da nova brincadeira carnavalesca. Uma das conseqüências dessa atitude seria a delimitação do espaço público e sua transformação, mesmo que simbólica, em espaço festivo privado. Fato que iria causar muita tensão entre os que investiam nas recepções (e por isso consideravam-se "donos" dos festejos) e a população em geral, que buscava participar a seu modo de uma brincadeira que, em última instância, continuava sendo um evento de todos. Outra conseqüência dessa apropriação simbólica das ruas pelo Carnaval burguês seria a exacerbação de sua face competitiva, uma espécie de aplicação das regras do livre-mercado ao grande momento de comemoração nacional que começava a se implantar. Ou seja, cada trecho de rua precisava disputar com os outros sua importância e sua quota de participação na festa carnavalesca. Em 18 de fevereiro de 1860, o *Jornal do Commercio* comentava que "quase todos os moradores das ruas por onde têm de passar as sociedades carnavalescas envidam gosto e despesa para fazerem uma recepção honrosa aos verdadeiros amadores das folias delicadas do Carnaval". E termina por destacar que esse fato marca "uma *rivalidade* amigável em que estão todas as ruas".

É importante destacar que todo esse processo ocorria simultaneamente em duas direções. O novo Carnaval dos passeios incentivava, por um lado, a participação e a competição entre os grupos (como vimos) e entre os espaços urbanos. Ao mesmo tempo, essa disputa reforça e encoraja a própria implantação da festa carnavalesca moderna. É a partir dessa dinâmica, cuja fagulha partiu da elite burguesa carioca, que se organizaria o Carnaval brasileiro tal como o conhecemos atualmente. Falaremos disso mais adiante.

Para não restarem dúvidas quanto ao objetivo do investimento festivo, as comissões costumavam mandar publicar, em algum jornal, verdadeiros convites aos grupos, como o reproduzido a seguir, do *Jornal do Commercio*, de 2 de março de 1867, dirigido "às distintas sociedades carnavalescas":

> Os lordes Pitt, Gardne e Scheren, grupo comissionado de embelezarem os quarteirões da Rua dos Ourives, entre as do Sabão e do Hospício, para receberem condignamente

> os foliões carnavalescos, ordenaram-me a mim M. Confúcio, secretário jubilado, para convidar por esta forma os Terríficos Tenentes do Diabo, os enigmáticos Boêmios, os galantes Cromáticos, o naturalístico Grupo Zoológico, os interessantes Valetes de Copas e Ás de Espadas, os insignes políticos e os ilustres doutos do Grupo Científico, para nos honrarem com sua passagem dos itinerários de domingo e terça-feira, para o que têm decorado os seus quarteirões com milhões de objetos trazidos das subterrâneas Tróia e Pompéia [...]. Sábado 2, à meia-noite, acordarão os ecos anunciando o começo do festejo do Carnaval, 6.000 zabumbas, forma de barrica de bacalhau, tomados aos sanhudos paraguaios em um ataque no mundo da lua. [...] Esta música infernal [...] durará até o romper d'alva de domingo [...] e todas as noites haverá grande iluminação de cassamberia!! E terça-feira haverá funeral, dobre a finados, enterro ao clarão de 800 círios, música fúnebre com matracas, assovios, velas e os decantados Zés Pereira.

AS DECORAÇÕES

O claro objetivo de tudo isso era atrair a atenção e a presença do maior número de grupos carnavalescos importantes para o trecho de rua interessado nas vantagens da folia. Lisonjeadas com os mimos preparados para recebê-las, as sociedades procuravam prestigiar os quarteirões com sua presença, passando, em alguns casos, mais de uma vez numa mesma rua. Em seu passeio pelo centro do Rio de Janeiro, no domingo de Carnaval de 1868, o Clube Tenentes do Diabo passaria, por exemplo, cinco vezes na Rua Primeiro de Março, e quatro vezes na Gonçalves Dias (*Jornal do Commercio*, de 23 de fevereiro de 1868).

É claro que a maioria das ruas não tinha condições de investir na contratação de artistas, artesãos ou de comissões profissionais, e geralmente eram os próprios moradores que se organizavam para cuidar das decorações e da organização dos eventos. Decorações e eventos eram, aliás, as principais armas com que cada trecho de rua podia contar em sua "disputa carnavalesca". Da originalidade, variedade, quantidade ou riqueza desses elementos poderia depender o sucesso da empreitada. Já em 1859 os moradores da Rua dos Ciganos informavam que "preparam rico coreto de música e embandeiramento, para recepção das sociedades que se destinam a abrilhantar os divertimentos do carnaval" (*Jornal do Commercio*, de 3 de março). No ano seguinte, os moradores da Rua das Violas, entre Direita e Ourives, contrataram duas bandas de música para tocar nos dias de Carnaval, "pois é de esperar que não só as sociedades de música e carnavalescos, mas também os máscaras indistintamente honrem aquela rua, correspondendo assim aos desejos de seus moradores". (*Jornal do Commercio*, de 7 de fevereiro de 1861). Os enfeites são cada vez mais variados e elaborados e incluem arcos triunfais, bandeiras, festões de flores, estandartes com dísticos, coretos (algumas vezes suspensos sobre as ruas), palmeiras, desenhos de figuras grotescas, galhardetes, queima de fogos de bengala, colunas enfeitadas, pirâmides e iluminações a gás, entre outras novidades. Em 1868, por exemplo, a Rua do Hospício, entre Quitanda e Ourives, informava que realizaria grandes "metamorfoses" para o Carnaval e que apresentaria "arcos triunfais, coreto, pavilhões flutuantes e *muitas outras coisas*", entre elas "duas alas de baterias" que iriam "estremecer o céu e a terra com descargas de 300 milhões de estalos por segundo" (*Jornal do Commercio,* de 23 de fevereiro de 1868). Quatro anos depois, a mesma Rua do Hospício, em seu trecho entre Ourives e Uruguaiana, fazia publicar anúncio de seus espetaculares preparativos:

> No centro do quarteirão será armado um templo capaz de rivalizar com o templo de Apolo, dentro do qual, se ainda o preguiçoso Morfeu não tiver acordado os inúmeros discípulos do sono, uma girândola de alguns mil foguetes anunciará aos súditos de S. Sebastião que principiaram as tropelias carnavalescas, e a grande banda de música do famoso templo tocará diversas peças do seu repertório; é a primeira vez que toca nesta corte, chegou da Europa e denomina-se *Diana*. É dirigida pelo hábil *maestro* Bombardomilini, e em breve dará concertos ao público, satisfeita a abertura solene, para o que haverá discursos; retirar-se-á a música em ordem e marcha para dar lugar a ver-se o palácio das maravilhas e das fadas do mangue, para o que não se gastou rios, mas até riachos de dinheiro; é obra para ver-se, admirar, rir e embasbacar; podem ver; é grátis, mas não tocar (*Jornal do Commercio,* de 11 de fevereiro de 1872).

Ou seja, além de decorar seu espaço com os mais variados e custosos elementos, alguns quarteirões do Rio de Janeiro optavam por realizar um verdadeiro espetáculo carnavalesco, com bandas, maestros, enterros jocosos, fogos de artifício e o que mais pudesse criar a imaginação de artistas contratados especialmente para o evento. Esses *shows* públicos, incorporando elementos tanto das decorações dos quarteirões quanto dos préstitos das sociedades, situavam-se na fronteira entre as duas expressões carnavalescas e são um ótimo exemplo da mistura característica da festa que se construía nas ruas cariocas.

A atividade festiva das ruas do Rio de Janeiro e, logo depois, do Brasil fazia prosperar um considerável comércio de mercadorias e serviços dedicados à folia. No *Jornal do Commercio*, de 31 de janeiro de 1869, por exemplo, a Casa das Bichas-Monstro oferecia material para as chamadas festas de iluminações, com "grande sortimento de bandeiras, galhardetes e flâmulas de todas as nações", além de "balões e lanternas venezianas com armas do Brasil, Portugal, França e Inglaterra", de "copos de todas as cores, prontos a acender" e "fogo de artifício colorido, sempre pronto, para festas públicas e particulares". Mais adiante o mesmo jornal publica o anúncio de um calceteiro, oferecendo serviços de levantamento e fixação de calçadas à frente das sociedades que quisessem decorar suas fachadas com arcos ou coqueiros. Os industriosos comerciantes cariocas se especializariam e, em 1877, podia-se ler no *Jornal do Commercio*, de 8 de fevereiro, o reclame de uma loja que se encarregava "de qualquer festejo sem que as comissões tenham outro incômodo senão tratar e pagar". A moda se espalha pelo Brasil e a execução de decorações carnavalescas torna-se um negócio de proporções consideráveis em muitas das cidades brasileiras. Rita de Cássia Barbosa de Araújo relata, por exemplo, que no Recife, em 1890, o caricaturista Manoel Gomes Manhonça anunciava a venda de "58 quadros caricatos, próprios para os festejos e ornamentos de ruas, para o Carnaval".

Golpes baixos

O interesse das ruas e do comércio no Carnaval é conseqüência do interesse geral da população carioca, e brasileira, pelos desfiles dos numerosos e variados grupos e das cada vez mais imponentes Grandes Sociedades. A descrição que se segue, do Carnaval nas ruas do Rio de Janeiro, publicada na *Revista Ilustrada*, de 28 de fevereiro de 1887 (ano que, como vimos, marca a primeira tentativa de unificação dos roteiros das principais sociedades), dá-nos uma idéia da azáfama que tomava conta da cidade nos dias dedicados à folia, destacando as decorações dos quarteirões e a expectativa em torno dos desfiles.

> Logo que foi conhecido o itinerário das diversas sociedades, começaram as ruas a ser enfeitadas, apresentando um bonito aspecto. Encostados às casas, viam-se renques de arbustos, sobre os quais se estendiam festões de folhagem. No extremo dos quarteirões havia arcos. Por toda a parte, bandeiras e galhardetes flutuavam ao vento. Era

raro o quarteirão, que não tinha o seu coreto e a competente música. Em muitas ruas havia mastros, a pequenas distâncias, com escudos e linhas e balões venezianos. Em um quarteirão da Rua do Rosário, as esquinas eram ocupadas por quatro engraçadas figuras, representando, duas delas, uma cena de duelo à pistola, e as outras, na mesma posição, um outro duelo... mas, este, de sacristia.

Pelas 3 horas da tarde, era de todo impossível transitar por esses pontos, pois a acumulação de povo era excessiva. As janelas e varandas dos primeiros andares estavam todas, absolutamente tomadas, pela melhor metade do gênero humano.

Os rumos da multidão, embaixo, o arfar dos leques, o flutuar das fitas e plumas, em cima, tudo isso, de mistura, com os olhares que se trocavam, com os sorrisos e as animadas conversações, davam, à cidade, um aspecto deveras festivo.

De repente, o clangor dos clarins, e os acordes longínquos das bandas marciais, fizeram correr um frêmito de entusiasmo pela multidão.

Muitas vozes diziam:

– Aí vêm as sociedades!

E cada qual se preparava para assistir ao esperado desfilar dos préstitos.

A descrição acima impressiona não somente pela vivacidade do relato mas também pela aparente tranqüilidade que parecia reinar nas ruas, tomadas, segundo o texto, por uma multidão feliz, ordeira e burguesa, vestida de fitas e plumas. Esse Carnaval ideal, insinuado pelo cronista, estava entretanto longe da verdade. Por um lado, a folia não pertencia exclusivamente à alegre burguesia que a importara de Paris havia algumas décadas, como veremos na próxima seção deste capítulo. Por outro lado, a disputa entre as ruas para fazerem parte do roteiro dos passeios carnavalescos estava longe de ter se resolvido. Ao contrário, as armas da batalha tornavam-se cada vez mais efetivas e qualquer método era válido para enfrentar os adversários, até desqualificar outras ruas, como fez a Rua do Rosário, entre Uruguaiana e Ourives, que informava nos jornais que "aparecerá este ano linda e louçã, merecendo mesmo ser freqüentada pelos foliões carnavalescos, lembrando-se mesmo os moradores desta rua que todas as sociedades incorporadas subindo pela do Ouvidor e descendo pela Rua do Rosário se livrarão de encontros e apertos, e certos barulhos, como sempre se dão na Rua do Ouvidor". (*Jornal do Commercio*, de 4 de fevereiro de 1869). O mesmo expediente de desvalorizar outras ruas é usado na nota que se segue, publicada pelo *Jornal do Commercio*, de 9 de fevereiro do mesmo ano, e intitulada "O Carnaval na Rua das Violas":

> A inveja matou Caim!!! Apesar de 1:500$, não fizeram nada que preste; o coreto parece uma igrejinha no centro do Paraguai, os arcos, os painéis, etc etc Oh!! Oh!! Que ratice. Outros com 800$, apesar do banho chinês fizeram melhor figura.

A simples decoração das ruas, ou mesmo a inclusão de eventos, como bandas e fogos de artifício, não seria mais suficiente para, por si só, atrair a presença dos clubes e grupos, e do séquito de mascarados e espectadores que os seguiam. Algumas ruas decidem convidar oficialmente as sociedades a percorrerem-nas durante seus passeios, como é o caso do trecho da Rua dos Ourives entre São José e Assembléia que "estará enfeitado este ano, e como é a primeira vez, pedem os moradores às dignas diretorias hajam de incluir este quarteirão no seu programa" (*Jornal do Commercio*, de 18 de fevereiro de 1871). No ano seguinte, o quarteirão da Rua do Hospício, entre Ourives e Uruguaiana (o mesmo que havia armado um templo capaz de rivalizar com o templo de Apolo), informava que tinha constituído um júri composto de doze cidadãos da freguesia, encarregados de dar um prêmio "ao folião que mais se distinguir e se apresentar com mais gosto" nos dias de Carnaval, instituindo o que pode ter sido o primeiro concurso de foliões do Carnaval brasileiro.

Dez anos depois já existem quarteirões que preparam coroas de flores para serem oferecidas às sociedades carnavalescas que se dignarem a percorrê-las (*Jornal do Commercio*, de 18 de fevereiro de 1882). O costume de premiações se dissemina e algumas ruas passam a privilegiar e incentivar certas sociedades em detrimento de outras, provavelmente recompensando aquelas que por elas desfilaram e punindo as que desprezaram suas recepções. No Carnaval de 1886, por exemplo, os moradores da Rua do Ouvidor, entre Carmo e Direita, ofereciam coroas aos Democráticos e aos Fenianos, enquanto que a comissão de festejos da Rua da Alfândega, entre Quitanda e Candelária, ofertava uma coroa de louros aos Progressistas e um buquê de penas aos Fenianos.

Essas gentilezas surtem efeito e muitos clubes passam a incluir, ou excluir, trechos de ruas em seus roteiros, em troca dessas homenagens que lhes davam prestígio e reconhecimento. Nesse contexto os clubes mais imponentes e importantes (como as Grandes Sociedades, por exemplo) são os que recebiam mais homenagens e, por conseguinte, influenciavam-se menos por elas, enquanto que os grupos menos cotados recebiam com prazer esses mimos e alteravam seus roteiros em troca dessas cortesias. Pela mesma razão, alguns desses grupos invertiam o processo e faziam como o Clube X que, em 1869, criou premiações para a rua mais brilhantemente adornada e para o "astro mais formoso que aparecer nas janelas" durante seu desfile, aproveitando para determinar um roteiro que o grupo seguiria para analisar, previamente, os espaços concorrentes (*Jornal do Commercio*, de 7 de fevereiro de 1869).

O gigantismo das sociedades também poderia ser um fator importante na determinação dos roteiros de ruas a serem seguidos, pois a largura de algumas vias ou as limitações de altura em outras poderiam impedir passagem das grandes alegorias, que haviam se tornado parte integrante dos grupos mais importantes. Calcula-se que uma alegoria devia medir cerca de 7,5 metros de altura por 3,3 metros da largura, o que devia dificultar bastante seu trânsito pelas estreitas ruas apinhadas de gente do centro do Rio de Janeiro durante os dias de Carnaval. Marcando essa dificuldade, em 1º de fevereiro de 1883, o *Jornal do Commercio* publicava um apelo da sociedade Tenentes do Diabo, solicitando "às comissões de festejos não consentirem que fiquem os coretos além da calçada, a fim de não impedirem o trânsito dos carros de idéias".

A Rua do Ouvidor

Toda essa disputa entre ruas e grupos acabaria por concentrar os espaços carnavalescos em alguns logradouros, deixando outros de fora dos roteiros de desfiles e, portanto, do próprio Carnaval. O local carioca mais beneficiado em todo esse processo foi a Rua do Ouvidor. A importância dessa rua para a cidade do Rio de Janeiro pode ser medida através dos implementos públicos por ela sofridos. Primeira rua a ser iluminada a gás na cidade, em 1854, e a primeira a ser calçada, em 1857, ela também seria a primeira a receber iluminação de luz elétrica, em 1891. Conhecida pela grande presença de estrangeiros, a rua concentrava o comércio de tecidos, perfumes e livros já nas primeiras décadas do século XIX, tornando-se o lugar da moda a partir de então. Na década de 1860, ela passou a concentrar um grande número de estúdios fotográficos, livreiros e, o mais importante em nosso caso, sedes de jornais e revistas. O que acontecia na Rua do Ouvidor virava notícia dos principais jornais da corte e, por extensão, de todo o país. É fácil perceber por que a inclusão da rua era item praticamente obrigatório no roteiro de qualquer grupo carnavalesco carioca que se prezasse. Passar pela Rua do Ouvidor, durante os dias de folia, era garantia quase absoluta de fazer parte da edição dos principais jornais da cidade do dia seguinte. É por essa razão que, apesar de sua reduzida largura, por ela passavam todas as sociedades carnavalescas, com suas alegorias, carruagens, bandas e cavaleiros uniformizados, assim como todos os outros grupos importantes do Carnaval da cidade. Além do reconhecimento e da divulgação alcançados, lá também se encontrava um público caloroso que disputava cada centímetro dos seus limitados espaços durante os dias de folia para poder apreciar tudo que se passava. Por essa razão, os balcões das janelas da Rua do Ouvidor eram locais cobiçados e, portanto, alugados como uma espécie de camarote a bom preço durante o Carnaval. A imprensa, sempre presente, cumpria seu papel de valorizar a rua mais importante do Império do Brasil: o Carnaval do Rio de Janeiro "aglomera-se, amontoa-se, empilha-se e atropela-se todo na Rua do Ouvidor – a rua que tudo monopoliza", declarava a *Revista Ilustrada*, de 11 de fevereiro de 1883.

A forte centralidade exercida pela rua será, desse modo, mais um importante elemento na disputa pelo poder carnavalesco acontecida no centro do Rio de Janeiro. Ser saudado pelo povo que nela se aglomerava podia determinar o sucesso ou o fracasso de um grupo. É por isso que, mesmo infestada de baderneiros dispostos a "entrudar" quem por ali passasse (e talvez exatamente por isso), a Rua do Ouvidor continuava sendo um espaço de passagem obrigatória no Carnaval carioca. Um lugar simbólico de todas as tensões que ajudavam a definir a festa carnavalesca da cidade, que servia de modelo para as folias de todo o país.

PODER E GLÓRIA

Fecha-se, desse modo, o círculo de negociações e tensões que caracterizariam o Carnaval brasileiro da segunda metade do século XIX. O desfile dos grupos despertava o interesse das ruas. Essas, desejosas do prestígio e dos lucros decorrentes da presença das sociedades, passam a investir em agrados capazes de atrair a presença do público e a atenção das sociedades. As sociedades, por sua vez, interessadas em espectadores capazes de apreciar e valorizar seus préstitos, e lisonjeadas pelos investimentos e favores oferecidos pelas ruas, decidem privilegiar certos trechos de ruas em detrimento de outros, em seus desfiles. Alguns grupos, buscando ampliar seu prestígio e aumentar o interesse das ruas, e da população, em seus passeios, começam a oferecer prêmios a quem melhor as acolher. Esse jogo de interesses vai pouco a pouco selecionando não somente as ruas, mas também os grupos de maior importância. Alguns espaços, e algumas sociedades carnavalescas, tornam-se mais poderosos do que outros em termos carnavalescos. Define-se, desse modo, uma verdadeira hierarquia entre os trechos de ruas e entre os grupos que por elas passeiam, numa

A estreita Rua do Ouvidor, com seus arcos, lojas e sacadas, permitia o contato direto entre quem desfilava e quem assistia, incentivando a participação da população no Carnaval sofisticado proposto pela burguesia.
(Marc Ferrez. Rua do Ouvidor, *c. 1885. Coleção particular, RJ.)*

espécie de coroamento do processo iniciado em 1855, com o desfile do Congresso das Sumidades Carnavalescas.

O Carnaval carioca tinha deixado sua forma dispersa, típica do Entrudo, e começava a se estruturar através de um jogo de oposições e definições que, estabelecendo toda uma série de variações carnavalescas, acabariam por se organizar em duas categorias principais e, até certo ponto, antagônicas. De um lado o Carnaval, as sociedades, os clubes e os grupos organizados. De outro lado, o Entrudo, o "não-Carnaval" e as turbas formadas de modo inesperado e não compreendido pelo sistema estabelecido. Essa oposição, porém, não era excludente e comportava toda uma série de contatos entre as partes antagônicas, como já comentamos. Categorias intermediárias vão surgindo das disputas entre as ruas e os grupos da elite e do povo. A essa altura, o conceito de Carnaval (em oposição ao de Entrudo) já não dava mais conta, sozinho, da diversidade de brincadeiras que ocupavam as ruas do Rio de Janeiro nos dias de folia. Surge, nos primeiros anos do século XX, o Grande Carnaval e o Pequeno Carnaval, as Grandes Sociedades e as Pequenas Sociedades, redefine-se o Entrudo que passa a ser tudo aquilo que não pode ser enquadrado dentro das idéias gerais de Grande ou Pequeno Carnaval ou de Grande ou Pequena Sociedade.

Este não havia sido, entretanto, o objetivo da burguesia liberal que, lá pelos anos 1840, havia-se decidido a importar uma festa carnavalesca à francesa capaz de civilizar nosso país. Alguma coisa não tinha funcionado de acordo com o previsto inicialmente. Algo tinha "dado errado" por aqui, diferentemente do que acontecera em Nice ou em Nova Orleans, onde as festas burguesas ao jeito de Paris floresciam no final do século XIX. Em terras brasileiras o interesse de todas as camadas da população pelo novo Carnaval fora tão grande que acabou atropelando a lógica de um processo seguido, até certo ponto, à risca por outras cidades do mundo. As ruas do Rio de Janeiro, demonstrando ser um solo fértil para a folia, tinham de algum modo feito com que a receita "desandasse". Em lugar da bela torta enfeitada de chantilly e cerejas, prevista inicialmente, o que se oferecia aos paladares carnavalescos na virada do século XIX era uma feijoada, um vatapá, uma farofa de bananas um tanto ou quanto indigestos para estômagos sensíveis, mas deliciosamente produzidos com o fermento das ruas cariocas.

É sobre esse "fermento" que falaremos a seguir.

Todo mundo na folia

Como vimos, em meados do século XIX o grupo responsável pelo desfile do Congresso das Sumidades Carnavalescas tinha um projeto em mente: o de transformar a brincadeira "suja" do Entrudo em algo comparável com a festa elegante que acontecia em Paris ou mesmo em Roma. A implantação dos passeios de máscaras seria um elemento importante nesse processo e, juntamente com os bailes à fantasia, deveriam acuar o Entrudo e impor uma nova pedagogia foliona ao país. A novidade obteve tanto sucesso que em pouco tempo boa parte da população carioca estava envolvida com os passeios, seja como participante, seja como espectadora. O problema é que nessa "boa parte" incluíam-se setores da sociedade que não eram considerados tão "bons" assim e que não se contentavam em simplesmente fazer as coisas "como deviam ser feitas", insistindo em traduzir, a seu modo, as lições aprendidas com os passeios e bailes.

As camadas populares – compostas de pessoas de menor poder aquisitivo (em comparação com as elites) e incluindo tanto os negros, escravos ou libertos, quanto os brancos e mestiços em geral – costumavam se divertir durante os dias de Carnaval com o tal jogo do Entrudo Popular. Entretanto, com a implantação do novo Carnaval de bailes e passeios, a coisa começaria a mudar de figura. Não que as molhadelas tivessem desaparecido das ruas brasileiras, mas, junto ao antigo costume de se jogar água uns nos outros, a população de desvalidos em geral passou a se interessar também pelos novos modelos de brincadeira. Vale a pena lembrar que os desfiles de grupos fantasiados, e mesmo de elaboradas alegorias, já eram velhos conhecidos dos brasileiros através das procissões e entradas triunfais que se apresentavam nos grandes momentos de comemoração pelo Brasil afora. Além disso, os negros escravos já tinham o costume de festejar pelas ruas, nas festas das irmandades negras e nas congadas ou cucumbis. Com isso, a identificação da população brasileira com as fantasias dos máscaras, com cortejos processionais e com os desfiles de carruagens abertas e, um pouco mais tarde, de carros alegóricos foi imediata. Nos primeiros anos o povo se contentava em assistir aos passeios de grupos fantasiados sobre carruagens "sem cabeça" pelas ruas da cidade. Um ou outro limão-de-cheiro podia, eventualmente, voar do grupo dos espectadores e atingir um mascarado desavisado. Mas isso não era comum, pois a vigilância da polícia era constante. Acontece que boa parte da população do Rio de Janeiro que não participava dos desfiles começou a achar que seria uma excelente idéia incorporar-se a uma sociedade ou, caso isso não fosse possível, criar o seu próprio grupo para desfilar também durante os dias de Carnaval. As pessoas que tinham algumas posses trataram logo de se inscrever numa bom clube carnavalesco ou de se juntarem para fundar um novo grupo nos "moldes" importados da França.

Influenciada por todo esse interesse, a classe média também decide participar da folia a seu modo. Sem o poder aquisitivo ou os contatos necessários para envolver-se com sociedades carnavalescas mais importantes, essas camadas médias da população juntavam-se em grupos que procuravam seguir, do seu jeito, os passos e os ensinamentos da elite. Muitos desses eram compostos das mesmas turmas dos quarteirões que se reuniam para decorá-los em função da passagem das sociedades por seus trechos de ruas. Esses amigos, vizinhos ou compadres acabaram investindo não somente na decoração da cidade, mas também na própria organização das brincadeiras carnavalescas. As camadas populares, por sua vez, incorporaram o modelo dos passeios mais sofisticados às brincadeiras dos negros e das classes menos favorecidas, como os desfiles de congos, os batuques e os tambores, fazendo com que surgissem as mais variadas combinações de tipos de brincadeira pelas ruas do Rio de Janeiro.

Invadindo o Carnaval: o novo Entrudo

Em suma, poucos anos depois do passeio pioneiro do Congresso das Sumidades Carnavalescas, a cidade apresentava uma grande diversidade de grupos que incluíam desde as sociedades importantes, freqüentadas pela elite, até as turmas mais mambembes, compostas de populares desfilando ao som de qualquer tambor e vestindo-se com as fantasias mais improvisadas. Entre esses dois extremos havia toda uma variedade de grupos ocupando os espaços e horários livres deixados pelas sociedades mais importantes.

As festas negras

Desde finais do século XV os negros escravos já participavam de confrarias e irmandades em Portugal. Entre elas destacava-se a Irmandade de Nossa Senhora do Rosário, muito popular na época. Esse tipo de associação negra seria trazida ao Brasil, possibilitando aos escravos vindos para cá algum tipo organização social e política.

Desligados de suas raízes, esses grupos procuravam reestruturar, através das confrarias seus valores culturais destruídos pela escravidão. A idéia de família era reorganizada não mais necessariamente como uma relação de sangue, mas como uma ligação étnica. As associações de negros estabeleciam "famílias", como nos candomblés, nos batuques, nos cucumbis e nos grupos carnavalescos. Chamar alguém de pai, mãe ou tia (como, por exemplo, Pai Francisco, Mãe Pequena ou Tia Ciata) passaria a ser um designativo dessa nova forma de relação.

Além de Nossa Senhora do Rosário, as irmandades religiosas negras cultuavam os santos negros, como Santo Elesbão, Santa Ifigênia e São Benedito (de Palermo), sendo-lhes permitido celebrar suas festas com procissões, missas, fogos e danças nas praças públicas.

As comemorações religiosas negras quase sempre acabavam em divertimentos profanos nos quais as irmandades elegiam um rei negro a que chamavam geralmente de rei Congo. Em Pernambuco, por exemplo, era comum no século XVIII a coroação de reis e rainhas negros no dia da festa de Nossa Senhora do Rosário. Essas comemorações eram geralmente acompanhadas de muitas danças, entre elas o lundu, o batuque, a capoeira e a dança dos velhos.

Como destaca Mary Karash em seu livro *A vida dos escravos no Rio de Janeiro: 1808-1850*, os escravos costumavam se divertir batendo tambores de formatos e tamanhos diversos, desde os maiores, como o caxambu, até os tambores altos da África Central, os chamados atabaques. A familiaridade dos escravos com os tambores africanos fez com que eles não tivessem dificuldades em se adaptar aos tambores europeus. Entretanto, os batuques eram freqüentemente proibidos, pois poderiam atrair outros escravos das redondezas. Isto fez com que os negros se utilizassem de qualquer objeto como instrumento de percussão, tais como peças de cerâmica, ferro, latas e pedaços de madeira por exemplo. O bater de palmas também era bastante comum, além da utilização de instrumentos como chocalhos de cuias ou ainda marimbas. A dança dos congos, conhecida como "congada", "ticumbi" ou "cucumbi", era uma espécie de unificação de todas as tradições artísticas negras, misturando influências africanas e brasileiras num processo de assimilação dos costumes presentes nos autos religiosos integrando santos católicos e a Virgem.

Na primeira metade do século XIX, a presença de negros nas festas acontecidas no Rio de Janeiro era imprescindível, como destaca Manuel Antônio de Almeida em seu livro *Memórias de um sargento de milícias* ao descrever as chamadas "orquestras de barbeiros", compostas exclusivamente por músicos negros:

> Não havia festa em que se passasse sem isso; era coisa reputada quase tão essencial como o sermão; o que valia porém é que nada havia mais fácil de arranjar-se; meia dúzia de aprendizes ou oficiais de barbeiros, ordinariamente negros, armados, este com um pistão desafinado, aquele com uma trompa diabolicamente rouca, formavam uma orquestra desconcertada, porém estrondosa, que fazia as delícias dos que não cabiam ou não queriam estar dentro da igreja.

Fora das comemorações religiosas, poucas oportunidades existiam para que os grupos negros pudessem realizar seus passeios de congos. Uma das exceções a esta regra era exatamente o período das festas carnavalescas. Não é de se admirar, desse modo, que existam relatos de desfiles de congos nos dias de carnaval no Recife e no Rio de Janeiro desde o século XVIII. Mas é no século XIX que congos, maracatus e cucumbis iriam se organizar na forma de Sociedades Carnavalescas em várias cidades do país, incorporando-se, definitivamente à folia brasileira.

O rei e a rainha do Congo, juntamente com seu séquito, pedem doações da população para a Igreja de Nossa Senhora do Rosário. As ofertas em dinheiro, muitas vezes feitas pelos próprios escravos, eram uma forma de viabilizar as festas da comunidade negra. (Jean Baptiste Debret, Coleta para a manutenção da Igreja do Rosário por uma irmandade negra, *in* Viagem pitoresca e histórica através do Brasil, *século XIX.)*

Um grupo de músicos negros abre alas para a procissão do Corpo de Deus. As bandas compostas por negros escravos eram comuns nos festejos do período colonial brasileiro. (Jean Baptiste Debret, século XIX.)

Essa incorporação da população carioca ao Carnaval burguês teria duas importantes conseqüências. Uma delas seria a confusão gerada por essa espécie de invasão à folia bem-comportada. Já não era mais tão simples distinguir o que podia ser definido como Carnaval e o que devia ser classificado como baderna. O uso da fantasia acompanhada de máscara, antes saudado como uma evidência de civilidade, em contraposição às lambanças do Entrudo, passa a ser visto com desconfiança. A máscara, usada pelas classes menos favorecidas, poderia, sob a ótica da elite, servir de disfarce para pessoas com más intenções, ocultado possíveis criminosos. Fantasiar-se com máscara passa a ser desencorajado e, em alguns casos, expressamente proibido, como aconteceu, por exemplo, no baile organizado pelo Congresso das Sumidades Carnavalescas, em 2 de fevereiro, nos salões do Clube Fluminense, para o qual as máscaras foram consideradas impróprias. (*Jornal do Commercio*, 16 de janeiro de 1856).

A crescente participação da população do Rio de Janeiro nos desfiles carnavalescos – seja como integrante de novos grupos, seja como espectadores ativos e críticos – acabou por fazer surgir a idéia que o "velho" Entrudo, várias vezes dado como morto, estava de volta. O tema da ressurreição da antiga brincadeira grosseira passa a ser uma constante na imprensa nacional. Notar a grande bisnaga sendo carregada nos braços do personagem que representa o Entrudo. Esses artefatos industrializados, feitos de metal ou borracha, vieram substituir os limões-de-cheiro artesanais que deixavam, pouco a pouco, de ser utilizados. (Comédia Popular, *n. 26, 1878.)*

A segunda conseqüência gerada pela efetiva participação da população carioca na folia das ruas seria uma redefinição da idéia de Entrudo. Como sabemos, antes do advento dos bailes e dos passeios, o chamado Entrudo era facilmente identificável e, de certo modo, controlável. Quem quer que estivesse nas ruas molhando ou enfarinhando pessoas desavisadas era passível de punição. Entretanto, a partir de meados do século XIX, com a proliferação dos grupos em passeio, ficava cada vez mais difícil associar-se o Entrudo à brincadeira desorganizada. Sociedades aparentemente "comportadas" podiam assimilar o espírito das molhaças e lançar limões-de-cheiro a torto e a direito enquanto desfilavam. O problema, na verdade, não era exatamente o fato de se lançarem limõezinhos. Sabemos que o costume de se jogar sobre alguém bolas de cera recheada de perfumes estava bastante difundido no Entrudo Familiar e, é claro, que esta brincadeira fazia parte dos desfiles das sociedades mais sofisticadas. Nessas, entretanto, os desfilantes obedeciam às regras do bom-tom e do comportamento civilizado, lançando delicados projéteis de modo a não ferir ou ofender a pessoa atingida. O que preocupava as sociedades mais sofisticadas era a falta de controle e de pudor manifestada pelos novos grupos. Estes, sem necessidade de manter nenhuma espécie de elegância ou distinção social, caíam de cabeça na brincadeira e incorporavam a saudável bagunça das molhadelas à sofisticada brincadeira dos desfiles. Para a elite, ficava cada vez mais difícil separar o que é Carnaval e o que é Entrudo. Essa separação era, entretanto, fundamental, para que não se confundisse o projeto de Carnaval da elite, representado por seus elegantes desfiles, com os grupos populares que procuravam imitar seu formato mas preservavam o espírito da esculhambação entrudística.

Não somente a "grosseria" física era vista como imprópria ao Carnaval pela elite, mas também a falta de *élan*, de "espírito" na brincadeira. O *Jornal do Commercio* publica, em sua edição de 6 de março de 1859, uns versinhos solicitando a intervenção policial para conter as críticas, na forma de caricaturas, que começavam a integrar as brincadeiras dos desfiles populares. Ou seja, a tão propalada liberdade presente nos dias de carnaval não parecia abranger todo tipo de brincadeiras.

> Venha a gente da polícia
> Conter em sossego o povo,
> Mostrando – que é caso novo –
> Muito ardor, pouca estultícia!
> Seja banida a malícia
> Quando se oponha à loucura;
> Que nesta desenvoltura
> Que apenas dura três dias,
> Há gozos só, e alegria,
> Não entra a caricatura!

Todos esses excessos, essa "malícia", essas "caricaturas", essa "estultícia" passariam a fazer parte daquilo que a imprensa começaria a qualificar também como Entrudo, a partir da segunda metade do século XIX. É importante notar que esse Entrudo a que os jornais se referem não é o mesmo Entrudo do tempo colonial, mas um outro tipo de brincadeira carnavalesca que passava a incorporar velhas tradições e novas formas de se divertir. A insistência da imprensa do período em tratar esse novo formato festivo como se ele fosse uma simples revitalização do antigo Entrudo reflete, na verdade, o interesse da burguesia de então em desqualificar aquilo que ela não considerava digno de fazer parte do novo Carnaval. Para a elite, a "verdadeira festa" – que incluía os bailes elegantes e os passeios dos clubes sofisticados – era chamada de Carnaval. Todo o resto devia ser lançado na vala comum das brincadeiras desqualificadas, do não-Carnaval, ou seja, do Entrudo. Quando os jornais, ou os livros sobre carnaval publicados já no século XX, se referem à "persistência do Entrudo" no final do século XIX, eles estariam falando essencialmente de brincadeiras e manifestações diferentes daquele velho Entrudo da pura molhaça e enfarinhamentos. É preciso que se perceba claramente que essa "persistência" não se liga somente ao velho Entrudo, que continuava a existir como a mesma brincadeira de antes, mas que esse "Entrudo renitente" era, na verdade, uma nova forma de brincar, muito diferente tanto das antigas molhaças quanto das novas diversões carnavalescas burguesas. Esse "Novo Entrudo", tão combatido, era entretanto o caldo de onde surgiria o novo Carnaval brasileiro a partir das primeiras décadas do século XX, como veremos mais tarde. Por enquanto voltemos ao século XIX e a mais essa frente de batalha carnavalesca nos palcos das ruas do Rio de Janeiro e que iria se reproduzir nos principais centros urbanos da época.

Bisnagando

Apesar de todos os protestos, de todos os chamamentos à polícia, de todas as indignações, o "Novo Entrudo" continuava a botar as manguinhas de fora e a reinventar a folia carnavalesca brasileira. A combinação dos limões-de-cheiro, que continuavam a existir, com as mascaradas e passeios iria inclusive incentivar o surgimento de novos utensílios carnavalescos, como as famosas bisnagas que passariam a fazer parte da brincadeira a partir de finais dos anos 1860. Essas tais bisnagas eram, na verdade, uma atualização dos antigos limões em forma de cilindros de borracha ou chumbo vendidos cheias de água perfumada, tendo sofrido veementes condenações da imprensa desde seu aparecimento. O *Jornal do Commercio*, de 27 de fevereiro de 1867, por exemplo, alertava as autoridades sobre a necessidade de se proibir a utilização de "uns esguichos finíssimos de água mais ou menos cheirosa, a que puseram o nome de bisnaga" e que teria sido introduzido poucos anos antes. O texto associa o novo objeto ao Entrudo, lembrando que, para acabar com ele, bastaria uma ação efetiva e determinada do poder público, pois, "no mesmo momento que um chefe de polícia quis acabar com o Entrudo antigo, o entrudo acabou".

Mesmo com toda a campanha em favor de seu extermínio, o Entrudo da segunda metade do século XIX – ou seja, o conjunto de brincadeiras consideradas como não-carnavalescas pela elite da época – resistia bravamente, como se pode perceber pela contínua insistência da imprensa em solicitar sua repressão por parte das autoridades. Em 4 de fevereiro de 1875, o *Jornal do Commercio*, informava que a polícia estava pronta para reprimir quem "fizer uso de esguichos, borrachinhas, bisnagas, estalos fulminantes e quaisquer pós". No ano seguinte uma seqüência de ilustrações, publicadas pela *Revista Ilustrada*, destacava que as bisnagas continuavam a ser vendidas, apesar das proibições policiais, e previa uma grande luta onde elas fariam o papel de canhões.

O Entrudo não arrefece, e a coisa chega a tal ponto que em 1880 instaura-se uma pequena crise. Num texto publicado pelo *Jornal do Commercio*, de 1º de fevereiro de 1880, um grupo de pessoas, indignadas com o que elas consideravam o reaparecimento do Entrudo no ano anterior, "seguido de todo o seu cortejo fatal de febres perniciosas, bronquites, tuberculosos e muitas outras moléstias de caráter sério", destaca que as sociedades, que "há tempos não mais percorriam as ruas da cidade em virtude das provocações e desfeitas provenientes da população", estavam dispostas a voltar a desfilar. Só que esse "retorno" se daria num novo local, afastado do centro do Rio de Janeiro. Esse novo espaço proposto para os desfiles era o "opulento bairro de Botafogo", lugar de residência de boa parte das melhores famílias da capital do Brasil. Apesar dos exageros do texto (visto que as sociedades continuavam a desfilar, ininterruptamente, pelas ruas do Rio de Janeiro), é interessante destacar a intenção explícita de desvalorização do espaço carnavalesco do centro da cidade, associando-o ao Entrudo, e a tentativa de criação de um novo local para o Carnaval, dessa vez dentro do "território" da elite e longe do centro. Enquanto isso, e apesar de todos os esforços em contrário, as brincadeiras grosseiras persistiam, e os limões-de-cheiro e as bisnagas eram fartamente anunciados nos mesmos jornais que publicavam as

Carnaval e saúde pública

Um dos principais argumentos a favor de se colocar a folia carnavalesca brasileira sob controle tem sido a alegação de suas nefastas conseqüências à saúde da população. Inicialmente dirigidas contra o Entrudo, as críticas ressaltavam os perigos que uma "molhadela" poderia causar aos corpos suados em decorrência do calor que assolava o país nos dias dedicados à folia. A morte de pessoas conhecidas, creditada aos excessos entrudísticos, como a do arquiteto Grandjean de Montigny, após o período do carnavalesco de 1850, servia como um forte argumento contra os excessos da brincadeira.

Anos depois, em 1880, uma verdadeira campanha sanitarista procurava atacar o chamado "retorno" do Entrudo com argumentos que destacavam sua perniciosidade. "O Entrudo é tão perigoso, quanto de fatais conseqüências", comentava o *Jornal do Commercio*, de 5 de fevereiro, "ou mata em poucos dias as pessoas que na rua são molhadas, ou causa-lhes longos e atrozes sofrimentos." A explicação detalhada do processo procurava dar uma justificativa "científica" à condenação da indesejada brincadeira:

> O insuportável calor destes últimos meses provoca abundante e constante transpiração, dilata os poros, e a circulação é anormal. Ora, arremessar grande ou pequena porção de água fria sobre um transeunte, é nada mais nada menos do que provocar-lhe uma rápida supressão de transpiração, uma febre consecutiva, sempre de mau prognóstico, isto é, concorrer para a morte ou a inutilidade de uma vítima inocente de um gracejo brutal.

A busca de um Carnaval elegante, e o mais parecido possível com a festa européia que se desejava implantar em terras brasileiras, fazia com que algumas vezes fosse sugerida a mudança da folia para uma "estação menos perigosa". (*Jornal do Commercio*, de 17 de fevereiro de 1873). Em 1892, o Carnaval carioca foi oficialmente transferido para os dias 26, 27 e 28 de junho, por motivos de "higiene e salubridade", visto que aquele período do ano era considerado uma época pouco propícia a epidemias. Alguns jornais saudavam a mudança e incentivavam a adoção de brincadeiras típicas das festas carnavalescas européias, como as batalhas de flores e os "moderníssimos *confetti*" (*Jornal do Commercio*, de 19 de junho de 1892), que começavam a ser utilizados em grande escala exatamente a partir desse ano. O resultado dessa modificação foi que em 1892 a cidade do Rio de Janeiro viu acontecer dois Carnavais, um no verão e outro no inverno.

As questões ligadas à saúde pública serviam não somente de argumento contra a festa desregrada mas também como tema para brincadeiras e críticas. Em 1904, auge da campanha liderada por Oswaldo Cruz contra a erradicação da peste no Rio de Janeiro, o grande sucesso musical seria a canção *Rato, rato*, de Casemiro Rocha, que criticava a compra dos roedores pelo governo:

*O tom jocoso das caricaturas publicadas na Imprensa da época deu mote para a integração do tema "saúde pública" nos desfiles do Carnaval de 1904. (*O Malho*)*

Rato, rato, rato
Porque motivo tu roeste meu baú?
Rato, rato, rato
Audacioso e malfazejo gabiru.
Rato, rato, rato
Eu hei de ver ainda o teu dia final
A ratoeira te persiga e consiga,
Satisfazer meu ideal.

Quem te inventou?
Foi o diabo, não foi outro, podes crer.
Quem te gerou?
Foi uma sogra pouco antes de morrer!
Quem te criou?

Foi a vingança, penso eu
Rato, rato, rato, rato
Emissário do judeu
Quando a ratoeira te pegar,
Monstro covarde, não me venhas
A gritar, por favor.
Rato velho, descarado, roedor
Rato velho, como tu faz horror!
Nada valerá o teu qüim-qüim,
Tu morrerás e não terás quem chore por ti,
Vou provar-te que sou mau
Meu tostão é garantido
Não te solto nem a pau.

Em 1919, a devastação provocada pela Gripe Espanhola foi tema de alegorias das Grandes Sociedades. Os Democráticos, por exemplo, apresentavam um carro onde um homem, dentro de uma grande xícara, oferecia chá aos doentes, numa alusão ao chamado "chá da meia-noite" que a Santa Casa da Misericórdia do Rio de Janeiro, oferecia aos infectados com o objetivo de abreviar-lhes ao sofrimento... e a vida. Os Fenianos, por sua vez, apresentaram uma alegoria onde a gripe era representada por um grande leque espanhol cercado de caveiras e de objetos hospitalares.

Nesse mesmo ano, o chefe de polícia do Distrito Federal decidiria obrigar as três principais sociedades a estenderem seus itinerários até a avenida Beira-mar. Entre outras razões para não cumprirem a ordem os grupos carnavalescos argumentavam que:

> saindo os préstitos da Avenida Rio Branco, onde a temperatura é elevada, entrando em seguida na Avenida Beira-Mar, tão brusca mudança atmosférica ocasionará sérias enfermidades nas pessoas que vão aos préstitos, cujas toilettes são demasiadamente ligeiras. (*Jornal do Brasil*, de 17 de fevereiro de 1919, segundo Renata Gonçalves de Sá, em sua dissertação "Os ranchos pedem passagem")

Argumento contra os excessos, inspiradoras de músicas ou temas de críticas, as questões da saúde pública seriam presença constante na folia brasileira na virada para o século XX marcando a inserção da festa carnavalesca nas questões de destaque da nação.

condenações à brincadeira. Coelho Neto conta, saudoso, que em finais do século XIX, um mês antes do Carnaval, as lojas se enchiam de "esguichos de entrudo: enormes seringas, ou bombas, que jorravam água às sacadas dos sobrados". Havia também "as cestinhas de limões-de-cheiro, de cera e de borracha e as caixas de bisnagas de estanho. Mais tarde a moda parisiense mandou-nos os enfezantes *cris-cris* de vários feitios e tamanhos, mais ou menos crepitantes". Como se vê, apesar de proibidas, as novidades eram continuamente incorporadas à brincadeira "indesejada".

Em 1881, as três principais sociedades (Tenentes do Diabo, Democráticos e Fenianos) assinavam um manifesto, publicado no *Jornal do Commercio*, que, pela singeleza de seus argumentos, merece ser apresentado na íntegra:

> À população fluminense,
>
> Inaugurado o carnaval nesta corte, há longos anos, pelas memoráveis associações *Sumidades* e *Venezianas*, o seu aparecimento foi acolhido com geral agrado pela população fluminense, que nesse folguedo viu, com justeza e discernimento, uma prova de progresso e civilização, e que, unindo-se aos esforços daquelas sociedades, secundando-as nos seus desejos, amparando-lhes o intento, baniu de seus antigos hábitos, como nocivo, como anacrônico, como impróprio da sociedade moderna e da civilização adiantada a que tem atingido, o bárbaro divertimento do entrudo.
>
> Largos anos decorreram, durante os quais a população, fiel ao acertado empenho que sobre si tomara, mostrou-se e viveu esquecida desse divertimento reprovado, que poderia ter feito as delícias de nossos antepassados, mas que a geração atual, toda adiantamento, ilustração e progresso, não comporta.
>
> Entretanto, de há dois anos para cá, o entrudo começou a ressurgir, e, avançando gradativamente, ameaça este ano tomar proporções assustadoras. O seu restabelecimento será o aniquilamento completo do carnaval, isto é, o atraso em vez do progresso, a treva em lugar da luz, a morte substituindo a vida.
>
> Conservadoras das gloriosas tradições das sociedades *Sumidades Carnavalescas*, *Veneziana*, *Boêmia* e outras que souberam abrilhantar as festas do carnaval com o esplendor com que abrilhantam as cidades mais cultas da adiantada Europa, as sociedades *Tenentes do Diabo*, *Democráticos* e *Fenianos* têm em sua existência também gloriosa, e que já data de não poucos anos, sabido sustentar aquele brilho e luzimento com aplauso da população.

Sem medir esforços, sem refletir em sacrifícios, sem calcular dispêndios, ainda este ano se apresentam elas, pretendendo exceder em esplendor ao luxo ostentado nos anos anteriores.

Seria incontestavelmente doloroso que esses dispêndios, que estes sacrifícios, que estes esforços fossem mal compreendidos e tivessem imerecido acolhimento, sendo assim suplantado o carnaval, que representa a civilização, pelo entrudo, que representa o barbarismo!

Convictas, pois, de que os seus folguedos públicos são, não só uma distração inocente para a população desta cidade, como principalmente uma manifestação incontestável de seu adiantamento moral e civilizador –, unidas em uma só idéia, abraçadas em um só desejo, as sociedades *Tenentes do Diabo, Democráticos* e *Fenianos* apelam para a sensatez, para a inteligência e sobretudo para a proverbial cortesia do público fluminense, pedindo-lhe a abstenção do entrudo, ao menos durante a passagem dos préstitos carnavalescos.

Lutando entre si para conquistar a palma na graça, na ordem, no luzimento com que se hão de apresentar, unem-se entretanto com a mais sincera cordialidade no pedido que fazem as três sociedades signatárias deste manifesto, e entregam à população desta corte, convictas do seu discernimento, da sua amabilidade e da delicadeza de seu trato, a decisão e sua causa.

Rio, 25 de fevereiro de 1881.

O teor do documento fala por si só, ao apresentar os três clubes signatários do manifesto como seguidores dos ideais das primeiras sociedades e como continuadores do projeto civilizador proposto pelo Carnaval burguês. Tudo aquilo que se opusesse à "manifestação incontestável de adiantamento moral" representada pela festa proposta pela elite devia ser renegado como barbárie, atraso, trevas e, até mesmo, morte (!!), em outras palavras, como Entrudo. Apesar do tom apocalíptico e peremptório, a ameaça de não mais desfilar nunca foi cumprida, e o Novo Entrudo continuaria a "persistir" ou a "ressurgir" livremente.

O grande problema com relação à repressão à brincadeira entrudística era estabelecer onde acabava o Entrudo e onde começava o Carnaval. Se, por um lado, parecia razoavelmente fácil definir que as brincadeiras e molhaças dos desvalidos deviam ser reprimidas, por outro lado, restava o problema de como impedir as seringadas, as batucadas e os passeios pândegos que envolviam não somente o populacho mas

*As grandes alegorias das sociedades, muitas vezes com críticas à sociedade e à política da época, eram consideradas verdadeiras "aulas" de civilidade e cultura com que os grupos em desfile presenteavam a população. Esperava-se, portanto, que a platéia permanecesse embevecida e agradecida durante os passeios. Evidentemente, isso raramente ocorria e o que se via era uma ativa participação das pessoas que dialogavam verbal e fisicamente com os grupos que passavam pelas estreitas ruas do centro do Rio de Janeiro. (*Revista Ilustrada*, 12 de fevereiro de 1882. Biblioteca Nacional, RJ e* Revista Ilustrada*, 11 de fevereiro de 1883. Biblioteca Nacional, RJ.)*

também membros da sociedade "respeitável", que se utilizavam das mais modernas técnicas para "enfezar" quem cruzasse seu caminho. O impasse gerado por essa indefinição em relação ao que seria, afinal de contas, o tal Entrudo manteria aberto o espaço para a permanência das brincadeiras que a elite mais conservadora desejava expulsar das ruas do Rio de Janeiro e das grandes cidades brasileiras, mas que conquistavam cada vez mais o gosto do resto da população. Tudo o que não consistia em desfile organizado de sociedades passaria a ser considerado como Entrudo. O *Jornal do Commercio*, de 25 de fevereiro de 1884, por exemplo, relatava que nas ruas do centro do Rio de Janeiro, "para matar o tempo, enquanto não aparecia alguma sociedade carnavalesca, jogou-se o Entrudo a valer".

Flores na batalha

A elite, horrorizada com essa situação, procurava cada vez mais fazer um Carnaval que se afastasse da "contaminação" entrudística. A festa à européia seria mais uma vez o parâmetro para as brincadeiras galantes desejadas pela burguesia. A idéia da presença de um Carnaval elegante e comedido, ao estilo das comemorações sofisticadas do Segundo Império francês, sempre acompanhara a nova folia brasileira. Publicada na *Semana Ilustrada*, de 5 de janeiro de 1862, a saudação ao Carnaval que se aproximava, citada a seguir, servia não só para preparar os espíritos com relação à festa, mas também para estabelecer o formato da brincadeira e quais deveriam ser seus principais participantes.

> Grandes são os preparativos que se fazem em todas as camadas sociais! As Sumidades Carnavalescas já começaram a executar os seus planos de melhoramentos quer do baile, quer dos passeios. É um desforço contra a apatia do ano passado. Tanto melhor. Venha a alegria entreabrir os lábios das belas fluminenses, desenrugar a fronte da mocidade cortesã, distrair a imaginação dos estadistas, dos comerciantes, dos médicos, dos literatos, de todos, enfim, que há seis ou mais meses *vivem vegelando* neste sensaborão Rio de Janeiro. Venha o Carnaval, com seu cortejo de ditos chistosos, de vozes afinadas, de sedas, de veludos, de fitas, de flores, de rendas, de bulício, de loucura, pintar com vivas e alegres cores o pardacento e monótono horizonte da vida fluminense. Bem-vindo seja ele!

Ou seja, apesar de comentar que "todas as camadas sociais" haviam se preparado para o Carnaval, ficava claro que a festa – feita de "vozes afinadas", "sedas", "fitas" e "flores" – era uma prerrogativa de pessoas do nível dos estadistas, comerciantes, médicos e literatos que, para o autor do texto, parece que representavam a parte da cidade que realmente importava.

A idéia de se repetir, no Rio de Janeiro, as mesmas brincadeiras carnavalescas que existiam em Paris atinge tal paroxismo que, no dia 6 de março de 1862, a capital do Império do Brasil abre alas para um evento bastante característico da folia parisiense, uma Marcha do Boi Gordo desfilando pela cidade sob a luz de archotes, conforme noticiado pelo *Jornal do Commercio*.

Muitas outras ações como essa são levadas a cabo pelos foliões da elite que pouco a pouco vão se afastando da folia das ruas e se isolando em bailes privados cada vez mais exclusivos que pouco tinham a ver com a esbórnia dos bailes públicos que grassavam pelas cidades. A folia carioca fica cada vez mais distante do projeto imaginado pela burguesia, que não reconhece mais, nas brincadeiras das ruas, o Carnaval elegante e civilizado que tentava implantar no país. Repudia-se o novo Carnaval, tentando convencer a opinião pública de sua impropriedade. Busca-se assustar os

Apesar de caracteristicamente parisiense, o Desfile do Boi Gordo aconteceria em outras cidades do mundo, como uma forte expressão da influência francesa sobre as manifestações carnavalescas da sociedade do século XIX.
*(*O boi gordo desfila no Carnaval de Nova Orleans. *Desenho de J. Wells Champney.*
Scribner's Monthly, *dezembro de 1873.)*

foliões anunciando o fim próximo da folia. A *Semana Ilustrada*, de 7 de fevereiro de 1875, publica um artigo intitulado "Testamento do Carnaval", em que a população é informada da morte do Carnaval. Este, segundo o texto, teria nascido em 1852 e falecido em 1874, tendo tido uma vida "curta, mas furiosa", e dado muitas noites de glória à pátria, "desde as célebres e memoráveis *Summidades* até os seus sucessores de hoje".

A sensação passada por esses comentários amargurados é a de que os "dias de triunfo" do carnaval haviam passado. As sociedades, segundo alguns jornalistas, não tinham mais o "espírito" de antes, não sabiam mais criticar e suas sátiras haviam perdido a graça. Em suma, para a elite, a folia, do jeito que estava, tinha perdido a razão de ser. O Carnaval requer "espírito e conhecimento do mundo em que se vive, enquanto que para o Entrudo basta o espírito da bisnaga", lamentava a *Revista Ilustrada*, de 9 de março de 1878.

Boa parte das sociedades e clubes mais elegantes deixa de desfilar nas ruas para se dedicar somente aos bailes, muitas das vezes em teatros exclusivos ou mesmo em sedes próprias. Em 1890, o *Jornal do Commercio*, de 15 de fevereiro, lamentava a ausência de enfeites para o Carnaval, que começaria no dia seguinte, e destacava o fato de que somente uma única sociedade desfilaria no último dia. Os bailes, entretanto, ressalvava o texto, seriam realizados. De fato, ao que parece, das chamadas Grandes Sociedades somente os Fenianos se apresentariam nas ruas do Rio de Janeiro naquele ano. Entretanto, no dia seguinte, o mesmo jornal destacava, entre outras notícias carnavalescas, a grande afluência de público à Rua do Ouvidor para assistir às "preliminares da festa carnavalesca" que contou, por exemplo, com o zé pereira dos Tenentes, composto de 24 carros com mascarados e estandartes, além de um grupo de clarins e uma banda.

Pode-se deduzir que a tão anunciada "morte" do Carnaval resumia-se ao declínio do formato carnavalesco desejado pela elite. Realmente, ao que parece, pouco se via, pelas ruas, do antigo Carnaval civilizador e sofisticado em sua forma pura. Quem saísse pelo centro da cidade procurando o Carnaval do jeito que ele se apresentava logo após 1855 ficaria bastante decepcionado. Mas isso está longe de significar que a folia estivesse morta nas ruas do Rio de Janeiro. Ao contrário. Como veremos mais adiante, a brincadeira carnavalesca reinava absoluta na cidade, só que em sua forma miscigenada, misturando a sofisticação das brincadeiras burguesas com a malícia e a espontaneidade das folias populares. Boa parte da burguesia, e mesmo da elite, percebia o divertido dessa situação e participava das brincadeiras. Alguns, entretanto, teimavam em buscar um Carnaval isolado da população carioca, provavelmente motivados pelo sucesso da festa francesa em finais do século XIX. Essa havia se transferido de Paris (onde a folia declinava a olhos vistos) para a sofisticada cidade de Nice, no sul da França, e lá se impunha cada vez mais ao mundo, como o protótipo do Carnaval da burguesia endinheirada da Europa. Ou seja, como uma festa altamente sofisticada, organizada para o deleite das classes mais abastadas.

INDEFINIÇÕES

Paralelas à retração inicial da burguesia e, mais tarde, a suas ações em busca da retomada das rédeas carnavalescas, continuam a existir as ameaças, veladas ou não, de um retorno do Entrudo. De acordo com alguns desanimados arautos do fim do "verdadeiro" Carnaval, a ocupação da cidade pelo velho costume entrudístico era um fato consumado ao qual teríamos que nos render. "Cada terra com seu uso...", lamentava nostalgicamente o cronista J. Dast, na *Revista Ilustrada*, de 11 de fevereiro de 1883, "a adoção do carnaval foi cousa forçada; para favorecê-lo um chefe de polícia matou o Entrudo; o Carnaval monopolizou e monopolizou-se... – Onde o máscara avulso? – O povo quer divertir-se a seu modo. Volta o Entrudo, que é para todos, zombando de todos os chefes, de todos os edis e pastorais."

Imprensadas pela confusão decorrente do crescimento do Carnaval popular nas últimas décadas do século XIX e relegadas a um segundo plano pela elite mais sofisticada – que desiste de abandonar a folia e descobre novas formas de se divertir durante o Carnaval –, as Grandes Sociedades encontram cada vez menos espaço (física e simbolicamente falando) para seus desfiles. Atordoadas com essa situação, muitas delas deixam de apresentar seus préstitos e retraem suas atividades carnavalescas, que passam a ser resumidas a grandes bailes realizados em suas sedes. Em 15 de fevereiro de 1885, por exemplo, o *Jornal do Commercio* publica um artigo no qual se destaca que naquele ano as principais sociedades deixariam de sair e que, em lugar dos desfiles, preparavam grandes festas em seus salões. Os "únicos" a fazer Carnaval de rua, segundo o jornal, eram os Progressistas da Cidade Nova, o Clube dos Fantoches, a Sociedade C. Piratas do Amor, alguns Zé Pereiras, os Socialistas, os Cavaleiros de S. Potino, os Filhos de Netuno, os grupos de Nação de Angola, dos Teimosos, dos Cacumbis, o Recreio dos Inocentes, os Infernais Carnavalescos, os Pirilampos e uma Estudantina de Salamanca. Ou seja, mesmo sem a participação ativa de parte considerável da elite, que se recolhe, paulatinamente, a suas brincadeiras "privadas", a festa das ruas do centro do Rio de Janeiro fica, ano após ano, entregue a uma folia cada vez maior, mas ao mesmo tempo mais difícil de se definir.

A mistura decorrente dos encontros e tensões proporcionados pelas estreitas ruas de implante colonial do centro do Rio vai permitir, e mesmo incentivar, o diálogo e a troca de informações entre as diferentes turmas de foliões que disputam entre si o mesmo espaço carnavalesco. Ao se olharem, se estranharem ou se admirarem, os grupos, inicialmente formados por conjuntos razoavelmente homogêneos de pessoas, iam incorporando características uns dos outros. Desse modo, a cada Carnaval apareciam novas formas de organização das turmas que passeavam pelas ruas ou mesmo que assistiam aos desfiles. No início, ou seja, por volta da década de 1850, o que se via no Carnaval do Rio de Janeiro eram dois tipos quase opostos de grupos. De um lado, as sociedades sofisticadas, procurando repetir por aqui o Carnaval elegante europeu, através de suas fantasias luxuosas, carruagens decoradas e passeios ao som de clarins ou de bandas interpretando trechos de óperas. De outro lado, os grupos populares, de forte influência entrudística, com roupas improvisadas e passeando ao som de bumbos ou qualquer outra forma de percussão. Isso sem falar nos grupos de congos e cucumbis, de ascendência negra, que, mesmo não se apresentando exclusivamente no Carnaval, aproveitavam-se da relativa liberalidade dos dias de folia para conseguir as autorizações necessárias a levar para as ruas as representações das coroações dos reis do Congo, características de suas manifestações processionais. Essas quatro principais vertentes iniciais (os passeios, as fantasias dos bailes, os tambores populares e os batuques e enredos negros) vão se intercomunicar e influenciar mutuamente de todas as formas possíveis, fazendo com que em pouco tempo o Rio de Janeiro fosse palco de uma verdadeira confusão carnavalesca.

Excessos carnavalescos

Na década de 1860 já existe uma superabundância de formas de grupos carnavalescos continuamente dialogando entre si nas ruas do Rio. Dá para imaginar a dificuldade que um cidadão da época teria ao procurar classificar as muitas variedades de brincadeiras existentes. Havia sociedades compostas não somente de sofisticados burgueses mas também de indivíduos das camadas médias da população, que, procurando imitar a elite endinheirada, organizavam-se em grupos que repetiam, a seu modo, a forma de desfile dos clubes mais sofisticados. Havia grupos de populares que desfilavam com roupas pelo avesso, divertindo-se em simplesmente seguir alguém que batesse vigorosamente um tambor. Outros grupos, mesmo compostos de pessoas das camadas mais pobres da população, procuravam se apresentar pelas ruas com algum tipo de fantasia, copiada, de forma bastante simplificada e reinterpretada, das ricas indumentárias dos clubes da elite. Havia agrupamentos de negros que juntavam seus batuques e suas roupas típicos dos cucumbis e incorporavam a eles instrumentos das bandas e carroças puxadas por parelhas de bois, à moda das sociedades. Havia grupos compostos somente de crianças da elite, outros só admitiam senhoras vestidas de baianas. Havia turmas de rapazes organizados como uma sociedade, mas cujo único objetivo era entrudar quem estivesse em seu caminho. Em suma existia "de um tudo" nas ruas do Rio de Janeiro durante o Carnaval.

Por muito tempo, até as primeiras décadas do século XX, na verdade, esses grupos não receberam nenhum nome que os distinguisse definitivamente uns dos outros, sendo chamados quase indistintamente de "grupos", mas também aleatoriamente de "clubes", "blocos", "cordões", "ranchos" ou "sociedades". Era freqüente que, num mesmo artigo de jornal, algum grupo fosse chamado de "rancho" em uma frase para ser referido como "clube" ou "sociedade" no parágrafo seguinte. Na virada para o século XX esses grupos populares passariam a ser identificados em conjunto como as Pequenas Sociedades, como veremos.

O misterioso senhor José Pereira

É claro que, mesmo sem querer, aos poucos algumas formas de brincadeira vão se destacando naturalmente das outras. Uma delas, por suas características bastante peculiares, desde cedo adquiriu um nome próprio e bastante curioso: o zé pereira. Apesar de logo ter-se destacado das outras formas de divertimento carnavalesco, a definição do que é, afinal de contas, um zé pereira deixa margem a muitas interpretações e dúvidas, e é um ótimo exemplo do que iria acontecer, no início do século XX, com outros tipos de grupos, como os ranchos e os cordões.

A controvérsia sobre o zé pereira já aparece nas discordâncias com relação a sua origem. Em seu livro *História do carnaval carioca*, Eneida informa que o zé pereira teria aparecido nas ruas do Rio de Janeiro em 1846. Luiz Edmundo, em *O Rio de Janeiro do meu tempo*, fornece a data de 1852. Hiram Araújo cita os anos de 1846, 1848 e 1850 em seu livro *Carnaval: seis milênios de história*. Todos afirmam que no Brasil a brincadeira começou quando um certo José Nogueira desfilou pelas ruas do Rio de Janeiro, durante os dias de Carnaval, batendo um grande bumbo. Há quem diga, como Brasil Gerson, no livro *História das ruas do Rio*, que José Nogueira não teria desfilado sozinho, mas sim fazendo parte de um grupo com cem tocadores de bumbo (!). O nome "zé pereira" teria sido inspirado pelo tal "José Nogueira". Fala-se também que o costume teria vindo de Portugal, onde grupos chamados de zé pereiras, compostos de rapazes tocando bumbos, desfilavam durante os dias de carnaval, principalmente nas pequenas aldeias do norte do país. Nenhuma dessas versões foi comprovada. O que se sabe ao certo é que já na década de 1860 pode-se ler nos jornais que "uma das cousas mais características do nosso Carnaval é o chamado José Pereira. A cousa não é feia, é mesmo muito bonita, e muito barata: uma zabumba, alguns tambores, e daí nasce uma doce harmonia, que encanta os ouvidos, não mói a paciência do próximo, e atrai o sufrágio dos moleques" (*Semana Ilustrada*, de 18 de fevereiro de 1866). Curiosamente (ou ironicamente?) descrito como "uma doce harmonia" (o que discorda completamente dos inúmeros relatos posteriores), e ainda chamada de "José" Pereira, a brincadeira se caracterizaria pela batida, ao estilo europeu, de tambores e taróis, diferenciando-se, desse modo, dos chamados batuques negros que utilizavam outros tipos de instrumentos de percussão. O ponto comum nas primeiras referências ao zé pereira na imprensa carioca é exatamente o grande barulho produzido pelo grupo de brincantes em desfile, além de seu caráter descontraído e popular. A descrição de um zé pereira pode dar-nos alguma idéia de como ele se organizava. Ou seja, um grupo de homens vestidos com roupas usadas (ou mesmo com trapos), tocando grandes surdos e arrastando em torno de si animados foliões atraídos pela barulhada:

> Vestidos com roupas dignas de figurarem nos sacos dos chiffonniers [catadores de trapos], armados de bumbas a tiracolo, seguidos e precedidos de entusiásticos admiradores, tocaram o interminável bum bum bum com o frenesi e a incansabilidade dos anos antecedentes.
>
> Em barulho e estridor ninguém põe o pé adiante aos Josés Pereiras; e, como o ruído é o primeiro elemento do carnaval, segue-se que os Josés Pereiras prestarão relevantes serviços nas setenta e duas horas da loucura pública e particular.
>
> Um deles, o mais aristocrático e menos maltrapilho, cruzou a cidade puxado em vasta andorinha que, apesar de ser só, fez ótimo verão [...] (*Semana Ilustrada*, de 18 de fevereiro de 1866).

É digno de destaque o comentário de que certos zé pereiras eram mais bem vestidos do que outros e que alguns podiam desfilar sobre andorinhas (um tipo de charrete), o que significa que não é o estilo de roupa ou o desfile a pé que poderiam fazer com que um grupo fosse classificado como um zé pereira, mas sim o bum-bum-bum característico da batida dos tambores.

Em 1869, uma certa Sociedade Burlesca Endiabrada, um dos muitos grupos que desfilavam no carnaval carioca, publica uma nota, no *Jornal do Commercio*, de 9 de fevereiro, convidando a população para um zé pereira, no qual aconteceria o enterro de um certo Grande Jacaré, dando a entender que o tal "zé pereira" era sinônimo de boa pândega. Nesse mesmo ano, a Companhia Teatral Jacinto Heller resolve apresentar

Qualquer grupo de foliões reunidos e batendo tambores era chamado de zé pereira. A fanfarra podia contar com outros instrumentos, mas sua principal característica era o barulho produzido e o caráter um tanto anárquico do conjunto. A caricatura política iria se servir da imagem do zé pereira para criticar as mais diversas situações do país.

uma peça curta intitulada *O Zé Pereira carnavalesco.* Essa peça era, na verdade, uma caricatura de outra peça, *Les pompiers de Nanterre* (Os bombeiros de Nanterre), que havia feito muito sucesso no ano anterior ao ser apresentada no teatro Alcazar Lírico. A principal razão do êxito fora a música que dava nome ao espetáculo, cantada por uma famosa vedete. Na peça carnavalesca, o grupo que se junta para formar o zé pereira do título compõe-se de quatro rapazes que tocam, cada um, um instrumento diferente – zabumba, clarineta, caixa de rufo (ou tarol) e fagote. A peça terminava como uma música que descreve muito bem o desfile de um zé pereira durante o Carnaval:

O Zé Pereira no Carnaval
Pode o zabumba rebentar.
Mas depois desta folia
Outros lhe tomam o lugar!
Sem máscaras percorrem eles

As ruas desta cidade,
Arrebentando sem malho
A pele da humanidade!
E viva o Zé Pereira
Pois que a ninguém faz mal
E viva a bebedeira
Nos dias de Carnaval
Zim, balala! Zim, balala!
E viva o Carnaval!

A última quadrinha tornou-se a primeiro grande sucesso musical do Carnaval brasileiro e até hoje é tocada nos bailes carnavalescos que ainda teimam em resistir por todo o país. O êxito de *O Zé Pereira carnavalesco* fez com que no Carnaval do ano seguinte, 1870, a música fosse cantada exaustivamente por todos os grupos de zé pereiras que desfilavam pelas ruas. Alguns deles, como a Sociedade Francesa de Ginástica, se apresentariam com seus sócios e sua banda vestidos como os famosos bombeiros de Nanterre, marcando o casamento da diversão popular com as formas mais organizadas de brincadeira carnavalesca. Nos anos seguintes, *O Zé Pereira carnavalesco* continuaria a ser encenado nas semanas que antecediam o carnaval, sempre com grande sucesso.

A partir de então, o termo "zé pereira" significaria qualquer grupo barulhento e animado que se apresentasse fazendo grande algazarra durante o Carnaval, ao som de tambores e, quando possível, acompanhados de instrumentos de sopro. Em 1873, por exemplo, a Euterpe Comercial Tenentes do Diabo informava, pelos jornais, que seguiria parte de seu desfile a pé, acompanhada do "clássico, histórico e sempre usado Zé Pereira" (*Jornal do Commercio*, de 21 de fevereiro de 1873).

O termo "zé pereira" passava a ser visto quase como sinônimo de Carnaval. Reclames nos jornais do Rio de Janeiro usavam as duas palavras indistintamente e anunciavam: "Zé Pereira. Vendem-se ou alugam-se 2 caixas e 1 bombo; na Rua do Lavradio n. 35.", ou "Carnaval. Aluga-se ou vende-se um bombo e caixas de rufo; na Rua da Princesa n. 67" (*Jornal do Commercio*, 4 de fevereiro de 1877). Cinco dias depois o mesmo jornal destacava a ausência de algumas sociedades que não desfilariam em protesto contra a "chuva de estalos e bisnagas com que têm sido festejadas estes últimos anos na sua passagem" e ressaltava que a Rua do Ouvidor estaria entregue exclusivamente aos zé pereiras, reforçando sua identificação com qualquer tipo de grupo do Carnaval popular.

A figura de um homem batendo com força um enorme bumbo se transformaria num verdadeiro símbolo do Carnaval brasileiro. Por extensão, a denominação zé pereira passaria a ser quase sinônimo de brincadeira carnavalesca. (Revista Fon-Fon*, 18 de fevereiro de 1909.)*

Em 1880, uma certa Sociedade Euterpe do Comércio anunciava, para o domingo anterior ao Carnaval, um passeio ao Jardim Botânico que consistiria num grande cortejo com clarins, estandarte, carros e, fechando o desfile, o Sr. Zé Pereira em pessoa! (*Jornal do Commercio*, de 1º de fevereiro de 1880). Transformado num personagem carnavalesco, o zé pereira acabaria por resumir, em sua figura, toda a alegria da folia. Não é de admirar, desse modo, que já no século XX um grupo de foliões chegasse a propor a substituição do Rei Momo pela gorda figura do zé pereira.

As Grandes Sociedades passariam a incorporar em seus préstitos grupos de músicos e foliões, identificados como "Zé Pereiras" e anunciados com destaque nos jornais. Outros clubes importantes do Rio de Janeiro começariam a nomear seus préstitos de zé pereiras, como fez o Clube dos Progressistas da Cidade Nova, que publicaria um grande anúncio no *Jornal do Commercio*, de 12 de fevereiro de 1882, destacando, com uma "saudação pereiral" à população, o "pomposo, brilhantíssimo e reverendíssimo Zé Pereira" que teria lugar no domingo anterior ao Carnaval.

Na década de 1880, o termo zé pereira já era usado para definir qualquer tipo de grupo menos sofisticado, ou mais animado, que desfilasse pelas ruas. Em 1881, além de noticiar os préstitos das Grandes Sociedades, o *Jornal do Commercio*, de 2 de março, informava que "outros grupos, menos vistosos, é certo, porém não menos alegres, percorreram também as ruas, contribuindo para tornar ainda mais festivo o dia de ontem. Eram os bem conhecidos *Zé Pereiras*". O texto identifica um desses zé pereiras como o *Club das Niniches*, que teria desfilado de manhã, trajando roupas de banho. "Na frente ia o seu presidente com o estandarte", relatava o jornal, "e em seguida os sócios, cada qual zabumbando com mais força". Tempos depois, algumas das Grandes Sociedades decidem passar a denominar de zé pereira seus desfiles menos pomposos (realizados, geralmente, no domingo anterior à semana de Carnaval ou no próprio Domingo Gordo) diferenciando-o dos préstitos de gala da terça-feira. Apesar do nome, os zé pereiras das sociedades estavam longe de se apresentar como uma brincadeira desorganizada e aberta à população, como se pode ver pela descrição que se segue:

> O Zé Pereira dos Tenentes desfilou com grande sucesso, compondo-se de clarins fantasiados com dragões nos capacetes; guarda de honra de três sócios; banda de música fantasiada de barretes frígios; carro do estandarte, guarda de honra de 6 sócios vestidos à portuguesa; carro com estandarte de um grupo da sociedade; quatro carros com sócios fantasiados; carro com estandarte do *grupo dos Ventarolas*, dois carros com sócios fantasiados de bebês, chorões e narigudos; carro com estandarte do *Grupo dos Teimosos*; dois carros com sócios; carro com estandarte do grupo *Filhos de Plutão*, carro com estandarte do grupo *Torneiras*; dois carros com sócios fantasiados; carro com estandarte do grupo dos *Borboletas*; cinco carros com sócios fantasiados; carro com estandarte do *Grupo dos Bicudos*; quatro carros com sócios fantasiados; fechando o préstito um ruidoso Zé Pereira (*Jornal do Commercio*, de 16 de fevereiro de 1890).

Ou seja, o grupo de músicos e foliões que fechava o desfile, organizados nos moldes dos zé pereiras populares, acabou por denominar todo o préstito, diferenciando essa apresentação mais descontraída (que não contava com a presença das grandes alegorias) dos desfiles apresentados no dia de gala das Grandes Sociedades. É interessante notar também que as sociedades passaram a incluir grupos diferenciados e com identidades próprias, em seu desfile, como o "dos Ventarolas", o "dos Teimosos", o "Filhos de Plutão, o "dos Borboletas" e o "dos Bicudos", citados acima. É de supor-se que, com o gigantismo dos Grandes Clubes Carnavalescos (ou Grandes Sociedades), a nova organização, em grupos independentes, facilitasse a administração dos préstitos. A presença de estandartes próprios para cada um desses grupos destaca a individualidade de cada um e pode estar na raiz da organização em alas independentes, característica das escolas de samba, além de servir como modelo para os "ranchos carnavalescos", duas formas de organização carnavalesca que iriam se estruturar a partir das primeiras décadas do século XX. É exatamente nesse período, aliás, que o zé pereira iria se fixar, definitivamente, como um dos símbolos do Carnaval alegre e descontraído, em oposição aos desfiles pomposos e elaborados das sociedades, passando a se confundir, definitivamente, com os vários tipos de grupos que se misturavam nas ruas do Rio de Janeiro.

Quem é você?

O percurso dos diferentes significados adquiridos pelo termo zé pereira é um excelente exemplo do que ocorria com todas as manifestações de rua do Carnaval carioca. A indefinição sobre o que podia e o que não podia ser considerado Carnaval é uma constante durante toda a segunda metade do século XIX e as primeiras décadas do século XX. Sabia-se que numa ponta da "escala de valores" carnavalesca estavam as festas da elite, com seus bailes exclusivos e suas batalhas de confete. Logo a seguir vinham as Grandes Sociedades e um ou outro grupo mais sofisticado da festa popular. A partir daí reinava a confusão onde todas as combinações eram possíveis: zé pereiras, ranchos, clubes, blocos e todos os outros conjuntos de brincantes chamados genericamente de grupos. No extremo mais "baixo", ficava o Carnaval totalmente livre e desorganizado, sem estrutura definida, sem nenhuma regra, classificado de Entrudo, como já sabemos. As fronteiras entre todas essas diferentes classificações eram, porém, bastante indefinidas, e muitos grupos populares organizados, por exemplo, podiam ser impedidos de brincar sob a alegação de práticas entrudísticas.

Por outro lado, o aumento incontrolável da participação da população nas brincadeiras e a variedade de formas de se divertir, presentes na folia das ruas, serviam como uma espécie de escudo contra os avanços da bagunça descontrolada do Entrudo. Ou seja, sob a ótica da burguesia, poderia ser melhor valorizar a organização dos grupos do que deixar o campo livre para o "descontrole" do avanço entrudístico. "Foliões, carnavalescos, pintalegretes, sumidades, pândegos e raia miúda, eis o teu dia. Abaixo a impostura, os graves nadas, e reine a anarquia, a desordem e a loucura no seu auge", incentiva o *Jornal do Commercio*, de 3 de março de 1867. "Os carranças e carunchosos representantes da seringa de folha e caldeirões d'água", continua o jornal, "batidos em seus redutos, debandaram-se precipitados, chasqueados, pela turba que por toda parte assoma metendo o nariz ao povo, espalhando versalhada, confeitos, buquês e a cheirosa bisnaga na faceira coquete que se debruça da sacada para saudar aos foliões que passam."

Ou seja, desde cedo a imprensa percebeu que o incentivo aos festejos populares mais estruturados poderia fazer com que as formas menos organizadas de brincadeira pudessem ser mantidas isoladas na categoria Entrudo. Os foliões e a "raia miúda" em geral são, desse modo, convidados a se aliarem aos confeitos e buquês (típicos das batalhas de confete), e mesmo à bisnaga, para juntos expulsarem as velhas "seringas de folhas" e os "caldeirões d'água" do "carunchoso" Entrudo. Atraindo o Carnaval popular organizado para seu "lado" da batalha, a burguesia dava um passo importante para isolar a confusão que ela não podia controlar, dentro do conceito, sempre amplo, do Entrudo.

O ATAQUE DOS "COLARINHOS ALTOS"

A coisa, entretanto, não era tão simples assim, pois, como vimos, as fronteiras entre a folia popular tolerável e o inadmissível descontrole entrudístico eram muito tênues. As tensões são freqüentes, principalmente nos espaços mais concorridos. Reclamações contra a "excessiva concorrência do povo" às ruas do centro do Rio de Janeiro e a ausência de "espírito", como as publicadas em *O Mosquito*, de 6 de março de 1870, são cada vez mais comuns. A própria bisnaga, novidade surgida poucos anos antes, era saudada por uns como a "cheirosa bisnaga" e execrada por outros como uma forma de perpetuação das molhaças. "A seringa do carnaval é a bisnaga", reclama a *Semana Ilustrada*, de 26 de fevereiro de 1871, numa espécie de desabafo que expressa muito bem o desânimo que devia reinar entre os opositores da bagunça entrudística. Aos olhos da elite, a situação devia parecer mais grave do que realmente se apresentava, visto que não eram somente os grupos populares que cresciam em número e ocupavam os espaços da folia. O contrário também acontecia, ou seja, os clubes aparentemente mais ligados ao Carnaval da elite incorporavam, em seus desfiles, algumas características eminentemente entrudísticas. Em 1876, por exemplo, uma sociedade com o sugestivo nome de Amoladores Carnavalescos conclamava os sócios a comparecerem a sua sede "munidos daquilo com que se compram bisnagas" para poderem decidir como seria feita a "*amolação* dos três dias antes da *quarta de cinza*" (*Jornal do Commercio*, de 20 de fevereiro de 1876). Ou seja, um grupo organizado que tinha como principal objetivo incomodar os outros foliões com suas bisnagadas. Na verdade, ao que parece, os principais consumidores das bisnagas eram exatamente as pessoas com algum poder aquisitivo, visto que as seringas e gamelas com água eram muito mais econômicas, pois podiam ser "recarregadas" sem dificuldade. Em 1877, a *Revista do Rio de Janeiro* descreve alguns rapazes que usavam bisnagas para atacar os passantes como "sensaborões, que empavesados com um colarinho alto e uma gravata de seda, procuram a Rua do Ouvidor e aí insultam e acometem as famílias, estragando-lhes as vestes e ofendendo o corpo". Os "colarinhos altos" e "gravatas de seda" não deixam dúvidas de que a turma de bisnagadores estava longe de fazer parte dos grupos de desvalidos da sociedade. Ao que parece, o costume de se lançar finos esguichos de água e pequenos objetos não era considerado, por si só, um grande estorvo, pois elegantes anúncios de "frutas carnavalescas cheias de flores" ou de bisnagas e estalos "recebidas diretamente de Paris" espalhavam-se pelos principais jornais do país durante o período carnavalesco.

Na verdade, o grande problema não eram exatamente a bisnaga ou os papéis picados, mas sim o mau uso que alguns "abusados" podiam fazer deles. Nas mãos das educadas mocinhas da elite os esguichos podiam ser considerados uma inocente brincadeira ao gosto da sofisticada folia da Europa. Athos Damasceno destaca três maneiras de se lançarem confetes, todas importadas do carnaval europeu: os fuzis (pequenas espingardas de ar comprimido), as bombas (cilindros de papel de seda que explodiam no ar graças a um combinado de amianto) e as garrafas (confeccionadas de material frágil que se quebravam sem machucar). Em 1887, o *Jornal do Commercio* do Rio de Janeiro anunciava, em sua edição de 20 de fevereiro, a venda de umas certas bolas elétricas, "a grande novidade para substituir os limões-de-cheiro". Outros artefatos também podiam ser utilizados na brincadeira, como um curioso lançador de confetes, chamado *sansula* ou *palla*, ou ainda uma máscara de arame, usada para impedir que os pequenos projéteis alcançassem os rostos mais sensíveis, ambos muito comuns no Carnaval de Nice em finais do século XIX. Apesar de toda a "elegância" desses objetos, qualquer um deles poderia se tornar uma poderosa arma de "amolação carnavalesca" se utilizado por foliões "excessivamente" animados.

Mesmo com todos os esforços "civilizadores", o "descontrole" carnavalesco não esmorecia. Ao contrário, tornava-se, muitas vezes, mais agressivo, como na chamada "guerra às cartolas", que tomaria conta da folia carioca após a década de 1870, com a

Inventada em Nice, a sansula *era um artefato que permitia lançarem-se grandes quantidades de confete sobre outras pessoas e fazia parte do verdadeiro arsenal carnavalesco da burguesia foliã em finais do século XIX. (Ilustração de Mars para o livro* Nice em Carnaval, *1898.)*

difusão da moda dos chapéus altos para homens. A diversão consistia simplesmente em alvejar o pobre portador de cartola que porventura passasse desavisadamente por qualquer espaço da folia. Essa nova brincadeira – que à primeira vista parecia colocar elite e povo em campos opostos da batalha carnavalesca – conseguia atrair a participação de todas as classes sociais. "Naturalmente", comentava o cronista Julio Dast, na *Revista Ilustrada*, de 26 de fevereiro de 1882, "o limão irrita-me quando jogado sobre mim; mas houve nada mais alegre neste Carnaval, mais divertido do que a guerra às cartolas por meio dos limões? Eu perdoei de bom grado os limões que me molharam, pela alegria que me causaram os limões jogados aos outros." Ou seja, se os próprios usuários de cartola se compraziam com os ataques aos chapéus, como fazer para distinguir um "entrudista" de um "carnavalesco"?

CONTAMINAÇÃO

O único desenlace possível para esse embaraço enfrentado pela elite seria o extermínio total do Entrudo, com a conseqüente vitória do Carnaval. Mas, do jeito que as coisas iam, essa solução parecia cada vez mais longínqua. A guerra às cartolas havia sido resolvida com o fim da moda dos chapéus altos. Na última década do século XIX, o que se via nas ruas durante o Carnaval era o "chapelinho de palha, baratinho e bilontra", conforme relatava o *Diário de Notícias*, de 8 de março de 1886. Essa referência, com tom carinhoso e brejeiro, destaca o surgimento de um tipo de chapéu que no século XX viraria uma das marcas do Carnaval brasileiro, ao se incorporar à figura do famoso "malandro carioca". Entretanto todas as outras brincadeiras carnavalescas pareciam estar irremediavelmente "contaminadas" pelo gosto popular. As próprias Grandes Sociedades afastavam-se cada vez mais dos padrões de civilidade da alta burguesia e, além de incorporarem os animados zé pereiras a seus préstitos, como vimos, passavam a tratar de temas polêmicos em suas alegorias que eram, por sua vez, ocupadas cada vez mais por mulheres mundanas. O controle policial sobre os temas abordados

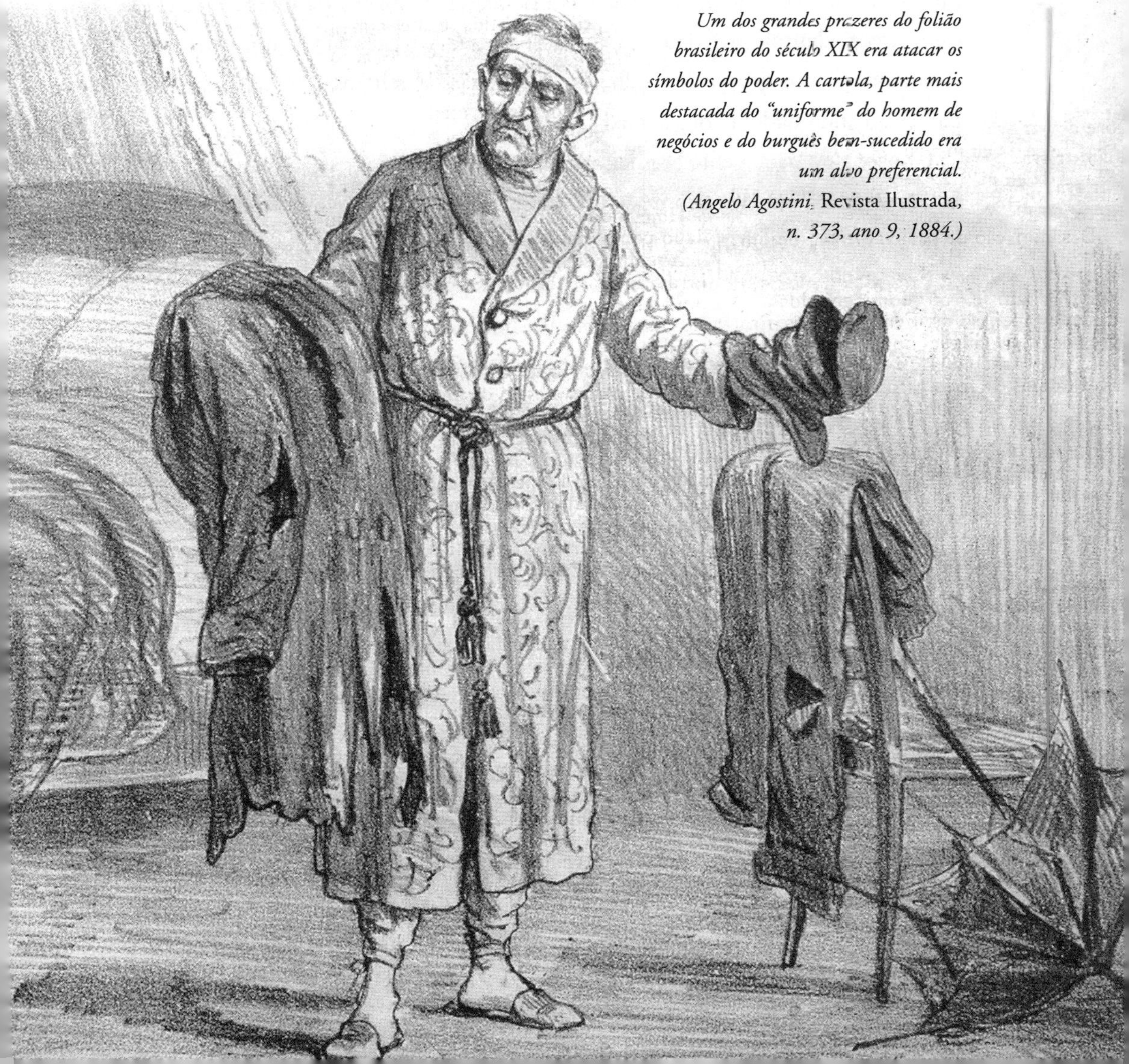

Um dos grandes prazeres do folião brasileiro do século XIX era atacar os símbolos do poder. A cartola, parte mais destacada do "uniforme" do homem de negócios e do burguês bem-sucedido era um alvo preferencial. (Angelo Agostini, Revista Ilustrada, *n. 373, ano 9, 1884.)*

tornava-se mais rigoroso, a ponto de, no Carnaval de 1884, somente os Fenianos, dentre as Grandes Sociedades, terem tido disposição de desfilar. Mesmo assim o grupo protestaria contra o que eles consideravam como uma arbitrariedade da polícia, que decidira inspecionar os carros e impedira certas pessoas de participar do préstito, conforme relata o *Jornal do Commercio*, de 22 de fevereiro. Essa licenciosidade crescente que tomava conta dos desfiles dos Grandes Clubes Carnavalescos não era uma prerrogativa do Carnaval carioca. Em muitas cidades brasileiras, os préstitos haviam descambado para apresentações cada vez mais críticas, ousadas e até indecentes. Em 1897, segundo Athos Damasceno, algumas famílias da cidade gaúcha de São Leopoldo chegaram a escrever uma carta ao então presidente do Estado, Júlio de Castilhos, solicitando providências enérgicas quanto às "imundas exibições carnavalescas" que, segundo elas, agrediam a religião e o caráter inviolável da mulher brasileira. Ao que parece, alguma sociedade de Porto Alegre havia apresentado um carro exibindo, jocosamente, um grupo de mulheres fantasiadas de religiosas franciscanas, fato que parece ter indignado a "boa sociedade" local.

Chocada ou não, a elite brasileira já havia percebido que estava cada vez mais difícil separar o "joio" entrudístico do "trigo" carnavalesco. O complexo nó de indefinições e diálogos entre os múltiplos tipos de brincadeiras, manifestados na variedade de grupos, clubes, sociedades, ranchos, blocos e zé pereiras presentes na folia carioca, e em outros centros urbanos importantes, como Recife, por exemplo, tornava-se cada vez mais difícil de desatar. O *Diário de Notícias* do Rio de Janeiro, de 8 de março de 1886, publicava um relato do carnaval na Rua do Ouvidor que citava uma grande variedade de grupos existentes na cidade no final do século XIX, como os Piratas do Amor, os Trinta Diabos, o grupo infantil, os cucumbis, o Zé Pereira do Comércio, a Iniciadora Cocumbieira, os Estudantes de Salamanca e os Peregrinos Poli.

Chamados indistintamente de grupos, sociedades ou zé pereiras, cada um desses clubes organizava-se a seu modo, sem que houvesse nenhuma regulamentação, oficial ou não. Conjuntos de crianças (a ausência de qualificativos sugere que elas fossem brancas) misturavam-se com cucumbis negros, zé pereiras confundiam-se com grupos cantando em castelhano. Uma bela confusão que devia deixar atordoado quem quer que se propusesse a defini-la. A situação se repete pelas décadas seguintes e a cada Carnaval os jornais seguiam publicando uma extensa lista de grupos que tinham se apresentado nas ruas do Rio de Janeiro, com eventuais pequenas descrições de cada um.

A vitória do Carnaval brasileiro

A situação foliona do Brasil, em finais do século XIX, não parece muito definida aos olhos da elite intelectual do país. Estabelecido a partir de um projeto consciente da burguesia carioca, o novo Carnaval havia sucumbido a seu próprio sucesso. A adesão incondicional de boa parte da população da cidade do Rio de Janeiro aos passeios e mascaradas não devia estar no programa da elite, que havia reservado ao povo o papel de espectador embasbacado dos esplendorosos passeios. Essa pretensão de modo algum parecia absurda, visto que esse mesmo projeto vinha dando certo em outras cidades carnavalescas, como Nice, na França, e Nova Orleans, nos Estados Unidos, por exemplo. Nessas duas cidades a festa implantada por suas burguesias não deixaria espaço as brincadeiras populares. As elites de cada uma delas tinham, a seu modo, obtido retumbante sucesso em exibir-se ao povo durante os dias reservados à folia. O mesmo não aconteceria no Rio de Janeiro. A capital do Brasil, possuindo características únicas, manifestadas e influenciadas em sua formação espacial e social, reagiria de forma peculiar ao projeto carnavalesco que procurava se impor sobre ela. A própria burguesia brasileira era bastante diferente de suas correspondentes francesa e americana. Em lugar de organizar a festa através da criação de Comitês de Festas, como aconteceu em Nice, por exemplo, a elite do Rio de Janeiro acreditou que o processo se resolveria por si mesmo e do jeito que ela esperava que se resolvesse. O resultado imediato, e inesperado, foi a multiplicação de clubes, ou sociedades carnavalescas, a disputar entre si o exíguo espaço festivo do centro da cidade. Paralelamente a isso, os próprios ocupantes do espaço carnavalesco, ou seja, os moradores e comerciantes das ruas do Rio de Janeiro, estabeleceram uma outra disputa entre si, onde o poder de fazer do seu logradouro uma parte do caminho dos grupos era disputado palmo a palmo. Mais uma vez a organização da disputa ficaria nas mãos dos próprios interessados e nenhuma providência vinda de qualquer instância superior seria tomada para organizar os roteiros dos desfiles. Cada rua, ou melhor, cada trecho de rua incluído no quadrilátero carnavalesco carioca, investia em sua própria afirmação como espaço privilegiado da folia. Estes dois processos paralelos e complementares – a disputa entre os grupos e entre as ruas – estabeleceriam uma espécie de seleção natural dos grupos e dos espaços, fazendo surgir uma festa muito diferente da prevista inicialmente pela burguesia. Uma festa resultante de uma intensa negociação entre todas as instâncias da cidade. Não é de admirar, portanto, que a folia nascida desse fantástico processo interativo refletisse e envolvesse toda a cidade do Rio de Janeiro. O Carnaval carioca foi, desse modo, produto legítimo de sua população e de seu espaço urbano e, na virada do século XIX para o século XX, podia se orgulhar de ser, por isso mesmo, um legítimo "filho" da cidade. Renegada por parte de sua elite, a festa carnavalesca carioca era entretanto uma excelente representante daquilo que anos depois seria conhecido, graças ao próprio Carnaval, como "espírito carioca". A confusão de grupos, clubes, sociedades e ranchos só iria se desfazer por completo após a década de 1930. Até lá, a festa carioca seguiria "confusa", misturando Entrudo e Carnaval nas suas indecifráveis formas de brincar.

Carnaval à brasileira

Como capital da República, a cidade do Rio de Janeiro seria o modelo para as outras cidades brasileiras em vários aspectos. O Carnaval carioca, desse modo, passa a ser copiado por outras cidades importantes da época, como Recife, Salvador, São Paulo, Belém, Fortaleza ou Florianópolis, por exemplo. O processo de assimilação ocorrido em cada uma dessas cidades, entretanto, seria tão dinâmico quanto o que aconteceu com o Carnaval parisiense em relação ao Rio de Janeiro. Ou seja, a partir de um movimento inicial de "imposição" de um formato festivo, cada uma das cidades brasileiras redefiniria a festa carnavalesca a seu modo. Assim, a influência carioca sobre o Carnaval de São Luís do Maranhão ou de Porto Alegre, por exemplo, não precisa ser vista como uma ação externa imposta sobre uma verdade indígena, pois, do mesmo modo como o Rio de Janeiro assimilou a festa francesa e a transmudou no Carnaval carioca, as capitais maranhense e gaúcha incorporariam as brincadeiras cariocas em seus projetos carnavalescos peculiares, unindo todos os seus saberes festivos e transformando-os em brincadeiras carnavalescas únicas.

Em 23 de fevereiro de 1873, o jornal *A Reforma*, de Porto Alegre, descrevia o Carnaval do Rio de Janeiro destacando seu interesse e sua importância e colocando-o como um exemplo a ser imitado pela cidade: "Um grande número de sociedades carnavalescas capricham na ostentação com que se apresentam nos seus ruidosos passeios. [...] Ali já não se conhecem esses elementos de molhadelas. Só há bisnagas de fragrante essência, [...] só há confeitos e flores para oferecer ao sexo das gentilezas." Em 1911, de acordo com Alexandre Lazzari, a festa porto-alegrense já se orgulha de suas peculiaridades. "Cremos mesmo que no Brasil, à exceção da Capital da República, nenhuma outra cidade tem pelas festas carnavalescas o entusiasmo e o fervor que aqui se vê", destaca o jornal *A Federação*, de 27 de fevereiro, que conclui afirmando que o Carnaval da cidade "não se confunde com nenhum outro, e que tem o aspecto de uma festa de família sem as etiquetas dos salões nobres mas também sem os excessos e a nudez chocante do carnaval carioca e parisiense".

O importante a se destacar em todo esse processo iniciado em meados do século XIX é que, cerca de cinqüenta anos depois da primeira fagulha, o Brasil já podia se orgulhar de ter um Carnaval citado como uma festa de razoável ascendência em escala mundial. Ainda não éramos "o maior Carnaval do mundo", mas já tínhamos conquistado o direito de nos emparelharmos com outras folias importantes.

Em 1855, Benjamim Gastineau publicaria, na França, um livro intitulado, *Le carnaval*. Nele, o autor afirmava que "o carnaval do Rio de Janeiro (Brasil) não tem nada de muito interessante" e que "a brincadeira mais espirituosa consiste em regar os transeuntes por meio de pequenas seringas". Entretanto, quarenta anos depois, em 1896, J. de Santa Anna Neri elaboraria o verbete sobre o Rio de Janeiro para o livro *Les capitalles du monde*, publicado em francês, em Paris, e afirmaria que "no Rio, o carnaval está mais vivo que nunca, sociedades especiais o celebram com luxo, e a Terça-feira Gorda é típica. Não são somente a riqueza das fantasias e a originalidade dos carros que o distinguem, mas também o humor das caricaturas dos principais acontecimentos do ano. Ele se constitui como uma revista de fim de ano representada a céu aberto".

O tortuoso caminho do Carnaval carioca, de uma brincadeira da elite para uma festa popular, começava a dar seus primeiros frutos. Os próximos passos seriam decisivos para que a folia do Rio de Janeiro se tornasse uma verdadeira atração mundial. Veremos como a coisa se deu.

Uma festa nacional

A entrada do Brasil na modernidade dos anos 1920 irá transformar a festa carnavalesca carioca no grande momento de celebração da diversidade cultural do país. Cordões, blocos e ranchos projetariam a folia feita no Rio de Janeiro ao posto de grande Carnaval da nação brasileira. O malandro e a baiana deixam de ser simples personagens das ruas para se tornarem verdadeiros ícones da brasilidade.

Em busca do Carnaval do Brasil

O Carnaval fluminense dava meças ao Carnaval de Roma ou de Veneza, consagrado nas letras e nas ficções dos poetas e dos professores. O entrudo afogara-o sob jorros de baldes de água e sob ducha de seringas mais ou menos possantes.

A barbaria abafava a civilização, a grosseria afugentava a cortesia e com a volta do Entrudo o Carnaval ia desaparecendo.

O grotesco substituía a graça e a belbutina cheia de ouropéis do princês ia-se tornando o único tipo possível do Carnaval no dilúvio das abluções forçadas e dos esguichos importunos. Esperemos que o ano passado tenha sido o último ano do Entrudo brutal.

Voltou o Carnaval, talvez ainda tímido de se mostrar ante aguaceiros possíveis de reaparecer; mas esta volta entre sedas e galas foi uma promessa, um auspício que há de ser feliz, porque os foliões destes dias fizeram o Carnaval como foi e como devia ser – justas de espírito, de fantasia e de gosto.

As grandes e pequenas associações que tomaram o risonho programa de alegrarem estas horas, de compensarem os trezentos e sessenta e três dias de trabalhos, de cismas e de pesares, com estes dias gordos de esquecimento e de prazer; estas agremiações festivas do quase esquecido Momo devem ser, como colunas que são do Carnaval, os corpos de resistência de sua desnaturação no Entrudo.

Fora o Entrudo das sociedades semi-bárbaras; viva o Carnaval das sociedades cultas!

O texto acima, publicado no *Jornal do Commercio,* de 16 de fevereiro de 1904, representa, com muita propriedade, o que a burguesia brasileira pensava sobre a festa carnavalesca do início do século XX no país. O Carnaval carioca, modelo do

Carnaval nas ruas do Rio de Janeiro. (Foto de Guilherme Santos / MIS, RJ.)

Carnaval brasileiro, parecia haver passado, de acordo com boa parte da elite do país, por um período de glória, durante o qual chegara a se comparar com as principais folias da Europa. Entretanto, sob a ótica da elite, os ataques do Entrudo teriam exterminado a festa elegante, fazendo com que somente as brincadeiras menos sofisticadas, representadas pela fantasia simples de princês, pudessem sobreviver. Apesar da visível desesperança inicial, o autor do texto acaba por se animar com os primeiros sinais do que ele supunha fosse um retorno do verdadeiro Carnaval, através das "grandes e pequenas associações" que, para ele, seriam o esteio capaz de fazer retornar ao país "o Carnaval das sociedades cultas". Ou seja, após um período de desânimo com relação a toda a confusão reinante na festa carnavalesca brasileira, da qual falamos no capítulo anterior, a burguesia vislumbrava um caminho capaz de, sob seu ponto de vista, "livrar" a folia das garras da bagunça entrudística.

O que na verdade estava acontecendo era uma sutil mudança de atitude da elite. Esta, depois da tentativa de civilizar o Carnaval brasileiro na segunda metade do século XIX, deixava de procurar impor seu estilo de festas e passava a tentar reorganizar, dentro de seus conceitos, a multiplicidade de brincadeiras existentes.

A oposição entre Carnaval e Entrudo modificava-se, desse modo, com a incorporação ao "Carnaval" de muitas das diversões que antes podiam ser consideradas como parte do "Entrudo". Essa incorporação, entretanto, não se realizaria abruptamente. Ela se daria pouco a pouco, durante as três primeiras décadas do século, a partir da fixação dos conceitos de Pequeno Carnaval e de Grande Carnaval. Segundo Maria Isaura Pereira Queiroz, em seu livro *Carnaval brasileiro: o vivido e o mito*, a divisão da festa carnavalesca brasileira em dois "Carnavais", um Grande e um Pequeno, aconteceu no final do século XIX, com a ascensão dos grupos populares no Rio de Janeiro. Mas é somente no século XX que esta qualificação vai se estabelecer plenamente. O importante a destacar, a partir desse momento, é a reafirmação do Rio de Janeiro como modelo carnavalesco para as outras cidades brasileiras. Como vimos, no século XIX a burguesia carioca acabou por impor seu Carnaval sofisticado, de bailes e passeios, aos principais centros urbanos do país. A partir da virada para o século XX, a idéia de oposição entre um Pequeno Carnaval, popular, e um Grande Carnaval, de elite, também será encampada pelo resto do Brasil, fazendo com que as tensões e os diálogos ocorridos na capital da República sejam, mais uma vez, a base para a compreensão da festa carnavalesca nacional em sua feição mais popular, como veremos a seguir.

MÚLTIPLOS INTERESSES

O Grande Carnaval englobava as Grandes Sociedades, as batalhas de confete e o corso, dos quais falaremos mais adiante, representando a face mais burguesa da festa. O Pequeno Carnaval incluía os grupos mais populares que, como vimos no capítulo anterior, eram chamados quase indistintamente de sociedades, grupos, clubes, blocos, ranchos ou cordões. O que diferenciava um "Carnaval" do outro não era somente a forma das brincadeiras, mas principalmente quem delas participava. Do Grande Carnaval, para o qual a população era a espectadora essencial, faziam parte a elite endinheirada e algumas camadas da burguesia. As camadas populares da cidade, por sua vez, tomavam conta das manifestações incluídas no Pequeno Carnaval. As duas faces da festa carnavalesca carioca disputavam o mesmo espaço e se completavam naquilo que seria o "verdadeiro" carnaval. Todas as brincadeiras que não pudessem se incluir em nenhuma das duas categorias continuavam a ser chamadas, como já sabemos muito bem, de Entrudo.

A nova estruturação da festa carnavalesca carioca, entretanto, não se estabeleceu conscientemente como um projeto previamente pensado e programado. Todo esse processo foi acontecendo através das articulações que envolviam as diversas camadas sociais da cidade. A reorganização paulatina do Carnaval interessava, inicialmente, à elite, visto que, para ela, essa era uma forma de manter-se no comando das ações. Afinal de contas, quem determinava o que seria ou não incluído no Pequeno ou no Grande Carnaval eram, em última instância, elementos da própria elite cultural através principalmente dos jornais. Ao povo interessava a possibilidade de ver seus grupos cada vez mais reconhecidos e recompensados pelas principais instâncias carnavalescas, através da divulgação na imprensa, da possibilidade de se apresentar no mesmo espaço urbano do Grande Carnaval, das participações em concursos, das premiações e, mais tarde, do reconhecimento e da ajuda financeira oficiais. Esse jogo de vantagens, do qual participavam também setores governamentais e interesses econômicos, faz com que a festa carnavalesca passe por toda uma série de transformações que a tornariam cada vez mais organizada, afastando-se, desse modo, da confusão reinante em finais do século XIX.

O processo de organização da nova festa carnavalesca do século XX dar-se-ia não somente sobre as múltiplas formas assumidas pelas brincadeiras até então, mas também através da reordenação do espaço festivo, com a imposição gradativa de regulamentações cada vez mais precisas. O espaço ocupado pela festa sofreria dois processos antagônicos mas complementares. Por um lado, começavam a surgir, e a se impor, novos locais festivos na periferia do centro da cidade, e bairros como a Tijuca ou o Catete passavam a contar com sociedades que desfilavam por suas ruas agregando os moradores do lugar, enquanto que espaços como a Praça Onze reforçavam suas características de subcentros importantes da folia carioca. Por outro lado, os grupos surgidos nesses novos espaços passam não somente a se apresentar em seus locais de origem mas também a buscar a legitimação oferecida pelos desfiles no centro da cidade, principalmente em seus dois principais logradouros carnavalescos: a tradicional Rua do Ouvidor e a Avenida Central, nova artéria da cidade, construída na primeira década do século. O interesse dos grupos em desfilar nos locais importantes fazia com que eles buscassem se adaptar, cada vez mais, às regulamentações, reais e simbólicas, impostas pela elite que, em última instância, detinha o controle dos processos de legitimação. Com isso esses grupos acabam por se adaptar e se encaixar dentro de um número limitado de formas de brincar, gradativamente diferenciadas umas das outras por sua organização.

A própria maneira pela qual os grupos passavam a ser identificados seria pouco a pouco modificada. Enquanto a palavra "grupo" continuava sendo utilizada genericamente para qualquer forma de brincadeira do Pequeno Carnaval, os outros termos – como cordões, ranchos e blocos – começavam, paulatinamente a ser cada vez mais usados para definir formas de divertimento que tendem a se tornar mais específicas. No final desse processo, ou seja nos anos 1930, a questão encontrar-se-ia quase que totalmente resolvida e o Carnaval razoavelmente estruturado. A nova configuração permitiria, desse modo, que novas formas de brincadeiras carnavalescas aparecessem, como os grupos de samba que, pouco depois, seriam conhecidos como escolas de samba. Paralelamente a esse lento processo de enquadramento da folia multifacetada e inclassificável de finais do século XIX em categorias mais definidas – e portanto mais controláveis pelo poder constituído –, reelaborava-se a forma do Entrudo. Esse englobaria, como sempre, todo tipo de brincadeira carnavalesca que não se enquadrasse dentro da idéia de Carnaval. A diferença nesse momento é que essa idéia de Carnaval não é mais uma simples imposição do conceito da elite, como havia sido até a virada do século, mas sim o produto de uma negociação que contemplava interesses tanto da burguesia quanto das camadas populares. Desse modo, estar excluído dos grupos aceitos como legitimamente carnavalescos (ou seja, estar incluído no Entrudo) correspondia a ficar de fora da festa carnavalesca, tanto do Grande Carnaval quanto do Pequeno Carnaval, o que equivaleria a uma espécie de "sentença de morte" para o grupo. Entre aceitar as "regras", aproveitando-se da inclusão no Carnaval "oficial", de um lado, e insistir em manter-se à margem da nova folia, e ser execrado como não-Carnaval, de outro, a decisão não devia ser muito difícil.

O novo carnaval se estabelece, desse modo, não como uma simples imposição da civilidade contra a barbárie, nem como uma reação popular a uma tentativa de invasão da elite, mas sim como uma festa negociada entre as partes, uma folia sob controle das elites mas que também refletia o gosto popular. Desse modo, a festa carnavalesca que emergiria das primeiras décadas do século XX não seria nem a brincadeira elegante e exclusivista da burguesia nem a esbórnia descontrolada do populacho, mas algo capaz de representar as forças e tensões da sociedade brasileira e de colaborar na elaboração de nossa identidade cultural como nação.

Veremos a partir de agora, como esse processo, que servirá de parâmetro para situações semelhantes em todo o Brasil, se deu no Rio de Janeiro.

A NOVA METRÓPOLE CARIOCA

As modificações na estrutura urbana da então capital do país foram muito importantes para a determinação do novo olhar sobre a festa carnavalesca carioca. Na virada do século XIX para o século XX, o Rio de Janeiro procura ver-se a si mesmo não como uma parte do Brasil, mas como uma verdadeira síntese da nacionalidade republicana, ou seja, uma cidade cosmopolita, oposta à idéia de regional. Sede do novo governo da República, ela iria sofrer uma série de reordenações e modificações em sua organização espacial, com o objetivo de se adaptar aos papéis de centro urbano centralizador da nacionalidade brasileira e de principal porta de entrada do país. É dentro desse contexto que, em 1901, o presidente Rodrigues Alves nomearia como prefeito da cidade o engenheiro Pereira Passos, com amplos poderes para implantar uma reforma urbana capaz de mostrar ao Brasil e ao mundo a força e a pujança da nova República.

Os grandes problemas enfrentados pela cidade do Rio de Janeiro no início do século XX eram quase todos decorrentes de seu rápido e desordenado crescimento populacional, ocorrido, principalmente, nas últimas décadas do século XIX. A abolição da escravatura contribuíra para o aumento do fluxo de ex-escravos, enquanto que a política de incentivo à imigração fizera com que a cidade acolhesse considerável número de estrangeiros, todos os dois grupos à procura de trabalho. Boa parte desses recém-chegados acabava residindo em locais pouco valorizados da cidade, como a região portuária ou as antigas casas do centro da cidade, muitas vezes ocupando cortiços ou casas de cômodos, onde as famílias viviam em grande promiscuidade. Essa situação levaria ao agravamento da disseminação de doenças infecto-contagiosas, como a febre amarela, a varíola e a peste bubônica, ampliando ainda mais o quadro de miséria e reforçando a idéia de que a cidade precisava sofrer uma drástica mutação se quisesse manter sua posição de centro metropolitano importante.

Paralelamente às ações sanitárias específicas, uma das soluções para resolver a questão das doenças que infestavam a cidade seria criar grandes correcores viários por onde o ar pudesse circular melhor, diminuindo a promiscuidade e diluindo a grande concentração populacional. Essa justificativa higienista vinha ao encontro dos grandes interesses nacionais que buscavam modernizar o porto da cidade, transformando-o no principal centro de recepção e distribuição de mercadorias para o país. Além disso, era necessário estabelecer-se uma ligação rápida e imponente entre o novo porto do Rio de Janeiro e as regiões mais valorizadas da cidade, ao norte e, principalmente, ao sul, onde boa parte da elite tinha fixado residência. Desse modo, os principais elementos da reforma foram (1) a remodelação do porto e a organização do escoamento das mercadorias através da ampliação dos ramais ferroviários e da abertura da grande artéria paralela ao mar, a Avenida Rodrigues Alves, (2) a abertura da Avenida Mem de Sá articulando o centro da cidade à zona norte e a todo o interior do Estado e (3) a construção da Avenida Central e de sua continuação, a Avenida Beira-Mar, estabelecendo um grande eixo monumental iniciado no porto, um caminho triunfal pelo qual o visitante da cidade passaria em sua chegada à capital da República do Brasil.

Entretanto essas modificações não seriam feitas sem sacrifícios. Para se construir o novo porto e as novas avenidas, muitas famílias seriam desalojadas de suas precárias habitações sem que, para elas, se determinassem novos locais de moradia. É claro que a maior parte dos despejados encontrava-se entre os mais desvalidos, com destaque para os recém-chegados: os ex-escravos e imigrantes pobres. Os imigrantes baianos, que haviam fixado residência na região portuária, e que, em grande parte, trabalhavam como estivadores no próprio porto, procuraram não se afastar muito de onde haviam fixado residência e acabaram por se localizar numa região próxima, conhecida como Cidade Nova. Esse local, situado logo atrás da área do porto, que tinha como núcleo central a Praça Onze, havia sido desvalorizado quando a elite carioca passou a se interessar pelas regiões da zona sul da cidade. Por outro lado, algumas das famílias desalojadas preferiram transferir-se para os subúrbios mais afastados, onde residiriam em melhores condições, ou para os morros que cercavam a cidade, com seus barracos precários e sem higiene, mas com a vantagem de serem próximos da área central e baratos, visto que ali não se pagava qualquer tipo de taxa urbana. Desse modo, o Centro da cidade começava, paulatinamente, a perder seu caráter de área residencial para ir se tornando um local de trabalho e lazer, cercado em parte por essas áreas de ocupação desordenada.

Os novos espaços surgidos na cidade, e a busca de uma identidade nacional para o país, seriam essenciais para a formação do novo Carnaval carioca e, por conseqüência, brasileiro. Por um lado, reestruturava-se o espaço da burguesia, que passava a contar com as novas avenidas Beira-Mar e Central, sem descartar, entretanto, os antigos logradouros importantes, como a antiga Rua do Ouvidor. Por outro lado, redefiniam-se os lugares que iriam centralizar os encontros das

Primeiro edifício oficial a ocupar a Avenida Central, em 1906, o Palácio Monroe (demolido em 1976 com o apoio da Ditadura Militar e de baluartes da arquitetura moderna brasileira) era uma espécie de coroamento final da nova artéria construída como uma porta de entrada para o país. (Foto Augusto Malta, 1904.)

camadas populares, como a Praça Onze, os morros próximo ao Centro (com destaque para o Morro de São Carlos e o da Mangueira) e os bairros mais afastados e subúrbios. Ao se articularem entre si, cada um desses novos centros da cultura carioca contribuiriam para a determinação daquilo que viria a ser considerado o espírito brasileiro.

Essa articulação só seria possível, entretanto, graças a dois fatores importantes. O primeiro deles seria o crescimento de um sistema de transportes capaz de ligar as diferentes partes da cidade através das linhas de bondes e de trens, introduzidas a partir de meados do século XIX, que viriam se juntar aos antigos ônibus, puxados a cavalo, que já existiam desde 1840. O outro importante fator que possibilitaria a conexão e o diálogo entre os diferentes extratos sociais do Rio de Janeiro seria o próprio projeto de reurbanização da cidade. Não há dúvida que a reforma implantada pelo prefeito Pereira Passos era um programa desenvolvido para atender aos interesses das classes dominantes. O modelo que se procurava reproduzir na capital do país era baseado nas grandiosas reformas que haviam sido realizadas em Paris, nos anos 1850/60, pelo Barão Haussmann. Entretanto, em comparação com a capital francesa, onde bairros inteiros foram arrasados e mais de cem mil prédios construídos, as reformas do Rio de Janeiro acabaram sendo consideravelmente modestas. A construção da Avenida Central rasgou a cidade colonial, é certo, mas, por trás da nova e moderna artéria, subsistiu o implante colonial das pequenas e estreitas ruas, permitindo a convivência do Rio de Janeiro moderno com o antigo. Além disso, as novas e espaçosas avenidas, feitas para o lazer burguês, acolhiam, em suas largas calçadas e acolhedoras esquinas, não só a elite, mas todo tipo de habitante da cidade e arredores. Desse modo, os novos logradouros surgidos no início do século XX no Rio de Janeiro seriam, a malgrado dos objetivos da elite, um dos principais elementos de articulação dos diferentes grupos que habitavam a cidade como um todo. Essa articulação atingia seu auge exatamente no período do Carnaval, quando toda a cidade desaguava no centro para se divertir desfilando ou assistindo à balbúrdia das ruas cariocas.

Cortando o antigo centro colonial do Rio de Janeiro de Norte a Sul, a construção da Avenida Central não destruiu totalmente a antiga rede de ruas estreitas da cidade, marcando uma espécie de convivência entre duas épocas distintas da história do país.

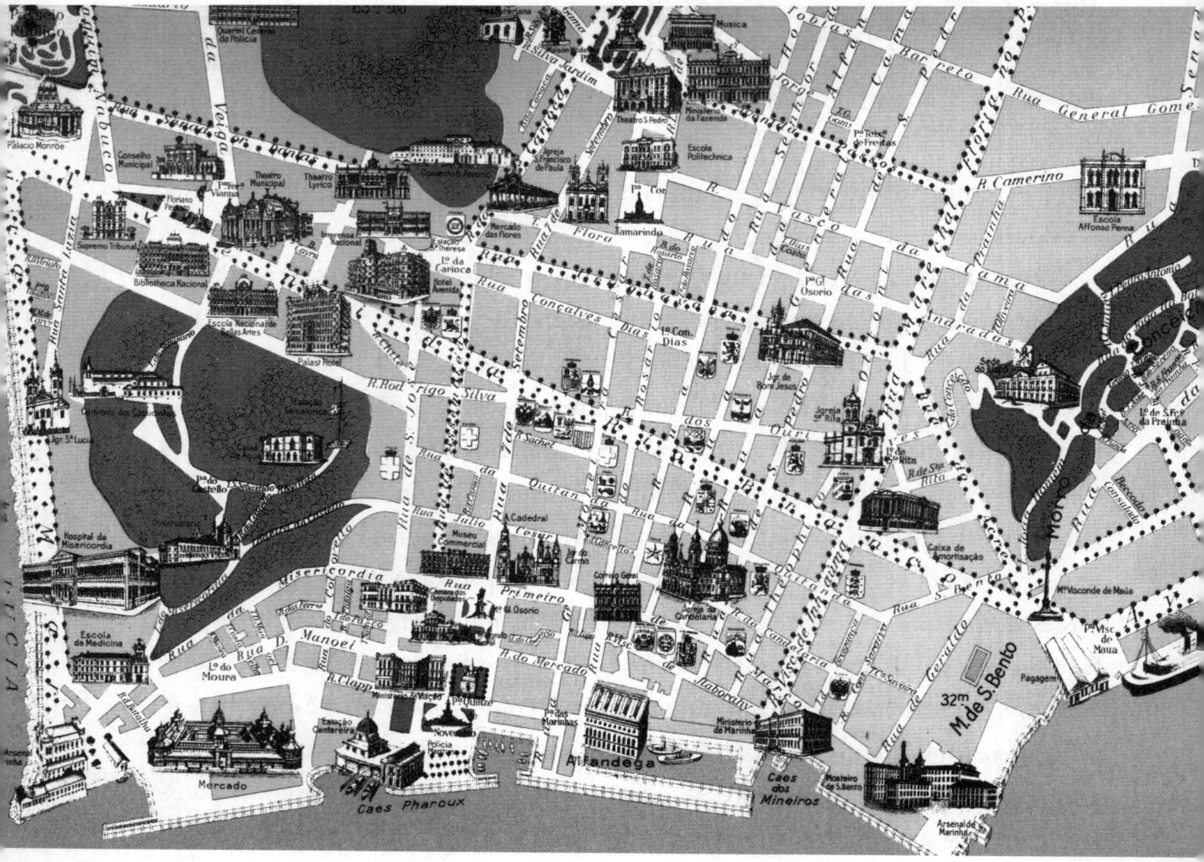

A Avenida Central e outras ruas

Desde sua inauguração, em 15 de novembro de 1905, a Avenida Central, larga artéria construída nos moldes dos *boulevards* parisienses no centro da antiga cidade do Rio de Janeiro, atraiu o interesse da população da cidade. Flanar por suas calçadas, que ladeavam as quatro pistas para automóveis separadas por uma alameda central, era um costume que rapidamente se incorporaria às diversões da capital do Brasil. O lento passeio pelas ruas da cidade, mais um costume importado da França e que se incorporara à vida carioca na segunda metade do século XIX, encontrava então seu espaço ideal, associando o lazer mundano ao sofisticado comércio presente nos prédios recém-construídos. Desse modo, no decorrer do século XIX, as ruas do centro da cidade haviam deixado de ser considerados locais potencialmente ameaçadores, ocupados basicamente por escravos, para se tornarem espaços a serem desfrutados e apreciados. O simples ato de passear pelas ruas tornava-se uma experiência estética e cultural, muito bem representada na figura do *flâneur*, ou passeador, que no Brasil teve em Paulo Barreto um dos mais destacados representantes. Autor de saborosas crônicas sobre as ruas da cidade, João do Rio, pseudônimo adotado pelo autor, reuniria em seu livro *A alma encantadora das ruas* suas argutas observações sobre diferentes lugares e fatos da capital, constituindo-se numa inesgotável fonte de informações sobre a vida naquele período.

A folia carioca iria se aproveitar, rapidamente, dessa nova forma de ver a vida e dos novos espaços da cidade, e, em 1906, ano do primeiro Carnaval após a reforma urbana, os jornais já noticiam a notável "concorrência na Avenida Central, onde grande número de famílias de carro e a pé passeavam aguardando a passagem do préstito do Clube da Tijuca". O texto continuava, destacando que "era enorme a massa de povo na Avenida Central, sendo iniciado com algum entusiasmo o jogo de confetti". Mais adiante, o jornal ressaltava um dado interessante, ao informar que "a Rua do Ouvidor entre a Avenida e o Largo de S. Francisco, foi bastante concorrida". (*Jornal do Commercio*, de 23 de fevereiro de 1906). Ou seja, a nova avenida, longe de substituir os tradicionais espaços carnavalescos, incorporava novas alternativas, aparentemente mais elegantes, à brincadeira. Havia a expectativa de que, nesses novos espaços disponibilizados para a folia, o Carnaval sofisticado, desejado desde meados do século XIX pela burguesia, reencontraria seu lugar e o singelo confete acabaria por desbancar definitivamente as bisnagas. Essa expectativa, entretanto, se frustraria em parte. É verdade que a Avenida Central foi um elemento catalisador e importante no gradativo enquadramento da festa carnavalesca dentro de regras cada vez mais restritivas. Entretanto esse novo espaço também iria contribuir para a valorização e o reconhecimento do Pequeno Carnaval dos grupos populares que se apropriariam de todos os espaços livres da nova avenida para nele fazerem seus desfiles.

O Corso, ou o retorno dos passeios

O primeiro resultado, para o carnaval carioca, da construção das novas avenidas seria incentivar uma espécie de retorno triunfal da antiga diversão carnavalesca dos passeios em carros abertos, que havia surgido na década de 1850. Este costume

Logo após sua construção, a Avenida Central já se tornava um pólo de atração para os eventos carnavalescos do Rio de Janeiro. Misturados à multidão que acorria a suas pistas de rolamento podiam ser vistos charretes com grupos fantasiados, mascarados "avulsos" e até os já famosos, e muitas vezes temidos, cordões (no destaque), com seus estandartes e índios vestidos de cocar e saiotes de penas. (Foto: Acervo Augusto Malta. Instituto Moreira Salles.)

tinha declinado sensivelmente no Rio de Janeiro após a invasão das ruas pelos grupos carnavalescos "populares" e pela multidão atraída por seus desfiles nas últimas décadas do século XIX. Embora os landaus (carruagens com capotas que podem ser abaixadas) carregados de foliões ainda fossem vistos pelas apertadas e congestionadas vias do centro da cidade durante os dias de folia, em finais do século XIX essa prática já não atraía, como antes, a participação da elite. Entretanto a nova e larga Avenida Central e sua deslumbrante continuação, a Avenida Beira-Mar, demonstravam ser os lugares ideais para a retomada, em novas bases, do antigo costume. Os automóveis, movidos a motor, tinham chegado há pouco tempo no país, e desfilar com um deles pelas ruas era uma exibição de elegância, modernidade e riqueza mesmo durante o período não-carnavalesco do ano. Imagine-se então o efeito impressionante que devia causar a presença de um grupo de pessoas elegantemente fantasiadas desfilando, para baixo e para cima, pelas sofisticadas avenidas, sobre um ultramoderno meio de transporte. Outro fator de incentivo para o retorno dos passeios de carros ao carnaval era o fato de a Avenida Central contar com dois sentidos de rolamento, o que possibilitava um constante vai-e-vem de viaturas e permitia que os ocupantes de um carro pudessem estar sempre vendo o incessante desfilar dos outros ocupantes dos automóveis e sendo vistos por eles e pelo povo em geral, que tomava conta de todos os espaços disponíveis da nova avenida. Ver e ser visto tinham sido motivos dos mais importantes, aliás, para a participação das elites nas festas carnavalescas públicas brasileiras, desde sua implantação em meados do século XIX.

A remodelação do centro do Rio de Janeiro no início do século XX servira, desse modo, para criar um local bastante acolhedor para a nova elite, que rapidamente retomou o espaço da folia, rebatizando o velho "passeio", a antiga "*promenade*", com o novo nome de corso. Consistindo, basicamente, numa longa fila de viaturas que desfilavam pelas novas avenidas, o grande momento do corso era quando um carro que seguia numa direção passava ao lado de outro que vinha em direção contrária, propiciando o lançamento mútuo de confetes, serpentina e um ou outro esguicho perfumado vindo de uma bisnaga e, mais tarde, de um vidro de lança-perfume, além, é claro, de olhares e suspiros entre os rapazes e as mocinhas.

Em suma, o corso era um excelente momento de socialização para a burguesia, permitindo o contato entre famílias, mas mantendo uma digna separação física entre as partes envolvidas. Não é à toa que essa brincadeira se tornou rapidamente a maior ocupante dos novos espaços da folia. Durante as tardes e noites dos três dias do Carnaval, a lateral das pistas da Avenida Central encontrava-se constantemente ocupada pela fila de viaturas que, freqüentemente coladas umas às outras, tinham que percorrer toda a extensão da avenida, só podendo sair ou entrar por suas duas extremidades. Os grupos populares que quisessem desfilar por ali deviam, muitas vezes, se contentar em ocupar o espaço compreendido entre a fila contínua de veículos e os canteiros centrais da avenida. As brincadeiras populares não podiam, entretanto, atrapalhar o fluxo do corso. No início da década de 1920, o chefe de polícia deixava claro quem eram os donos da rua ao informar pelos jornais que "os grupos e cordões que por sua organização ou demora de marcha forem causa de embaraço de trânsito dos veículos no corso, serão retirados da Avenida" (*Jornal do Commercio*, de 5 de fevereiro de 1921). O corso ocupava toda a Avenida Central durante os dias de Carnaval, só liberando o espaço para os desfiles das Grandes Sociedades, na terça-feira, e dos grupos populares, na segunda-feira, mesmo assim, nesse caso, somente após as 21 horas. Obrigado a desfilar nas brechas deixadas na avenida, ou entre as 22 horas e a meia-noite, o Pequeno Carnaval dos grupos populares tinha, desse modo, apenas duas horas para se apresentar mais confortavelmente, horário após o qual quem persistisse em continuar desfilando seria retirado à força da avenida. Ou seja, o Carnaval da mais imponente artéria carnavalesca carioca do início do século XX era a festa do corso, que a ocupava no limite do possível.

Batalhas de flores e confetes

Além de marcar um retorno às antigas passeatas do século XIX, o Corso realizava outro ideal da elite brasileira, o de se ligar a sociedades mais "civilizadas" através de suas festas carnavalescas. Em finais do século XIX, a cidade de Nice tornara-se mundialmente famosa por seu Carnaval elegante e organizado, resultado da ação direta de sua elite, que teve grande sucesso em criar uma festa a sua imagem e semelhança. Um dos projetos mais bem realizados do Carnaval de Nice foi a organização, em 1876, de um novo tipo de divertimento, sugerido pelo escritor Alphonse Karr, para substituir a guerra de grãos-de-bico e outros projéteis sólidos, comuns até então na festa daquela cidade. A idéia era realizar um passeio pela avenida litorânea da cidade francesa, onde grupos de foliões desfilariam em carros abertos e lançariam flores uns sobre os outros sob os aplausos da população ordeiramente organizada. Conhecido com batalha de flores, esse tipo de divertimento era a quintessência da festa burguesa, pois esvaziava a tensão própria do Carnaval, transformando-a numa brincadeira delicada e elegante, mas, o mesmo tempo, medíocre e asséptica, bem ao gosto da alta burguesia européia. Foi essa brincadeira que se procurou importar para o Brasil na virada do século.

A batalha de flores ao estilo francês, implantada na folia de Nice no fim do século XIX, era uma festa moldada ao gosto da elite européia sofisticada que freqüentava o Carnaval da cidade. A imagem de bela dama elegantemente vestida, passeando numa carruagem enfeitada e lançando delicadas flores sobre os passantes era um verdadeiro sonho carnavalesco desejado pelas elites ocidentais, incluindo-se aí, a burguesia brasileira. (Ilustração de Mars para o livro Nice em Carnaval, *1898.)*

A primeira batalha de flores do Carnaval brasileiro parece ter sido promovida, em 1888, pela Princesa Isabel, em Petrópolis. No Domingo Gordo a princesa e seu marido teriam percorrido a cidade em carro aberto recolhendo donativos em prol da libertação dos escravos. Um começo tão auspicioso deve ter incentivado a sociedade elegante a manter o costume, e em 1892 uma nova batalha de flores é organizada na cidade pela Comissão do Carnaval de Petrópolis (*Jornal do Commercio*, de 28 de fevereiro). No Rio de Janeiro, tem-se notícia desse tipo de evento em 1901 quando o *Jornal do Commercio*, de 17 de fevereiro, noticiaria que naquele dia as principais famílias do Alto da Boa Vista haviam decidido festejar o Carnaval com uma batalha de flores, na qual tomariam parte vistosos carros ornamentados. Brasil Gerson relata que em 1904 o prefeito da capital organizara uma batalha de flores oficial, na Praça da República, "com desfiles de carruagens ornamentadas, à maneira de Nice".

Em 1906, no primeiro Carnaval após a inauguração das novas avenidas, o jornal *Gazeta de Notícias* promoveria, na Segunda-feira Gorda, uma "batalha de

A própria Princesa Isabel incentivaria a realização de batalhas de flores no país, participando ativamente de algumas delas.
*(*Revista Ilustrada*, 25 de fevereiro de 1888. Biblioteca Nacional, RJ.)*

confete" na recém-construída Avenida Beira-Mar. Ao que parece, as flores, tão abundantes na região de Nice, não tinham feito todo o sucesso esperado e seriam rapidamente substituídas, em terras brasileiras, pelos confetes, mais baratos e menos "delicados". Em 1907, o *Jornal do Commercio*, de 12 de fevereiro, descreve a batalha de confete acontecida na orla do Rio de Janeiro como um passeio de carros com famílias e cavalheiros jogando confetes uns nos outros. Se ainda restassem dúvidas quanto à elegância desse evento, elas seriam dissipadas com a presença do Presidente Afonso Pena em pessoa que, acompanhado de membros de sua família e do ministério, aplaudiam a passagem dos carros. Ao final, uma comissão julgadora premiaria os carros e as fantasias com mais luxo e espírito.

No ano seguinte, nova batalha de confetes aconteceria na Avenida Beira-mar com prêmios ao carro ou automóvel mais luxuoso, ao de mais espírito e ao máscara avulso mais espirituoso (*Jornal do Commercio*, 2 de março de 1908), deixando transparecer a presença considerável de foliões que brincavam a pé entre os carros. Em 1909, a própria prefeitura do Distrito Federal se incumbe de promover o evento, marcando uma das primeiras atuações efetivas e diretas do poder constituído sobre as formas de

Mesmo após o advento do automóvel, a idéia de um Carnaval "florido" persistiria no Rio de Janeiro.
(Foto de Augusto Malta, 1907. Fundação Casa de Rui Barbosa, RJ.)

O clima de sonho e perfeição do quadro de Monet – representando o passeio de carruagens no Boulevard des Capucines, em Paris, durante o Carnaval de 1873 – era o ideal folião de boa parte da elite brasileira que procurava recriar essa mesma atmosfera nos corsos e nas batalhas de confete do país.
(Claude Monet, Boulevard des Capucines, *1873. The State Pushkin Museum, Moscou.)*

brincadeiras carnavalescas no Rio de Janeiro e destacando o caráter "oficial" do acontecimento. O importante a se notar em todo esse processo é a forte semelhança que existia entre o corso e as batalhas de confete. A principal diferença entre as duas manifestações carnavalescas da burguesia parece ter sido sua forma de organização. Enquanto as batalhas de confete eram eventos mais exclusivos e organizados, com local, data e duração definidos, o corso era mais livre, ocupando todos os espaços nobres do Carnaval. Ambos, entretanto, consistiam basicamente de grupos de pessoas encarapitadas sobre carruagens ou automóveis, desfilando a elegância e o charme da burguesia endinheirada para o deleite da população. "O corso esteve lindo," destacava o *Jornal do Commercio*, de 4 de março de 1919, "ao longo do meio-fio das calçadas, de pé e sentadas, famílias assistiram ao desfilar de carros e autos que desapareciam envoltos em serpentinas multicores." Uma descrição digna de um quadro impressionista.

O caráter exclusivista e elitista do corso (e das batalhas de confete) salta aos olhos e pode explicar seu desaparecimento, anos depois, com a definitiva popularização da festa carnavalesca, sobre a qual falaremos a seguir. A graça e o valor desses divertimentos da elite consistiam, como sempre, na possibilidade que ela vislumbrava de exibir-se ao populacho com suas melhores roupas e caras viaturas. A partir de um dado momento, a vulgarização do automóvel faria com que o ato de se desfilar em carro aberto já não devesse parecer tão elegante quanto antes, quando poucos dispunham desse veículo nas cidades. Concursos de loteria, que tinham como prêmio carros, destacavam que "no carnaval do próximo ano ninguém fará o corso a pé" (*O Imparcial*, de 16 de fevereiro de 1926). Reclames de aluguéis de automóveis e de motoristas passavam a freqüentar as páginas dos jornais. Em 13 de fevereiro de 1926, o *Jornal do Brasil* publicava os seguintes anúncios:

> Automóvel – Carnaval. Aluga-se um Hudsen, particular, para os quatro dias de Carnaval. Tratar no Vice-Hotel, com o Sr. Marcondes. Tel 261 Central.
>
> Carnaval – Ford. Moço hábil e prático, oferece-se para guiar um Ford por estes dias. Cartas ao escritório deste jornal.

Desse modo, não devem ter sido somente a dificuldade de tráfego ou o alto custo da gasolina, como afirma Eneida de Moraes, ou o surgimento do carro de capota fixa (apelidado de "tomara-que-chova"), segundo Jota Efegê, em seu livro *Figuras e coisas do carnaval carioca*, os motivos do desaparecimento do Corso nos final dos anos 1930, mas principalmente o desinteresse da alta burguesia, que mais uma vez retirava-se da festa nas ruas no momento em que o resto da população do país caía de cabeça na folia.

As Batalhas de Confete também deixariam de existir, ao menos sob a forma original de passeios elegantes, persistindo entretanto a denominação para definir os bailes populares que passavam a ser realizados nos subúrbios e bairros do Rio de Janeiro, como Santa Cruz, Tijuca, Cavalcanti, Cascadura ou Ramos (*Jornal do Brasil*, de 2 de fevereiro de 1926).

Palanques e arquibancada

Além de espaço privilegiado para a passagem da nova folia carnavalesca do Rio de Janeiro, a Avenida Central (rebatizada de Avenida Rio Branco em 1912, após a morte, oito dias antes do início do Carnaval, do barão que lhe daria o nome) seria palco de outra importante seqüência de acontecimentos que marcariam a marcha da folia brasileira em direção à organização. Em 22 de fevereiro de 1908, dez dias antes do Carnaval, o *Jornal do Commercio* do Rio de Janeiro publicava um artigo intitulado "Bem feito...", informando um fato curioso. No dia anterior, um grupo de populares decidira derrubar um palanque que estava sendo construído na Avenida Central. Sem conseguir seu intento, a turba enfurecida lançou querosene sobre a madeira e ateou fogo ao "tabuado de dois andares", causando o que seria o primeiro incêndio da nova avenida, prontamente debelado pelos bombeiros. A ação, entretanto, não impediu o desabamento da construção, imediatamente depredada pelo povo, que saiu carregando os sarrafos de madeira em triunfo pelas ruas do Centro da cidade, "como se fossem estandartes carnavalescos", segundo descrição do jornal. O tal palanque fora construído por um industrial, cujo nome não foi informado pelo texto, e teria sido na verdade o primeiro espaço público a ser reservado para quem quisesse assistir ao Carnaval de rua no Rio de Janeiro. O mais notável de tudo isso é a intensidade da revolta popular contra uma novidade que anos depois seria aceita com naturalidade pela população. A atitude desses cidadãos, talvez inspirados pelos eventos da Revolta da Vacina, acontecida quatro anos antes, apontava para uma tensão latente entre a festa feita para o povo e as tentativas de privatizá-la através da apropriação do espaço público. Entretanto, ao que parece, a ira popular não intimidaria a determinação do insistente industrial (ou, talvez, um outro empreendedor), pois menos de uma semana depois do histórico incidente o mesmo *Jornal do Commercio* publicava o comentário de um leitor denunciando que "está em construção na Avenida Central, esquina da Rua dos Ourives, uma arquibancada de cerca de 40 metros de comprimento, que ocupa todo o espaço triangular devoluto ali existente". O texto, de tom francamente indignado contra o projeto, informava que o objetivo da presença de "semelhante trambolho" era o de "alugar cadeiras para os dias de carnaval!" e terminava lamentando que "um ponto onde o povo se poderia colocar, para ver passar os préstitos, é-lhe tirado para entregar-se a exploradores!" (*Jornal do Commercio*, de 28 de fevereiro de 1908).

A notável afluência de público interessado em ver passar as famosas Grandes Sociedades na Avenida Central começaria a atrair o interesse de homens de negócio à procura de lucros provenientes da festa carnavalesca. Notar a grande quantidade de chapéus de palhinha, verdadeiro "uniforme" carnavalesco masculino na época. (Avenida Central, 1908. Foto de Augusto Malta.)

A busca de lucros com a festa carnavalesca não era nenhuma novidade, pois desde a década de 1830 que o comércio se aproveitava do interesse dos brasileiros pela folia para vender, ou alugar, todo tipo de utilidades carnavalescas, como limões-de-cheiro, fantasias, perucas, bisnagas, refeições após os bailes, arcos decorativos, carruagens abertas e serviços de motorista, entre muitos outros exemplos. O aluguel de espaços privilegiados para se assistir aos préstitos tampouco pode ser considerado um fato original, visto que desde os primeiros desfiles das sociedades pelas ruas do Rio de Janeiro o costume de alugar sacadas ou janelas era algo bastante corriqueiro. Anúncios oferecendo "janelas para o carnaval" na própria Avenida Central são contemporâneos à sua inauguração. O mais provável é que os populares que se indignaram com a construção do palanque tivessem percebido o simbolismo dessa apropriação, que marcava o início de um processo sem retorno no Carnaval: a transformação, já na década de 1930, da própria festa numa espécie de mercadoria a ser consumida por quem pudesse pagar por isso.

Ao que se sabe a experiência não se repetiu no ano seguinte. Mas o fato é que em 1910 os jornais publicavam o seguinte anúncio:

> Arquibancadas: Por umas sólidas arquibancadas, expressamente construídas, na frente e ao lado do Pavilhão Internacional, na Avenida Central, o público, especialmente as Exmas. famílias, poderão apreciar comodamente o desfilar dos carros das sociedades carnavalescas, com mais apreço e gosto do que no carnaval de 1909 (*Jornal do Commercio*, 8 de fevereiro de 1910).

As arquibancadas e palanques tinham vindo para ficar e, pelo visto, não havia mais a disposição popular em destruí-las. Em 1927, uma outra novidade é anunciada para

A primeira ornamentação oficial do Carnaval do Rio de Janeiro daria destaque à gorda figura do Rei Momo, visto nos arcos que atravessavam a Avenida Rio Branco (antiga Avenida Central). A presença da majestade carnavalesca pelas ruas da cidade só aconteceria, entretanto, em 1933. (O Jornal, *de 18 de fevereiro de 1928. Biblioteca Nacional.*)

o Carnaval, a construção de camarotes "colocados junto aos refúgios das árvores na ala central da Avenida" (*Jornal do Brasil*, de 23 de fevereiro). Essa localização, altamente privilegiada, deve ter permitido, a quem estivesse nos tais camarotes, uma perspectiva espetacular dos préstitos, que podiam ser vistos de ambos os lados, além de colocar os ocupantes num local de destaque, sob os olhos da multidão espremida nas calçadas. Pode-se imaginar o bom lucro obtido pelo negociante que conseguiu a autorização para estas construções.

Um ano depois, outro fato marcante iria acontecer, com o anúncio da primeira ornamentação oficial do Carnaval de rua do Rio de Janeiro, que, diferentemente dos enfeites organizados pelas ruas desde meados do século XIX, seria paga e aprovada pela prefeitura da cidade:

> O carnaval deste ano vai apresentar uma novidade de bastante sensação, ao menos na Avenida, por onde transitam resplandecendo os préstitos das grandes sociedades, cruzam os automóveis trêmulos de serpentinas nas tardes e nas noites de corso e se apinha o povo, entregue a sua maior, senão única festa de todo o ano. [...] A Avenida será ornamentada oficialmente havendo a Prefeitura contratado um artista para a tarefa esplêndida. A escolha foi feliz, por isso que foram aproveitados os serviços de Luiz Peixoto (*O Globo*, de 14 de fevereiro de 1928).

O dado curioso da notícia é a contratação do já então famoso compositor Luiz Peixoto para realizar a decoração. Além de letrista de grandes sucessos populares, ele era também caricaturista, cenógrafo, escritor e diretor de teatro, pintor, escultor e um prestigiado chargista, o que deve ter contribuído para a escolha de seu nome.

Pintor, escultor, cenógrafo, caricaturista, diretor e autor teatral, além de poeta e letrista de músicas populares, Luiz Peixoto já era famoso quando foi escolhido para criar a primeira ornamentação de Carnaval oficial da cidade do Rio de Janeiro, na Avenida Rio Branco. (Caricatura de Luiz Peixoto feita pelo próprio.)

Em 1929, outro fato digno de nota, a chuva que castigou a cidade nos dias de Carnaval fez com que o povo invadisse os palanques construídos pela Prefeitura em busca de um local seco para continuar assistindo aos desfiles. A ação, entretanto, parece não ter obtido o efeito desejado, pois a cobertura de lona que protegia as construções deixava passar toda a água (*A Manhã*, de 12 de fevereiro de 1929). O ocorrido teve entretanto alguma utilidade, pois no ano seguinte o anúncio dos camarotes localizados na parte central da Avenida Rio Branco, entre Ouvidor e Almirante Barroso, publicado n'*O Jornal*, de 28 de fevereiro de 1930, destacava que "alugar um é ter certeza de assistir o carnaval durante os quatro dias de um ponto privilegiado, com amplo espaço, para mais de 10 pessoas, confortável com qualquer tempo. (Possuem toldo desmontável.)". O preço para os quatro dias era 400$000, uma pequena fortuna, se notarmos que este era o salário mensal de um diretor-gerente de banco naquela época.

A notícia traz também uma outra informação importante, o fato de os palanques terem passado a ser construídos pela própria prefeitura da cidade. O ano de 1929, aliás, marcaria um momento importante para a festa carnavalesca carioca, pois pela primeira vez o poder público agia concretamente para tomar as rédeas da organização da folia, como veremos. O mais importante nesse momento é compreender que todas essas modificações por que estava passando a festa carioca não eram produtos de simples decisões ou determinações deste ou daquele grupo social ou político. As transformações da folia eram, na verdade, reflexos de uma mudança de comportamento nacional em relação à visão que se procurava elaborar para o país.

O Brasil nacional

O Carnaval carioca nas três primeiras décadas do século XX pode ser resumido a dois movimentos aparentemente opostos. De um lado, como veremos, percebe-se o crescimento constante, em volume e importância, da festa popular que lá pelos anos 1930 será considerada a "dona do pedaço" carnavalesco carioca, a ponto de muitos historiadores da folia falarem numa vitória do Pequeno Carnaval sobre o Grande Carnaval. Por outro lado, esse mesmo período marca um enquadramento consistente das brincadeiras populares dentro de uma série de regras e parâmetros, estabelecendo uma espécie de triunfo dos ideais burgueses sobre a festa popular "indomada". Apesar de divergentes à primeira vista, esses dois caminhos faziam parte de um mesmo processo de negociações que acabariam por resolver e apaziguar as tensões existentes, sem deixar, é claro, de criar novas tensões para serem resolvidas posteriormente. O importante a destacar, desse modo, é que o Carnaval resultante das tensões ocorridas nos trinta primeiros anos do século XX não pode ser creditado com uma "vitória" deste ou daquele grupo social, sendo na verdade o resultado da mistura de diferentes pontos de vista, desejos e ações – em termos locais, nacionais e globais – articulados de uma forma particular e única no e pelo espaço urbano carioca. Essa festa, nascida na cidade do Rio de Janeiro, não representa, desse modo, os interesses exclusivos dos habitantes da cidade, mas expressa questões de âmbito nacional e, por essa razão, acabará por se apresentar como legítima representante da brasilidade buscada pela nação naquele momento. A chamada "imposição" do Carnaval carioca sobre as folias das cidades brasileiras consistiu, na verdade, nas expressões particulares do caráter polifônico e abrangente da brincadeira surgida na capital do país. Ao assimilar lições carnavalescas oferecidas ao país pelas ruas do Rio de Janeiro, as cidades brasileiras estariam dando um passo importante para, mais tarde, deixarem florescer seus próprios Carnavais.

A BRASILIDADE

Após a proclamação da República, o Brasil percebia a necessidade de se manter a unidade nacional, essencial para a legitimação do novo sistema de governo. O país precisava definir sua nacionalidade. E a pergunta sobre o que seria a verdadeira "essência da brasilidade" tornava-se de crucial importância para que o antigo símbolo da coroa pudesse ser substituído pela idéia de nação. Essa questão começara a ser discutida já na década de 1880, quando uma primeira geração de intelectuais nacionalistas, abordaria o tema. No final do século XIX, a intelectualidade havia chegado à conclusão de que a grande responsável pelo atraso brasileiro em relação às nações mais desenvolvidas era a mestiçagem que existia no país. A preocupação com a necessidade que a nação tinha de superar esse atraso fazia com que muitos chegassem a afirmar que, se o povo brasileiro continuasse a se misturar, o Brasil iria se extinguir em alguns anos. Para eles a modernidade significava um Brasil europeizado e somente a imigração poderia "limpar" os efeitos perniciosos da miscigenação. A solução proposta seria o incentivo à imigração européia que, imaginava-se, acabaria por "branquear" a "raça" brasileira. Como conseqüência desse modo de ver as coisas, tudo o que se ligava à mestiçagem era visto com desprezo, incluindo-se as manifestações culturais populares, principalmente as relacionadas com a cultura negra.

Com a chegada do século XX e, principalmente, após a Primeira Guerra Mundial, o tema da nacionalidade volta a se impor, dessa vez sob nova óptica. Os países do mundo ocidental, desiludidos com os horrores da guerra, e percebendo o fim do ideal de um mundo destinado à felicidade, voltavam-se para suas questões internas e para a determinação de suas individualidades. O Brasil, por sua vez, relançava-se à tarefa de construção da identidade nacional e uma nova corrente de pensamento se destacaria. Esse grupo de pensadores, surgido após o impacto da publicação, no final de 1902, do livro *Os sertões*, de Euclides da Cunha, buscava as raízes da nacionalidade brasileira no interior do país, resgatando a figura e a cultura do sertanejo como peça importante na tarefa de construção da unidade da nação. Será, entretanto, nos anos 1920 que esse sentimento de valorização do "genuinamente nacional" tomaria maior impulso. Procurava-se então reunir a diversidade cultural do Brasil numa idéia homogênea. Esse projeto de construção de uma unidade identitária nacional faria, por exemplo, com que muitos artistas de formação erudita, incorporassem motivos populares em seus trabalhos como fez o Maestro Villa-Lobos, que juntou instrumentos típicos da congada à apresentação de sua orquestra na Semana de Arte Moderna, em 1922.

Reflexos dessas duas correntes de pensamento nacionalista podiam ser percebidos nas diversas expressões da cultura brasileira, e o Carnaval não era uma exceção. A idéia de civilizar o Brasil através do contato com o europeu estava presente no Carnaval dos passeios, desfiles e bailes desejado por boa parte da burguesia. Como sabemos, pensava-se que, através do contato com uma festa mais "distinta", o antigo Entrudo Popular dos escravos e do povo das ruas pudesse ser anulado ou transformado numa brincadeira cortês. A outra corrente de pensamento buscaria, ao contrário, valorizar as manifestações carnavalescas mais ligadas à cultura do "interior" do país, que expressariam a essência da "alma" brasileira. Essa abordagem acabaria por destacar as formas da brincadeira popular incluídas, por essa razão, na categoria

A partir do início do século XX a festa carnavalesca brasileira vai incorporar, definitivamente, os tipos urbanos do Rio de Janeiro. A baiana, a mulata e o português, entre outros, passam a freqüentar a folia nacional que assume sua feição popular.
*(*O Carnaval alegra o mundo! *Ilustração de Schipani.* O Cruzeiro, *1º de março de 1930.)*

Pequeno Carnaval. Vale notar aqui que o conceito de Pequeno Carnaval, em oposição a Grande Carnaval, tinha conotações mais positivas que negativas, associando aos grupos populares idéias de inocência e pureza, além de colocá-los como algo "que ainda não cresceu", necessitando, portanto, de proteção e cuidados. Esse tipo de pensamento teria, como veremos, importantes conseqüências para a festa carnavalesca. Em 1933, a publicação de outro livro – *Casa-grande e senzala*, de Gilberto Freyre – colaboraria para popularizar um tema que já transitava pelo pensamento nacionalista: a importância da cultura negra, e sua relação com a branca, para a formação da nação brasileira. Mais uma vez a folia carioca antecipava e refletia as questões brasileiras, pois já no final dos anos 1920 podia-se perceber um notável impulso nas manifestações carnavalescas de influência negra.

Como se sabe, as idéias modernistas no Brasil tiveram seu marco simbólico na Semana de Arte Moderna, acontecida em São Paulo em 1922. O Rio de Janeiro, entretanto, não ficaria de fora desse movimento, tendo uma participação ativa em sua implantação e disseminação. Entretanto, diferentemente de São Paulo, no Rio de Janeiro não se encontraram muitos adeptos para a realização de um movimento formal que discutisse a identidade nacional. Como destaca Mônica Velloso, em seu livro *Modernismo no Rio de Janeiro*, na metrópole carioca "o intercâmbio cultural entre artistas, intelectuais e as camadas populares tendia a ocorrer nas ruas, nos cafés, nas festas de igreja – como a da Penha –, nas casas de santo – como a da 'tia' Ciata – e também nos carnavais". Ou seja, seriam as festas e espaços populares da cidade que iriam gerar e incentivar o desenvolvimento das idéias modernistas na capital do país.

Carnaval: festa do povo

Um dos mais importantes resultados desse diálogo entre as idéias modernistas e a festa carnavalesca "real" que ocupava as ruas do Rio de Janeiro, foi a reformulação do próprio significado do Carnaval. Na segunda metade do século XIX a implantação da brincadeira ao gosto burguês nas cidades brasileiras havia reforçado a idéia do Carnaval como um contraponto à vida cotidiana, um momento onde "tudo podia acontecer" e onde "todas as loucuras eram permitidas". É claro que isso não era para ser entendido ao pé da letra, pois, apesar desse belo discurso, as "loucuras" só eram permitidas enquanto não fossem consideradas "Entrudo". Nesse caso, a coisa se modificava, como se pode perceber através das contínuas reafirmações de posturas policiais proibindo e punindo toda uma série de "exageros".

Nos primeiros anos do século XX, entretanto, já vinha se fixando o conceito do Carnaval como uma festa popular, no sentido de uma brincadeira nascida no povo e a ele destinada. A folia passa a ser um momento de relaxamento das agruras do dia-a-dia, uma festa que diverte, distrai e faz esquecer os "problemas" da vida. Um momento de liberdade. Uma fuga temporária do desencanto cotidiano, como bem expressa o texto a seguir, publicado no *Jornal do Commercio*, de 13 de fevereiro de 1904:

> Nos ciclos periódicos de 365 dias que desfiamos na vida, como grandes contas de um rosário, são poucas as alegrias sãs e não têm conta as tristezas.
>
> Eis porque a fase ruidosa que hoje se abre, numa alvorada de risos, de sonoras músicas e luzes fascinantes, é acolhida por todos com a ânsia de se divertir, de se entregar aos braços da folia, antegozando essa loucura transitória que tanto nos apraz...
>
> Não valem pelas mágoas de todo o ano esses três dias de febre e de delírio? O Carnaval é a festa do povo, é o portador da alegria que se espalha nas ruas, alastra-se como um rastilho de pólvora, apreende todas as armas e desterra para ínvias e escuras paragens o espectro da tristeza.

A visão modernista vai incorporar a esse sentido de desafogo do cotidiano a idéia do Carnaval como uma forma de resistência "antropofágica" do povo brasileiro às imposições externas. Uma espécie de liquidificador capaz de transformar tudo em loucura carnavalesca, conceito muito bem exemplificado na célebre frase de Oswald de Andrade: "Nunca fomos catequizados. Fizemos foi carnaval." Dentro dessa concepção, o Rio de Janeiro impunha-se como eixo da folia e lugar central para a expressão dessa força carnavalesca popular. O Carnaval, declarava Di Cavalcanti, "é uma das formas de meu carioquismo irremediável e eu me sinto demasiadamente povo nesses dias de desafogo dos sentimentos mais terrivelmente terrenos de meu ser". Na década de 1930 Villa-Lobos afirmaria que "o carnaval brasileiro é o maior fanatismo nacional. É realmente a festa mais popular do meu país, a mais original e típica, sobretudo no Rio". A imprensa refletia esse sentimento e, em 12 de fevereiro de 1907, o *Jornal do Commercio* publicava o seguinte texto:

> Percorre a cidade um movimento forte de alegria, de exagerado prazer, um frêmito violento de exibir essa coragem inata no carioca, de provar que não há quem possa, em todo o mundo, apostar com ele sobre quem é capaz e gritar ou batucar ou dançar mais.[...]

E não há [como] negar que o que vimos anteontem e ontem autoriza a afirmação de que sabemos, no Rio de Janeiro, fazer o Carnaval com o maior estrondo e com o maior fulgor de luzes.

Assumido pela cidade como algo de genuinamente seu, e contando com o apoio da intelectualidade brasileira, o Carnaval passaria a ser quase sinônimo de Rio de Janeiro, enquanto o termo "carioca" passava a equivaler a "carnavalesco". "São Paulo dá café, Minas dá leite e a Vila Isabel dá samba", cantaria Noel Rosa em 1936.

O Carnaval "nacional"

O posto de núcleo centralizador e disseminador da folia carnavalesca brasileira, ocupado "oficialmente" pela cidade do Rio de Janeiro no início do século XX, não era somente resultado de uma "descoberta" dos modernistas, mas decorria também do próprio formato da festa que, desde seus primeiros momentos, tinha sido elaborada através de diversos níveis de negociações e diálogos. Nos primeiros anos, logo após 1855, essas trocas se davam, como já vimos, entre as diferentes classes sociais da cidade, através dos encontros e desencontros acontecidos nas suas ruas. Entretanto, algum tempo depois, já se podiam perceber alguns sinais da "nacionalização" da folia carioca, pois muitos dos variados grupos que desfilavam pela cidade entoavam cantigas típicas de diferentes regiões do Brasil. Isso acontecia porque um das principais elementos aglutinadores desses grupos era exatamente a proveniência dos desfilantes de uma mesma cidade ou estado.

Com o tempo a variedade do repertório cantado pelo povo, nas ruas do Rio de Janeiro durante o Carnaval, iria incluir não somente ritmos regionais mas também as novidades internacionais. Nos primeiros anos do século XX podiam-se ouvir, no Carnaval carioca, grupos cantando indiscriminadamente xotes, tangos, polcas, modinhas, valsas, lundus ou maxixes, entre outros ritmos. O grupo Amantes do Aipim, por exemplo, composto de vinte pastorinhas, desfilou no Carnaval de 1904 entoando "belas modinhas e um fadinho" acompanhados por um conjunto de clarins (*Jornal do Commercio*, de 16 de fevereiro de 1904). Note-se que as "pastorinhas" do grupo não eram nenhuma exceção na folia carioca. Como já comentamos, qualquer tipo de agrupamento era bem-vindo ao Carnaval do Rio de Janeiro. Desse modo, folias de reis, pastoris e ranchos natalinos conviviam perfeitamente com zé pereiras, cucumbis e bandas marciais.

Seriam exatamente a variedade e riqueza dessas manifestações que teriam atraído para o Carnaval carioca o interesse das "cabeças pensantes" brasileiras nas primeiras décadas do século XX. As brincadeiras do Carnaval do Rio de Janeiro tornavam-se agentes da civilização e elementos importantes para a educação das massas, a medida em que representavam uma espécie de resumo da "genuína" cultura brasileira de raiz popular. "O carnaval carioca é um carnaval que se vai hipercivilizando", comentava o *Jornal do Commercio*, de 3 de fevereiro de 1913, "que está fadado mesmo a contribuir largamente para a educação artística do espírito público e particularmente das grandes camadas populares." Ou seja, o poder "civilizador" do Carnaval deixa de ser aquele exercido pela folia da elite e passa a ser considerado uma das características do Carnaval apresentado pelo povo. Modelos de Carnaval da elite, com os desfiles das sociedades, passam a ser vistos pelos intelectuais como pastiches do carnaval europeu e, portanto, importação e imitação de cultura exógena, ao passo que o Carnaval popular estaria carregado do "espírito" da nação, de um amálgama do que é nosso.

A partir dessa constatação, estava pavimentado o caminho para que a festa carnavalesca do Rio de Janeiro se tornasse a maior expressão da índole e da "alma" brasileiras. Uma festa múltipla, que sintetizaria um país plural, produto da reunião de muitas diferenças. A consciência do seu próprio valor passa a ser um fato importante para a organização da folia popular brasileira. Os grupos populares começam a se interessar cada vez mais em corresponder às expectativas que se depositavam sobre eles, ganhando em troca o reconhecimento e a valorização de suas formas de expressão. Lenta e naturalmente, esses grupos vão abandonando suas múltiplas formas e começam, por sua própria vontade, a se enquadrar em algumas poucas categorias. Ou seja, o que a repressão e a coerção não haviam conseguido durante mais de cinqüenta anos, estava sendo realizado, no início do século XX, pelas instâncias culturais. Note-se que não havia nada que impedisse um grupo de desfilar do modo que mais lhe agradasse. Entretanto todo o interesse da imprensa vai se focalizando em algumas categorias previamente determinadas. O grupo que não se enquadrasse dentro dessa estrutura deixaria de ser visto como uma brincadeira legítima, perdendo toda a visibilidade e o apoio das instâncias de validação, como os jornais, por exemplo. Adaptando-se, para melhor se enquadrar dentro das expectativas que se estabeleciam sobre eles, os variados grupos do carnaval carioca perdiam, por um lado, parte da sua riqueza espontânea, mas, por outro, ganhavam uma projeção e um reconhecimento jamais imaginado. Esse diálogo, interessante para os dois lados, deixava transparecer a incessante capacidade de adaptação da cultura popular que, sob a capa de respeito a "tradições" determinadas pela cultura da elite, mantinha-se viva e mutável como sempre foi. Com toda essa "colaboração" do Carnaval popular, os elogios e incentivos se espalham pelos jornais, como o do texto abaixo:

> A evolução dos grupos e cordões é um fato.
>
> As marchas alegres e as canções harmoniosas com que eles deliciam a população da cidade são o fruto do pensamento e da inspiração popular, cujas manifestações e sentimentos encerram, não raro, sentenças verdadeiras, profundas e acertadas (*Jornal do Commercio*, de 4 de fevereiro de 1913).

Quinze anos depois, o processo estaria ainda mais maduro e o Carnaval já se tornava um verdadeiro depositário das "tradições" do povo brasileiro, sendo considerado como o único (!) lugar onde a essência nacional podia ser encontrada, sem dificuldade, em estado puro:

> O Carnaval carioca é a única oportunidade em que o estudioso de costumes populares pode, facilmente, observar uma considerável massa de originalidade cuja colheita fora dos três dias da loucura exigiria muitos meses de exaustiva e contínua investigação. Quando a cidade vibra sob o delírio carnavalesco, afloram tumultuosamente da alma do povo, como das profundidades de um abismo em convulsão, todos os ritmos característicos da sua natureza virgem, exuberante de força e riqueza.
>
> É então que se pode surpreender, ainda em estado natural, em toda a pureza de sua essência, criações raríssimas, preciosos elementos de arte, ingênuos e pitorescos, espontaneamente gerados no solo fecundo da multidão (*O Jornal*, de 19 de fevereiro de 1928).

O Carnaval passava a representar a síntese do Brasil. Não mais uma festa com um formato específico, mas uma reunião de diversas festas e ritmos populares. A folia carnavalesca propiciaria, desse modo, uma epifania, um momento de intenso contato com a "verdade" nacional. O Carnaval não significava mais a festa da esculhambação e da esbórnia, passando a ser encarado como uma expressão da tradição. Os guardiões dessa tradição seriam, é claro, os membros da elite intelectual do país. São eles que passariam a determinar o que era e o que não era Carnaval. Só que dessa vez com a concordância do povo. Fecha-se o ciclo iniciado quase cem anos antes. O ideal da burguesia de então cumpria-se através da elite intelectual do século XX. O Carnaval que surgia, nesse momento, já não repetia mais as antigas tensões e estava pronto para representar seu papel de articulador das diferenças nacionais. Desencadeado no Rio de Janeiro, este processo iria se repetir nos principais centros carnavalescos do Brasil, estando na raiz, por exemplo, do surgimento dos clubes de frevo no Recife e dos afoxés em Salvador.

O CARNAVAL "IMPORTADO"

Apesar de eminentemente "nacional", o Carnaval que se organizava nas ruas do Rio de Janeiro estava longe de rechaçar suas influências "globais". Modismos externos eram aceitos, e deglutidos pelo modo "modernista" de ser. Uma dessas influências, que acabou se revelando determinante para o desenvolvimento do Carnaval no Brasil, foi a onda de valorização da cultura negra que varreu a Europa nas primeiras décadas do século XX. O sucesso que faziam em Paris a bailarina Josephine Baker e os músicos de jazz, e a utilização da temática africana nas pinturas de Picasso e Leger, são alguns exemplos desse processo.

O reflexo desse interesse pela cultura dos povos africanos e seus descendentes iria se expressar em terras brasileiras através de textos teóricos "modernistas" – como os publicados na revista *Estética*, por exemplo –, através da utilização da temática negra nas artes – como o quadro *A negra*, pintado por Tarsila do Amaral, em 1923, ou o painel *Samba e Carnaval* que Di Cavalcanti pintaria, em 1929, para o Teatro João Caetano – ou na literatura, com o livro *Essa negra Fulô*, de Jorge de Lima. A relação entre a "negrofilia"

Chamada na França de "negrofilia", o interesse da vanguarda parisiense pela cultura negra, um dos sinais de modernidade a partir da década de 1920, iria se espalhar pelo mundo após o sucesso dos espetáculos La revue nègre *e* La folie du jour *em Paris. Josephine Baker e os* jazzmen *seriam alguns dos ícones do momento, influenciando a visão que se tinha sobre nosso Carnaval. (Poster de Paul Collin para o espetáculo parisiense* La revue nègre, *1925.)*

O estudo que Di Cavalcanti realizou para o painel localizado no saguão do Teatro João Caetano, no Rio de Janeiro, deixa clara a intenção do artista em valorizar a participação da cultura negra na formação do país, destacando sua influência sobre o novo Carnaval popular que se afirmava. (Di Cavalcanti. IEB/USP.)

à francesa e a intelectualidade brasileira tem um bom exemplo em Oswald de Andrade que, em uma conferência em Paris, em 1923, chegou a afirmar estar sentindo, naquela cidade, a "presença sugestiva do tambor negro e do canto do índio".

É dentro desse movimento de abrangência internacional que irão surgir dois personagens carnavalescos que acabariam por representar a essência da festa brasileira: a baianinha e o malandro.

Malandros e baianas

A figura da baiana, atualmente uma das imagens mais difundidas do Carnaval brasileiro, já era bastante comum nas ruas do Rio de Janeiro desde finais do século XIX. Debret desenhou algumas delas, entre as décadas de 1820 e 1830, com suas saias rodadas, torços e tabuleiros. O interesse das elites pela indumentária das baianas aumenta e, no final do século XIX, a Princesa Isabel usaria uma fantasia de "pretinha baiana" num baile de máscaras, na Europa, durante sua viagem de núpcias, realizada em 1865. Será entretanto nos primeiros anos da década de 1930 que a figura teria seus traços fixados definitivamente no imaginário carnavalesco nacional. Em 1933, Cecília Meireles exporia, no Rio de Janeiro, uma série de ilustrações realizadas por ela entre os anos 1926 e 1933. A mostra deixava claro o interesse da artista pelo estudo dos costumes e artes populares e boa parte dela consistia em desenhos de baianas. No ano seguinte a escritora e pesquisadora iria utilizar os mesmos desenhos para ilustrar uma conferência, também no Rio de Janeiro, e depois em Portugal, sobre o folclore negro no Brasil. A repercussão desses dois eventos foi imensa e os desenhos chegaram a ser publicados, em 1935, na revista *Mundo Português*. O fato mais importante em toda

Vendendo quitutes e refrescos, as chamadas baianas eram figuras bastante comuns na cidade do Rio de Janeiro na virada para o século XIX, alimentando brancos e escravos com as guloseimas carregadas em seus tabauleiros. (*Jean Baptiste Debret.* Os refrescos do Largo do Palácio *in* Viagem pitoresca e histórica ao Brasil.)

essa história é que, ao promover a figura da baiana, Cecília Meireles contribuía, ao mesmo tempo, para a fixação da imagem que pouco depois centralizaria boa parcela das representações visuais das escolas de samba que começavam a se definir naquele momento Além de registrar as roupas, e alguns costumes, das baianas quituteiras da cidade do Rio de Janeiro, a autora dedicava muitos de seus desenhos, e dos textos que os acompanhavam, a descrever o que ela denominou de "baiana de carnaval", explicando, detalhadamente, cada elemento da roupa e cada etapa do processo de vesti-los. Outro dado interessante é o fato da autora, em nenhum momento, se referir a escolas de samba, utilizando o termo "cordão" para denominar os grupos de baianas acompanhados de músicos que desfilavam cantando pelas ruas da cidade. O interesse pela cultura negra torna-se mais patente com as descrições "etnográficas" com que a poeta conclui seu texto, descrevendo a dança do samba e o ritual da macumba.

O tema da macumba, aliás, já vinha há alguns anos despertando o interesse da elite, que procurava meios de incorporá-lo ao seu Carnaval. Em 4 de fevereiro de 1932, por exemplo, o Teatro Phenix realizaria um baile carnavalesco inspirado na "macumba". A apresentação, que incluía "cantos de Cambinda e Angola", contou com a participação de personagens importantes do Terreiro do Vovô Tempo, sediado no Morro de São Carlos, como Tio Eloy, Tia Luiza e o exu Hygino, além de uma corte de filhas-de-santo (*O Jornal*, de 3 de fevereiro de 1932).

A baiana estilizada usada por Carmem Miranda no filme Banana da Terra, *de 1939, iria inspirar os trajes que se tornariam marca da cantora e que ajudariam a definir a imagem idealizada e tropical do Carnaval brasileiro. (Arquivo Ebal.)*

Outra grande contribuição para a fixação da imagem da baiana carnavalesca foi dada por Dorival Caymmi. Segundo o acadêmico Raymundo Magalhães Júnior, o músico foi o grande responsável pela difusão do traje, ao compor o sucesso musical *Que é que a baiana tem*. Com sua inclusão no filme musical *Banana da Terra*, lançado em 1939 – no qual Carmem Miranda usaria, pela primeira vez, o traje de baiana estilizada que seria sua marca –, o personagem da baiana "carioca" alcançaria repercussão internacional. Uma verdadeira mania de fantasias de baianinhas, das mais diversas cores e feitios, tomaria conta do carnaval brasileiro a partir de então. Item obrigatório no desfile das escolas de samba atual, a fantasia de baiana contemporânea ainda procura manter, de um modo ou de outro, os elementos "tradicionais" estabelecidos na música de Caymmi. Ou seja, o torço, os brincos, os colares, o pano-da-costa, a sandália e os balangandãs, elementos que determinam uma "verdadeira" fantasia de baiana.

O que é que a baiana tem? / Tem torço de seda, tem! / Tem brincos de ouro tem! / Corrente de ouro tem! / Tem pano-da-costa, tem! / Sandália enfeitada, tem! / ... / Um rosário de ouro, uma bolota assim / Quem não tem balangandãs não vai no Bonfim.

O detalhe do quadro Le Moulin de la Galette, *pintado por Renoir em 1876, deixa perceber a difusão que a moda dos "chapéus de palhinha" para homens atingia na região parisiense. Considerado como parte da indumentária do verão europeu, os práticos, e baratos, chapéus logo tomariam conta das quentes cidades brasileiras, onde podiam ser vistos durante todo o ano. Encarados como objetos populares, esses acessórios seriam ótimos "antídotos" contra os ataques às cartolas no Carnaval do Rio de Janeiro.*
(Pierre-Auguste Renoir. Le Moulin de la Galette, *1876, óleo sobre tela. Museu d'Orsay, Paris.)*

O caminho que marca o surgimento de outro dos ícones que passariam a representar a festa brasileira, o malandro carioca, é igualmente curioso, e revela, assim como no caso da figura da baiana, os múltiplos níveis de influências locais e globais na formação do Carnaval brasileiro "tradicional". Como já vimos, o uso de vestimentas mais simples passaria a ser quase uma necessidade durante o Carnaval das cidades brasileiras no século XIX. O "chapelinho de palha, baratinho e bilontra" fixava-se, nos anos 1870, como a melhor alternativa contra a "guerra às cartolas", para quem não estivesse vestindo uma fantasia. No final do século, a moda dos chapéus de palhinha, surgida na França na década de 1860, já havia se espalhado pelo mundo.

Na década de 1920, com a descoberta dos grupos de samba pela intelectualidade brasileira, acontecida no contexto internacional de valorização da cultura negra, alguns desses rapazes do morro vão procurar sofisticar suas vestimentas juntando o

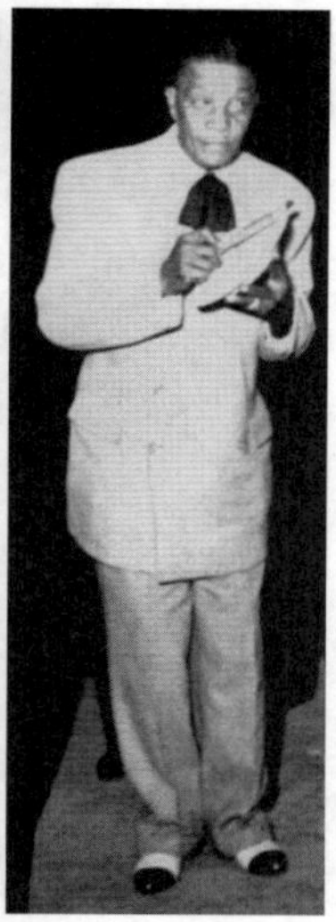

À ESQUERDA:
O cantor americano Cab Calloway ficou mundialmente conhecido após o sucesso da música Minnie the Moocher. *Famoso não só por sua interpretação mas também por suas atitudes, o artista ajudou a divulgar o estilo* zootie *que tinha na indumentária sofisticada, e um tanto absurda, uma de suas principais características. (Frank Driggs / Hulton getty.)*

À DIREITA:
João da Baiana com seu terno de paletó longo e sua gravata de laço era uma espécie de tradução carioca do estilo zootie. *(Instituto Cultural Cravo Albin.)*

chapéu de palhinha às camisetas listradas, que se tornavam cada vez mais difundidas com a moda das roupas esportivas. Essa imagem do negro de calça branca, camiseta listrada em cores contrastantes e chapéu de palhinha acabaria por se tornar uma verdadeira marca do "sambista", formando com a baiana "carioca" o casal símbolo do Carnaval popular do período.

Na década de 1940, a figura do malandro vai se sofisticar através da aproximação da cultura popular do Rio de Janeiro às novas propostas dos *outsiders* nova-iorquinos, os *zooties.* A filosofia por trás desse grupo de precursores da moda de rua do século XX era a de uma espécie de imposição da cultura negra através da hipervalorização de atitudes sofisticadas e, principalmente, da elegância e extravagância das roupas. Cab Calloway, cantor de *jazz* americano que fez sucesso nas décadas de 1930 e 1940, seria o protótipo do *zootie*, uma espécie de malandro negro americano. Sua roupa típica consistia num grande paletó de ombros largos, comprido até os joelhos, e calças amplas até o meio das pernas, ajustando-se a partir daí até ficarem muito apertadas nos calcanhares. É esse espírito afirmativo e rebelde que seria incorporado ao comportamento e à imagem do malandro carioca ao final da década de 1940. Figuras importantes do samba, como João da Baiana, contribuiriam para a popularização do traje elegante entre os sambistas.

Moreira da Silva, outro "clássico" malandro da época, relata as disputas que a "malandragem" tinha com um certo chefe de polícia chamado Padilha. Grande perseguidor dos malandros, o policial utilizava-se do código vestimentar para identificar, e logo depois humilhar, o "mau elemento". O procedimento da autoridade consistia em jogar um limão dentro da calça do "suspeito". Caso a calça fosse muito apertada no tornozelo, fazendo com que a fruta não conseguisse passar por sua bainha, ela era imediatamente cortada por uma providencial tesoura sempre à mão, até permitir sua passagem. A música *Olha o Padilha*, gravada pelo cantor, é uma verdadeira crônica dessa curiosa, e tensa situação, que contribuiria para a fixação da imagem do malandro esperto.

> Eu vinha anteontem, lá da gafieira, com minha nega Cecília, quando gritaram – Olha o Padilha! / Antes que eu me desguiasse, um tira forte e aborrecido me abotoou, e disse: – Tu és o Nonô! Heim? / "Mas eu me chamo Francisco, trabalho como mouro. Sou estivador – Posso provar ao senhor." / ... / Quem disse que és trabalhador? – Tu és salafra, achacador / ... / E jogou uma melancia, pela minha calça adentro, que engasgou no funil, – Eu bambeei, ele sorriu. / Apanhou uma tesoura, e o resultado desta operação: – É que a calça virou calção.

O traje de malandro, inspirado na roupa dos *zooties*, também apareceria em um personagem marcante da cultura popular brasileira: o Amigo da Onça. Publicado, com imenso sucesso, na revista *O Cruzeiro* a partir de 1943, seria uma verdadeira mania nacional e reforçaria a imagem do malandro elegante e, individualista que só pensa em "se dar bem".

Outro personagem, surgido em 1943, iria contribuir para a difusão internacional do malandro ao estilo do Rio de Janeiro: o Zé Carioca. Lançado ao mundo no desenho animado de longa metragem intitulado *Saludos amigos*, produzido pelos estúdios Disney, o simpático papagaio vestido com chapéu de palhinha, paletó justo e gravata-borboleta, teve grande sucesso em divulgar uma imagem positiva da malandragem carioca, contribuindo para a fixação da cidade do Rio de Janeiro como expressão máxima da brasilidade, no imaginário internacional.

Ao incorporarem influências e características tão diversas, as baianinhas e os malandrinhos tornavam-se duas categorias importantes para a compreensão da nova visão do Carnaval que se impunha no Brasil. Num processo similar ao dos grupos que invadiam as ruas do Rio de Janeiro durante a folia, as baianas e os malandros foram sendo lentamente reelaborados por uma série de interesses. Perdia-se uma certa pureza original, mas, por outro lado, ganhavam-se uma projeção

AO LADO:
Criado e desenhado por Péricles Maranhão, o Amigo da Onça, com sua elegância zootie *um tanto exagerada e deslocada das situações cotidianas, foi um dos ícones nacionais que ajudaram a marcar a figura do malandro elegante no imaginário brasileiro.*
(Péricles, O Amigo da Onça, *in* O Cruzeiro, *22 de dezembro de 1945.)*

ABAIXO:
Surgido dentro do esforço americano de união da América Latina em torno da liderança dos EUA, durante a Segunda Guerra Mundial, o personagem "Jose Carioca" (como era conhecido nos Estados Unidos) teve sua imagem definida a partir da indumentária dos pachucos. *Esses eram uma espécie de versão latina dos* zooties *e seu grupo era composto, basicamente, de imigrantes mexicanos que haviam chegado à Califórnia a partir dos anos 1930. (Disney.)*

e um apoio nunca imaginados pelas tias baianas da Praça Onze ou pelos contraventores da Lapa e do cais do porto. O Brasil integrava-se, quase naturalmente, ao processo civilizador ocidental, e seu Carnaval não seria somente um reflexo dessa situação, mas um ator importante em todo processo. Baianas e malandros deixam de ser expressões de individualidades para se tornarem ícones de um povo. O malandro passa a freqüentar o Carnaval através das comissões de frente das escolas de samba, a baianinha é reelaborada e sintetizada numa silhueta de saias rodadas, corpetes e chapéus. O novo Carnaval está pronto para ser oferecido de volta ao povo.

Ranchos, blocos e cordões

Assim como ocorreu com as figuras do malandro e da baiana, todo o Carnaval popular carioca seria produto de uma série de negociações em que a participação de diferentes elementos e interesses seria vital para a determinação do novo formato que a festa apresentaria no Rio de Janeiro, após os anos 1930. Os dois principais grupos envolvidos nessa operação seriam a burguesia, interessada, como sempre, em impor sua forma de ver a festa carnavalesca, e as camadas populares em geral, procurando um espaço para a expressão de sua cultura. Apesar dessa aparente oposição, ambos os grupos lutavam, na verdade, por um ideal comum, que era o direito à diversão durante os dias de Carnaval. Isso fazia com que o embate entre esses dois "lados" não se apresentasse exatamente como uma batalha, mas sim como uma constante (mesmo que, às vezes, tensa) negociação, em que os dois "adversários" adaptavam-se seguidamente a novas situações. O que se procurava, no fundo, era uma festa consensual, que pudesse refletir os interesses de todos os grupos nela envolvidos. Buscava-se um Carnaval que não pertencesse a este ou àquele grupo específico, mas que pudesse ser considerado como uma folia de todos. Uma festa para toda a cidade, para todo o país e, mais tarde, para todo o mundo.

Tanto a burguesia quanto as camadas populares tinham suas estratégias de ação nessa disputa. A primeira delas, da qual já falamos em capítulos anteriores, era a capacidade que cada um dos grupos possuía de atrair elementos do outro. Em outras palavras, na verdade, não existia uma divisão rígida entre os interesses carnavalescos da elite e do povo. Salvo algumas exceções extremas, as brincadeiras carnavalescas que ocupavam as ruas do Rio de Janeiro nos dias de folia eram bastante permeáveis a todo tipo de influência. Isso geraria, como já sabemos, as mais inesperadas formas de diversão. Desse modo, um baile à fantasia realizado no elegante Clube da Gávea, em 1889, podia terminar com um chique *cotillon* (espécie de dança festiva elegante) onde um corpo cênico surgia "apresentando-se caracterizado em negros e negras, cantando e dançando um jongo [...] que foi muito aplaudido e bisado" (*Jornal do Commercio*, de 4 de março de 1889). Por outro lado, um grupo popular, como o Caprichosos do Estácio de Sá, podia trazer, além do zé pereira de praxe, "um bem decorado carro alegórico, onde se via linda menina vestida caprichosamente, sentada dentro de uma tina, de onde se erguia uma palmeira em cujo tope voejava uma grande borboleta" (*Jornal do Commercio*, de 13 de fevereiro de 1899).

Essas misturas curiosas eram mais comuns do que se podia imaginar, o que, na maioria das vezes, tornava muito difícil classificarem-se os grupos do Carnaval de rua carioca. Em 8 de março de 1905, o *Jornal do Commercio* descreve alguns dos conjuntos de foliões que passaram, no dia anterior (Terça-feira Gorda), em frente a sua redação, na Rua do Ouvidor. O primeiro deles, chamado "Repentinos do Realengo" era aberto por "dois estandartes, três índios e dois Reis" aos quais seguia-se "numeroso séqüito de tocadores de tamborins, reco-recos e pandeiros". O grupo seguinte, os "Heróis brasileiros" era precedido de "dois vibrantes clarins e seguido de dois ricos estandartes e numeroso séqüito de formidoloso *Zé Pereira* trajando todos fantasias de mambaios com as cores nacionais". O grupo "Navio da Lapa" era composto por "um alegre bando de estudantes, entoando uma das mais belas e monótonas canções que o deus Momo já ouviu em seu louvor". Finalizando a seqüência, vinham os Fenianos, "numeroso e garboso grupo com seu *Zé Pereira* de *primeiríssima*, com grande número de tambores e oito bombos. Corretos sempre nas suas luxuosas e uniformes fantasias". Como classificar cada um desses grupos de nomes e composições tão diversas e com nítidas influências mútuas, parece ter sido a preocupação dos cronistas do Carnaval da época.

Estudando o Carnaval

Uma das respostas a essa dificuldade seria encontrada nas investigações folclóricas sobre as festas brasileiras que começavam a aparecer na imprensa e em publicações especializadas, em finais do século XIX. Esses estudos procuravam organizar os "costumes populares" em categorias específicas e diferenciadas. Um bom exemplo dessa forma de abordar e organizar as "manifestações da alma" brasileira é o livro *Festas e tradições populares do Brasil*, de Mello Moraes Filho, considerado o primeiro folclorista brasileiro. A obra, publicada parcialmente pela primeira vez em 1888, vem sendo utilizada desde então como fonte de informações sobre as manifestações culturais populares do país. Refletindo o pensamento da época, o autor buscava ressaltar as peculiaridades de cada "costume", destacando alguns deles como modelos das manifestações que se procurava descrever. A Festa do Divino do estado do Rio de Janeiro, A Véspera de Reis na Bahia e a Procissão de São Benedito em Sergipe são alguns exemplos apresentados pelo livro dessa forma de se compreender a cultura popular, na virada para o século XX. A festa carnavalesca seria parte importante dessa série de estudos e descrições, sendo abordada em dois artigos: um, intitulado

"O Carnaval", destacava a folia dos bailes e passeios carnavalescos do Rio de Janeiro, o outro, com o título "O Entrudo", descrevia a brincadeira tal qual ela fora observada na Bahia. Outros estudos importantes, como o livro *Cantos populares do Brasil* (1897), de Sílvio Romero, e *Cancioneiro do Norte* (1903) de Rodrigues de Carvalho, seriam lançados nesse período, caracterizando o interesse crescente que as questões da cultura popular exerciam sobre a intelectualidade brasileira de então.

O que queremos destacar de tudo isso é a importância desse tipo de abordagem "folclórica" em relação à organização do Carnaval brasileiro. Na virada do século, a festa carnavalesca das ruas cariocas – com seus variados grupos incorporando todo tipo de alegorias, fantasias, zé pereiras e batuques – não foi suficiente para chamar a atenção de Mello Morais Filho, que, no artigo citado acima, restringiu seu olhar a considerações sobre a origem remota do Carnaval, relatando, com algum detalhamento, a história dos bailes e das principais sociedades. Apesar de todo seu interesse pelas manifestações populares, Mello Morais Filho não foi capaz de dar importância à festa popular que ocupava cada centímetro das ruas do centro do Rio de Janeiro durante o Carnaval. A obra do folclorista, porém, traria duas importantes contribuições, mesmo que indiretas, ao processo de organização da folia carnavalesca brasileira. A primeira delas seria a valorização da cultura negra presente em vários dos textos que compõem o livro – como aqueles intitulados "Os Cucumbis" ou "A coroação de um Rei Negro em 1748", por exemplo –, pois até então a nacionalidade brasileira era compreendida através da imagem do indígena idealizada pelo romantismo. A segunda contribuição indireta seria a indicação do caminho a ser trilhado para a organização carnavalesca brasileira, seguida por boa parte da intelectualidade nacional. Ou seja, a festa carnavalesca, vista como integrante do folclore brasileiro, poderia ser definida através da organização de suas diferentes "partes constituintes", de suas diversas "manifestações", que seriam descritas e individulizadas a partir da definição de suas "origens" e de suas "características" num processo de "catalogação" pelo qual passariam todas as manifestações populares que fossem consideradas dignas de fazer parte do folclore nacional. Uma vez definidas e classificadas, essas brincadeiras carnavalescas tornavam-se parte de uma "tradição" que deveria ser preservada a todo custo. Ou seja, o olhar da elite intelectual fixava uma forma para as manifestações carnavalescas e assumia, assim, a postura de guardião da verdadeira essência popular do Carnaval brasileiro.

A influência, sobre a folia carioca, dessa maneira de se entender e descrever a cultura popular não seria imediata, mas dar-se-ia através de uma lenta série de adaptações e negociações entre todos os elementos envolvidos na questão. A fase final desse processo seria a fixação das categorias carnavalescas cariocas através da publicação de livros que se tornariam verdadeiros clássicos sobre o assunto e fontes de quase todos os trabalhos que abordam o Carnaval carioca (e brasileiro) publicados a partir de então, como *O Rio de Janeiro do meu tempo* (publicado em 1940), de Luís Edmundo; o *Dicionário do folclore brasileiro* (publicado em 1954), de Câmara Cascudo; *Memórias da Cidade do Rio de Janeiro* (publicado em 1955), de Vivaldo Coaracy, e *História do Carnaval carioca* (publicado em 1957), de Eneida Moraes. Este último podendo ser considerado o mais importante livro jamais escrito sobre a folia carioca.

Eneida: primeira e única

A importância do livro de Eneida pode ser destacada por duas razões principais. A primeira seria o fato de que, nessa obra, ela organizaria, de uma maneira categórica, a definição e a classificação das diferentes brincadeiras populares do Carnaval carioca, estabelecendo uma forma de organização que serviria de base para a fixação das histórias dos carnavais das cidades brasileiras em geral. É a partir da publicação desse livro, já em meados do século XX, que se "oficializariam", definitivamente, as diferenças entre Entrudo, zé pereira, ranchos, cordões, blocos, corso e sociedades, por exemplo. Cada uma dessas categorias seria abordada, pela primeira vez, em capítulos específicos, estabelecendo suas origens e seus formatos. Refletindo uma formação intelectual ligada à cultura popular e influenciada pelos conceitos e pelas idéias sobre a festa carnavalesca dos primeiros anos do século XX, Eneida ressaltava as peculiaridades de cada brincadeira, procurando individualizá-las dentro de categorizações precisas. Além de definida e individualizada, cada manifestação carnavalesca era localizada dentro de uma linha evolutiva onde uma teria dado origem à outra. O zé pereira, por exemplo, teria evoluído para os cordões. Os ranchos seriam uma espécie de precursores das escolas de samba. Desse modo, não se destacavam as ricas ambigüidades provenientes dos contatos entre as muitas formas de brincadeiras carnavalescas e ignorava-se tudo que não se encaixasse nas categorias preestabelecidas. Vale notar, entretanto, que nada disso diminui a importância do fantástico livro de Eneida. Ao contrário, é exatamente esse compromisso com sua época e com o modo de pensar de seus contemporâneos que dá mais valor à brilhante tese desenvolvida pela autora em sua obra. A solução genial encontrada por ela para organizar o saber carnavalesco fora perfeita para aquele momento e tão bem-estruturada que continuaria a influenciar boa parte dos historiadores do Carnaval brasileiro. O grande problema não estava em Eneida, mas sim na leitura que dela fariam alguns pesquisadores. Chega-se, desse modo, à segunda razão da importância da obra *História do Carnaval carioca*, que é sua utilização como repositório de informação para a maior parte do que se escreveria sobre o Carnaval brasileiro a partir de então. Além de magnífica fonte de dados curiosos e detalhes tão precisos que chegam a ser incomuns em obras publicadas na mesma época, a organização do livro de Eneida seria freqüentemente utilizada como base na estruturação de várias obras posteriores. A divisão do Carnaval popular em categorias estanques como blocos, cordões e ranchos e a explicação das origens e das características "específicas" de cada uma dessas brincadeiras passariam a ser repetidas como se fossem verdades absolutas e inquestionáveis. A coisa chegaria a tal ponto que alguns livros de divulgação da festa carnavalesca repetiriam, sem nenhum pudor, temas bastante particulares da obra, como o capítulo em que Eneida reúne a chuva, a polícia, os pessimistas e os saudosistas numa mesma categoria por ela intitulada de "inimigos do Carnaval".

O mais importante de tudo isso, é podermos perceber que o Carnaval carioca, tal como o entendemos atualmente – ou seja, uma festa popular que teria "evoluído" dos cordões até as escolas de samba –, foi produto tanto das brincadeiras das ruas quanto do pensamento dos intelectuais. Nesse sentido, essa visão que os folcloristas estabeleceram como a verdadeira "tradição" do Carnaval foi, ela também, resultado das negociações entre os diferentes elementos envolvidos na folia. Ou seja, esses intelectuais não estavam sozinhos nesse processo, mas sim refletiam as questões de outros atores importantes em todo esse furdunço: a imprensa e os próprios grupos carnavalescos.

Falaremos de cada um deles a seguir.

Os concursos

Nunca é demais destacar o papel preponderante que a imprensa brasileira teve na implantação e transformação do Carnaval no país. Seja condenando o Entrudo no Recife ("Por que razão imitando as nações mais cultas, não eliminamos o bárbaro, o grosseiríssimo divertimento do Entrudo?", *O Carapuceiro*, de 15 de fevereiro de 1834), seja divulgando os bailes em Porto Alegre ("Acha-se positivamente designado para o dia 1º do mês entrante o baile mascarado que deve ter lugar no salão do Café da Fama", (Carnaval de 1854, segundo Athos Damasceno) ou louvando os préstitos em São Paulo ("Nunca vimos em São Paulo tanta curiosidade e tanto povo", *O Comércio de São Paulo*, de 15 de fevereiro de 1893). Será, porém, no Rio de Janeiro que a ação da imprensa traria as mais fortes conseqüências sobre a festa carnavalesca. Agindo em duas frentes distintas, os jornalistas dos periódicos cariocas não somente cumpririam seu papel de divulgar e comentar a festa, mas também colaborariam em sua própria organização, através da criação e promoção das disputas entre os grupos.

A idéia de organizar concursos de grupos carnavalescos parece ter surgido em 1886, através de uma curiosa promoção feita pelo jornal *Diário de Notícias* do Rio de Janeiro. Logo após o Carnaval daquele ano, que acontecera excepcionalmente tarde, em 9 de março, o periódico publicava uma espécie de cédula eleitoral que deveria ser preenchida pelos leitores e enviada à redação do jornal assinalando qual das duas sociedades, Democráticos ou Fenianos, deveria ser a campeã. A disputa despertaria um grande interesse da população, fato que causou a superlotação da caixa de correio do jornal. O grande problema foi que a votação era nominal e diariamente saíam publicadas no periódico longas listas com os nomes das pessoas que

Aos poucos os grupos carnavalescos que brincavam pelas ruas do Rio de Janeiro iam se destacando por suas peculiaridades. Esse processo de organização de identidades foi sendo elaborado através de conceitos como os de Grande e Pequeno Carnavais e acabaria por determinar as diferenças entre as formas de brincadeira. Os grupos negros, antes tão temidos, tornavam-se o esteio da folia nacional. (Jornal do Brasil, *2 de fevereiro de 1926. Biblioteca Nacional, RJ.)*

tinham votado. Além de todo o trabalho gerado pela necessidade de receber, contar e publicar as listagens dos votos, o jornal teve que enfrentar a denúncia de pessoas reclamando que seus nomes estavam na lista apesar de elas não terem participado do pleito. A situação tornava-se cada vez mais confusa, pois, segundo se informou, mais de 16 mil pessoas participaram da eleição. Mesmo após vinte edições, o *Diário de Notícias* não conseguia uma solução para o problema, que se complicava cada vez mais, com contagens e recontagens sucessivas e matérias em toda a imprensa da cidade criticando ou ironizando a situação. Finalmente, no dia 31 de março, o jornal terminaria a apuração sem, entretanto, declarar um vencedor, alegando que um servente que trabalhava na redação teria jogado fora, sem perceber, os dois últimos cestos de votos que faltavam para ser apurados. Ou seja, o primeiro concurso carnavalesco do Brasil terminava de forma inglória, coberto de suspeitas e desconfianças. O importante a destacar, entretanto, seria a participação ativa de um periódico em todo o processo. Apesar do fracasso da empreitada, o pontapé inicial havia sido dado para a participação direta da imprensa – uma importante instância de validação – na organização da disputas das agremiações carnavalescas.

Talvez por causa da confusão arranjada pelo *Diário de Notícias*, durante algumas décadas não se ouve falar em novos concursos, que só ressurgiriam nas notícias em torno de 1906, quando, segundo Eneida, o mesmo jornal promoveria um concurso de cordões. Até então a participação das empresas jornalísticas na estruturação da folia se daria de uma outra forma: através da exposição dos estandartes das sociedades em suas sedes, no centro da cidade. Este costume surgira na virada para o século XX, quando algumas lojas ofereceram espaços em suas vitrines para alguns clubes mostrarem seus estandartes. As cerimônias de traslado do valioso símbolo para o local de exposição e, mais tarde, as de sua recuperação pelos clubes eram verdadeiras prévias dos desfiles carnavalescos. Em 1900, por exemplo, uma das turmas que faziam parte dos Democráticos, o Grupo dos Bolinas, foi buscar seu estandarte, que se encontrava na Casa Bogari, acompanhada da banda de música do Primeiro Regimento de Cavalaria. No mesmo ano, outro grupo, o Clube da Tijuca, partiu para a recuperação de seu pendão precedido de uma guarda de honra composta de sócios e até mesmo de um carro alegórico, no qual vinha uma banda de música. (*Jornal do Commercio*, de 25 de fevereiro). Interessados em capitalizar toda essa movimentação, os jornais da cidade logo abririam espaço em seus saguões para que não somente os grandes clubes mas também os grupos populares pudessem expor ali seus estandartes ricamente elaborados. Em 1907, conta Jota Efegê, o grupo Dragão de Ouro foi buscar seu estandarte na sede do *Jornal do Brasil* cantando uma música especialmente composta para a ocasião ("Aqui vai o Dragão de Ouro / Brilhando como um fuzil / Vai buscar seu estandarte / Lá no Jornal do Brasil"). Em pouco tempo quase todos os grupos e jornais estavam envolvidos nesses eventos, que eram noticiados e divulgados diariamente durante as semanas anteriores ao carnaval.

Segundo Jota Efegê, a primeira competição de Ranchos teria acontecido em 1911. Em 1913, o jornal *O Imparcial*, provavelmente inspirado em atitude semelhante de outro periódico, decidia organizar um concurso para premiar os melhores estandartes de clubes, ranchos e cordões. Não se sabe o resultado da competição, mas o fato é que, alguns anos depois, em 1920, já se tem notícia de um concurso de ranchos instituído pelo *Jornal do Brasil*, no período da "*mi-carême*", ou seja, no meio da Quaresma, conforme relata Renata de Sá Gonçalves em sua dissertação "Os ranchos pedem passagem". Denominada de "Dia dos Ranchos", essa disputa seria o modelo seguido por vários jornais a partir de então.

Em 1921, o periódico *O Imparcial* promoveria um "Concurso para ranchos, blocos e cordões", ou seja, para as chamadas Pequenas Sociedades, onde seriam premiados, com taças de prata, "o mais rico conjunto", "a melhor harmonia" e "o mais artístico estandarte". A premiação não terminava por aí, pois o grupo que apresentasse o segundo mais artístico estandarte ganharia "um elegante aparelho de 'ping-pong'" (*Jornal do Commercio*, de 4 de fevereiro de 1921). O resultado, publicado pelo jornal na quinta-feira posterior ao Carnaval (dia 10 de fevereiro), premiaria o Recreio das Flores, pelo conjunto e pelo estandarte, e o Guallemadas, pela harmonia. O aparelho de pingue-pongue foi ganho pelo grupo Mimosas Cravinas.

Todo esse investimento dos jornais acabaria por causar um efeito inesperado, que era a concentração dos grupos carnavalescos nas imediações da Rua do Ouvidor, que, como sabemos, reunia boa parte das redações dos principais periódicos do Rio de Janeiro. Esse fato explica a manutenção da importância carnavalesca daquela rua e adjacências, mesmo após a construção da Avenida Central, e a grande aglomeração de grupos na região da avenida próximo a seu cruzamento com a Rua do Ouvidor, área que passava, desse modo, a centralizar o Carnaval do Rio de Janeiro. A concentração de grupos populares naquele espaço chegaria a tal ponto que, na década de 1920, o poder público estabeleceria uma rota alternativa para que alguns grupos que desfilavam pela avenida fossem obrigados a desviar seu caminho, evitando o local tão disputado:

> Os grupos e cordões que se dirigirem para as redações dos jornais não situados na avenida descerão por esta até a Rua Chile, pela qual entrarão, seguindo pela Rua Rodrigo Silva até Sete de Setembro ou por esta até a Rua Sachet ou Quitanda, entrando na Rua do Ouvidor, pela qual alcançarão novamente a avenida, dobrando, à direita, não sendo permitido fazer a volta no eixo da Rua do Ouvidor (*Jornal do Commercio*, de 5 de fevereiro de 1921).

Outra das razões dessa altíssima concentração carnavalesca na área da Avenida Rio Branco entre Chile (atual Rua da Ajuda) e Ouvidor era a presença dos coretos montados por alguns jornais para abrigarem as comissões de julgamento de seus concursos. Esses corpos de jurados passariam a ser uma espécie de instância superior da folia das ruas e concentrariam em poucas mãos o poder de definir o que era e o que não era "certo" em termos carnavalescos. Em 1923, por exemplo, quatro julgadores decidiriam quem seriam os melhores ranchos nos sete quesitos que se seguem: Conjunto, Harmonia, Enredo, Arte e originalidade, Estandarte, Evolução ou manobras e Comissão de frente. Vinte e seis grupos participaram da disputa apresentando enredos curiosos e inesperados como "Inferno, Purgatório e Paraíso" (grupo Você Vai), "Lohengrin" (grupo Brincamos Para Não Chorar), "Cerco, tomada e destruição de Tróia" (Mimosas Cravinas), "O reino de Júpiter" (Sociedade Carnavalesca dos Gravatas) ou "O triunfo de Agamenon" (grupo Recreio das Joanas) (*Jornal do Commercio*, de 14 de fevereiro de 1923).

Através da organização desses concursos, os jornais cariocas estavam contribuindo para a aceitação cada vez maior dos grupos populares, ao mesmo tempo que estabeleciam os parâmetros pelos quais eles deveriam ser julgados. Isso significa que o rancho, o cordão ou qualquer outro tipo de grupo que desejasse participar dessas competições tinha que se adaptar às regras e se apresentar com todos os elementos que fossem julgados. Entretanto, é importante compreender que, embora já estivéssemos bem distantes da confusão dos indecifráveis grupos que existiam na virada do século, os conceitos de cordão, rancho e bloco ainda se encontravam bastante misturados. Nos "concursos de ranchos", por exemplo, participavam indistintamente grupos que se autodenominavam ranchos, clubes, sociedades ou cordões. Isso é sinal de que todas essas categorias tinham ainda muitas coisas em comum e que permitiam seu julgamento em um conjunto. Apesar de todo o sucesso e interesse nas disputas organizadas pelos jornais, o poder público continuava de fora de sua coordenação, contentando-se, como sabemos, de cuidar do tráfego e da manutenção da ordem. Esse afastamento chega a tal ponto que, em 1926, quando o Clube dos Fenianos decide solicitar um julgamento consistente para o desfile das Grandes Sociedades, o pedido de organização de uma comissão julgadora de artistas e escritores seria dirigido ao *Jornal do Brasil*, que aceita a incumbência (*Jornal do Brasil*, de 3 e 14 de fevereiro de 1926). Ou seja, ao desejar uma apreciação "oficial" dos préstitos, o clube não se dirige à autoridade pública, mas sim a um órgão de imprensa. Os jornais, ao que parece, contavam com a mais alta consideração dos grupos carnavalescos, o que devia decorrer não só do poder de validação da imprensa, mas também da relativa transparência de todo o processo, visto que os jurados eram divulgados com antecedência e as notas de cada quesito eram publicadas na edição seguinte aos desfiles. Apesar disso, o resultado da disputa entre as sociedades em 1926 não agradou ao Clube dos Democráticos que, no ano seguinte, enviaria carta ao presidente da Sociedade Brasileira de Belas Artes solicitando que ele compusesse um júri com seus membros para julgar as Grandes Sociedades (*Jornal do Brasil*, de 24 de fevereiro de 1927).

Em resposta à desconfiança dos Democráticos, o *Jornal do Brasil* fez questão de publicar uma descrição detalhada, incluindo fotos, de todos os membros do corpo de jurados encarregado do julgamento dos ranchos naquele ano, entre eles três artistas plásticos (sendo um deles o pintor Henrique Cavalleiro), um "literato" (Benjamim Costallat, figura importante do modernismo carioca), um arquiteto e pintor, um cenógrafo, um bordador (para julgar o estandarte) e um músico (Júlio Casado). A qualidade do corpo de jurados e a determinação do jornal em divulgá-lo deixam transparecer o interesse que havia por trás da organização dos concursos. Na verdade, o que estava sendo disputado era o poder de definir o que teria ou não valor como expressão do Carnaval brasileiro. Os ranchos, ao serem julgados por membros da elite cultural do país, começavam a adquirir um *status* nunca imaginado. Em troca dessa estupenda valorização, o que se pedia era sua adequação ao que deles se esperava, ou seja, que eles se transformassem em legítimos representantes daquilo que se queria que fosse a cultura popular brasileira.

As primeiras décadas do século XX viram florescer um novo Carnaval popular no país, com forte influência da cultura negra e das classes menos favorecidas. Antes confundidos uns com os outros, aos poucos os grupos populares iam assumindo algumas características peculiares que seriam usadas para diferenciá-los. Por muito tempo, entretanto, a confusão de nomes vai perdurar. O elegante grupo da foto, identificado pela reportagem de O Malho como o Cordão dos Banguizas de Botafogo, em nada corresponde à imagem que, poucos anos depois, estaria ligada aos cordões, ficando muito mais próximo do que seria classificado como rancho. (O Malho, *4 de março de 1911.)*

MAIS CONCURSOS

A "moda" dos concursos se espalha e os jornais começam a organizar vários tipos de certames. Em 1927, o *Jornal do Brasil* promovia o Concurso da Canção Popular no qual se executariam sambas e marchas. A disputa se realizaria em duas fases. Na primeira, os julgadores, entre os quais Coelho Neto e Gastão Penalva, analisaram as 225 letras concorrentes, classificando um certo número para a segunda fase. Na segunda parte do concurso, um júri de músicos escolheu 22 músicas feitas para as letras anteriormente classificadas. No total selecionado, havia quinze sambas e sete marchas. Finalmente, no dia 21 de fevereiro, as músicas foram apresentadas no Teatro Lírico com a vitória do samba *De madrugada*. (*Jornal do Brasil*, 22 de fevereiro de 1927).

Em 1928, o jornal *A Manhã* organizava o primeiro concurso de blocos, chamado de "Dia dos Blocos", realizado uma semana antes do Carnaval, com um corpo de jurados composto de cronistas carnavalescos reunidos pelo jornalista K. Nôa. O julgamento premiava os seguintes itens: Conjunto, Harmonia, Evoluções, Enredo, Humorismo e

Estandarte (*A Manhã*, de 10 de fevereiro de 1928). Os quesitos Arte e originalidade e Comissão de frente, julgados no concurso dos cordões, foram substituídos, no caso dos blocos, pelo quesito Humorismo, deixando perceber que os "blocos" eram uma espécie de versão mais pobre, e talvez mais jocosa, dos ranchos. Começava a se estabelecer, desse modo, uma espécie de gradação entre as manifestações carnavalescas do Rio de Janeiro.

O resultado desse primeiro concurso de blocos, entretanto, foi bastante contestado e rendeu muitas discussões nas edições seguintes do jornal *A Manhã*. K. Nôa foi acusado de manipular os jurados para dar a vitória ao grupo Caçadores de Veados (composto, em sua maioria, por homens travestidos) deixando o Língua do Povo com a segunda colocação. Este grupo, inconformado com o que ele considerava uma grande armação, enviaria uma nota, publicada pelo jornal, protestando contra o resultado, apontando diversas falhas no adversário e convocando-o para uma "prova pública", o que não foi aceito pelo Caçadores. Entre todos os motivos arrolados pelo grupo insatisfeito, havia um bastante inusitado, pois o Língua do Povo informava que seu bloco não se compunha "de criaturas bissexuais", apelando para a difamação de seus adversários e, sutilmente, destacando uma possível afinidade entre eles e os julgadores (*A Manhã*, de 14 de fevereiro de 1928). O organizador do concurso não admitiu as acusações de injustiça, ignorou as insinuações e manteve o resultado.

Apesar das confusões que estouravam aqui e ali (fatos que, diga-se de passagem, deviam impulsionar as vendas dos periódicos), o sucesso crescente das disputas entre grupos carnavalescos incentivava outros jornais a buscarem seu espaço nesse filão e a descobrirem novos "nichos de mercado" para patrocinarem suas disputas. Em 1928, o periódico *O Jornal* promove, a uma semana do Carnaval, um Torneio do Maxixe Brasileiro, concurso que julgaria a dança de pares de bailarinos, com a presença anunciada de personalidades da música popular, entre elas as superestrelas Aracy Côrtes e Sinhô, o "Rei do Samba" (*O Jornal*, de 12 de fevereiro de 1928). No mesmo ano, o jornal *A Pátria* realiza uma disputa de ranchos (*A Manhã*, de 15 de fevereiro de 1928) e o jornal *O Globo* organiza um concurso de clubes, no qual os jurados eram seus redatores, dando aos Tenentes do Diabo o primeiro lugar (*O Globo*, de 22 de fevereiro de 1928). Um ano depois, o periódico *O Jornal* anuncia, para a quinta-feira anterior ao Carnaval, o "Dia dos Blocos Suburbanos" (*O Jornal*, de 2 de fevereiro de 1929). Realizada nos subúrbios servidos pelo ramal de trens da Central do Brasil, essa disputa, por sua especificidade, marcaria a ânsia que os jornais

Os cronistas carnavalescos

A participação da imprensa no estabelecimento da festa carnavalesca contemporânea no Brasil foi decisiva. Seria com o apoio das matérias, comentários e cartas publicados nos periódicos das cidades brasileiras a partir de meados do século XIX que a nova folia burguesa iria se implantar no país. Nos anos 1870 as Grandes Sociedades divulgariam seus desfiles nos principais jornais, através de grandes anúncios que descreviam os préstitos e os itinerários, além de apresentar os famosos pufes. Do mesmo modo, seriam os debates nos jornais do final dos anos 1800 que destacariam o início do descrédito na festa organizada pelas elites e o crescimento das brincadeiras populares.

A partir da virada para o século XX, a atuação dos jornais continuaria decisiva na nova estruturação da festa carnavalesca nacional. A cobertura jornalística dos eventos e a publicação de textos analisando a folia influenciariam a adaptação da festa brasileira aos novos interesses nacionais, entre eles a questão da brasilidade ou a adequação turística do Carnaval popular. Além disso, a atuação direta dos jornais na organização das variadas disputas entre os grupos carnavalescos daria uma contribuição decisiva à nova feição que a festa apresentaria a partir dos anos 1930.

É dentro desse quadro que surgem alguns jornalistas dedicados quase que exclusivamente a tratar de assuntos ligados ao Carnaval. Usando pseudônimos jocosos, ligados ao costume instituído pelos clubes carnavalescos – conforme destaca Hiram Araújo em seu livro *Carnaval: seus milênios de história* – esses profissionais ficariam conhecidos como "cronistas carnavalescos". Alguns deles alcançaram grande notoriedade e tinham uma considerável influência sobre a organização da folia. Vagalume, K. Nôa, K. K. Reco, A. Zul, K. Peta, K. Rapeta e Picareta são alguns dos que se destacaram por seus pseudônimos curiosos e por sua atuação direta nos destinos da festa carioca.

Em 1943, a fundação da Associação dos Cronistas Carnavalescos seria uma espécie de resposta dos jornalistas especializados em Carnaval à crescente diminuição de importância de sua atividade. Entretanto, as grandes modificações por que a festa estava passando, com a espetacularização crescente dos desfiles e a organização cada vez mais empresarial da folia, acabou por relegar o grupo a um plano cada vez mais secundário, resumindo sua atuação, que durou até 1985, à escolha do Rei Momo e de sua consorte.

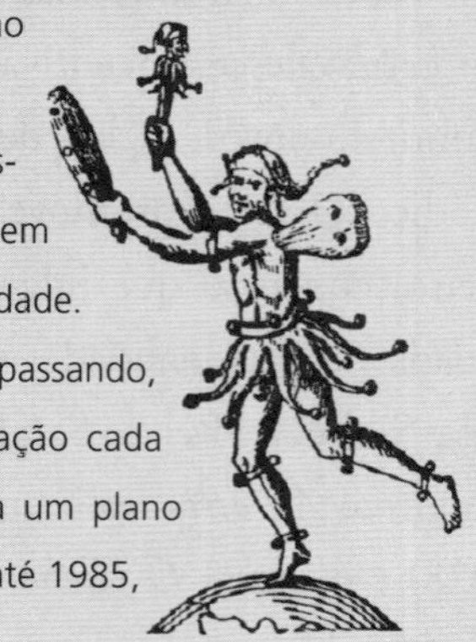

HOTEL DE ITALIA,

LARGO DO ROCIO N. 1.

Terça feira 4 de fevereiro, ultimo dia do Carnaval, haverá grande baile de fantasia, acompanhado com uma boa orchestra.

N. B. Adverte-se que não deverá entrar mais que até certo numero de pessoas, e principiará ás 8 horas da noite.

*Desde os primeiros bailes, a imprensa teve participação ativa na folia brasileira. (*Jornal do Commercio*, 4 de fevereiro de 1895, Biblioteca Nacional, RJ.)*

Os blocos

O termo "bloco" seria, por muito tempo, sinônimo de grupo, cordão, clube ou rancho. Somente nas primeiras décadas do século XX, com a organização que começava a se estabelecer na folia brasileira, é que se estrutura uma espécie de hierarquia para os grupos carnavalescos na qual os chamados blocos passavam a ser definidos como uma brincadeira situada entre os sofisticados ranchos e os "perigosos" cordões. Juntando a organização e a espontaneidade, os blocos eram desse modo espécies de ranchos mais populares.

Em 1916, um artigo do *Jornal do Commercio*, de 4 de março, destaca o crescimento, naquele ano, da novidade dos blocos, descritos como grupos uniformizados (alguns até com "gosto", segundo o jornal), que "não se desmembram", ou seja, que desfilam coesos. Ainda segundo o artigo, "todos os 'blocos' têm denominações, mais ou menos espirituosas e pitorescas", como por exemplo, Manequinhos, LunchBier, Gigolettes, Pierrôs amarelos, Roxuras, Me deixa bahiano ou Mamãe, vamos deixar disso.

O bloco Cacique de Ramos, com seu imenso contingente que tomava as ruas cariocas nas décadas de 1960 e 1970, é uma espécie de precursor dos animados desfiles do Carnaval de Salvador. Criador, junto com o Bafo da Onça, dos chamados sambas de embalo, esses blocos foram verdadeiros celeiros de novos compositores como Arlindo Cruz e Sombrinha, entre tantos outros. (Arquivo / Agência O Globo.*)*

Em 1926, o *Jornal do Brasil* já destacava o desfile de blocos apresentando enredos, como o Bloco do Gafanhoto com seu tema intitulado "Um reino encantado", dividido em cinco partes, que incluíam guarda de honra, príncipes e fadas e terminava com uma "afinada orquestra, representando as ninfas encantadas" (*Jornal do Brasil*, 14 de fevereiro de 1926).

Criada pelo artista plástico Carlos Vergara, a fantasia do Cacique de Ramos para o Carnaval 2005 procura recuperar a simplicidade das primeiras vestimentas usadas pelos componentes do bloco. (Carlos Vergara / Cacique de Ramos.)

No ano seguinte, o mesmo jornal publicava o texto enviado pelo bloco Respeita as caras, contendo e descrição de seu desfile com o tema "Mão do destino" retratando "o destino inexorável que assim como nos traz a felicidade também nos traz muitos dias de puro amargor". Entre outras coisas, o bloco se propunha a apresentar quatro caramanchões (espécies de pálios sob os quais desfilavam fantasias especiais) cada um homenageando uma das Grandes Sociedades, um corpo de bailado "representado por exímios bailarinos que não se cansarão de exibir as suas pernocas de Dondocas, fazendo inveja a muita perninha feminina", um porta-estandarte "ricamente fantasiado", empunhando a "bandeira gloriosa, cheia de louros, acompanhado pelos mestres-salas, que irão desempenhar os seus papéis a contento, um corpo coral, fantasiado de cavalheiros do sol e músicos uniformizados, cópia fiel dos músicos da casa real do Marajá de Kapurthala, nas Índias Orientais" (*Jornal do Brasil*, 18 de fevereiro de 1927).

Apresentando-se como versões mais pobres e mais populares dos ranchos, não é de se estranhar que os blocos tenham sido uma das mais fortes influências na organização dos grupos que, mais tarde seriam conhecidos como escolas de samba.

Com o tempo a denominação "bloco" vai passar a se referir ao que João Pimentel, em seu livro *Blocos*, denomina de "tempero suburbano do carnaval". A partir da década de 1950 começam a surgir os blocos de embalo que marcaram época, como a Bafo da Onça (1956) e o Cacique de Ramos (1961), responsáveis pelo lançamento de boa parte dos compositores de samba atuais e espécies de precursores dos blocos e bandas que ocupam o Carnaval brasileiro atual.

demonstravam em descobrir novos tipos de concursos, cada vez mais específicos. Logo após o Carnaval de 1929, o mesmo jornal promoveria um Concurso de Sambas com a vitória da música *Meu amor te juro,* de Juracy Araújo. A título de curiosidade, *Dorinha meu amor*, de José Francisco de Freiras, ficaria em terceiro lugar. *Linda Flor* (conhecida, mais tarde, como *Ai, Ioiô*), assinada por Henrique Vogeler, seria a sexta colocada. *Jura* e *Gosto que me enrosco,* outros dois clássicos da MPB, ambos de autoria de Sinhô, ficariam, respectivamente, em 12º e 30º lugares (*O Jornal*, de 30 de março de 1929).

A disputa entre os jornais por realizar concursos cada vez mais específicos não esmorece. Em 22 de fevereiro de 1930, *O Jornal* anuncia a reedição de seu concurso, dessa vez intitulado de "Certame entre as Pequenas Sociedades Suburbanas". Dois anos depois, o *Diário de Notícias* organiza o que ele define como "a maior novidade" do ano: o "Dia dos Choros". "Tudo progride, tudo evolui", destaca o jornal, "e o choro vai também demonstrar que de tudo quanto é nosso, ele é o mais nosso!" (*Diário de Notícias*, 19 de janeiro de 1932) A disputa pela originalidade dos concursos patrocinados pelos jornais confunde-se com a própria definição de nacionalidade. Essa idéia de "brasilidade" se expressaria, nesse momento, principalmente por nossa música, que estaria entrando naquilo que foi chamado de sua "Era de Ouro". Como afirma Ricardo Cravo Albin em seu *O Livro de Ouro da MPB*, "os compositores e intérpretes que brotaram e começaram a divulgar seus trabalhos nessa década [1930] propiciaram caráter e espírito à MPB tendo sua influência [...] se tornado parte essencial da identidade de nossa música até hoje". Carmem Miranda e Zé Carioca, como já vimos, seriam dois ícones internacionais que brotariam dessa onda.

A questão musical tomaria a frente da definição não somente da nacionalidade, mas também do novo Carnaval. A valorização do Pequeno Carnaval e a separação, que começava a se firmar, entre a diversidade dos grupos vão ter na variedade de ritmos seu principal elemento. As marchas lentas dos ranchos, os batuques dos cordões e os sambas e maxixes dos Blocos acabariam por se mostrar capitais na definição de cada uma dessas formas de brincadeira carnavalesca. O surgimento do samba sincopado (ou samba de morro, como era chamado) nas áreas carentes periféricas ao centro do Rio de Janeiro seria o impulso que faltava para a cristalização de uma forma "nacional" de folia, como veremos no próximo capítulo. Por enquanto, continuemos com nossas Pequenas Sociedades.

A adaptação dos grupos

Como vimos, o conceito de Pequena Sociedade reunia uma variada gama de grupos populares que, a partir da virada para o século XX, lutavam contra as Grandes Sociedades (também chamadas de clubes carnavalescos) e o corso por um lugar ao sol na folia carnavalesca. Desfilar nos espaços nobres do carnaval – as ruas centrais do Rio de Janeiro e, em especial, a Avenida Rio Branco – era uma recompensa altamente desejada por qualquer dos grupos que surgiam nos bairros, subúrbios e morros cariocas. Entretanto somente algumas horas da segunda-feira de Carnaval eram reservadas com exclusividade para a apresentação das Pequenas Sociedades, ou seja, os ranchos, blocos ou cordões. Desse modo, participar dos concursos promovidos por jornais tornar-se-ia um dos caminhos mais seguros para os conjuntos populares conseguirem a projeção carnavalesca desejada. Para poderem participar dessas disputas e, quem sabe, ganhar o reconhecimento representado por algum prêmio, os grupos precisavam se adaptar a regras que determinavam, em última instância, sua forma de apresentação. Um grupo que desejasse fazer parte de um concurso de Ranchos, por exemplo, precisaria dar atenção toda especial a sua harmonia, a seu estandarte e a seu enredo, se quisesse fazer bonito no dia da apresentação. Se ele não tivesse alguns desses elementos, mas desejasse desfilar para os jurados, deveria tratar de implementá-los assim que possível. Vai-se, com isso, pouco a pouco, determinando-se formatos mais, ou menos, aceitos para cada tipo de brincadeira através de trocas vantajosas para todos. Já que jornalistas e escritores julgavam quesitos como enredo durante os concursos, as pequenas sociedades passaram a convidar jornalistas para escrevê-lo; estes, por sua vez, interessavam-se em participar de um concurso onde seus pares eram os julgadores. A mesma situação se repetia com relação às alegorias e os adereços, muitas vezes criados por professores das escolas de arte ou por artistas plásticos. Um dos primeiros efeitos desse processo será a gradual distinção entre os grupos mais "civilizados" e aqueles mais "selvagens". Cordões e ranchos começavam o lento caminho que iria torná-los dois tipos diferentes de grupos populares.

Os grupos "selvagens" e os grupos "civilizados"

Os alarmantes "cordões"

Em 1º de março de 1903, o jornal *Gazeta de Notícias* publicaria um texto do cronista João do Rio contando seu encontro com um grupo carnavalesco nas ruas do Rio de Janeiro. Num dado momento, o autor começava a descrever o que se passava em sua frente nos seguintes termos:

> O cordão vinha alarmante depois de ter dançado em frente à redação de um jornal. Lembrava, no meio daquela multidão compacta e febril, uma enorme serpente bordada de luz. À frente, um grupo desenfreado de quatro ou cinco cabrochas adolescentes, com os sapatos desfeitos e grandes arcos pontiagudos, corria abrindo as bocas em urros loucos. Instintivamente o povo fendia, de súbito apavorado. Depois um negralhão todo de penas, com a face lustrosa como piche, a gotejar suor, estendia com braço musculoso e nu o tacape de ferro, ladeado de quatro negrinhos que se quebravam em letras ágeis manejando grandes facões de pau prateado. Vinha em seguida o bolo dos máscaras com as roupas de belbutina crivada de lantejoulas e debruada de arminho, em torno do estandarte, pretos, mulatos tocando pandeiros e "xequedés". Usavam todos grandes cabeleiras de cachos, que se confundiam com a epiderme num empastamento nauseabundo. Ao lado, os pobres do cordão, sem fantasia, em mangas de camisa, já capengando alguns da estafa e das topadas, erguiam archotes resinosos, lâmpadas de querosene presas a um bastão, e carregavam os bichos trágicos do "afoxé" – serpentes vivas sem os dentes, lagartos enfeitados de fitas, jabotis aterradores e misteriosos.

A impressionante descrição de João do Rio deixa transparecer um misto de horror e fascínio por aquele tipo de manifestação carnavalesca, que bem representa o sentimento que a elite de então nutria por esse tipo de grupos. Produtos dos rituais religiosos afro-brasileiros, esses "cordões" nada mais eram que conjuntos

Os técnicos e os carnavalescos

Chamados atualmente de "carnavalescos", os artistas que elaboravam as alegorias (e, algumas vezes, as fantasias) presentes nos grupos do Carnaval do Brasil, eram conhecidos, em finais do século XIX, como "técnicos". Alguns deles tornaram-se bastante famosos e tinham seus nomes divulgados na imprensa com o intuito de dar prestígio aos clubes que os contratavam.

Os principais técnicos eram aqueles que colaboravam com os préstitos das grandes sociedades tais como Carrancini (Democráticos), Publio Marroig (Democráticos e Tenentes do Diabo) e Fiúza Guimarães (Fenianos). Já no início do século XX a organização dos grupos populares iria destacar a figura de alguns outros técnicos como Kalixto Cordeiro (famoso caricaturista criador do desfile do Ameno Resedá, em 1914) e Antoniquinho (responsável, entre outros, pelo enredo Aída, apresentado pelo rancho Recreio das Flores, em 1920).

Como destaca Helenise Guimarães em sua dissertação de mestrado *Carnavalesco, o profissional que "faz escola" no Carnaval carioca*, as escolas de samba, em seu crescente processo de organização, vão incorporar a figura do técnico a seus desfiles. Entre eles se destacaria Mestre Caetano, responsável pelo desfile da Portela já na década de 1930 e criador da famosa bandeira com a águia.

A partir da década de 1970 a elaboração visual do desfile das escolas de samba cresce em importância, destacando cada vez mais a figura do técnico, já então conhecido como carnavalesco. Nomes como Júlio Mattos, Fernando Pamplona e Fernando Pinto, atingem projeção nacional e são reconhecidos como verdadeiros artistas do Carnaval.

O termo carnavalesco passaria a assumir dois significados, um mais óbvio, que define o indivíduo que brinca intensamente na folia do Carnaval e outro que caracteriza o artista que planeja e põe em execução a face estética dos desfiles de Carnaval, principalmente nas escolas de samba. De início, os carnavalescos nada recebiam por seu trabalho que se resumia, muitas vezes, à confecção dos "riscos", como eram chamados os figurinos das alas e dos destaques. A partir do momento que as avaliações de natureza estética passaram a ter igual valor àquelas coreográficas e musicais nas escolas de samba, os carnavalescos passaram a ser remunerados e a acompanhar de perto a execução dos trabalhos no barracão. Com isso, os "riscos" dos figurinos das alas desaparecem, surgindo em seu lugar os "protótipos", fantasias que servem de modelo para serem copiados em série. O carnavalesco deixava de ser o "artista" que colaborava com a escola e passa a ser um "profissional" contratado pela agremiação como parte integrante de sua organização.

Os grupos de negros vestidos de índios, que por algum tempo foram considerados como uma espécie de Carnaval "selvagem", tornaram-se, com o passar dos anos, uma das formas mais "tradicionais" da folia das ruas cariocas. Notar o tacape na mão do folião e os estandartes enfeitados com coroas de flores, espécie de troféus oferecidos pelos jornais aos grupos que se destacassem em seus cantos e coreografias.
(O Malho, *11 de março de 1905.)*

predominantemente negros que se divertiam no carnaval sintetizando várias expressões de sua herança cultural. Assim, as "letras" ágeis, a que o autor se refere, eram o corta-jaca, o miudinho e vários outros movimentos e passos que capoeiras e "velhos" faziam com destreza, os estandartes e as fantasias de índios eram elementos importantes nas congadas desde o século XIX, os pandeiros e "xequedés" eram os instrumentos dos batuques africanos e as luminárias e estandartes eram características bastante comuns nas procissões organizadas pelas irmandades, inclusive de negros, nas cidades brasileiras. Até mesmo os bichos eram encontrados nos cortejos, como na procissão de São Gonçalo, da Igreja dos Pardos da Senhora do Livramento, ou nas congadas ou cucumbis. Toda essa mistura percebida pelo olhar fascinado de João do Rio representava uma série de encontros e diálogos culturais estabelecidos pelos negros escravos desde sua chegada ao Brasil. Dentre todas as formas de manifestação, os cortejos se destacariam desde cedo como uma das mais fortes manifestações permitidas aos escravos. Serão essas procissões que, incentivadas pelas irmandades negras, desde o período colonial, serviriam para articular seus contatos com as culturas dos brancos e abrir espaço para suas folias carnavalescas.

Cucumbis carnavalescos

Desde o período colonial têm-se notícias da presença de cortejos de negros nos dias de Carnaval, tal como faziam nas festas do Divino e em outras comemorações em várias cidades brasileiras, como já descrevemos. Mas seria somente em 1868 que o *Jornal do Commercio* iria referir-se a um grupo negro organizado especificamente para desfilar no Carnaval do Rio de Janeiro, a Sociedade Carnavalesca Quecumbi. A notícia, publicada em 22 de fevereiro, informava que

> o rei de Congo, lisonjeado pela visita que diversos herdeiros presuntivos dos monarcas seus aliados que reinam nas diversas partes da África acabam de fazer-lhe em companhia de suas consortes, resolveu fazer um passeio carnavalesco no domingo 23 do corrente, acompanhado de sua luzida corte e dos referidos príncipes (*Jornal do Commercio*, de 22 de fevereiro de 1868).

O texto prossegue informando local e hora do passeio e descrevendo detalhadamente a composição do préstito que incluía, entre outros elementos, "um oficial europeu, instrutor das tropas reais, servindo de alferes-mor do reino" que "conduzirá o estandarte do rei do Congo", duas embaixadas, "o grão marechal do palácio, duque de Javalá", a "duquesa de Zaire, favorita do rei, servindo de camareira-mor", o "príncipe e a princesa de Congo", a "rainha de Congo" e "o muito alto e muito poderoso el-rei de Congo, em uniforme de grande gala". Fechando o grupo vinha "a grande guarda nobre de Sua Majestade, precedida de todos os fidalgos de que se compõe a corte". O cortejo seguia ao som de tambores, adufes, chocalhos, ganzás, xequerés, marimbas e pianos-de-cuia, como eram chamadas as cabaças enfeitadas de contas, instrumentos usados em rituais religiosos. O passeio percorreria diversas ruas da cidade "estacionando finalmente no Teatro de S. Pedro de Alcântara". Como se pode notar, o grupo associava os rituais característicos dos desfiles de congos, ou cucumbis – marcados por seus pomposos cortejos reais –, aos passeios das sociedades

Considerado como um período tradicionalmente permissivo, o Carnaval concentrava muitas comemorações de origens negras que desfrutavam da relativa liberdade típica desses dias. Festas de congos, cucumbis e maracatus eram comuns nos dias de folia e acabaram influenciando e sendo influenciadas pelas muitas formas de brincadeiras carnavalescas das cidades brasileiras. (Foto: Christiano Jr., 1868, RJ.)

burguesas, incluindo-se aí até mesmo o destino final do grupo: a porta de um teatro, onde possivelmente um baile o esperava. A iniciativa parece ter dado certo, pois no ano seguinte Sua Majestade, o rei do Congo, manda publicar anúncio do "passeio carnavalesco" por ele organizado por ocasião do casamento de seu herdeiro, que teria lugar no domingo de carnaval, com a participação "de toda sua brilhante corte, em que tomam parte diversos príncipes de outros países d'África" (*Jornal do Commercio*, 7 de fevereiro de 1869). A realização do casamento principesco durante os dias de Carnaval não deve ter sido uma coincidência. É provável que a data tenha sido escolhida exatamente para se aproveitar das facilidades provenientes da boa vontade das autoridades em conceder, ainda no período da escravidão, autorizações para o desfile de grupos de negros nos dias de folia.

As notícias sobre a presença desses grupos eminentemente negros no Carnaval praticamente desaparecem dos jornais nos anos seguintes, retornando somente em 1886, quando o *Jornal do Commercio*, de 9 de março, informava que, na segunda-feira de carnaval, o grupo Iniciadora Cucumbi, saíra a passeio junto com vários zé pereiras. No ano seguinte o mesmo jornal publicava uma lista dos grupos que realizariam passeios carnavalescos, incluindo o Cucumbis Carnavalescos, o Benguelas, o Iniciadores dos Cucumbis e o Filha da Iniciadora dos Cucumbis (*Jornal do Commercio*, de 20 de fevereiro de 1887). Dois anos depois, noticiava-se que a Sociedade Iniciadora dos Cucumbis Carnavalescos, "composta de homens de cor", desfilara apresentando dois estandartes, com seus sócios "fantasiados em índios" e tocando "instrumentos originais". O texto termina exaltando a presença do grupo, considerado "uma figura indispensável do carnaval" (*Jornal do Commercio*, 4 de março de 1889). Um ano depois, o jornal noticia o passeio de dois desses grupos, no domingo de carnaval: a Sociedade Iniciadora dos Cucumbis Africanos – com seus sócios vestindo com plumas e tangas e precedidos de um batuque infernal – e a Sociedade dos Cucumbis Carnavalescos – trajando rico vestuário indígena (*Jornal do Commercio*, de 17 de fevereiro de 1890).

Como se pode entrever pelas poucas descrições disponíveis, a organização, os sons e a composição desses cucumbis carnavalescos do século XIX vão estabelecer forte relação com grupos de negros que seriam identificados com aquilo que, no início do século XX, seria a forma mais popular do Carnaval, chamada genericamente de cordão. A preponderância de negros, a presença de grupos fantasiados de índios com penas (lembrando as encenações de lutas entre o rei negro e o rei indígena), a estrutura de cortejo precedido de um estandarte e a utilização de instrumentos de procedência africana são elementos que passariam a fazer parte de muitos dos grupos populares na virada para o século XX, como o cordão descrito por João do Rio, entre outros. Perdendo parte de sua pompa e ganhando características ligadas às religiões afro-brasileiras, esses cucumbis carnavalescos, vistos pela elite como conjuntos de caráter "selvagem", iriam acabar por se definir como a forma mais espontânea de brincadeira popular dentre todas aquelas organizadas durante as três primeiras décadas do século XX. Freqüentemente incluídos dentro da categoria "cordão", esses grupos negros estariam, na maior parte das vezes, à margem do Carnaval mais organizado e comportado dos ranchos.

O nome "cordão" parece ser uma referência à corda que normalmente circundava o grupo carnavalesco, impedindo sua invasão por pessoas não pertencentes a ele e isolando os foliões, ou uma alusão do desfile em filias, como nos cordões de pastorinhas. Apesar de não ser exclusiva de um tipo específico de brincadeira, a denominação se tornaria cada vez mais ligada aos grupos de influência africana e, na maior parte das vezes, aos grupos de negros cujo cortejo tinha aspecto menos "civilizado", menos refinado e, por conseguinte, associado a uma imagem de medo e violência.

Os cordões violentos

Existiam cordões compostos por crianças, moças e homens que apresentavam uma coreografia de cortejo, como aquele descrito com espanto e fascínio por João do Rio.

Existiam também grupos mais violentos, compostos essencialmente por marmanjos brigões, como os "cordões de velhos". Todos eram cordões, mas nem todos eram potencialmente violentos, embora tivessem capoeiras em seu agrupamento. A denominação de "velhos", dada aos rapazes que saíam em muitos "cordões", e de "dança de velhos" a sua coreografia, aponta para uma forte ligação entre esses grupos e a capoeira que infestou o Rio de Janeiro até finais do século XIX. Afinal, "dança de velho" fora praticamente sinônimo de capoeiragem no jargão dos participantes da luta. Além disso, essa dança era composta por "letras", termo também usado para definir os "passos" da capoeira. Esses "velhos" usavam máscaras encobrindo o rosto, o que devia aumentar a sensação de insegurança da burguesia que, entre um "suave" rancho e um "folgazão" clube carnavalesco, podia subitamente dar de cara com aquela "multidão compacta e febril" numa estreita rua carioca. Coelho Neto, em *O Carnaval de outrora,* relembra que os "velhos" infiltravam-se também nos grupos menos organizados, sendo seguidos de longe pelo olhar da polícia

> para garantir a ordem porque, não raro, entre eles, iam capoeiras de fama, nagôs guaiamus, e, de repente, fechava-se o tempo, luziam navalhas, o bando *espalhava-se* e eram rasteiras, rabos de raia, cabeçadas e golpes que estripavam os ágeis parciais das duas maltas, terror da cidade e desmancha-prazeres em todas as festas.

Esses grupos populares "negros", cada vez mais associados à categoria cordão, sofreriam algumas modificações nas três primeiras décadas do século XX. Muitos deles manteriam, entretanto, o aspecto "marginal" e "assustador", que tanto impressionara João do Rio e Coelho Neto no início do século. Sua organização mais livre e, por isso mesmo, mais difícil de ser classificada ou controlada pelas forças da ordem faria com que esses tipos de brincadeiras fossem freqüentemente associados à idéia de violência. Desse modo, eram relativamente comuns matérias nos jornais relatando situações tensas ligadas a certos "cordões", como o conflito, noticiado pelo *Jornal do Commercio,* de 11 de fevereiro de 1902, entre os foliões do "Estrela dos Dois Diamantes" e os do "Flor da Primavera", que resultaria em dois mortos. Algumas descrições desses grupos, como a do Grupo Teimosos das Chamas, apresentada pelo *Jornal do Commercio,* de 15 de fevereiro de 1904, procuravam ressaltar seu aspecto selvagem destacando "seus índios ferozes e terríveis, dançando e cantando no meio de silvos estridentes, gritos e imprecações".

O velho

Apesar de ligada ao imaginário dos cordões, a figura do "velho" era conhecida dos habitantes do Rio de Janeiro muito antes da consolidação desse tipo de brincadeira. Martha Abreu, em seu livro *O império do divino*, conta que em 1830 já eram relatadas solicitações para apresentações de velhos em manifestações públicas na cidade. Ainda no século XIX, no carnaval de 1876, o periódico *O Mosquito*, de 29 de fevereiro, destacava a presença, entre os foliões "avulsos" que brincavam nas ruas do Rio de Janeiro, de "uma daquelas monumentais máscaras de *cabeça grande*, calçado de chinelas de tapete, ao som dum realejo, num sapateado".

Segundo Câmara Cascudo, em seu *Dicionário do folclore brasileiro*, a forma de dançar dos velhos teria se originado do personagem com o mesmo nome, característico dos Pastoris, onde seus passos trôpegos e cômicos imitavam os movimentos característicos das pastorinhas. Ao juntar-se aos grupos negros, seu bailado teria incorporado elementos da dança da chula, de origem africana e, mais tarde, da capoeira. As máscaras de papelão que cobriam sua cabeça eram, muitas vezes, bastante grandes, fazendo com que o dançarino, ocupado em equilibrá-la sobre os ombros, privilegiasse os movimentos das pernas que eram típicos da capoeira. Os passos, ou "letras", eram elaborados e geralmente procuravam reproduzir as letras do alfabeto. Alguns deles possuíam nomes como "corta-jaca" ou "roda de carro". A indumentária desse personagem, influenciada pelas chamadas "danças de velhos" que existiam na área rural do Rio de Janeiro, representavam roupas de nobres, com monóculos, casacas, calças curtas com meiões e bengala.

O Mosquito, *17 de fevereiro de 1872. Biblioteca Nacional, RJ.*

Gazeta de Notícias, *25 de fevereiro de 1906. Biblioteca Nacional, RJ.*

As duas representações de velhos ressaltam sua alegria e disposição carnavalesca. Notar na figura ao lado a forma peculiar de uso da máscara, jogada para trás, permitindo ao fantasiado deixar o rosto de fora.

Um relato emocionante

Em seu livro *O Rio de Janeiro do meu tempo*, o grande memorialista Luiz Edmundo descreve a disputa entre dois cordões de forma emocionante, transformando o evento num acontecimento épico que transcrevemos a seguir.

...

No domingo, primeiro dia das folganças de Momo, o cordão carnavalesco Filhos da Estrela de Dois Diamantes parte do centro da cidade enchendo um bonde que caminha para Botafogo, batendo pandeiros, raspando reco-recos, dançando, cantando, cheio da mais viva satisfação e de descuido. Quando o veículo da companhia Jardim Botânico vai dobrar a curva da Rua Marquês de Abrantes para entrar na Praia de Botafogo, é agredido, de surpresa, por vários sócios do Filhos da Primavera, grupo congênere e rival, que aí se plantaram de tocaia. É uma refrega estúpida e sangrenta. Os homens batem-se como feras. A faca. A tiro. Rolam aos bolos. Sangram-se. Até mulheres entram no conflito, que assume as proporções de uma feroz batalha. Quando serenam os ânimos, a rua é um caudal de sangue. Há mortos, e o numero de feridos e contusos é enorme.

Na luta, os atacantes, os do cordão Filhos da Primavera, levam enormes vantagens. Quando chega a polícia, chega tarde; já os da Estrela de Dois Diamantes sucumbem ao peso de uma maioria preparada. E, apenas lavados em sangue, vociferam.

Vale a pena, no entanto, registrar o que sucede, no dia imediato, pelo enterro das vítimas: Angelino Gonçalves, o Boi, e Jorge dos Santos, sem alcunha carnavalesca.

O caso é, realmente, digno de registro.

Saem os corpos do necrotério, que então se instala no edifício da Faculdade de Medicina, sito à Praia do Sta. Luzia, junto à Santa Casa.

Os da Estrela de Dois Diamantes deixam a *morgue* organizando o préstito mortuário, com o seu estandarte envolto em crepe, as caixas de rufo teatralmente em funeral, embora os sócios dentro das fantasias as mais escandalosas e berrantes. Os caixões, negros e pobres, vão à frente. A seguir, uma carreta, flores, palmas, coroas e grinaldas. É uma homenagem simples, porém tocante. Desce o préstito, que é numeroso, caminho do Catete. Pelos lugares por onde passa, o povo, reverente, se descobre. As senhoras persignam-se. Rezam. Se a tragédia afligiu toda a cidade! Às janelas das casas chega toda uma multidão de curiosos para gozar o quadro singularmente sombrio e melancólico. Vai bando lúgubre e silencioso roçando as calçadas do Largo da Glória, quando, súbito, lhe surge pela frente, carregando pendões carnavalescos, caixas de rufos, bombos e tambores, um povaréu enorme, que ondula. São várias agremiações congêneres que, em peso, querem, também, homenagear os heróicos batalhadores de Momo, no Campo da Honra e do Dever colhidos pela Morte...

Os jornais da época dão o nome dessas associações. São elas: Filhos do Poder do Ouro, Destemidos do Catete, Maçãs de Ouro, Rainha das Chamas e Triunfo da Glória. É um espetáculo magnífico. Verdadeira mobilização de mascarados. Centenas e centenas de homens vestindo as mais berrantes e excêntricas indumentárias de carnaval, com a cara pintada, com sacos de confetti a tiracolo, pacotes de serpentinas debaixo do braço, estandartes policrômicos desenrolados no ar, manchas violentas e alegres de cor num cenário de luto e de tristeza. Formados em continência, deixam passar os esquifes onde repousam os mortos. Depois, incorporam-se à massa espessa dos acompanhadores.

Pela Rua do Catete segue o formigueiro humano, caminho de Botafogo, em passo ritmado, De quando em quando novas adesões aumentam a cauda viva, que se encaminha para o cemitério. Mais povo. Mais carnavalescos. Chega a impressionar a majestade do séquito pomposo com que nunca sonharam ter, um dia, Angelino Gonçalves, vulgo Boi, e Jorge Santos, sem alcunha carnavalesca. E vão a marchar, todos, assim, caminho de Botafogo, quando um dos ranchos tem a idéia de fazer soar, sobre a pelica de seus tambores, rufos melancólicos, em ritmada e fúnebre surdina: pram... pram... pram...

A idéia é amável. Agrada. Outros ranchos imitam-na. Rufam também: pram... pram... pram... O ruído dos passos, nas calçadas, é vencido pelo planger das pelicas que as vaquetas barulham. Ganha um pouco de vida a comitiva enorme. À frente, sempre, os dois negros ataúdes que dominós, diabos, clowns e pierrots carregam.

Vão todos em marcha lenta, mais ou menos dispostos e aprazidos, quando rompe uma voz misteriosa, num cristalino canto que se eleva, em adágio magnífico... E, logo, acompanhando-a, o cavo e surdo rumor de instrumentos de sopro...

A toada impressiona. Comove. É profunda. É serena. A princípio desenha angústia. É pranto e é sofrimento. Depois, desenrolada, ganha um ímpeto mais vivo, mais decisivo. Aquece. Arredonda-se. Alteia-se. Destaca-se. Domina. Ouvem-na, todos, curiosos. Depois, subindo sempre, rebenta, num crescendo suavíssimo, num coro harmonioso, num coro a boca chiusa, que vai, também, por sua vez, avolumando-se, crescendo... Aqui, ali, acolá, já clangoram instrumentos. Esse clangor aumenta. E quando entra, animando-o, a bulha singular dos reco-recos. E dos pandeiros e chocalhos. Dentro de pouco tempo o cantar ensurdece, de tão forte. Toma corpo. Ascende. Transforma o ritmo da solfa, que resvala para um motivo sincopado. Já alegre. E profano. E mômico. E canalha. É o samba! As mulatinhas começam a rebolar as sobras dos quadris, saracoteiam negras crioulas de

O violento encontro entre os cordões Filhos da Estrela de Dois Diamantes e Filhos da Primavera teria uma grande repercussão na imprensa. A cena de grupos carnavalescos fantasiados se enfrentando e, mais tarde, o impressionante enterro serviriam de inspiração para as duas ilustrações.
*(*Don Quixote. *15 de fevereiro de 1902. Biblioteca Nacional, RJ.)*

grandes saias rodadas, fazendo tremer a gelatina dos seios flácidos e disformes; pardavascos, agitados, raspam, com fúria, fundos de pratos e reco-recos. Apitam-se pandeiros. Os estandartes rodopiam no ar... Grita-se a mascarados, princeses e velhos, que batem a chula marchando na calçada:

– Corta-jaca! Castigo do corpo! Trama! Remelexo! – Vozeria. Clamor.

Desencadeia-se a Folia. Delírio. A loucura é geral. Quando chegam ao cemitério, os funcionários da Santa Casa entreolham-se, espantados. Entram os dois caixões aos boléus, os mascarados que os carregam aos empurrões, aos evoés!

À frente deles, já passou um bando de índios emplumados, de arco, flecha e tacape, cantando, silvando, vivendo em fogo a pantomima dos seus bailados singulares.

Quando a cova úmida e fria recebe os corpos que se enterram e cruzam no ar confetti e serpentinas, o cemitério está coalhado de máscaras, de fantasiados álacres, que se agitam, massa colorida que se esparrama, fala, ri, barulha, gargalha, entre cruzes de pedra, ciprestes, anjos de mármore que abençoam, lousas, urnas funerárias e salgueiros... E há quem cante. E quem dance...

Sabbat magnífico! Momo domina seus muito amados filhos, soberbo e colossal, do seu trono invisível. É quando se vê um folião representando a figura da Morte, na sua negra e sinistra indumentária, tendo na mão esquerda um crucifixo de prata e na outra uma tíbia, talvez autêntica, talvez, achada no lugar, subir para um mausoléu de granito, gritando forte aos carnavalescos que o saúdam, como se fosse ele a própria alma carioca que ali estivesse a gritar, cheia de sinceridade e de vigor:

Viva o Carnaval!

Os índios "europeus"

Um dos personagens mais curiosos do Carnaval brasileiro da virada para o século XX é o chamado "índio de cordão". Presente em muitas das descrições das brincadeiras carnavalescas das ruas do Rio de Janeiro, essa curiosa figura possui um aspecto visual bastante inesperado. Ao contrário de representar um índio brasileiro, sua fantasia mais parece saída da imaginação de algum estrangeiro. A curiosa "coroa" circular e o saiote, ambos feitos de penas, pouco tem a ver com o habitante original do Brasil. O fato se explica através da visão que o europeu tinha do nosso índio.

Durante o período colonial as apresentações das congadas e cucumbis incorporavam, em seus cortejos, um chefe índio seguido de seu séquito. Vivendo nas cidades ou em propriedades no interior do país, os negros escravos não tinham contato com as tribos indígenas que ficavam isoladas em suas aldeias. As poucas representações dos silvícolas brasileiros disponíveis então eram aquelas presentes nas pinturas e esculturas que mostravam um índio visto através dos olhos dos pintores europeus. Sempre que algum artista do Velho Mundo procurava representar o continente americano o modelo escolhido era uma espécie de índio idealizado, misturando elementos das diferentes culturas indígenas presentes nas Américas. É este personagem de saiote e cocar circular de penas que acabará por

simbolizar a figura genérica do "índio", incorporando-se ao carnaval brasileiro através dos cucumbis carnavalescos e, mais tarde, dos grupos populares de influência negra.

Na Europa, esse mesmo "índio americano", com seu saiote de penas, foi associada à figura do "homem selvagem", personagem comum no Carnaval europeu desde a Idade Média. O Desfile do Boi Gordo, típico da folia parisiense, incorporaria essa espécie de "selvagem indígena" a seu cortejo, numa curiosa correlação visual entre a folia das ruas de Paris e do Rio de Janeiro.

O Carnaval belga, um dos mais importantes da Europa, possui um personagem igualmente curioso, também relacionado com a representação do selvagem americano: o "gille". Usando um estranho chapéu, em forma de grande cocar de plumas, essas figuras

A representação clássica do indígena americano – uma espécie de resumo das diferentes culturas presentes no continente – acabou por influenciar a concepção do "índio" no mundo ocidental, determinando, inclusive, a visão que os próprios brasileiros tinha desse personagem. (Niccolo Frangipome. Alegoria da América, *1590, óleo sobre tela. Coleção particular, São Paulo.)*

As vestimentas dos "índios" que desfilavam nos grupos carnavalescos populares do Rio de Janeiro tinham pouca semelhança com a indumentária usada pelos silvícolas brasileiros. Escudos africanos e representação de animais empalhados eram comuns nas fantasias. (No alto: O último abencerragem, Raul Pederneiras. Cenas da vida carioca, 1924. Ao lado: Jornal do Brasil, *14 de fevereiro de 1926. Biblioteca Nacional, RJ.)*

Ladeando o boi gordo, em seu desfile pelas ruas de Paris, o "homem selvagem" ao estilo francês, com saiote de penas, cocar circular e um tacape nas mãos possui forte semelhança com o "índio de cordão" brasileiro. Ambos, na verdade, referem-se à representação do silvícola americano surgida já no século XVI e fartamente difundida em todo o mundo através de pinturas e esculturas nos séculos seguintes.
(Desfile do Boi Gordo de 1846. L'Illustration, *8 de fevereiro de 1896.)*

ocupam até hoje as ruas da cidade de Binche lançando laranjas sobre os espectadores durante o Carnaval. Uma das narrativas que procuram explicar as origens dos gilles refere-se à grande festa que a cidade teria dado em 1549, quando foi visitada por seu soberano Carlos V. Entre as atrações de praxe – como bailes, simulações de batalhas e fogos de artifício – a cidade teria realizado uma espécie de representação em homenagem às conquistas espanholas na América, com a presença de personagens representando os "selvagens americanos". São esses elementos que teriam dado origem às curiosas personagens do Carnaval de Binche. A denominação de gilles (derivada do nome espanhol Gil) e a utilização de laranjas (frutas típicas da Espanha) seriam outras referências à América Espanhola.

A estranha fantasia dos gilles *do Carnaval da cidade de Binche pode ter a mesma origem dos índios da folia popular brasileira e dos selvagens do Desfile do Boi Gordo parisiense. Todos são espécies de representações fantasiosas daquilo que a imaginação européia entendia como o "homem selvagem" das Américas. (Charles Lenars / Corbis.)*

Anos depois, as posturas policiais já inserem a categoria "cordão" entre as ameaças à segurança pública nos dias de Carnaval. "Apreender a licença dos 'cordões' ou grupos carnavalescos que alterarem a ordem pública, apresentando-a à autoridade com os promotores da desordem" e "revistar, quando tiver recebido ordem, os indivíduos que fizerem parte dos referidos 'cordões' ou grupos, prendendo aqueles que trouxerem armas consigo" são duas das resoluções policiais que seriam divulgadas na imprensa em 1911 (*Jornal do Commercio*, de 25 de fevereiro).

Esse tipo de "cordão" continuaria a existir e a "assombrar" as ruas carnavalescas com seus "velhos" mascarados, suas performances ou letras e suas batucadas "bárbaras". Os grupos de capoeiras vestidos de "velhos" eram, porém, cada vez mais desqualificados e desvinculados das formas consideradas "legitimamente carnavalescas" pela elite intelectual do início do século XX. Equivaleriam hoje, no Rio de Janeiro, aos grupos de Clóvis, mascarados dos subúrbios distantes que andam em filas no meio da multidão e, freqüentemente armados, brigam violentamente entre si.

OS GRUPOS "CIVILIZADOS"

Além dos Cordões "selvagens", sobre os quais acabamos de falar, outros grupos populares menos "agressivos" ocupavam as ruas do Rio de Janeiro no Carnaval. Preocupados em conquistar seu espaço nas ruas e nos textos dos jornais, esses foliões buscavam se adaptar ao que deles esperavam os formadores de opinião carnavalesca da época, que se reuniam, basicamente, nas redações, nos encontros de folcloristas e nos corpos de jurados dos concursos. Deixando de lado a face mais rebelde que havia caracterizado o Carnaval popular até início do século XX, esses grupos começariam a apresentar desfiles cada vez mais ligados à idéia de formação de uma nacionalidade brasileira. Essas adaptações irão se definindo lentamente, durante todas as três primeiras décadas do século, fazendo com que, nesse período, algumas confusões ainda persistissem. Como a que se refere à denominação desses conjuntos, chamados indiscriminadamente de cordões, ranchos ou blocos. Com o passar dos primeiros trinta anos do século, essas três categorias vão sendo cada vez mais definidas. Entretanto somente em meados da década de 1930 é que a distinção entre as três estará mais claramente estabelecida.

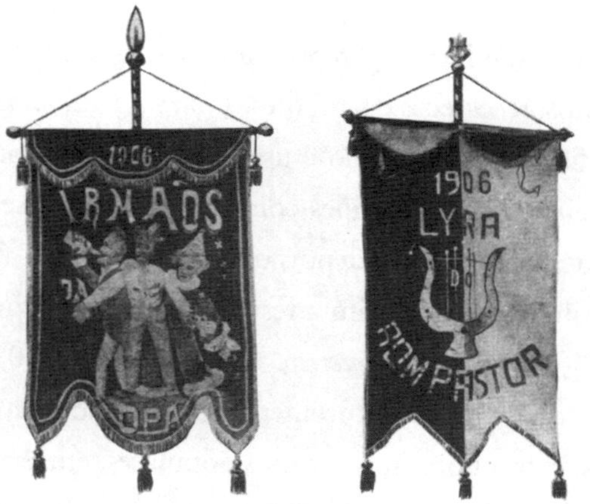

Os estandartes eram importantes expressões das identidades dos diversos grupos que desfilavam no Carnaval brasileiro da virada para o século XX. (Revista da Semana, *16 de março de 1906. Biblioteca Nacional, RJ.)*

Os cordões tranqüilos

A maior confusão em termos de definição de formatos carnavalescos se daria com os cordões. Como vimos, uma boa parte dos grupos assim denominados compunha-se de conjuntos menos permeáveis ao "controle" da elite intelectual. Por possuírem características formais bastante semelhantes uns aos outros, todos esses grupos podiam ser "classificados" como cordões. Alguns desses "cordões", entretanto, não se apresentavam com as mesmas atitudes que aqueles mais "temidos". Esses grupos, após algum tempo, seriam cada vez mais aceitos e apoiados pela imprensa e pela intelectualidade, que procuravam com isso valorizar sua "brasilidade" e anular a face agressiva associada a eles.

Desse modo, no mesmo jornal que descrevia um grupo ressaltando seus "índios ferozes e terríveis" podem-se ler comentários bastante simpáticos a outros cordões, como a referência ao grupo Flor da Lira de Bangu, descrito como um bando de índios que "flechavam a população ferindo-a no coração, com as notas suaves e alegres que entoavam ao som dos pandeiros, adufos e toda esta série de entoamentos macabros" (*Jornal do Commercio*, de 15 de fevereiro de 1904). No ano seguinte, outra descrição ainda mais favorável aparecia no mesmo jornal, dessa vez referindo-se ao grupo Flor de Santa Luzia, "com seus dois estandartes e um bando numeroso de sócios, trazendo *chics* fantasias e um grupo de adestrados indígenas. Dois velhos deram sorte em frente a esta redação, executando no dançado uns passos difíceis, que bem pareciam o do urubu malandro" (*Jornal do Commercio*, 7 de março de 1905).

Como se pode perceber, nenhum desses grupos é chamado diretamente de "cordão" pelos textos dos jornais. Entretanto a participação de bandos de índios, a presença de instrumentos, como pandeiros e adufos, e dos velhos já os identificavam com o que seria definido mais tarde como cordão. Em 1908, o termo é utilizado num contexto que destaca a atitude pacífica do grupo: "alguns *cordões*, tendo vindo ao centro da cidade depositar os seus estandartes, percorreram as ruas cantando jubilosamente, ao som dos seus pandeiros, reco-recos e tambores" (*Jornal do Commercio*, 28 de fevereiro de 1908). Dois dias depois o termo é usado para definir todo tipo de manifestação popular: "Primeiro virão os cordões com seus índios, os seus cânticos, com sua toada, com seus grotescos bailados; depois os clubes exibindo alegorias que deslumbram e críticas de fino espírito. Assim a festa é ao mesmo tempo uma festa de riso e uma festa de arte" (*Jornal do Commercio*, 1º de março de 1908). Note-se que o termo "clube" ligava-se cada vez mais fortemente às sociedades, com suas grandes alegorias. A dúvida sobre como nomear os grupos populares, entretanto, ainda persistia. Apesar disso, a palavra "cordão" já não era mais associada somente a brincadeiras "assustadoras" e "selvagens". Nos primeiros anos da década de 1910 alguns textos procuravam afugentar a imagem negativa que esses "grupos e cordões" poderiam ter deixado na população, destacando que

> a porfia em que [os grupos e cordões] se empenham na disputa de prêmios e o capricho com que cada um deles procura aparecer mais ricamente vestido e com maior originalidade, os tem levado a apresentar-se ao público do Rio de Janeiro sob um aspecto bem mais diferente e menos barbarizado que esses dos tempos de antanho, tempos que já vão longe e não voltam mais (*Jornal do Commercio*, 4 de fevereiro de 1913).

Embora os capoeiras ainda estivessem neles infiltrados, nos primeiros anos da década de 1930, os cordões já eram encarados não mais como grupos agressivos, mas sim como uma das mais fortes expressões da "alma" brasileira, tornando-se quase que a essência do Carnaval popular. Cecília Meireles, em sua exposição e conferência sobre o folclore negro, realizada nos anos 1933/34, já citadas neste capítulo, daria grande destaque ao cordão, apresentado, por ela, como a forma do Carnaval popular negro por excelência. Sua descrição, destacada a seguir, contrasta com o relato de João do Rio citado anteriormente, marcando um claro processo de aceitação e adaptação das brincadeiras populares aos padrões negociados com as elites intelectuais do país.

> Esta pequena baiana sairá com o seu grupo pelas três horas da tarde, e percorrerão cantando as ruas da cidade, cantando e dançando, com estandartes, taças de vitória dos anos anteriores, animais monstruosos – reminiscências totêmicas? – armados em papelão e pano, palanquins, lanternas de papel – para se acenderem ao escurecer –, precedido

o cortejo de figuras extravagantes, com a cara pintada de preto, ouro e vermelho, em evoluções de consumada agilidade – e seguido do grupo de músicos, que marcam o ritmo com "cuícas", pandeiros, reco-recos, chocalhos e esse instrumento inesperado e característico que vem a ser o chapéu de palha percutido pelo lado de fora da copa. A música é feita pelos homens; o parceiro da baiana é o *bamba*.

Chama-se a isso um "cordão", porque, para o isolar dos populares, vai uma corda circunscrevendo o grupo

Separadas por algumas décadas, as descrições dos cordões avistados por João do Rio e Cecília Meireles são ao mesmo tempo similares e diferentes. No primeiro relato destaca-se o estranhamento em relação a uma manifestação um tanto ou quanto "desconhecida" e, por isso mesmo, assustadora. Com Cecília Meireles, na década de 1930, ressalta-se o valor cultural desses grupos. Os próprios cordões, apesar de semelhantes, já não são os mesmos, influenciados, eles também, pela mudança de perspectiva. O "grupo desenfreado" que seguia à frente, correndo e "abrindo as bocas em urros loucos", descrito por João do Rio, passava a ser descrito como uma turma de homens e mulheres cantando e dançando pelas ruas da cidade. O "negralhão viscoso e suarento" ladeado de "negrinhos" virara "um cortejo de figuras extravagantes". Os "archotes resinosos" e as "lâmpadas de querosene presas a um bastão" eram agora lanternas de papel acesas ao escurecer. Os "bichos trágicos do afoxé", carregados vivos pelo grupo, tornar-se-iam animais armados em papelão. As roupas de penas grudando pelo corpo seriam substituídas por fantasias estilizadas de índios e malandrinhos.

Em suma, o processo de negociação estabelecido entre os grupos populares negros e a elite brasileira definiria, ao mesmo tempo, um novo formato e uma identidade própria para esses grupos que acabariam por assumir as características e o nome daquilo que, a partir daí, seria definido como cordão.

Os maviosos ranchos

Assim como acontecia com os grupos negros influenciados pelos cucumbis, outros conjuntos de foliões também procuravam dialogar com a elite intelectual e negociar o caminho para sua plena acomodação dentro do Carnaval nacional que estava sendo elaborado. Grande parte dos grupos que se apresentavam no Carnaval do Rio de Janeiro, desde meados do século XIX, tinha como principal característica a assimilação de variadas influências. As harmonias da música lusitana tocadas por negros barbeiros, as marchas e batidas de tambores européias, as fantasias dos bailes, as alegorias das sociedades, a folia folgazã dos zé pereiras, os batuques e instrumentos de origem africana, os confetes, as ladainhas das procissões, os novos ritmos como a polca e o maxixe, todos esses elementos, e muitos outros mais, se misturavam nas mais variadas proporções nos grupos carnavalescos que ocupavam as ruas do Rio de Janeiro até início do século XX. Diversos desses grupos eram chamados muitas vezes genericamente de ranchos, cordões, sociedades, blocos, conjuntos ou qualquer outro nome igualmente genérico. O nome rancho era, e ainda é, sinônimo de grupo de pessoas que se reúne geralmente em caminhada, em cortejos, cantando e dançando. Por isso mesmo era o termo empregado tanto para um agrupamento que cantasse pelas ruas nas festas religiosas, como as do ciclo do Natal e juninas, quanto na época do Carnaval.

No início do século XX começaria a se estabelecer uma espécie de divisão que colocaria, de um lado, os grupos mais "primitivos" e de outro aqueles mais "agradáveis". Pouco a pouco o termo "rancho" vai se associando ao segundo grupo, deixando a categoria "cordão" mais próxima do primeiro. Um dos principais elementos que diferenciavam um tipo de grupo do outro eram as músicas por ele tocadas. Enquanto os conjuntos mais "selvagens" se apresentavam ao som de batuques de raiz negra, os outros costumavam desfilar tocando cantigas, modinhas e todo tipo de músicas mais ao gosto da burguesia da época. É assim que, em 1899, por exemplo, a maestrina Chiquinha Gonzaga chegaria a compor uma música, a famosíssima *Ô abre alas*, especialmente para ser cantada por um desses grupos, o Rosa de Ouro.

Alguns pesquisadores do carnaval, buscando a "origem" dos grupos carnavalescos que seriam chamados de ranchos, consideram que eles teriam sido trazidos para o Rio de Janeiro pelo baiano Hilário Jovino Ferreira, que, em depoimento ao *Jornal do Brasil*, no ano de 1913, declarou-se o fundador do primeiro rancho a desfilar no carnaval, o Reis de Ouro, em 1893. Renata de Sá Gonçalves ressalta, entretanto, que anos mais tarde, em 1931, o mesmo Hilário Ferreira declararia em outra entrevista que, quando chegara ao Rio de Janeiro em 1872, já existia o rancho Dois de Ouro que, segundo ele, era um arremedo de rancho. Toda a dificuldade em se precisar quem "inventou" e quando teria "surgido" o primeiro rancho carnavalesco aponta para a questão da multiplicidade de formas de brincadeira no Carnaval carioca do século XIX. Os mais variados tipos de ranchos, ou seja, grupos de pessoas, desfilavam pelas ruas do Rio de Janeiro. Entre eles, certamente alguns que incorporavam, em diferentes graus, elementos dos ranchos de reis, comuns do Rio de Janeiro e na Bahia. Torna-se, desse modo, praticamente impossível definir o momento e a situação exatos em que um desses grupos deixava de ser "um arremedo" para se tornar um "legítimo" rancho.

Ao criar a música que seria cantada por um grupo carnavalesco pelas ruas do Rio de Janeiro nos dias de folia de 1899, a maestrina Chiquinha Gonzaga deixava claro o contato entre as diferentes culturas propiciado pelo Carnaval e mostrava o diálogo que havia entre a cultura popular e a da elite. (Arquivo CEDOC/Funarte.)

A presença de ranchos de reis no Rio de Janeiro já era notada, segundo Martha Abreu, antes de 1830. Além disso, outras manifestações também chamadas de ranchos aconteciam pela cidade, pelo menos desde a década de 1820. Manuel Antônio de Almeida, em *Memórias de um sargento de milícias*, relata que durante os dias anteriores ao dedicado ao Espírito Santo um rancho, ou seja, um grupo, de meninos desfilava pelas ruas do Rio de Janeiro vestidos com "sapatos de cor-de-rosa, meias brancas, calção da cor do sapato, faixas à cintura, camisa branca de longos e caídos colarinhos, chapéus de palha de abas largas, ou forrados de seda, tudo isto enfeitado com grinaldas de flores, e [...] laços de fita encarnada". O grupo, tocando pandeiros ou tambores, era precedido de padres carregando bandeiras encarnadas. Outra referência a ranchos, do mesmo autor, descreve um grupo bastante diferente do citado acima, que fazia parte da procissão dos Ourives. Chamado rancho das baianas, vinha na frente da procissão, sendo formado "por um grande número de negras vestidas à moda da província da Bahia, donde lhe vinha o nome, e que dançavam nos intervalos dos Deo gratia uma dança lá a seu capricho". Ou seja, por muito tempo, a palavra rancho foi utilizada no Brasil para nomear vários tipos de grupos populares diferentes em desfile. Não é de admirar, desse modo, a grande confusão causada por esse nome durante o Carnaval. Será somente na virada para o século XX que a categoria "rancho" começará a ser definida como uma brincadeira carnavalesca específica, associando-se, pouco a pouco, com as formas mais amenas dos desfiles populares.

Em 1906, o Grupo das Jardineiras seria descrito do seguinte modo:

> O seu lindo estandarte, que representa uma grande rosa, era empunhado por uma borboleta. Acompanhavam-no quatorze flores diversas, desde o girassol ao cravo. Dançaram e cantaram umas alegres quadras, acompanhadas por uma pequena orquestra. Durante o seu trajeto os Jardineiros receberam muitas ovações (*Jornal do Commercio*, de 26 de fevereiro de 1906).

Apesar de ter sido genericamente chamado de grupo, esse conjunto de foliões pouco tinha a ver com o "grupo desenfreado" descrito por João do Rio três anos antes. A atmosfera primaveril e galante, lembrando as pastorinhas em evolução em visita a "Belém", assim como o próprio tom do texto da descrição do jornal, já colocavam esse tipo de brincadeira carnavalesca em um patamar bastante distante

Os ranchos eram comuns na cidade do Rio de Janeiro desde as primeiras décadas do século XIX.
(Jean Baptiste Debret, Folia do Divino, *in* Viagem pitoresca e histórica ao Brasil, *século XIX.)*

dos "grupos negros". Esse tipo de comportamento começaria a atrair a atenção da elite, encantada com uma manifestação "popular" que procurava seguir os códigos da folia burguesa, cujo ideal carnavalesco eram, como vimos, as delicadas batalhas de flores ao estilo de Nice.

Em 1908, entretanto, o surgimento de um grupo chamado Ameno Resedá iria precipitar alguns acontecimentos. No dia 2 de março, o *Jornal do Commercio* descreveria a primeira apresentação do grupo pelas ruas do Rio de Janeiro do seguinte modo:

> Um verdadeiro encanto o garboso rancho do Grupo Carnavalesco Ameno do Resedá. As fantasias eram de um luxo inexcedível e o seu estandarte uma concepção belíssima fora do comum. As canções que entoavam eram muito maviosas e acompanhadas de um harmonioso sexteto. O povo aplaudiu justamente o Grupo Carnavalesco Ameno do Resedá por todos os lugares onde o viu passar. As suas canções escolhidas e variadas tiveram de ser muitas e muitas vezes bisadas.

O grupo – ou rancho – desfilou acompanhado de uma orquestra de vinte músicos que incluía instrumentos de sopro. O repertório, reunindo trechos de óperas famosas, como *O Guarani*, era acompanhado por um coro feminino cantando a várias vozes. A boa impressão causada pelo conjunto deveu-se, provavelmente, ao fato de dele ter aliado beleza visual e temas eruditos numa combinação que agradaria em cheio ao gosto da época. Conforme relata Jota Efegê, em seu livro *Ameno Resedá: o rancho que foi escola*, além das belas músicas, o grupo desfilou apresentando, através de suas fantasias, um tema denominado "Corte Egipciana". Apesar do pouco destaque dado a esse fato pela notícia do jornal, essa característica seria em alguns anos um dos pontos importantes a impulsionar esses ranchos em direção a uma aceitação cada vez mais definitiva por parte da elite intelectual brasileira. Estabelecia-se, a partir daí, uma atitude cada vez mais consistente para a definição da categoria rancho, em oposição aos outros grupos carnavalescos. As ações nessa direção começaram a aparecer nos jornais, como o verdadeiro elogio aos ranchos, publicado já no ano seguinte ao sucesso do Ameno Resedá:

> Os ranchos carnavalescos serão sempre a alegria e a animação destes dias de folguedo. São eles que, ao rufar dos seus pandeiros e tambores, vêm trazer ao centro da cidade todo esse álacre ruído sem o qual não teríamos um verdadeiro carnaval.

A originalidade dos grupos conhecidos como ranchos estava na organização de suas apresentações em que se destacava o coral de vozes femininas interpretando marchas criadas especialmente para as apresentações e exaustivamente ensaiadas antes do Carnaval. Na foto, o conjunto de "pastoras" assume seu papel no enredo "Corte de Belzebuth". Notar o estandarte do grupo, diferente a cada ano, de acordo com o tema apresentado. (Carnaval de 1911. Foto de Napoleão de Oliveira.)

> De ano para ano eles se modificam. Agora raro são os que se limitam ao arcaico e barulhento "Zé Pereira". Há os grupos, os infatigáveis ranchos que ensaiam as suas toadas cheias dessa suavidade e harmonia e que fazem vir para a rua toda essa multidão que é a vida e o entusiasmo destes três gloriosos dias (*Jornal do Commercio*, de 22 de fevereiro de 1909).

Em 1911, o presidente Hermes da Fonseca reúne alguns convidados em palácio para o carnaval e decide convidar o Ameno Resedá para ali apresentar suas músicas e seu "enredo" intitulado "Corte de Belzebuth". O sucesso do grupo fez com que aumentasse, ainda mais, o interesse do povo carioca pelos desfiles desses conjuntos harmoniosos, que aconteciam na segunda-feira de Carnaval. Outros grupos vão se adaptando a essa forma de desfilar com o objetivo de desfrutar da consideração crescente por parte da imprensa e da elite intelectual. Em 1913, o Ameno Resedá apresentaria um enredo saudando a Conferência de Haia, com uma comissão de frente representando os ministros plenipotenciários dos países que se destacaram, uma Caravela Santa Maria, com Cabral e seis navegantes, um mestre-sala representando o México, um grupo de meninas representando os protetorados (Canadá, Filipinas, Trípoli, Martinica e Cuba), uma porta-bandeira representando a República Brasileira, um grupo de mulheres em trajes típicos de quinze países e um conjunto musical representando o Japão, entre outros componentes. Ao todo, o grupo era composto de 79 pessoas.

Em 1920, a prefeitura da cidade do Rio de Janeiro decide passar a incluir as pequenas sociedades e ranchos num plano de auxílio que já vinha sendo oferecido às Grandes Sociedades, demonstrando o caráter cada vez mais oficial que adquiriam não somente os grupos populares organizados, mas também os desfiles carnavalescos como um todo. Nos anos seguintes, os ranchos se esmeram ainda mais em apresentar desfiles "eruditos" e "educativos" expressando, com isso, a ampliação do diálogo que esses grupos procuravam manter com as instâncias de validação carnavalescas. Em 1921, o Ameno Resedá apresentaria o tema "A civilização através de todas as classes sociais", os Cangaceiros do Caju viriam com o enredo "Julio César, de Shakespeare" e o Lírio do Amor desfilaria com "A Ponte dos Suspiros e os Amantes de Veneza e Enredo do Carnaval (Epoca 1509)" (*Jornal do Commercio*, de 6 de fevereiro de 1921). No ano seguinte uma nova leva de enredos fabulosos invadiria as ruas do Carnaval carioca: Lírio do Amor, com "Os últimos dias de Pompéia", Recreio das Flores, com "O Céu de Dante", Caprichosos da Estopa, com "Rainha de Sabá", Guallemada, com "Carlos Magno e seus pares", Flor do Abacate, com "A Corte de Netuno" e Mimosas Cravinas, com "O Grito do Ypiranga" são alguns exemplos do esforço realizado pelos ranchos para se apresentarem orgulhosamente à população embasbacada, sob os aplausos da intelectualidade nacional. (*Jornal do Commercio*, de 24 de fevereiro de 1922). Como dissemos, muito mais que outros tipos de grupos carnavalescos, os ranchos vão procurar uma estratégia de negociação no embate com o Grande Carnaval ao incorporarem intelectuais, escritores, jornalistas e artistas plásticos na execução de seus enredos e alegorias.

Em 1923, uma das listagens das "sociedades carnavalescas" licenciadas pelo delegado de polícia para desfilar naquele Carnaval, publicada pelo *Jornal do Commercio*, de 11 de fevereiro, incluiria quatro ranchos, dois clubes, cinco grupos e 16 blocos. As categorias das brincadeiras carnavalescas definiam-se um pouco mais claramente, com destaque para o surgimento dos blocos, diferenciados de grupos. Esse mesmo jornal iria publicar em outra seção uma notícia interessante ressaltando que "a segunda-feira, conforme já ficou assentado, é o Dia dos ranchos, isto é o dia destinado ao desfile pela Avenida Rio Branco das Sociedades e ranchos carnavalescos previamente inscritos e que concorrem aos prêmios, taças de prata, oferecidas para tal fim". Ou seja, o caminho dos ranchos em direção a sua aceitação e sua definição como uma forma específica de brincadeira carnavalesca estava praticamente pavimentado através da definição de um dia especial e de concursos organizados exclusivamente para julgá-los. O valor pedagógico dos ranchos como elemento da nacionalidade brasileira seria destacado por Coelho Neto, que, em 1924, sugeriu ao Ameno Resedá que ele se inspirasse em motivos patrióticos para seu desfile daquele ano. Sugestão prontamente atendida através do tema "Hino Nacional".

Todas essas negociações acabariam por coroar os ranchos como os mais legítimos grupos carnavalescos e autênticos agentes da transformação da folia brasileira. O periódico *O Imparcial*, de 21 de fevereiro de 1925, resume esse pensamento no texto que se segue, onde fica bem clara a importância do enredo (chamado de "idéia") para a legitimação dos ranchos.

> Os ranchos, verdadeiros teatros ambulantes geram os heróis da grande transformação que se tem verificado no Carnaval carioca.
>
> Dos ensurdecedores "Zé Pereira" [sic] aos cordões, destes aos "blocos de combinações", assim foram evoluindo os sentimentos foliescos dos carnavalescos cariocas até atingirem a perfeição que hoje temos – os ranchos – que apresentam o admirável conjunto de arte, luxo, graça, música, poesia e dança. Parece que nada mais poderia ser exigido além de tantas coisas belas, porém faltaria ainda uma parte de primordial importância: – a idéia – e esta é justamente a maior glória dos "ranchos", que foram os criadores do atual sistema de se submeterem os clubes carnavalescos à apreciação do Povo e da Crítica, apresentando a representação fiel de um assunto previamente anunciado e descrito.

Importantes agentes nos processos que transformariam o Carnaval carioca durante as três primeiras décadas do século XX, os ranchos seriam os mais importantes mediadores entre os anseios populares e os projetos da elite nacional. Sua importância na aceitação pela burguesia das formas de brincadeiras populares seria considerável, abrindo caminho não somente para o estabelecimento das categorias carnavalescas como as conhecemos hoje (fixadas, anos depois, como vimos, por Eneida), mas também criando o espaço para que outros grupos pudessem definir suas características. Verdadeira ponte entre o Carnaval popular e aquele desejado pela burguesia, os ranchos estabeleceriam um elo entre duas festas que vinham-se mantendo isoladas desde as tentativas de imposição do Carnaval burguês, nas primeiras décadas do século XIX. Ao articular cantos populares com trechos de óperas, fantasias sofisticadas com materiais singelos, alegorias imponentes com elaborações precárias, os ranchos conseguiram a proeza de falar à alma de ricos e pobres, à alma da elite e do povo, à alma, em suma, do país que se construía naquele momento. Sua forma de desfile, com comissão de frente, grupos fantasiados, mestre-sala e porta-estandarte, será a base para a estruturação das escolas de samba, juntamente com o batuque, as danças e as baianas dos cordões.

Em 1926, os jornais já publicavam notícias carnavalescas separando os diversos tipos de atividades com destaque para os clubes (incluindo os préstitos e bailes das Grandes Sociedades, como os Fenianos, os Tenentes do Diabo e os Democráticos), para os ranchos (destacando as atividades de cada grupo, como os Arrepiados, o Ameno Resedá e o Recreio das Joanas, assim como seus enredos), para os blocos (como o Cordão da Bola Preta, o Carlito Mendigo, o Roupa na Corda, o bloco das Casquinhas, a Embaixada de Vila Isabel e o Não Tem Sossego Quem Ama), além dos diversos bailes e batalhas de confete que aconteciam em vários pontos da cidade (*Jornal do Brasil*, de 2 de fevereiro de 1926).

O Carnaval carioca, em finais da década de 1920, tinha-se estabelecido como a grande festa da integração nacional. Representava-se nas ruas do Rio de Janeiro, durante os dias de folia, uma verdadeira celebração da diversidade étnica e cultural de uma nação plural. A festa carioca se impunha como a essência da festa nacional e se preparava para o salto de qualidade e organização que seria dado nos primeiros anos da década de 1930, quando a folia brasileira se imporia como um evento de nível planetário.

Nero contemplando o incêndio de Roma

A importância do enredo para o crescimento e a definição dos ranchos foi enorme. Era através dele que se estabelecia boa parte do diálogo entre os grupos populares, as elites intelectuais e o povo nas ruas. O enredo dos Gravatas para o Carnaval de 1925 (publicado por *O Imparcial* de 21 de fevereiro), intitulado "Nero contemplando o incêndio de Roma", é um fabuloso exemplo do quase inacreditável esforço realizado pelos cordões em seu caminho para se tornar a grande manifestação carnavalesca na virada dos anos 1930. O tema inusitado e a detalhada descrição dão uma excelente idéia das apresentações que os cordões realizavam na época.

ENREDO: "Nero contemplando o incêndio de Roma"

Abrirá o cortejo uma comissão de frente composta de sócios trajados a rigor e trazendo no braço direito uma fita cor-de-rosa e preta com as iniciais da sociedade bordadas em ouro.

Segue-se:

ALEGORIA: Um artístico carro representando a cidade eterna ardendo em chamas, tendo à frente na escadaria do palanque imperial Nero (em pé) e Pappéa, que na posição de quem, com interesse e deboche assiste a uma cena de extraordinária alegria.

Este carro será defendido por GUARDAS DE HONRA (os incendiários) que serão encarnados por seis pretorianos que empunhando fachos, em danças características, espalham fogo por toda parte.

Em seguida LECANIUS e PHAOM que vêm trazer a Nero a notícia de que a cidade já arde em chamas.

NERO empunhando a cítara inspirado nas chamas da cidade, canta sorridente a sua troiada, ao que lhe acompanha PAPPÉA SABINA, a devassa e libertina amante do imperador, que conseguira com seus lânguidos e amorosos beijos transformar o sentimento de Nero e que se compraz em ver a dor e o sacrifício e para se divertir pedia a Cezar que mandasse os cristãos para circos para serem devorados por feras; e ambos são acompanhados por SEIS ESCRAVOS os quais empunhando garbosos leques de plumas os seguem.

TIGELLINUS, prefeito dos pretorianos, a quem Nero tinha como maior amigo seu.

Em cortejo, seguem-se FLAVIUS SABINOS (prefeito de Roma) e sua filha PLAUTILHA.

CÔNSULES: Vatinius, Tulio Senecio, Lucanius e Agustinus que acompanhavam a César em todas as suas orgias e nas bacanais.

PETRÔNIO, erudito, tribuno militar, pessoa dotada de invejável elegância, a quem César tomava impressões sobre suas canções, vindo cortejado por CHRYSOTHENIS, sua amante e Sunteja, sua liberta, os quais são acompanhados por TRÊS ESCRAVOS empunhando artísticos leques e plumas de várias cores fazem a cena austera de corte, que vêm seguidos TRÊS GENERAES: Octavius Scapulo, Subitus Flavius e Caius Hasta, a quem Nero entregava as forças para combater o povo, quando contra ele se manifestava.

VITELLIO celebre gastrônomo da corte, que acompanhava Nero em suas orgias.

2ª PARTE: (1º mestre de sala) – MARCUS VENICIUS, grande tribuno militar, sobrinho de Petrônio, que, apaixonado por Lygia se tornou cristão.

LYGIA (porta estandarte), princesa dos ligianos, a quem Venicius louco de amor, pediu a seu tio que falasse com César de seu amor por ela.

Seguem-se SEIS ESCRAVOS que envolvendo os dois amantes em belos troféus de grandes efeitos.

URSUS E ACTER que acompanhavam Lygia para defendê-la das orgias dos festins de César.

CORO MASCULINO que encarnará pretorianos, cujo chefe TERPNOS acompanhava César na cítara, quando nos festins.

CORO FEMININO representará as libertas de Nero, que em meio das orgias, espalhavam flores em profusão sobre os LIBERTOS E CÉSAR, os quais empunhando ricos troféus e de grande efeito entoam canções que são acompanhadas pela ORCHESTRA composta de vinte professores trajados a tipo de soldados romanos, tendo como elemento principal Nero e a LAURA SILVA (Lygia) DEODORO que afinava a cítara de (porta estandarte) acompanhava nas suas canções; fechando o cortejo escravos que empunhavam gambiarras de luzes diversas, dançam e iluminam a passagem de César.

O ESTANDARTE que recortado em Lira apresenta a cidade em chamas e no fundo Nero de cítara em punho contempla com Pappéa e Tigellinus o teatro horrível da tirania, da dor e o produto de uma devassidão desmedida.

Brasil pandeiro e outros sambas

A crescente organização da folia carioca, aliada ao nacionalismo dos anos 1930, iria eleger o ritmo do samba de morro e as escolas de samba da cidade como elementos essenciais ao Carnaval brasileiro. O país projetava para o mundo sua essência mestiça, simbolizada por um grande pandeiro.

Rumo à oficialização

No final dos anos 1920, o Carnaval do Rio de Janeiro já era visto como a grande festa nacional e sentia-se forte o suficiente para procurar ganhar o mundo. A separação cada vez mais precisa entre as diferentes formas de brincadeiras carnavalescas populares fazia com que a folia carioca se tornasse cada vez mais fácil de ser compreendida pela burguesia nacional. A "confusão" que reinara na virada do século estava em vias de ser totalmente substituída pelas novas categorias do carnaval de rua. Corso, Grandes Sociedades, ranchos, blocos e cordões formavam uma espécie de escala "decrescente" da folia, começando pela mais elegante e terminando na mais popular. Por trás desse tipo de classificação, havia uma ideologia que procurava expressar na festa carnavalesca todo o arco social brasileiro. O Carnaval começava a ser visto como a expressão máxima da nacionalidade, na qual todos teriam seu lugar ao sol. Além disso, a divisão das brincadeiras por categorias definidas e isoladas tornava a festa carnavalesca muito mais fácil de ser divulgada, tanto no país quanto no estrangeiro.

Como já vimos, o poder público tinha tido, nos últimos cem anos, uma atitude liberal com relação a qualquer tipo de interferência direta sobre a festa, que sempre fora regulada pelas tensões e disputas de seus próprios atores, como os grupos carnavalescos, as ruas e a imprensa. Os roteiros de desfile das sociedades e das brincadeiras populares, as decisões sobre as ornamentações das ruas e a organização dos concursos de grupos tinham sido, durante décadas, estabelecidos pelos atores diretamente envolvidos em cada um desses eventos e pelas tensões e diálogos entre eles. No final dos anos 1920, entretanto, a situação iria mudar e o governo municipal do Rio de Janeiro iniciaria uma ação efetiva de controle oficial da festa carnavalesca. As atividades ligadas ao Carnaval passariam a ser vistas como um grande negócio, principalmente para o setor turístico, nos moldes, mais uma vez, do vitorioso projeto da cidade de Nice. Atrair turistas estrangeiros seria, a partir de então, um dos grandes objetivos oficiais do Carnaval carioca que procurava se projetar, cada vez mais, como uma festa de gabarito internacional. Apresentar ao mundo uma folia grandiosa e organizada seria o primeiro passo dessa estratégia. O segundo passo seria a elaboração de uma face individual e única para a nossa festa, capaz de identificá-la e destacá-la em todo o mundo. O samba e, um pouco depois, as escolas de samba cumpririam esse papel e se tornariam a marca do nosso país. Samba, Carnaval, alegria e Rio de Janeiro seriam sinônimos de Brasil.

A AMEAÇA ARGENTINA

O carnaval de 1928, no Rio de Janeiro, começaria com uma polêmica. As Grandes Sociedades, então os mais imponentes grupos a desfilar pelas ruas da cidade nos dias de folia, não estavam satisfeitas com a forma de julgamento a que eram submetidas. A principal reclamação dirigia-se contra o fato de a apreciação ser efetuada através de concursos organizados por jornais e não pelas autoridades municipais. "Não há um julgamento oficial mas tudo aconselhava a fazê-lo", comenta o jornal *A Manhã*, às

O malandro, a baiana, a cabrocha e o sambista se tornaram, a partir dos anos 1920, os símbolos do Carnaval e do próprio país. (Di Cavalcanti para O Jornal, *19 de fevereiro de 1928. Biblioteca Nacional, RJ.)*

vésperas do Carnaval. "Os julgamentos particulares em casos tais, são sempre eivados de suspeitos. São mais fáceis de tornar-se passíveis de cabala, por esse ou aquele clube, que o júri com feição oficial" (*A Manhã*, 17 de fevereiro de 1928).

A reclamação das sociedades e a posição do periódico refletem uma opinião que tomava corpo a cada dia: o Carnaval da cidade do Rio de Janeiro precisava se "oficializar". O surgimento dessa "necessidade" pode parecer inusitado, ou oportunista, a medida em que, durante um século, a festa carnavalesca carioca vinha se estruturando com um mínimo de interferência governamental. O que acontecera, na verdade, fora a entrada em cena de um novo e importante ator na folia carnavalesca do Rio de Janeiro: a imagem internacional da cidade e do país. Como vimos, após a virada para o século XX, o Carnaval carioca iria, paulatinamente, assumindo o título de expressão máxima da nacionalidade brasileira, alçando a capital ao posto de grande símbolo da brasilidade. O Carnaval já não era visto somente como uma festa que acontecia na cidade, mas apresentava-se como sinônimo e essência da própria cidade, porta de entrada do país. Desse modo, a participação direta e efetiva de suas autoridades e representantes oficiais tornava-se uma ação lógica e necessária. Ou seja, a partir de finais da década de 1920 o "espírito" do Rio de Janeiro passa a ser um dos elementos mais importantes na formação do seu Carnaval.

Esta importante modificação de perspectiva havia, entretanto, começado algum tempo antes. Em 1919, por exemplo, a polícia decidira "moralizar" os desfiles dos grupos populares. Ao que parece, muitos desses clubes, tendo obtido licença para desfilar, não saíam às ruas, servindo apenas de fachada para a exploração de jogos proibidos. A ação consistia em fiscalizar os clubes que não fizessem "Carnaval externo", ou seja, que não desfilassem. Os grupos que não saíssem às ruas naquele ano teriam suas licenças negadas após o Carnaval. Essa atitude moralizadora por si só já mostra que o interesse da autoridade governamental não mais se restringia ao controle de possíveis desordens, mas passava a cobrar a participação efetiva dos grupos populares. O comentário publicado sobre essa decisão, no *Jornal do Brasil*, de 30 de janeiro de 1919, levanta uma questão bastante curiosa:

> Não resta a menor dúvida que a medida do Sr. Dr. Chefe de Polícia, além de moralizadora, sob todos os pontos de vista, é ainda um grande passo em benefício do carnaval carioca, que agora mais do que nunca, precisa reviver para que não sejamos sobrepujados pela República Argentina que abriu um crédito de cerca de 100.000$ para auxílio do carnaval.

Ou seja, a necessidade de crescimento (leia-se, organização) do Carnaval carioca passa a responder a outros tipos de interesse. Ser "sobrepujado" pelo Carnaval argentino (!) significava perder o interesse internacional sobre a festa carioca que começava a despontar nesse momento. Além disso, o comentário sobre a verba destinada à organização do Carnaval pelo país vizinho mal esconde uma certa crítica à falta de apoio oficial à folia do Rio de Janeiro.

Se as autoridades cariocas ainda relutavam em atuar diretamente sobre o Carnaval da cidade, os foliões, como sempre, cuidavam de se organizar, uma vez mais, por sua própria conta. Um bom exemplo desse tipo de atitude foi a fundação, já em 1919, da Liga Metropolitana Carnavalesca, reunindo os grupos populares (ou seja, as Pequenas Sociedades) que se autoclassificavam em três divisões: A primeira, incluindo o Ameno Resedá, o Flor do Abacate e o Miséria e Fome, a segunda, com o União da Aliança, o Arrepiados, o Cangaceiros do Caju e o Jasmim de Ouro, e a terceira, da qual faziam parte o Lírio do Amor, o Mimosas Cravinas, o Caprichosos da Estopa e o Deusa da Folia (*Jornal do Brasil*, de 22 de fevereiro de 1919). Essa organização parece ter surtido algum efeito, pois no ano seguinte, como vimos no capítulo anterior, a prefeitura da cidade passava a incluir as Pequenas Sociedades do Rio de Janeiro em seu plano de auxílio pecuniário.

Cinco anos depois, o Carnaval argentino deixa de ameaçar a folia carioca, que já se sente suficientemente importante para se autodeclarar a maior festa popular do planeta, mesmo sem ter atingido ainda o reconhecimento internacional tão desejado.

> O nosso Carnaval, incontestavelmente o melhor do mundo, era até há pouco quase completamente ignorado nos países estrangeiros, principalmente nos Estados Unidos; enquanto que os de Nice, Veneza e outras cidades, inferiores a ele, sem a espontaneidade e alegria dos festejos do Carnaval carioca; obedecendo a programas e horários... são habilmente explorados pelas municipalidades daquelas cidades que fazem inteligente propaganda, vendo no Carnaval um chamariz para os touristes que vão lá deixar os dolars, libras, etc. (*O Imparcial*, 22 de fevereiro de 1925).

Duas das questões abordadas no texto acima são dignas de nota. Uma delas é a clara concepção de que a festa carioca poderia ser importante para o turismo, ajudando com isso a trazer divisas para o país. A outra é a crítica aos "programas e horários" das festas de Nice e Veneza em contraponto à "espontaneidade e alegria" da folia carioca. Por estranha que essa posição do jornal possa parecer, havia um significado por trás disso. Ao criticar a organização estrangeira e louvar a espontaneidade nacional, o texto já apontava para uma questão importante, que era a definição de nosso Carnaval como uma festa diversa das que se ofereciam ao turismo mundial. Essa diferença residia em algo que ainda não havia sido identificado, mas que já se apresentava com uma espécie de "festa verdadeira", de "alegria difusa", alguma coisa que só o Brasil possuía. Esse "algo mais" acabaria por se cristalizar no ritmo do samba, na internacionalização da baiana simbólica de Carmem Miranda e, logo depois, nas escolas de samba, como veremos mais adiante. A crítica à organização das festas européias não deve ser, entretanto, entendida ao pé da letra. O que se estava querendo ressaltar com o texto era o seu caráter excessivamente rígido e controlado. O controle que se esperava para o Carnaval carioca deveria ser aplicado muito mais sobre a definição da festa do que exatamente sobre a rigidez de seus horários ou mesmo de seus locais de apresentação. Ou seja, a organização era desejada e necessária, mas não se poderia prescindir do caráter levemente anárquico do nosso Carnaval, sob pena de ele acabar perdendo sua característica mais original.

Os desejos nada secretos do trecho de jornal citado acima começariam a se tornar realidade já no ano seguinte de sua publicação. A auspiciosa notícia da chegada do luxuoso navio a vapor *Voltaire* ao porto do Rio de Janeiro, trazendo um grande grupo de aproximadamente cem turistas americanos para assistir ao Carnaval da cidade – chamado de "a mais popular de todas as festas que se realizam no Brasil" (*Jornal do Brasil*, de 7 de fevereiro de 1926) – demonstrava o início do interesse internacional em nossa folia e deve ter alertado as autoridades para as vantagens de sua organização. Talvez em resposta à presença dos ilustres turistas estrangeiros em nosso Carnaval, a polícia tivesse tomado medidas cada vez mais enérgicas para reprimir o desfile dos "clubes, 'ranchos' e outras sociedades carnavalescas que não tivessem obtido as devidas licenças para o corrente ano". (*Jornal do Brasil*, de 13 de fevereiro de 1926).

Em 1927, um novo prefeito, Prado Júnior, assumiria o comando do Rio de Janeiro com grande disposição de transformar e reordenar a cidade, o que incluía, é claro, sua festa carnavalesca. Uma de suas primeiras providências, já com relação ao carnaval de 1928, seria aumentar o auxílio dado para os desfiles das Pequenas Sociedades, uma clara demonstração da importância que os grupos populares – essência do Carnaval espontâneo e genuinamente brasileiro – vinham adquirindo perante as autoridades. Além disso a prefeitura patrocinaria a realização de uma filmagem com os ranchos e os grandes clubes, cujo objetivo era de divulgar a festa carioca no exterior. (*Jornal do Commercio*, de 22 de fevereiro de 1928).

Os planos do prefeito eram ambiciosos e visavam mais do que o curto prazo, pois, como noticiaria *A Manhã*, de 2 de fevereiro de 1929,

> desde o carnaval do ano passado sabia-se que para o deste a Prefeitura promoveria, no estrangeiro, uma intensa campanha de propaganda das seduções da grande festa popular carioca, a fim de atrair dos centros mais adiantados e ricos da Europa e principalmente dos Estados Unidos, correntes de turistas que viriam ao Rio especialmente para assistir aos quatro dias famosos.

De fato, após a experiência de 1928, Prado Júnior decidiria investir pesado no carnaval do ano seguinte, quando a "projeção externa" da festa "seria cuidadosamente preparada mediante a publicidade nos jornais [estrangeiros] e os necessários acordos com as empresas que se incumbem de organizar essas excursões", visando os "conseqüentes efeitos da afluência de viajantes ricos e civilizados". Desse modo, a primeira providência da prefeitura seria fechar um acordo com a *American Brazilian Association* para o lançamento de propaganda e a organização de excursões vindas dos EUA. Segundo se noticiou, enormes anúncios começaram a aparecer na imprensa norte-americana, chamando a atenção do público para as atrações do Carnaval brasileiro. Além disso, empresas de navegação e companhias de hotéis participariam do projeto fixando um preço único e módico para as excursões ao Rio de Janeiro. Em 27 de janeiro de 1929, zarpava de Nova York, com destino ao Carnaval carioca, o *Pan America*, primeiro navio da excursão.

Além de investir na divulgação maciça da festa no exterior, terminava a matéria d'*A Manhã*, a prefeitura da cidade "colaboraria imprimindo impulsos poderosos à iniciativa particular das sociedades e ao espontâneo entusiasmo da população e criando, assim, no mundo, mais um dos centros de atração, cuja fama traz consideráveis elementos de renda aos lugares procurados". Ou seja, mais uma vez a espontaneidade da festa brasileira é colocada como uma das principais razões de sua identidade e como fonte de divisas para o país. A partir desse momento, o Carnaval brasileiro já se considerava capaz de representar o país como "uma festa peculiar ao Rio e típica dos nossos costumes" e estava pronta para sua primeira aventura internacional, que, infelizmente, não terminaria como se esperava.

O "QUASE FABULOSO" CARNAVAL DE 1929

A determinação de Prado Júnior em reformular o Carnaval carioca se concentraria quase que totalmente na festa de 1929. A folia daquele ano prometia ser a maior, mais organizada e mais bem divulgada de todos os tempos. Os investimentos na organização dos grupos e na captação de visitantes estrangeiros foram consideráveis e os frutos começaram a aparecer. No sábado anterior ao carnaval um grupo de turistas ingleses seria fotografado pela revista *O Cruzeiro* (de 2 de fevereiro de 1929) em seu alegre passeio na Floresta da Tijuca. Acima da foto, o título "RIO CIDADE DE TURISMO" expressava o orgulho da cidade em sua crescente projeção internacional. De acordo com a coluna Movimento Marítimo d'O Jornal, de 8 de fevereiro de 1929, o vapor *Pan America*, era esperado no porto do Rio ao entardecer daquele dia. A manchete na primeira página do jornal *O Globo*, destacava "uma revoada de excursionistas que vieram assistir as festas tradicionais do nosso Carnaval". A sensação de orgulho e vitória (ao menos sobre a folia argentina) pairava no ar, a ponto de o jornal *A Manhã*, de 9 de fevereiro de 1929, publicar um texto criticando o famoso *Dicionário Larousse* por não fazer referências ao Carnaval carioca em seus verbetes. "Se Mr. Larousse vivesse em nossos dias", comentava, "com que cara não ficaria, ao saber que o governo de Buenos Aires trata de aumentar o brilho do carnaval platino... para ver se consegue emparelhar com o do Rio."

Além do comentadíssimo *Pan America*, o atracamento de outro navio, o *Duchess of Atholl*, com 350 estrangeiros interessados pelo Carnaval brasileiro também seria motivo de orgulhosa notícia:

> Como nos anos anteriores, a Companhia Lamport & Holt, aproveitando a época do Carnaval, fez vir à nossa capital diversos grupos de turistas que, além de assistirem os folguedos carnavalescos, realizarão varias excursões pelos principais pontos da nossa cidade (*Diário Carioca*, 9 de fevereiro de 1929).

Entre os visitantes que desembarcaram do vapor no Rio de Janeiro, destacava-se a presença do Martin Muth, autor das tiras em quadrinhos dos personagens "Mutt e Jeff", que faziam grande sucesso nos jornais da época. Vale destacar, nesse momento, que o interesse na organização do Carnaval carioca também devia envolver os das companhias de navegação, interessadas em divulgar mais um destino "exótico" para suas viagens.

O Rio Cidade de Turismo

Visita de Excursionistas Inglezes

Em passeio pel[a] Tijuca, vendo-s[e] em baixo a enorm[e] caravana de automoveis que conduzia os excursionistas.

Realizando uma viagem de 20.000 milhas maritimas, vieram ao Rio, a bordo do paquete «Orduña», 208 excursionistas inglezes que se demoraram alguns dias em nossa capital visitando-lhe os mais lindos recantos

Na Vis[ta] Chinez[a] apreciando incompar[á]vel panor[a]ma que de se descor[ti]na e em dos mais p[i]torescos Tijuca.

Em fins dos anos 1920 o Rio de Janeiro já começava a se projetar como pólo turístico internacional. A beleza da cidade era a principal atração mas o Carnaval carioca começava a se fixar como uma festa capaz de fazer com que o visitante passasse uma temporada maior na cidade.
*(*O Cruzeiro, *2 de fevereiro de 1929. Biblioteca Nacional, RJ.)*

No domingo de Carnaval a cidade parecia ferver na expectativa de uma grande festa em que o maior destaque seria o povo do Rio de Janeiro, com seus ranchos, blocos e cordões:

> A alma foliona do carioca! Neguem-lhe tudo menos esta faceta que é seu maior orgulho. Nestes dias de verdadeira loucura, ele não pertence a ninguém, nem a si mesmo. De corpo e de coração é, inteirinho, do seu rancho, do seu cordão ou do seu bloco! Deve ser por isso que esses elementos constituem a nota mais característica do carnaval carioca. São os blocos, os ranchos e os cordões que enchem de comunicativa alegria as ruas da cidade, empolgando o povo com as agradáveis harmonias de suas dolentes canções. (*O Jornal*, de 10 de fevereiro de 1929).

A cidade havia se preparado como nunca o fizera antes. Suas avenidas foram decoradas, a segurança fora reforçada, e a organização do corso e dos desfiles das Grandes Sociedades, ranchos, cordões e blocos prometia uma festa inesquecível.

Em um artigo intitulado "O carnaval e o turismo" (*O Jornal*, de 10 de fevereiro de 1929), o jornalista Nóbrega da Cunha (conhecido por sua relação com a cultura popular e o samba) ressaltava a iniciativa do prefeito que fizera com que o Carnaval passasse a ser considerado como festa oficial da cidade, atraindo, com isso, turistas vindos da América do Norte, da Europa, da Argentina, do Uruguai e do Chile. Esses turistas, afirmava o texto, estavam aqui não por causa dos bailes de máscaras, do corso ou da decoração da cidade, elementos comuns nas festas carnavalescas do exterior, mas sim para ver "o carnaval tipicamente brasileiro". A oficialização empreendida pela Prefeitura, "tendo em vista o desenvolvimento do turismo", exigia, destaca o texto, "preparativos internos que estimulem a expansão dos motivos típicos do povo como elementos primordiais da festa tradicional da cidade". Para o autor, o grande responsável pelo sucesso dos festejos seriam os cânticos e as danças do povo, manifestações que "não têm similares em nenhum outro país do mundo".

Nóbrega da Cunha prosseguia aconselhando o prefeito a aproveitar a festa daquele ano para observar "pessoalmente como o povo se diverte nas suas expansões de arte espontânea, cantando e dançando", para poder, a partir daí, "assentar um plano de aproveitamento dos motivos típicos do espírito brasileiro" que pudesse, futuramente, transformar a festa carnavalesca carioca "num espetáculo único na originalidade e capaz de satisfazer a todas as exigências dos turistas mais viajados".

Impressionante por sua capacidade de projetar o destino da festa carnavalesca brasileira com grande clareza e lucidez, e em perceber a importância do projeto da festa de 1929 para o futuro do Carnaval, o texto só pecaria em um pequeno detalhe: o fracasso, em termos turísticos, que seria aquela folia tão bem planejada e tão ansiosamente esperada.

Apesar de todas as expectativas e de todos os preparativos, um inesperado temporal começaria a castigar a cidade exatamente na segunda-feira de Carnaval, comprometendo o desfile das Pequenas Sociedades e praticamente impedindo os préstitos dos clubes carnavalescos. Dois deles (Democráticos e Tenentes do Diabo) não desfilariam, e os outros dois (Fenianos e Pierrôs das Cavernas) só o fizeram debaixo de fortes chuvas e "por inspiração da polícia" (*O Globo*, 13 de fevereiro de 1929). Apesar da decepção com o ocorrido, deve-se destacar o mérito de Prado Júnior que, pela primeira vez, estabeleceria uma ação oficial efetiva e coordenada para projetar o Carnaval carioca em nível internacional. Além disso, o projeto, elaborado por ele, de divulgação e apoio à festa do Rio de Janeiro teria o grande mérito de respeitar a organização e a estrutura dos grupos que já existiam não tentando formatar o evento dentro dos moldes oficiais. O destino acabou impedindo a completa concretização do projeto que acabou sendo retomado dois anos depois, em bases muito mais "oficiais", por Pedro Ernesto, que sucedeu a Prado Júnior na chefia do então Distrito Federal.

Novos tempos

O relativo fracasso, sob o ponto de vista da elite, da grande festa preparada pelo Prefeito Prado Júnior faria com que o investimento oficial na organização da festa carnavalesca carioca fosse adiado por dois anos, já que a folia de 1930 seria bastante ofuscada pelas eleições para presidente do país realizadas no sábado de Carnaval (!), das quais sairia eleito Getúlio Vargas. O Carnaval de 1931, por sua vez, começaria com uma notícia devastadora sob a óptica da folia: a proibição da venda de bebidas alcoólicas durante os dias festivos, uma espécie de edição nacional da "lei seca" americana, então em vigor. O lado ameno da "tragédia" era a liberação da cerveja e do chope, que foram excluídos dos rigores da lei (*O Jornal*, de 7 de fevereiro de 1931). No domingo de Carnaval, entretanto, os jornais divulgariam outra má notícia ao informarem que os grandes clubes não realizariam seus préstitos naquele ano. Juntando-se a isso o fato de a Avenida Rio

Branco não ter sido decorada (*O Jornal*, de 15 de fevereiro de 1931), a impressão geral era a de que um grande retrocesso acontecera no carnaval da cidade do Rio de Janeiro. Ao que parece, o poder público havia abandonado a festa a sua própria sorte deixando a cargo do jornal *Diário da Noite* a organização de uma espécie de revivescência dos antigos carnavais. A nota positiva, ao que parece, foi o sucesso alcançado pelo "frevo pernambucano" nas ruas do Rio de Janeiro, mas mesmo esse evento não parece ter compensado o aparente fracasso das festas daquele ano.

As coisas iam mudar a partir de outubro, com a inauguração da estátua do Cristo Redentor sobre o Morro do Corcovado, pelo cientista Guglielmo Marconi que, diretamente de Gênova, iria acionar a iluminação do novo ícone da nacionalidade brasileira. Tal fato apontava para uma retomada do fôlego internacional da cidade e, é claro, do seu Carnaval.

No ano seguinte, muitas novidades se incorporariam à festa carnavalesca carioca através da ação de seu novo prefeito, Pedro Ernesto. A principal delas seria a associação da Prefeitura com o Touring Club para, juntos, organizarem o Carnaval da cidade. A vocação eminentemente turística presente já em seu próprio nome faria com que o Touring Club impusesse uma organização de feição internacionalista para a folia carioca. Tal intuito ficaria bastante claro no título de uma matéria ilustrada, de página dupla, publicada na revista *O Cruzeiro*, de 20 de fevereiro de 1932: "As iniciativas da Prefeitura Municipal para fazer do Rio um centro de atração mundial". Uma das primeiras decisões oficiais foi a criação de uma Comissão Executiva dos Festejos, reunida especialmente para coordenar os eventos carnavalescos da cidade. Participavam dessa comissão uma série de autoridades, entre elas dois representantes do prefeito, o presidente do Touring Club do Brasil (Octavio Guinle), o presidente da Associação Brasileira de Imprensa (Herbert Moses), um representante do comitê de imprensa do Touring Club e da Associação de Artistas Brasileiros e três diretores do Touring Club do Brasil. Foi organizado um "programa oficial" das atividades carnavalescas no qual faziam parte diversos eventos, tais como um "Banho de Mar à Fantasia" – brincadeira carnavalesca à beira-mar em que os participantes acabavam entrando na água, onde suas fantasias feitas de papel se desfaziam –, o "Dia dos Blocos", um "Concurso de Marchas, Sambas e Músicas Carnavalescas" e um "Corso de Automóveis" seguido de uma "Batalha de Flores e Confete em Copacabana", esses

A brincadeira dos banhos de mar à fantasia estava ligada à importância que os novos bairros da Zona Sul do Rio de Janeiro começavam a adquirir para a economia da cidade. Acontecendo em toda a orla carioca essa brincadeira, caracteristicamente diurna, era um divertimento eminentemente familiar.

dois últimos apoiados pelos Clubes Atlântico e Praia e pelo semanário *Beira Mar*, de Copacabana (*O Jornal*, de 29 de janeiro de 1932). Além disso, foi criado um grande baile carnavalesco oficial para a cidade, que iria ocupar a mais nobre sala de espetáculos do país, o Teatro Municipal do Rio de Janeiro, verdadeira jóia do estilo eclético inaugurada em 1909 dentro do projeto de reformas de Pereira Passos. Para a escolha do cartaz oficial do primeiro baile de gala do Carnaval carioca, realizou-se um concurso, coordenado pela Associação de Artistas Brasileiros, onde cinqüenta artistas tiveram que criar seus projetos num evento público que obteve grande repercussão (*Diário de Notícias*, de 22 de janeiro de 1932).

Essa nova organização do Carnaval apresentava-se muito mais rígida que aquela posta em prática pelo prefeito anterior, mas obteve grande aceitação popular, em boa parte graças ao carisma de Pedro Ernesto, político de esquerda, adorado pela população carioca. Uma semana antes da festa, em 31 de janeiro de 1933, seria organizada uma batalha de confete e lança-perfumes em sua homenagem na Avenida Rio Branco, que foi enfeitada com festões, bandeiras, galhardetes e painéis especialmente para o evento. Além disso, vários coretos seriam armados e prêmios distribuídos sob os auspícios da Rhodia Brasileira, patrocinadora das comemorações. O periódico *O Jornal*, de 30 de janeiro de 1932, destacava que a comemoração se realizava em agradecimento ao fato de Pedro Ernesto ter tornado o Carnaval carioca oficial, ao auxílio destinado às Grandes Sociedades, ranchos e blocos, além da isenção de taxas e impostos sobre os primeiros festejos.

O alcance do projeto carnavalesco da gestão Pedro Ernesto foi enorme, criando bases sólidas para o novo caminho a ser trilhado pela festa. O envolvimento do Touring Club, filiado aos organismos internacionais de turismo, a aproximação com empresas de grande porte, como a Rhodia, com hotéis, empresas jornalísticas e com figuras influentes da sociedade brasileira dariam a sustentação necessária para os diferentes investimentos carnavalescos que procuravam contemplar todos os grupos da sociedade. O *bal masqué* do Teatro Municipal, por exemplo, reunia a nata da elite nacional em seus salões ricamente decorados. Ao reservar um espaço nobre para a diversão da elite, o Baile do Municipal se tornaria um grande sucesso e acabaria por contribuir para o fim do corso, que a cada ano que ficava menos atraente para alta burguesia. Outros tipos de diversão carnavalesca, mais populares, também seriam contemplados com investimentos, incentivando o surgimento de novos ranchos e blocos que já nasciam dentro das regras e formatos àquela altura

O baile do Municipal

Realizado entre 1932 e 1975 no Teatro Municipal do Rio de Janeiro – um dos espaços culturais mais nobres do país – o chamado Baile do Municipal seria uma espécie de coroamento de uma longa linhagem de grandes bailes de máscaras que vinham sendo realizados desde a década de 1840 por todo o Brasil. A festa elegante, sofisticada e cara, que acontecia nos salões e no *foyer* revestidos de mármores e pinturas da suntuosa casa de ópera, marcava uma aliança entre o poder público e a elite da capital brasileira, indicando que nossa festa carnavalesca não pertencia somente ao "zé povinho", mas continuava sendo, ao menos em parte, uma diversão ao gosto da classe dominante.

Uma das características mais marcantes dos bailes realizados no Teatro Municipal do Rio de Janeiro seriam suas ricas e originais decorações. Na foto a geometria colorida do projeto "Arlequinadas" realizado por Arlindo Rodrigues para o Carnaval de 1959. (Arquivo Rosalina Rodrigues de Vincenzi.)

Clóvis Bornay seria uma espécie de ícone do desfile de fantasias do Baile do Municipal e um dos responsáveis pelo esplendor barroco do Carnaval brasileiro contemporâneo. (Folha Imagem.)

Famoso por suas decorações, a cargo de artistas consagrados como Roberto Burle Marx, Arlindo Rodrigues ou Nilton Sá, o Baile do Municipal tinha seu ponto alto no concurso de fantasias surgido em 1936. Figuras como Clóvis Bornay, Zacharias do Rego Monteiro (conhecido por suas fantasias de pierrô), Paulo Varelli, Evandro de Castro Lima, Marlene Paiva e Wilza Carla tornaram-se nacionalmente conhecidas e comentadas. Em 1964, Isabel Valença, destaque do Salgueiro, ganharia o concurso com a fantasia "Rainha Rita de Vila Rica", a mesma apresentada, um dia antes, no desfile da escola, marcando o contato entre a sofisticação dos bailes de gala e a popularidade dos desfiles das ruas.

previamente estabelecidos. O grande objetivo por trás de todo esse investimento em dinheiro e em organização era a obtenção de divisas provenientes de um produto cada vez mais valorizado em escala mundial: uma festa "popular" como não existiria outra no mundo. O texto que se segue, publicado na revista *O Cruzeiro*, de 20 de janeiro de 1932, não deixa dúvidas quanto ao lucro esperado em troca do investimento no Carnaval do Rio de Janeiro:

> O que o Governo quer é prestigiar, estimular, favorecer o Carnaval carioca. O Brasil tem riquezas que dormem – como o gigante de pedra à entrada da Guanabara. O Carnaval é uma mina de ouro, e o *confetti* – uma espécie de papel moeda, que o vento leva como a outra... É fácil convertê-lo em libras e em dólares. Já este ano começou a experiência. Milhares de pessoas vieram ao Rio para assistir ao baile do Municipal.

Nesse mesmo ano o escritor Berilo Neves, diretor do Touring Club e membro da Comissão Executiva dos Festejos para o Carnaval de 1932, publicaria a seguinte declaração sobre a festa, que resume com perfeição toda a ideologia que se estabeleceria por trás dela a partir de então:

> Muita gente supõe que oficializar o Carnaval é burocratizá-lo, transformá-lo em uma dependência do Estado, como a Inspetoria de Veículos ou a Fiscalização do Exercício da Medicina... Nada disso. É tão impossível "oficializar", nesse sentido, o Carnaval, como oficializar a mulata... O Carnaval carioca não é uma farra anônima e sim, uma expressão do gênio da Raça e, como tal tem que continuar espontâneo e livre para que continue a existir. Cada povo tem uma certa festa ou manifestação de arte através da qual respira e vive. Portugal tem o fado, a Espanha tem a "malagueña", a França tem a cançoneta, a Argentina tem o tango, e assim por diante. Nós temos o maxixe, que é a alma ruidosa e ardente do carnaval carioca. O Carnaval e o maxixe são as duas coisas mais típicas que possuímos. Tirem-nos essas manifestações de sentimento e ficaremos, talvez, completamente despersonalizados. Porque ou imitemos a França (na literatura sobretudo) ou copiemos os Estados Unidos (principalmente depois do cinema), o fato é que sempre estamos macaqueando alguém ou alguma coisa. Só o carnaval é privativamente nosso, irrevogavelmente nosso. Só o carioca sabe fazer o Carnaval, como só o italiano sabe fazer o seu Chianti, o francês a sua "Champagne", o inglês o seu "whisky", e o norte-americano o seu "cocktail" de sete andares... Ora, um povo que cria alguma coisa de próprio e inconfundível é um povo que tem grandes qualidades para vencer... O Carnaval contribui mais para nos tornar conhecidos lá fora do que os nossos poetas, os nossos pensadores, os nossos homens de arte e pensamento. É irritante dizê-lo, mas é verdade... Por isso é sumamente patriótico o que o dr. Pedro Ernesto, juntamente com o Touring Club do Brasil, está fazendo, neste momento: dando estímulo e vida ao Carnaval carioca... Quando o mundo inteiro souber que fazemos o Carnaval mais pitoresco e alegre de que há memória desde o esplendor babilônico até hoje o Rio se encherá, anualmente, de centenas de milhares e turistas... E o carnaval nos dará, então, de sobejo, o que as minas do século XVII já não podiam dar: ouro... Pela primeira vez na história da Humanidade haverá notícia de uma farra que não dá prejuízo, e sim lucro (*Diário de Notícias*, 4 de fevereiro de 1932).

O texto de Berilo Neves é exemplar quanto ao que se pensava então sobre o carnaval carioca. Sua primeira preocupação era deixar claro que a oficialização da folia não significava, de modo algum, a perda de espontaneidade, ou da "alma", da festa, já então simbolizada pela figura miscigenada da "mulata". Essa natureza "espontânea", como vimos, era o que diferenciava nossa folia das outras festas carnavalescas importantes. Outro ponto abordado pelo autor é a feição eminentemente nacional do Carnaval carioca, capaz de representar o "gênio da raça" brasileira criando uma identidade cultural para o país. O terceiro tema trataria do caráter evolutivo da festa do Rio de Janeiro, que, segundo o texto, seria uma espécie de apogeu de uma longa linhagem carnavalesca de origem babilônica. O último ponto a destacar, e talvez o mais importante para o autor, seria a grande vantagem econômica que a festa poderia trazer para um país que buscava se industrializar e organizar sua economia. Gerar divisas e atrair dólares e libras era o argumento final e avassalador que justificaria todo o investimento na folia carioca.

Três anos depois, em 1935, os lançamentos de duas famosas músicas iriam coroar todo esse projeto e marcar o novo tempo que se abria para a festa carnavalesca brasileira. A primeira delas, *Cidade Maravilhosa*, de André Filho, acabaria se tornando o hino oficial do Rio de Janeiro. Sua letra, louvando os encantos cariocas, "berço do samba e das lindas canções" mostraria ao mundo que o "coração do meu Brasil" ficava na "terra que a todos seduz". A outra música seria a marchinha *Grau dez*, de Ary Barroso e Lamartine Babo. Nela, a vitória da morena miscigenada brasileira sobre as outras etnias do planeta era cantada em versos inspirados, que colocavam o inglês, o alemão, o francês, o argentino e o chinês, ou seja, o mundo todo, aos pés do grande ícone nacional.

> O inglês diz "*yes, my baby*" / O alemão diz "*yá, corração*" / O francês diz "*bonjour, mon amour*" / "*Très bien, très bien, très bien*" / O argentino, ao te ver tão bonita / Toca um tango e só diz: milonguita / O chinês... diz que diz, mas não diz / Pede bis, pede bis, pede bis.

A reunião dos Carnavais populares com as festas da elite num mesmo grandioso projeto e os novos ritmos que surgiam nas ruas do Rio de Janeiro vão ser dois poderosos fermentos para o novo Carnaval que surgiria a partir dos anos 1930, com a explosão dos grupos de samba e das escolas de samba.

O samba e as escolas

Os tempos idos, nunca esquecidos, trazem saudades ao recordar / É com tristeza que relembro coisas remotas que não vêm mais / Uma escola na Praça Onze, testemunha ocular / E perto dela uma balança, onde os malandros iam sambar / Depois aos poucos o nosso samba, sem sentirmos, se aprimorou / Pelos salões da sociedade sem cerimônia ele entrou / Não pertence mais à Praça, já não é samba de terreiro / Vitorioso, ele partiu para o estrangeiro / E muito bem representado por inspiração de geniais artistas / O nosso samba, humilde samba, foi de conquistas em conquistas / Conseguiu penetrar no Municipal, depois de percorrer todo o universo / Com a mesma roupagem que saiu daqui, exibiu-se pra Duquesa de Kent no Itamarati

Tempos idos, samba de Cartola e Carlos Cachaça (1961)

As narrativas que tratam do surgimento do ritmo samba e das escolas de samba costumam ser controversas. Muito se escreveu sobre o assunto, e a cada novo texto uma versão diferente para os fatos aparece. A "grande questão" parece ser quem "inventou" o samba e qual foi a "primeira" escola de samba. Na verdade, como acontece com relação a todos os outros grupos carnavalescos, é muito improvável que algum dia se chegue a uma resposta para essas dúvidas, visto que já existem referências ao ritmo "samba" em 1893, conforme relata Olga Von Simson em sua tese de mestrado *A Burguesia se diverte no reinado de Momo* ("...transformando o vasto salão do teatro numa colméia enorme, em que o *fervet opus* do samba e do maxixe se baralhavam com o zum-zum contínuo das vozerias sussurrantes da turba-multa" (*O Commercio de São Paulo*, de 15 de fevereiro de 1893).

Desde meados da década de 1930, duas "correntes" disputam a "paternidade" do ritmo nacional. Uma delas procura destacar sua descendência baiana ligada ao samba de roda que se praticava na casa das "tias" negras, mães-de-santo vindas da Bahia para o Rio de Janeiro, no final do século XIX. Como já vimos, a maioria desses grupos de baianos teria localizado suas residências na Cidade Nova, fazendo com que a região, cujo centro era a Praça Onze, chegasse a ser conhecida como Pequena África. O tango-samba *Pelo telefone*, considerado como o primeiro samba a ser gravado, seria produto dos encontros realizados em torno desse grupo. A outra corrente considera que o samba, tendo nascido no Rio de Janeiro, seria produto do contato das macumbas dos negros bantos, chegados à cidade após a decadência das fazendas de café do vale do Paraíba, com o fértil movimento intelectual carioca da época. Com uma cultura mais permeável a influências, esses negros teriam assimilado diversos elementos culturais e produzido um ritmo completamente novo, associado a letras

Registrada por Donga em dezembro de 1916 a música Pelo telefone *é considerada como o primeiro samba a ser gravado, apesar de seu ritmo ser muito próximo ao do maxixe.*
(Donga e Mário de Almeida. Pelo telefone, *1917. Biblioteca Nacional, RJ.)*

que tratavam do cotidiano das favelas e cortiços. O grande representante dessa corrente foi Ismael Silva. Samba "baiano" ou samba "carioca, o fato é que as duas vertentes acabam por concordar num ponto, fossem quais fossem os antepassados remotos do samba, o ritmo seria filho legítimo do espaço urbano do Rio de Janeiro, que não só permitiu como ainda incentivou os encontros que acabaram por deixar surgir o ritmo tal como o conhecemos atualmente. Nesse sentido, dizer que o Rio de Janeiro é o "berço do samba", ou seja, o lugar onde o samba surgiu e foi criado, pode ser uma boa solução para o problema.

Se existem discordâncias quanto à ascendência do samba, o mesmo não acontece com relação às escolas de samba. Essas foram um produto cem por cento carioca, surgido através da articulação das muitas influências negras de macumbas, candomblés e batuques, temperadas pelos encontros de grupos carnavalescos pelas ruas do Rio de Janeiro e de toda uma gama de interesses políticos, sociais e econômicos. Como narrariam Cartola e Carlos Cachaça em sua música *Tempos idos* (que mistura "samba" com "escolas de samba"), estas são filhas tanto da Praça Onze, quanto dos "salões da sociedade" e de "todo o universo".

Primeiros passos

Como vimos, o Carnaval das três primeiras décadas do século XX sofrera uma importante transformação que "organizaria" a confusão carnavalesca de finais do século XIX em categorias cada vez mais bem definidas. Nos últimos anos da década de 1920, após a reorganização proposta pelo governo do prefeito Pedro Ernesto, aparentemente a situação da folia brasileira teria sido definitivamente resolvida. As categorias "grandes sociedades", "ranchos", "blocos" e "cordões" pareciam suficientes para acomodar todos os tipos possíveis de brincadeiras e, ao menos à primeira vista, a festa carnavalesca tinha

Ismael Silva.
(Arquivo CEDOC/Funarte.)

resolvido sua forma de organização. Nada mais longe da verdade, entretanto, pois era exatamente nesse momento de aparente acomodação que se processava o surgimento de uma forma carnavalesca que tomaria de assalto a folia e se tornaria a mais conhecida e divulgada expressão do Carnaval brasileiro do século: as escolas de samba.

Na segunda metade da década de 1920, como já vimos, os cordões eram vistos como espécies de depositários das expressões da cultura negra no carnaval carioca. Seus desfiles incorporavam várias características dos antigos cucumbis, tais como instrumentos, ritmos, forma processional e elementos alegóricos. Cucumbis, cordões e outros grupos desfilavam ao som de batuques. Muitas vezes as músicas cantadas por seus componentes eram denominadas "sambas", mas na verdade esses ritmos estavam bastante distantes daquilo que conhecemos atualmente como tal, ficando mais próximos do maxixe, como, por exemplo, o "samba" *Pelo telefone*. Outros grupos importantes no Carnaval carioca eram os ranchos. Apesar de não serem tão fortemente associados aos "negros" e suas tradições culturais quanto os cordões, o que se passou o chamar de ranchos foi produto de diálogos culturais mediados pelas ruas do Rio de Janeiro, em que a presença das culturas negras também era muito forte. Não era incomum, por exemplo, Ranchos que se apresentavam cantando sambas, no mesmo estilo dos cordões. Os blocos, por sua vez, eram uma espécie de simplificação informal dos ranchos, apresentando-se com algumas fantasias e pequenas alegorias nas mãos e com grupos de componentes muitas vezes bastante reduzidos. Esses três modelos se impunham a quem quer que desejasse organizar um grupo para desfilar no Carnaval. A principal razão da predominância desses três formatos carnavalescos era o controle exercido não só pela polícia (onde o grupo precisava se inscrever para obter a licença para desfilar) mas também pelo governo (que dava verbas para os grupos organizados) e pela imprensa (que divulgava e validava a existência dos grupos através de prêmios e concurso). Quando uma turma de rapazes do Morro da Mangueira, por exemplo, decidia organizar um grupo para "sair" no Carnaval, não se pensava em outra coisa que não fosse um cordão ou um bloco, visto que a organização de um rancho exigiria uma estrutura e um investimento muito maiores. A coisa estava nesse pé lá pela virada para os anos 1930.

Nessa época, durante o governo de Getúlio Vargas, tomou um grande impulso a idéia de uma expressão única para o Brasil. Tudo que pudesse representar a essência da mistura das "raças" que formavam o país era imediatamente valorizado.

As músicas também se incluíam, é claro, dentro dessa visão da nacionalidade. As sonoridades "mestiças" passaram a chamar a atenção das elites intelectuais do Brasil e do mundo, com um interesse todo especial para aquelas que tivessem componentes negros, visto que a "negrofilia" francesa continuava a exercer sua influência sobre o resto do mundo.

Como já comentamos, a cidade do Rio de Janeiro, por sua característica histórico-geográfica, sempre incentivou as trocas culturais. Os morros e a Praça Onze, por exemplo, apesar da grande maioria negra, permitiam o encontro de diversas expressões de diferentes grupos étnicos. Essas regiões passaram então a ser vistas como verdadeiros celeiros da cultura mestiça de base negra. Uma atenção especial era dirigida para um ritmo que parecia resumir os vários "sentimentos" da alma brasileira: o chamado samba de morro. Vale lembrar que naquela época a visão que se tinha dos morros era de locais quase paradisíacos, onde se vivia uma vida pobre porém tranqüila e feliz, um lugar abençoado por Deus. "Lá não existe felicidade de arranha-céu, pois quem mora lá no morro já vive pertinho do céu", cantaria Herivelto Martins em sua música *Ave Maria no morro*, em início da década de 1940.

O interesse do compositor Noel Rosa pelos temas do cotidiano, presentes nos sambas produzidos nos morros cariocas, abriria as portas das rádios para o novo ritmo do samba e para toda uma geração de músicos vindos das camadas mais desvalidas da população. (Auto-retrato de Noel Rosa.)

O morro da Mangueira

Segundo relata Vagalume no seu livro *Na roda do samba*, em finais do século XIX o morro da Mangueira era habitado por soldados do exército que, vindos do norte do país, preferiam morar em barracas perto do quartel. Em 1887, foi construída a estação de trens da Mangueira para servir ao hipódromo localizado em frente ao morro, incentivando alguns habitantes de outras aglomerações populares, como as dos morros do Querosene ou do Salgueiro, a se deslocar para lá. Com a Revolta da Armada, que durou de setembro de 1893 a março de 1894, o presidente Floriano Peixoto mandou construir ali alguns galpões com o objetivo de abrigar as famílias que fugiam dos ataques no centro do Rio de Janeiro. Ao final da revolta, muitos dos civis que haviam se deslocado para lá decidiram fixar residência no local. Com isso, a Mangueira ganharia uma população menos marginalizada que a dos outros morros e começaria a estabelecer a fama de um lugar de pessoas mais ordeiras, com habitações e comércio de boa qualidade em comparação com as outras aglomerações similares. Estabelecia-se a idéia de que a Mangueira era um lugar especial, capaz de unir os valores das comunidades negras às qualidades das regiões consideradas mais civilizadas.

No início do século XX, o prefeito Pereira Passos tentaria demolir as habitações coletivas do morro, dentro das reformulações urbanas pelas quais o Rio de Janeiro estava passando. A grande resistência encontrada nos habitantes do lugar fez com que a idéia acabasse sendo descartada, dando ao lugar uma certa notoriedade por ter rechaçado uma "invasão de bárbaros" dispostos a atear fogo às construções.

Seguros de seu território e com boa fama no resto da cidade, os habitantes de Mangueira estabelecem um padrão de vida propício aos encontros entre as diversas culturas cariocas. Grupos de foliões começaram a se organizar, como o da Velha Guarda e o Bloco dos Arengueiros. Em 1922, a apresentação de um conjunto de baianas do morro da Mangueira na imponente Exposição do Centenário da Independência marcaria a importância e o destaque dos grupos carnavalescos populares existentes por lá, estabelecendo um dos primeiros contatos entre a festa da cidade e o batuque dos morros.

Em 1925, a Mangueira já é tema de um samba intitulado *Morro da Mangueira*. Começava a se fixar a mística que associaria aquela área da cidade a um verdadeiro paraíso tropical popular. "A vida no Morro da Mangueira, é muito mais fácil que no do Querosene ou mesmo da Favela e Salgueiro", relata Vagalume em 1933,

> aos domingos come-se muito boa carne de porco por preço inferior ao de cá de baixo. É que sempre há um camarada que mata o suíno e *passa* o que lhe sobra. [...] A criação de galinhas, perus e cabritos é abundante. Sendo todos os gêneros tabelados não há exploração nos preços nos armazéns, botequins e quitandas. O bom pagador, tem crédito no Morro da Mangueira. Eis a razão

por que a vida é relativamente fácil e toda a gente vive perfeitamente bem, alegre e feliz naquele monte maravilhoso.

Aproveitando-se do momento por que passava o país, o morro da Mangueira vai se tornar um dos ícones do "verdadeiro" Brasil popular. A escola de samba organizada pelos moradores do lugar, a Estação Primeira de Mangueira, acabaria por se beneficiar dessas vantagens assumindo o posto de principal agremiação popular do Carnaval brasileiro.

O interesse por esse tipo de música, demonstrado por boa parte da elite cultural brasileira, iria incentivar os rapazes dos morros e das áreas mais "negras" do Rio de Janeiro a organizarem espécies de grupos musicais para se apresentarem na "cidade", ou seja, fora dos morros. Além disso a ação de mediadores como Noel Rosa iria valorizar os batuques originais das periferias em detrimento do samba influenciado pelo maxixe que se fazia na Praça Onze. Na época, finais dos anos 1920, o rádio começava a se tornar um grande meio de comunicação e, juntamente com o disco, dava os primeiros passos para a difusão em massa da música produzida no país. Com toda essa crescente divulgação, o samba, um dos ritmos do momento, conquistava cada vez mais espaço no coração dos brasileiros. Grupos musicais, também chamados de "conjuntos", surgiam a todo instante, muitos deles fortemente ligados aos ranchos, que naquela época eram famosos por seus ritmos e cantos melodiosos. Chamados muitas vezes de "Ranchinhos", esses grupos de cantores e músicos, onde predominava a voz feminina, costumavam se apresentar nas sedes dos ranchos e dos blocos, em festas populares, como a famosíssima Festa da Penha, ou mesmo nas rádios. "Mais um excelente e animado ensaio foi realizado anteontem na ampla sede dos Boêmios de Botafogo, pelo formoso 'Ranchinho Azul'", noticiava o *Jornal do Brasil*, de 24 de fevereiro de 1927, "as graciosas pastoras que em número avultado realçam o primoroso conjunto carnavalesco entoaram com muita harmonia todas as marchas e sambas demonstrando apurado preparo". As "marchas" a que o texto se refere eram as famosas marchas-rancho que se tornariam a marca dos desfiles de ranchos. Já os "sambas" cantados pelos ranchinhos costumavam ser muito mais próximos do maxixe do que daquilo que atualmente entendemos como samba. O samba de morro, de ritmo mais sincopado, era cantado principalmente

O rádio e o Carnaval

Na virada para o século XX as revistas teatrais se apresentavam como um dos principais espaços de divulgação da música popular. Surgidos nas últimas décadas do séc XIX, esses espetáculos eram o grande sucesso dos teatros da capital federal. Entretanto, após a crise causada pela Primeira Guerra Mundial, a maioria das casas teatrais é obrigada a encerrar suas atividades. Com isso, como destaca Fabiana Lopes da Cunha, em seu livro *Da marginalidade ao estrelato: o samba na construção da nacionalidade*, os artistas portugueses e franceses deixaram de vir ao país, abrindo-se espaço para o surgimento de estrelas nacionais. As revistas se modificam e passam a dar cada vez mais espaço à música popular e aos personagens "típicos" brasileiros, como a mulata, o português, o malandro. Entretanto, apesar de seu sucesso, essas apresentações teatrais não atingiam o grande público nacional.

Em 1923 é inaugurada a Rádio Sociedade do Rio de Janeiro, primeira emissora brasileira, e um ano depois surge a Rádio Clube do Brasil. Apesar de se apresentarem como marcos importantes na cultura nacional, as duas ofereciam uma programação educativa mais ligada a alta cultura, deixando de lado os elementos populares.

É somente a partir da década de 1930 que o rádio se torna uma verdadeira mania nacional e o maior difusor das músicas carnavalescas que começam a atingir um grande público ávido de novidades. O samba e a marchinha, dois gêneros musicais surgidos nas primeiras décadas do século XX, passavam a dominar as ruas e salões do Carnaval brasileiro.

Novos compositores, como Lamartine Babo e Braguinha, vão se juntar aos grandes nomes da música nacional compondo obras criadas especialmente para o Carnaval que se tornam grandes sucessos do rádio cantados por todos, como *O teu cabelo não nega* e *Linda morena* (de Lamartine) e *Pirata* e *Balancê* (de Braguinha).

O sucesso nas rádios de Lamartine Babo, projetou seu nome nacionalmente e alavancou, ao mesmo tempo, as músicas compostas especialmente para a folia carnavalesca.

A festa da Penha

Instituída no século XVIII para comemorar o nascimento de Nossa Senhora, a Festa da Penha se estenderia por todos os domingos de outubro a partir da segunda metade do século XIX. Freqüentada inicialmente pelos portugueses com seus fados e vinhos, a comemoração passou a atrair a população negra, que via ali uma boa oportunidade de se reunir para cantar seus sambas de roda e dançar seus batuques, após as tradicionais comemorações religiosas.

A grande feira que se organizava (e se organiza até hoje) aos pés do morro onde se localiza a igreja era uma espécie de arraial onde as comidas e os ritmos da população carioca se misturavam sem nenhum preconceito. Negras baianas, malandros, capoeiras e batuqueiros confundiam-se com romeiros lusitanos e ocupavam as barracas para saborear os quitutes e cantar até o anoitecer.

Considerada como o mais importante momento de congraçamento popular do Rio de Janeiro depois do carnaval, a Festa da Penha seria uma espécie de pré-folia, um espaço de encontro e de tensão que acabaria por abrir caminho para a popularização de grandes músicos como Heitor dos Prazeres, Donga e Pixinguinha, e de novos ritmos, como o choro e o samba.

No início do século XX a festa da Penha já tinha se fixado como um grande espaço de comemoração popular em que danças e cantos tinham igual, ou maior, importância que as manifestações de fé.
(Revista da Semana, *7 de outubro de 1906.)*

por outros grupos que, para não serem confundidos com os "ranchinhos", passaram a ser chamados de conjuntos de samba de morro ou simplesmente "samba de morro". É interessante também notar a utilização do nome "pastoras" para se referir às cantoras dos ranchos (e dos grupos de samba), fato que aponta para uma relação entre os pastoris e os ranchos de reis com os ranchos carnavalescos e as escolas de samba.

SAMBA E BATUQUE

Em torno dos anos 1930, a questão da definição dos ritmos "brasileiros" estava cada vez mais em pauta. Estudos sobre as diferenças entre o que era "samba", "batuque" e "macumba" ocupavam o tempo dos folcloristas e o espaço dos jornais. Nóbrega da Cunha se interessaria pelo assunto num artigo publicado n'*O Jornal*, de 19 de fevereiro de 1928. O "samba" seria definido como "uma expressão artística, puramente coreográfica, dança, canto e música". O bailado do samba, prossegue o autor,

> executa-se em conjunto, [...] formando a "roda", grande círculo constituído pela orquestra e pelos dançarinos, homens e mulheres de todas as idades. Sua orquestra típica não comporta instrumentos de sopro: nela figuram somente o violão, o cavaquinho, o pandeiro, o tamborim, o reco-reco, o guayá e o canzá.
> [...] Dança-se em todo o Distrito Federal nos dias comuns, mas escondido da polícia que não permite, e só no carnaval, aproveitando-se da relativa liberdade, surge na via pública e aparece nas próprias redações dos jornais.
> O seu grande palco é, porém, a Praça Onze de Junho, para onde afluem centenas de grupos de baianas de todos os bairros.

Mais adiante, o artigo descreve o que o autor define como "batuque" cuja "orquestra" não teria instrumentos de sopro ou corda, mas somente os mesmos instrumentos de percussão do "samba". A roda do batuque, típica dos morros e "pátios de certas casas de cômodos", ocuparia mais espaço que a do samba em razão dela ser "campo de evoluções perigosas", pois, segundo o texto, o batuque seria "um exercício para a aprendizagem esportiva da capoeira". Por essa razão muitos dos passos, ou letras, do batuque haviam sido proibidos. O autor prossegue explicando que

> durante o carnaval, o **Batuque** provoca uma grande reunião de **capoeiras** na cabeceira do canal do Mangue, formando-se ali a famosa **roda da balança**. [...]

É a **roda-escola**, pitoresca denominação que lhe deram porque ali, em verdadeiro torneio anual, os valentes novos defrontam os velhos disputando-lhes a primazia, e os velhos lutam entre si na defesa das glórias conquistadas.

Essas duas descrições determinam os dois "tipos" de samba que coexistiam no Rio de Janeiro, o primeiro, característico da Praça Onze, chamado de "samba" propriamente dito, era mais melódico e mais influenciado pelo maxixe. O segundo, denominado "batuque", ligado aos cordões, era mais próximo à malandragem dos morros e aos capoeiras, possuindo ritmo marcado e similar ao que atualmente entendemos como samba. Ou seja, apesar de não ser chamado de "samba", é o "batuque" que acabará influenciando mais fortemente o ritmo cantado pelos conjuntos de "samba de morro".

É interessante notar, no texto acima, a referência à "balança" situada nas imediações da Praça Onze (que ficava na cabeceira do Canal do Mangue) – também presente na música *Tempo idos* que abre este capítulo – e à "roda-escola" que acontecia em suas imediações. Esses grupos de malandros que se reuniam para "ensinar" a dança do "batuque" eram freqüentemente associados à bandidagem, razão

A partir da década de 1930 o samba foi se tornando uma das grandes expressões da brasilidade. Os morros do Rio de Janeiro passavam a ser freqüentados pela alta sociedade que se deslumbrava com o ritmo dos tamborins, pandeiros e cuícas e com os refrains *cantados pelas cabrochas. Os ritmista dos grupos de samba de morro começavam a usar a indumentária característica do malandro: camiseta de manga curta e chapéu de palhinha.*
(O Cruzeiro, *18 de fevereiro de 1933. Biblioteca Nacional, RJ.)*

As rodas de batuque eram momentos de encontro entre os negros escravos brasileiros desde o período colonial. Com seu ritmo marcado, muitas vezes somente com palmas, o batuque seria incorporado ao samba urbano brasileiro. (Johann Moritz Rugendas. Dança do batuque, *in* Viagem pitoresca através do Brasil, *século XIX.)*

das constantes batidas policiais que procuravam impedir esses ajuntamentos. Muitos malandros, como o famoso compositor Cartola, por exemplo, chegavam a preferir não "descer" dos morros para evitar esse tipo de confronto. De qualquer modo, vale destacar a utilização do nome "escola", termo que pode estar na origem da denominação de "escola de samba" que esses grupos iriam adquirir poucos anos depois. A ação policial não poupava nem as casas das "tias" baianas, que, apesar de menos ligadas à malandragem dos morros, também tinham seus encontros de samba e candomblé reprimidos pela polícia.

O fato é que no final dos anos 1920 grupos de samba começaram a adquirir visibilidade na imprensa. Geralmente compostos por alguns rapazes que cantavam seus sambas numa espécie de conjunto musical, conhecido como "samba de morro", esses grupos se beneficiariam do grande interesse manifestado pela elite intelectual da época, desejosa de entrar em contato com a "verdadeira" cultura do povo brasileiro.

O nome "escola de samba"

É grande a polêmica com relação ao surgimento da denominação "escola de samba". A versão mais divulgada, relatada por Ismael Silva, conta que o nome foi inventado por ele próprio. Este, junto com alguns amigos do morro do Estácio, teriam se reunido para organizar uma agremiação, chamada Deixa Falar, que, assim como os ranchos, pudesse ser aceita pela sociedade. O nome "escola de samba" teria sido sugerido por Ismael, lembrando-se da escola normal próxima ao local onde se dava a reunião. O sambista teria argumentado que, se os mestres se reúnem na escola para ensinar aos alunos, o grupo, composto de mestres do samba, também deveria se reunir numa escola, só que de samba. Esse encontro deu-se no dia 12 de agosto de 1928, considerado como a data de fundação da primeira escola de samba.

O famoso compositor e cronista Almirante relata uma outra origem para o termo que teria surgido a partir da popularização do tiro-de-guerra, em 1916. Na época tornara-se comum o grito "Escola, sentido!" que seria rapidamente incorporado pelos sambistas.

O fato é que o termo escola (e outros ligados ao ensino) já vinha sendo associado a algumas agremiações carnavalescas desde as primeiras décadas do século XX. Em 1917, por exemplo, os jornais se referiam ao Ameno Resedá como "rancho-escola", em 1921 o Recreio das Flores chegou a se autodenominar "rancho-universidade".

Ao que parece, a idéia de se associar as palavras *escola* e *samba* surgira a partir da necessidade de aceitação que os chamados grupos de samba de morro passaram a ter a partir de finais da década de 1920, buscando uma denominação própria que facilitasse sua identificação e sua incorporação à sociedade. O crescente interesse da imprensa pela disputa entre grupos do Carnaval popular ajudaria a fixar esse curioso nome.

Os morros com suas favelas tornam-se ícones de um Brasil malandro e brejeiro e passam a atrair a atenção da sociedade. O samba transformava-se na expressão musical do país.

> O "samba", criação genuína da alma brasileira, constitui a essência do carnaval carioca. É o que lhe dá cor, o que lhe imprime forma, o que lhe infunde vida. Não seria exagero afirmar-se que, sem o "samba" cantado e dançado na praça pública, o carnaval do Rio perderia a sua razão de ser, transformando-se numa festa insípida, desprovida de significação e encanto (*O Jornal*, de 10 de fevereiro de 1929).

Reconhecido como um dos grandes compositores brasileiros, Cartola fez parte da primeira geração de sambistas que deu forma ao ritmo que seria eleito como maior expressão da cultura brasileira. (U. Dettmar / Folha Imagem.)

Muitos dos rapazes que cantavam e tocavam nos conjuntos de "samba de morro" também faziam parte de grupos carnavalescos, principalmente blocos e cordões, que desfilavam no Carnaval cantando seus sambas, e choros, ao som dos mesmos pandeiros, tamborins, e reco-recos que acompanhavam seus conjuntos. Um exemplo desses grupos era o bloco Velha Guarda do Morro da Mangueira, primeiro grupo carnavalesco surgido no morro, que em 1929 desfilaria ao som de vários sambas, como o intitulado *Gozei*, de autoria de Antoniquinho, que dizia em uma de suas estrofes:

"Guarda bem tua beleza / Eu não quero teu dinheiro / Minha vida é cantar samba / E tocar um bom pandeiro" (*O Jornal*, de 8 de fevereiro de 1929).

Os jornais cariocas, sempre interessados em descobrir novos temas para organizar seus concursos não tardariam em se interessar por esse filão. Em 1929 o periódico *O Jornal* patrocinaria uma enquete popular para saber qual o melhor samba do Carnaval (*O Jornal*, de 10 de fevereiro de 1929). No mesmo ano, o jornal *A Vanguarda*, organizava uma disputa de sambas entre agrupamentos que se autodenominavam conjuntos, de três regiões cariocas – Oswaldo Cruz, Mangueira e Estácio –, na casa de Zé Espinguela, na qual os compositores do Conjunto Oswaldo Cruz seriam campeões com o samba *A tristeza me persegue*, de Heitor dos Prazeres. Reconhecido como o primeiro concurso entre escolas de samba, apesar de que o termo ainda não estivesse difundido, essa disputa já marca um primeiro passo dos grupos de "samba de morro" em direção à sua aceitação pela elite intelectual do Rio de Janeiro. Em pouco tempo, toda uma "tradição" seria fixada, destacando a vertente negra da folia carioca e fazendo com que o samba e as manifestações negras deixassem de ser coadjuvantes para assumir o posto de protagonistas do Carnaval. O texto a seguir é um excelente exemplo da construção de uma tradição negra para o Carnaval do Rio de Janeiro, buscando valorizar suas influências em detrimento de todas as outras que agiram sobre a festa.

> O carnaval carioca veio dos tempos coloniais: os negros caracterizados de animais ferozes, de índios indomáveis, foram um dia cumprimentar o vice-rei do Brasil. Partiram para essa solenidade em agrupamentos diversos, representando diferentes nações africanas. Cada grupo levou o seu conjunto de músicos especializados, com instrumentos típicos e estandartes próprios. Finda a original cerimônia acamparam no antigo largo do Capim e, ali, à luz de fachos, passaram a noite sambando mesmo à porta da igreja de S. Joaquim. O populacho gostou tanto dessa estranha quão grotesca passeata, que foi ela repetida no ano seguinte. Daí para a mesma tomar um caráter próprio, marcar época, e vir a chamar-se Carnaval, foi quase nada. (*O Cruzeiro*, de 2 de fevereiro de 1930).

Ao reverter a história do Carnaval do Rio de Janeiro e transformá-lo numa festa de origem basicamente africana, o Pequeno Carnaval pagava com a mesma moeda pelos cem anos em que ele fora relegado ao segundo plano, sempre associado com a baderna, o primitivismo e o Entrudo. Navegando nas águas da valorização do nacionalismo dos anos 1930 e dos interesses em se criar uma festa "popular" capaz de fazer frente aos carnavais "burgueses" europeus, o novo Carnaval brasileiro iria destacar cada vez mais suas raízes negras.

O reino do samba

O Carnaval de 1931, como já vimos, marcaria um ponto de inflexão na história da folia carioca que retomaria novo fôlego em 1932 com a oficialização trazida por Pedro Ernesto. Não é de admirar, desse modo, alguns textos angustiados que surgiam nos jornais, visto que o momento parecia propício para se questionar o modelo da festa e o próprio futuro do Carnaval. "Atualmente o carnaval de blocos e ranchos, tão perfeito se apresentam, torna-se um tanto difícil", publicava o diário *O Jornal*, de 15 de fevereiro de 1931. Apesar de caros e marcantes, continuava o texto, esses tipos de brincadeiras, "já vão saindo da alçada popular" e se "aristocratizando, se enobrecendo de modo tal, que o povo [...] já deve estar estudando, qual será a organização do futuro, para que não saia o rancho das camadas populares".

As palavras quase proféticas do texto deixam transparecer uma espécie de esgotamento da forma carnavalesca dos ranchos, ao sugerir, indiretamente, que esses grupos deveriam buscar uma nova organização para manter-se no gosto popular. Apesar da expectativa do artigo não se ter cumprido do modo como ele imaginava – pois os ranchos continuaram a existir e a persistir em seu formato "tradicional" – um outro grupo iria preencher lentamente o espaço na preferência "popular" deixado por eles. Apropriando-se de muitas de suas características, juntamente com outras tantas dos cordões e dos blocos, esses grupos de "samba de morro" seriam conhecidos, em pouquíssimo tempo, como "escolas de samba".

A "fraca" folia de 1931, marcada pela "lei seca" e pela ausência dos sempre esperados préstitos das Grandes Sociedades, seria considerada por boa parte da imprensa carioca como um Carnaval desanimado. Entretanto, fora do grande eixo carnavalesco da Avenida Rio Branco, palco dos Ranchos, na segunda-feira, e das Grandes Sociedades, na terça-feira, a festa parece ter se saído muito bem. Uma matéria sobre a animação carnavalesca na Praça Onze, publicada na Quarta-feira de Cinzas, destacaria que, naquele local, o Carnaval "viveu as grandes horas, chegando mesmo a despertar a curiosidade pública". Os festejos ocorridos na praça foram considerados dignos de registro "pelo caráter típico, peculiar e único de que eles ali se revestem". O texto terminava exaltando a participação dos "habitantes dos morros e subúrbios distantes, com seus sambas e batuques, em cordões e blocos pitorescos" e destacando as "demonstrações de opulência decorativa, originalidade e, sobretudo, vigor musical" (*O Jornal*, de 18 de fevereiro de 1931).

Ou seja, apesar do crescimento dos ranchos e da manutenção da importância das Grandes Sociedades, o que se pode perceber por trás dos discursos que permeiam os textos publicados na imprensa em 1931 seriam os primeiros sinais de um esgotamento do Carnaval existente e uma abertura para novos tipos de divertimentos mais "verdadeiramente populares" que os tão aclamados ranchos. Os grupos pitorescos de subúrbio, com seus sambas e batuques, ainda chamados de cordões e blocos, já atraíam a atenção durante o Carnaval. Também não era para menos, visto que, além do novo ritmo – o samba, que caía no gosto e na "alma" da população –, esses grupos já incorporavam elementos visuais que lhes davam "opulência decorativa" e "originalidade", numa combinação perfeita de alegria, rito e beleza. Ao final da semana, o semanário *O Cruzeiro*, publicaria um editorial no qual um trecho resumiria a folia popular do Carnaval que se encerrara, nos seguinte termos:

> No carnaval carioca colaborou a fascinação africana pela pompa das cores, pela excitação da música e as contorções da dança. Já muito antes do jazz, na partitura do nosso carnaval intervinham os acordes bárbaros e lúbricos do samba (*O Cruzeiro*, de 21 de fevereiro de 1931).

Considerados como o grande momento do Carnaval do Rio de Janeiro nas primeiras décadas do século XX, os ranchos começavam a perder terreno para os grupos de samba a partir dos anos 1930. O esplendor das fantasias e os enredos elaborados descritos pelas roupas e pelas alegorias de mão foram, pouco a pouco, incorporados pelas escolas de samba, consideradas como expressões mais "verdadeiras" da alma popular brasileira.
*(*O Cruzeiro, *8 de março de 1930.)*

A festa carnavalesca do ano seguinte (1932) seria, como já vimos, um verdadeiro marco na história do Carnaval brasileiro por sua oficialização promovida pelo prefeito Pedro Ernesto. No projeto da prefeitura estava incluído um concurso de músicas carnavalescas que acabou por ser chamado de Concurso de Sambas. Apesar do caráter oficial do evento, sua organização correria a cargo dos órgãos da imprensa, sempre ativa e interessada em promover disputas entre os grupos carnavalescos. Entretanto, ao que parece, nenhum dos grandes periódicos se interessou em organizar uma disputa específica entre as "escolas de samba" – nome pelo qual os grupos de samba já começavam a ser conhecidos –, e o jornal *Mundo Esportivo*, recém-criado, acabaria ocupando esse espaço. A disputa coordenada pelo jornal teria lugar na Praça Onze, no domingo de Carnaval (dia 7 de fevereiro de 1932), dia em que a imprensa não estaria envolvida com as disputas dos ranchos ou das Grandes Sociedades. O concurso promovido pelo *Mundo Esportivo* contou com a presença de 19 grupos concorrentes. De acordo com o livro *Paulo da Portela: traço de união entre duas culturas*, de Marília Barbosa e Lygia Santos, cinco grupos seriam premiados: Mangueira (vencedora da disputa), Vai Como Pode e Linha do Estácio (empatadas em segundo lugar), além de a Para o Ano Sai Melhor e Unidos da Tijuca (terceiro e quarto lugares). O julgamento – a cargo de um grupo de intelectuais, entre os quais Raimundo Magalhães Júnior e Orestes Barbosa – privilegiaria o lado musical dos conjuntos que se apresentaram, fazendo com que a disputa fosse descrita como um "campeonato de samba". Sérgio Cabral, em seu livro *As escolas de samba do Rio de Janeiro* cita artigos dos jornais *O Globo* e *Jornal do Brasil* comentando o evento. Deles pode-se concluir o caráter eminentemente musical do concurso. As "escolas" são saudadas por sua "infinidade de coisas sonoras" e pela "sedução da melodia". "É facilmente imaginável", comenta *O Globo*, de 4 de fevereiro de 1932, três dias antes do evento, "o que serão mais de 100 bocas cantando com a sinceridade que os cantores do samba põem na voz para maior repercussão das palavras". Entre essas "bocas" destacavam-se as vozes femininas das chamadas "pastoras". Ou seja, apesar de não desprovidas dos elementos visuais, as escolas de samba seriam louvadas e reconhecidas, nas primeiras décadas de sua existência, principalmente pelas performances sonoras da "massa encantadora dos morros".

O ano de 1933 marcaria uma grande ascensão dos grupos de samba. Chamando a atenção de um número cada vez maior de pessoas, as escolas de samba passariam a ser alvo de uma verdadeira disputa entre os jornais que lutavam para definir quem tomaria o lugar do *Mundo Esportivo* na organização do concurso entre elas. O *Jornal do Brasil*, o *Correio da Manhã*, o *Diário de Notícias* e *O Globo* se envolveriam numa verdadeira batalha da qual sairia vencedor este último, que passaria para a história do Carnaval como organizador da segunda disputa entre escolas de samba.

O sucesso do desfile, realizado no domingo de carnaval, dia 26 de fevereiro, seria amplamente divulgado pelos jornais que estimariam o comparecimento de quarenta mil pessoas no local da apresentação, a Praça Onze. Mais uma vez o grupo vencedor foi a Mangueira (com a samba *Fita meus olhos*, de Cartola) sendo julgada de acordo com quatro quesitos: Harmonia (valendo 5 pontos), poesia do samba (3), enredo (3), originalidade (2) e conjunto (3). Sua forma de apresentação era uma espécie de mistura, mais simplificada, do que se via nos ranchos e cordões. Entre outras informações que constavam no regulamento destacavam-se a proibição de utilização de instrumentos de sopro, a obrigatoriedade da inclusão de um grupo de baianas e da apresentação de uma bandeira, ou estandarte, que, diferentemente dos concursos de ranchos, não seria julgada. (*Diário de Notícias*, de 24 de fevereiro de 1933). Essa última observação reforça a idéia de que as escolas de

Aos poucos os grupos de samba começavam a assimilar características visuais próprias capazes de identificá-los e diferenciá-los dos outros conjuntos carnavalescos. Ajudados pela imprensa começam a tomar forma a figura do sambista e da cabrocha que, em alguns anos, dominariam o imaginário carnavalesco nacional. (O Cruzeiro, *18 de fevereiro de 1933.)*

A disputa pela disputa das escolas de samba

Os estudiosos concordam que a primeira disputa entre grupos de samba foi organizada por Zé Espinguela, em 1929. Entretanto, o que estava sendo julgado naquele concurso não eram os grupos em si mas sim os sambas cantados por seus compositores. O vencedor, escolhido pelo próprio Espinguela, foi Heitor dos Prazeres, um dos representantes do Conjunto Oswaldo Cruz, região de onde sairia a Portela.

O primeiro desfile das escolas acabou mesmo sendo organizado pelo jornal *O Mundo Sportivo*, em 7 de fevereiro 1932, nos moldes dos muitos concursos de grupos carnavalescos patrocinados pela imprensa carioca na época. O local escolhido para a apresentação foi a Praça Onze e a campeã foi a Estação Primeira de Mangueira.

O sucesso da empreitada e o fim do jornal *O Mundo Sportivo* devem ter incentivado os outros jornais a organizarem concursos entre as escolas no ano seguinte. Além de disputas promovidas pelas próprias agremiações – como aquela realizada no estádio do clube de futebol Fluminense da qual participaram "diversas escolas de samba, abrilhantando-a com o comparecimento dos seus afinados conjuntos", segundo relata o *Jornal do Brasil* de 18 de fevereiro de 1933 – um outro desfile havia sido organizado pelo o Centro dos Cronistas Carnavalescos. O evento estava previsto para acontecer na Praça Onze, na quinta-feira anterior ao Carnaval, dia 23 de fevereiro. Fartamente divulgada pelo *Jornal do Brasil*, e apoiada pelo *Correio da Manhã*, a disputa entre as escolas de samba, chamada de "Samba do Morro", teria prêmios oferecidos pela municipalidade e uma comissão julgadora composta por um maestro (crítico musical do jornal *Correio da Manhã*), um sambista, um escritor (Catulo da Paixão Cearense), uma cantora (Aracy Cortes), o presidente do Centro de Cronistas Carnavalescos e um cronista do *Jornal do Brasil* (*Jornal do Brasil*, de 23 de fevereiro de 1933). Entretanto, conforme relata Sérgio Cabral, o jornal *O Globo* teria se empenhado para impedir a realização desse evento que poderia comprometer o concurso que ele havia organizado, marcado para o domingo de Carnaval (26 de fevereiro). O fato é que a habilidade política e a percepção da importância do evento por parte do *Globo* fez com que o único grande concurso entre as escolas realizado naquele ano fosse aquele apoiado por ele, do qual participaram nada menos que 35 grupos de samba entre eles as escolas Azul e Branco do Salgueiro, Recreio de Ramos, Unidos da Tijuca (cantando o que é considerado como o primeiro samba-enredo da história do Carnaval), Vizinha Faladeira e Estação Primeira de Mangueira. Esta sagrando-se bicampeã da disputa.

Mangueira passa "uma segunda-feira no Bonfim, na Ribeira"

Denominado "Uma segunda-feira no Bonfim, na Ribeira" o enredo apresentado pela escola de samba Estação Primeira de Mangueira no Carnaval de 1933, publicado pelo *Diário Carioca*, pode dar uma boa idéia da forma de desfile desses conjuntos, bastante similar àquela dos ranchos carnavalescos. É interessante notar também que o grupo se autodenomina "bloco carnavalesco", deixando transparecer que o termo "escola de samba" ainda não se encontrava completamente assimilado pelos conjuntos carnavalescos.

O Bloco Carnavalesco Estação Primeira, com sede a Rua Saião Lobato, no Morro de Mangueira, apresenta ao povo carioca o seu modesto enredo, que representa "Uma segunda-feira no Bonfim, na Ribeira".

Abre o nosso préstito a painel com os dizeres: "O Bloco Estação Primeira saúda o povo e pede passagem." O segundo painel é uma justa homenagem à imprensa carioca e esta assim redigido: "Salve a Imprensa." O terceiro e último traz impresso, em letras garrafais, a nome do enredo em que os nossos diretores técnicos se basearam para confeccionar a nosso carnaval.

Segue o Bloco do Arigofe, representado pela nossa primeira comissão de frente trajando rigor e cartola. Essa comissão trará o tradicional boneco Arigofe. A segunda comissão representa o Bloco do Bacurau, trajando branco com boné. O seu presidente trará o pássaro bacurau.

Dezesseis pastoras vestidas com pijamas de praia representam os seguintes blocos: Canários, Lira Chorosa, Batuta, Mandu Esperançoso, Xaréu, Farrista, Cardeal, Pidão, Mamãe-Sacode, Amantes da Lira, Bentier, Garganta, Cigano, Urubu-Rei, Os Estados e Manezinho Chorador.

Uma pastora ricamente fantasiada de baiana empunhará o nosso pavilhão de 1933, em companhia do primeiro mestre-sala. Outra pastora fantasiada de baiana, cujas cores da fantasia são as da bandeira baiana, representa esse florescente estado, empunhando a flâmula baiana. A nossa segunda porta-estandarte, também fantasiada de baiana, empunhará a nossa flâmula "Campeã de 1932".

Quarenta pastoras, sustentando ricas baianas, representam: munguzá, canjica, vatapá, caruru, sarapatel, feijoada, efó, xinxim, mocotó, maniçoba, peixe assado, muqueca, acarajé, acaçá, pamonha, aberém, carimam, abacaxi, melancia, uvas, peras, maçãs, bananas, cajus e vários doces próprios das doceiras.

Cinqüenta pastoras, com a mesma indumentária, trarão troféus representando as favoritas que vão assistir às festas da Ribeira. Cinqüenta rapazes pertencentes no corpo coral, trajando jaquetão com as cores do bloco e calças brancas que representam os músicos das festas do Bonfim na Ribeira. (Conforme relata Sergio Cabral em seu livro *As escolas de samba do Rio de Janeiro*.)

samba deveriam ser avaliadas, e portanto legitimadas, mais pela força de suas músicas, seus cantos, evoluções e originalidade do que pela opulência visual que, por algum tempo, seria prerrogativa dos ranchos.

O destaque que esses grupos de samba receberam da imprensa é um dos indicadores do espaço importante que as escolas de samba iriam ocupar no imaginário carnavalesco nacional a partir de então. A prestigiada revista *O Cruzeiro* publicaria, em sua edição de 18 de fevereiro de 1933, uma página inteira dedicada ao "samba de morro". Além disso, a própria capa da revista representaria o Carnaval através de uma ilustração de uma "pastora" acompanhada de um grupo de ritmistas vestidos com a "típica" roupa de malandro sambista: chapéu de palhinha e camiseta listrada. Esse fato, aparentemente banal, marcaria um momento importante da festa carnavalesca brasileira. As escolas de samba, valorizadas por sua musicalidade e por sua "origem" ligada à cultura negra dos morros, favelas e regiões menos favorecidas da cidade do Rio de Janeiro, davam os primeiros passos para se vincularem aos novos símbolos visuais do Carnaval, representados pela mulata, pelo malandrinho, a baianinha, o pandeiro, a cuíca.

Em setembro de 1934, algumas escolas de samba se reuniriam para fundar a União das Escolas de Samba, entidade que passaria a centralizar o contato entre os grupos e o poder público. Esta demonstração da capacidade de organização dos grupos de samba daria frutos já para o carnaval seguinte, pois, atendendo solicitação da entidade recém-formada, a prefeitura do Rio de Janeiro oficializaria o desfile em 1935, o que, em termos práticos, significaria a garantia de uma subvenção oficial para as escolas afiliadas à UES. A crescente importância das escolas de samba também poderia ser medida por sua inclusão no folheto oficial de divulgação do Carnaval escrito em espanhol e, como informa Sérgio Cabral, dirigido, prioritariamente aos turistas argentinos:

> *Venid, pues, a Rio de Janeiro para asistir a los bailes populares, a las expansiones en las calles, al desfile de los grandes clubes y caravanas de las pequeñas sociedades e escuelas de "samba".*

A transformação visual que as escolas começariam a sofrer a partir do final da década de 1930, ao incorporarem, pouco a pouco, os principais elementos das outras formas de brincadeira carnavalesca que coexistiam nos mesmos bairros das escolas de samba, e a divulgação maciça das músicas "de Carnaval" através do rádio, meio de comunicação que se difundia rapidamente pelo país, serão poderosos elementos na formatação e na imposição nacional e internacional da nova folia brasileira. A música *Brasil pandeiro*, composta por Assis Valente em 1940, iria coroar esse movimento através da associação poderosa da imagem do país com o instrumento símbolo do samba. "Chegou a hora dessa gente bronzeada mostrar seu valor", começava o samba, para terminar incentivando o Brasil a esquentar seus pandeiros, iluminar seus terreiros "que nós queremos sambar". Todo o país, e não mais somente o Rio de Janeiro, tornava-se território do samba. Estavam abertas as portas para que o carnaval brasileiro, através de sua face carioca, se tornasse definitivamente internacional. A maior festa do mundo seria, cada vez mais, a maior festa do samba.

Muitos Carnavais

A partir da segunda metade do século XX o Carnaval brasileiro tornava-se, cada vez mais, uma grande festa de expressão internacional. As escolas de samba carioca, os frevos pernambucanos e os trios elétricos baianos se estabelecem como três faces importantes da folia nacional. Em finais do século XX o Carnaval paulistano começa a conquistar espaço. Acusado de mercantilismo, o Carnaval brasileiro se renova tanto em suas grandes manifestações quanto nas novas formas de brincadeiras que surgem na periferia dos grandes eventos.

Novos rumos

Após os anos 1940, o Carnaval brasileiro vai seguir por dois caminhos aparentemente divergentes. Por um lado, o fabuloso crescimento da folia carioca, com suas escolas de samba adquirindo uma projeção cada vez maior, faria com que este continuasse sendo o modelo para as festas carnavalescas nas diversas cidades do país. O Desfile das Escolas de Samba do Rio de Janeiro pouco a pouco se tornaria o símbolo da folia brasileira, projetando o Carnaval brasileiro como a maior festa popular do mundo. Por outro lado, as diferentes folias realizadas nas principais cidades brasileiras passariam a assumir identidades próprias e "típicas" de cada lugar. Muitos outros "carnavais" iriam se impor por todo o país, com destaque para as festas do Recife (e Olinda) e de Salvador.

A partir dos anos 1970, o Carnaval brasileiro passaria a se definir como um evento multifacetado representando um Brasil que procurava não mais se ver como mestiço mas sim como um país plural. Procurando sintetizar a folia nacional, a festa do Rio de Janeiro buscaria, através da organização crescente dos desfiles das escolas de samba e de sua cada vez maior internacionalização, incorporar a idéia de pluralidade à sua festa carnavalesca. O evento carioca tornar-se-ia cada vez mais grandioso, reunindo elementos das diversas festas nacionais, como o Boi de Parintins, por exemplo. A folia baiana, por sua vez, assumiria um projeto hegemônico e passaria a assimilar ritmos variados, associados a uma organização empresarial que envolve interesses de grandes gravadoras e da indústria nacional do turismo. Esses caminhos, centrados em espetáculos cada vez mais bem realizados, marcariam a disputa contemporânea para se estabelecer qual seria o "verdadeiro" Carnaval popular do Brasil. Entretanto, enquanto os olhares e interesses estavam

A comissão de frente da escola de samba Rosa de Ouro, desfilando no Sambódromo paulistano no Carnaval de 2004. A folia brasileira procura expressar novas realidades e tensões características de uma nação que se abre para a pluralidade a partir dos anos 1970.
(Ayrton Vignola/Folha Imagem.)

dirigidos, quase exclusivamente para essas duas vertentes da folia brasileira, novas e poderosas formas carnavalescas começavam, a partir dos anos 1980, a ser geradas fora do foco das luzes dos meios de comunicação. Seja na parte externa dos trios de Salvador, a chamada "pipoca", seja na orla do Rio de Janeiro, com seus blocos e bandas, seja nas áreas desvalidas de São Paulo, com suas "escolas de samba" de sotaques inesperados, ou nas ruas de Olinda, com suas troças, um novo Carnaval se formava à revelia, como sempre, do que havia sido planejado pelas "autoridades".

Carnaval carioca: as escolas de samba

No final da década de 1930, o Carnaval do Rio de Janeiro ainda procurava seu formato ideal. Os novos grupos de samba, que, após a oficialização dos desfiles, assumiam definitivamente o nome de "escolas de samba", atraíam a atenção de boa parte da população brasileira – interessada na surpreendente combinação de ritmo, harmonia e enredo – e de um grande número de intelectuais – que viam naqueles grupos uma espécie de síntese das questões ligadas à nacionalidade. Entretanto, por algum tempo, essas escolas de samba seriam apenas mais uma das brincadeiras carnavalescas a ocupar as ruas do Rio de Janeiro nos dias de folia e a procurar seu espaço junto às Grandes Sociedades e ranchos. A situação continuaria indefinida por muitos anos, o que se reflete na verdadeira peregrinação por que passaria o desfile das escolas de samba. Mesmo após sua "oficialização", nos anos 1930, não foi possível a elas se apresentarem no palco mais nobre dos desfiles, a Avenida Rio Branco, tradicionalmente ocupada pelos outros grupos. Restava, como sempre, a tradicional Praça Onze. Entretanto, com as obras de construção da nova e monumental Avenida Presidente Vargas, o antigo reduto do samba iria sofrer uma grande reforma perdendo, para sempre, sua antiga característica. "Vão acabar com a Praça Onze. Não vai haver mais escola de samba, não vai", protestava o samba de Herivelto Martins e Grande Otelo, em 1941. A profecia que imaginava o extermínio das escolas não se cumpriu, mas, a partir de então, até 1948 os desfiles oficiais dos grupos de samba iriam peregrinar por diversos espaços carnavalescos menos importantes, como a área em torno do obelisco no final da Avenida Rio Branco (nos anos mais duros da Segunda Guerra), um pequeno trecho da Avenida Presidente Vargas e até mesmo a região da nova Praça Onze, após a reforma que a descaracterizaria para sempre. Entre 1949 e 1951 duas entidades lutam pela representação das escolas de samba, a Federação das Escolas de Samba (reconhecida oficialmente pelo governo) e a União Geral das Escolas de samba (de caráter extra-oficial), revelando disputas por interesses nem sempre comuns entre os grupos que se associavam a cada uma delas. Durante esses anos, o concurso oficial se realizaria em um trecho da Avenida Presidente Vargas e o desfile extra-oficial, na área da já desmantelada Praça Onze. Em 1952, a divisão termina e a apresentação das escolas passa a acontecer sobre um comprido tablado (de sessenta metros de comprimento por vinte metros de largura e um metro de altura), construído perto do Campo de Santana, na Avenida Presidente Vargas, mantendo-se nesse local até 1956. Nessa época, os desfiles das escolas de samba já se haviam consolidado como o grande momento do Carnaval carioca, atraindo verdadeiras multidões para assistir a sua apresentação. Durante as décadas de 1940 e 1950 foram fundadas muitas das escolas de samba que conhecemos hoje, tanto na cidade do Rio de Janeiro quanto em outros centros urbanos como São Paulo e Porto Alegre.

A partir de 1957 o desfile ocuparia, pela primeira vez, a extensão da Avenida Rio Branco, então o "palco nobre" na folia carioca. Desse ano em diante, as escolas de samba nunca mais deixariam de desfilar no espaço mais importante da festa, seja onde ele estivesse. A partir daí, a ascensão das escolas de samba seria meteórica. A parceria com folcloristas, cenógrafos, figurinistas e pintores vindos das escolas e ateliês de arte, fato corriqueiro com relação aos antigos ranchos mas novidade em se tratando das escolas de samba, iria criar vínculos poderosos entre os grupos carnavalescos e a classe média brasileira, que deixaria de ser simples espectadora e assumiria papel ativo dentro dessas organizações "populares". A participação do folclorista Dirceu Néri e da artista plástica e figurinista Marie Louise Nery na criação plástica do Carnaval apresentado pela escola de samba Acadêmicos do Salgueiro, em 1959, do cenógrafo e professor da Escola de Belas Artes do Rio de Janeiro, Fernando Pamplona, na mesma escola entre 1960 e 1962, do cenógrafo e figurinista Arlindo Rodrigues, também no Salgueiro, a partir de 1961, e da artista plástica Beatrice Tanaka na Portela em 1966 são alguns momentos que marcam essa "incorporação" nas escolas de samba do Rio de Janeiro de elementos "externos" a suas "tradições". O ritmo e a dança do samba já não eram mais os únicos fatores importantes numa escola. Fantasias, alegorias e o conjunto do desfile assumem um papel de destaque, valorizando o lado visual do desfile. O primeiro concurso realizado na larga e longa Avenida Presidente

Vargas seria marcado por essa tônica, com a elaborada apresentação do enredo "Chica da Silva", de Arlindo Rodrigues, em 1963. A mulata que personificava Chica da Silva na avenida concorreria no tradicional e sofisticado desfile de fantasias de luxo do Teatro Municipal, revelando o interesse da elite por essa forma de brincar o Carnaval. Paralelamente a isso, as escolas deixavam, pouco a pouco, de ser vistas pela população brasileira como um fato folclórico a ser observado e admirado para se tornarem espaços de relacionamento e de expressão da sociedade como um todo. Os locais de ensaio das escolas, chamados de quadras, antes redutos de seus componentes, passavam a ser freqüentados por pessoas das classes média e alta em busca do samba "verdadeiro" e do contato direto com o espaço mítico dos morros e favelas. Artistas plásticos de vanguarda passariam a se interessar pela estética do samba, como Hélio Oiticica, que realizou várias séries de trabalho com elementos da Mangueira. Criticada por muita gente desde então, essa abertura dos espaços carnavalescos populares para outras camadas

Os figurinos criados por Beatrice Tanaka para a Portela, que se sagraria campeã em 1966 com o enredo "Memórias de um sargento de milícias", incorporavam elementos populares ao desfile, como os retalhos da casaca da bateria ou as flores de plástico e tecidos listrados da ala das baianas. (Arquivo Beatrice Tanaka.)

Revolução em vermelho e branco

No final dos anos 1950, o formato do desfile das escolas de samba parecia estar definitivamente estabelecido. Os enredos históricos e as fantasias bordadas dominavam a cena. Mangueira, Portela e Império Serrano alternavam-se no pódio, apresentando-se com belos figurinos de tendência histórica e exuberantes sambas-enredo descritivos, conhecidos como "lençóis".

Desde seu primeiro desfile, em 1954, a escola de samba Acadêmicos do Salgueiro vinha se classificando logo abaixo das três escolas importantes sem, entretanto, conseguir romper a barreira e sagrar-se campeã. Em 1959, a escola vai buscar a colaboração do folclorista Dirceu Nery e de sua esposa, a figurinista Marie Louise Nery, que elaboram um desfile menos pomposo e de visual mais leve, com o enredo "Viagem pitoresca e histórica ao Brasil". A agremiação conquista o vice-campeonato (perdendo para a Portela) e atrai o interesse do artista plástico Fernando Pamplona. O convite para tornar-se o carnavalesco da escola não tardaria a acontecer, reunindo Pamplona, o figurinista Arlindo Rodrigues, o desenhista Nilton Sá e o casal responsável pelo belo desfile do ano anterior, um grupo que Haroldo Costa classifica de "quinteto infernal", em seu livro *Salgueiro: academia do samba*. O resultado dessa reunião de talentos foi o campeonato finalmente conquistado pelo Salgueiro em 1960 com seu enredo "Quilombo dos Palmares". Apesar de dividida com outras quatro escolas (Portela, Mangueira, Unidos da Capela e Império Serrano), a vitória destacaria não somente o sucesso da competência dos componentes da agremiação mas principalmente a ousadia de seus criadores. O enredo de forte caráter africano (dividido em cinco partes: o cativeiro, a luta, os quilombos, o séquito de Zumbi e a nação livre), as fantasias leves, com formas ligadas à cultura negra e respeitando as cores vermelho e branco da escola, as alegorias originais e as inovadoras coreografias apresentadas pelas alas se tornariam os modelos que influenciariam os desfiles de todas as escolas de samba a partir de então.

Onze anos depois, já consagrada como uma das mais importantes escolas de samba do país, o Salgueiro continuaria a inovar, desta vez com sambas-enredo que rompiam com a tradição descritiva, uma das mais cultuadas características do gênero,

Figurino de Fernando Pamplona para o Carnaval do Salgueiro de 1960. (Arquivo do autor.)

e incorporavam letras curtas, melodias simples e refrões de forte apelo popular. "Olelê / Olalá / Pega no ganzê / Pega no ganzá" (do enredo "Festa para um rei negro", de 1971) e "Tengo-tengo, Santo Antônio e Chalé / Minha gente é muito samba no pé" (do enredo "Mangueira, minha madrinha querida", de 1972) tornaram-se sucessos instantâneos nos salões e ruas do Carnaval brasileiro.

Muitas das contribuições do Salgueiro ao desfile das escolas de samba foram contestadas e consideradas como inovações contrárias às tradições do "verdadeiro" Carnaval popular. O fato é que a revolução patrocinada por essa escola mudou o rumo da maior festa popular brasileira inventando novas tradições e apontando outros caminhos para o Carnaval. Uma revolução de arte, competência e ousadia em vermelho e branco.

Figurino de Marie Louise Nery para o enredo "Debret", apresentado em 1959. (Arquivo do autor.)

Arlindo Rodrigues: um carnavalesco

Considerado por muitos como o maior carnavalesco de todos os tempos, Arlindo Rodrigues resumiria em sua trajetória as qualidades essenciais do mediador entre as diversas expressões da cultura brasileira.

Arlindo nasceu e cresceu no Andaraí e na Tijuca, zona norte do Rio de Janeiro, vendo passar em sua porta procissões, pastorinhas, batalhas de confete, mascarados e muitas outras manifestações da cultura popular, que mais tarde seriam transformadas em elementos plásticos em seus desfiles. Trabalhando no Teatro Municipal do Rio de Janeiro, é convocado por Fernando Pamplona para colaborar no desenho das fantasias do Salgueiro para o desfile de 1960, com o enredo "Quilombo dos Palmares". O sucesso foi tamanho que Arlindo permaneceria na escola até 1972. Em 1963, o carnavalesco já planejaria sozinho o enredo "Chica da Silva", um dos grandes desfiles de escolas de samba, pois além de sua excepcional qualidade, os figurinos e as alegorias passaram a ter papel fundamental na compreensão do tema apresentado. O Salgueiro foi, pela primeira vez, campeão de fato, sem dividir o título com outras escolas, como acontecera em 1960, e o jovem Arlindo, carregado nos ombros dos sambistas da escola pelas ruas da Tijuca, destacaria dois motivos de satisfação:

"ter feito um enredo que foi mostrado realmente pela escola: isto é, sé alguém chegasse de fora sem saber de que se tratava, facilmente reconheceria a vida de Chica da Silva, ao contrário das demais escolas que tinham enredo só no nome; e [provar] que preto tem bom gosto: – Os pseudo-intelectuais e os esnobes acham que escola de samba para ser boa tem que haver mal gosto, o que não é verdade." (Jornal do Brasil, 3/3/1963).

O fabuloso cortejo de Chica da Silva, ladeado pelas arquibancadas repletas de público e com a igreja da Candelária ao fundo fixou novo padrão para o Carnaval carioca, que se disseminaria pelo Brasil e exterior. Mesmo após mais três campeonatos (1965, 1969 e 1971), a derrota em 1972 faz o carnavalesco se afastar do Salgueiro e iniciar uma fase mais profissional, passando a cobrar por seu trabalho. Sua brilhante passagem pela Mocidade Independente de Padre Miguel seria coroada com o primeiro campeonato conquistado pela escola, em 1979, com o enredo "Descobrimento do Brasil", em que o carnavalesco usaria, pela primeira vez, as famosas placas de acetato que seriam sua marca a partir de então. A última escola a contar com a arte de Arlindo seria a Imperatriz Leopoldinense que, logo no primeiro ano com o novo carnavalesco, 1980, sagra-se, pela primeira vez, campeã do Carnaval carioca, com o enredo "O que é que a Bahia tem". No ano seguinte, dá-se o bicampeonato da escola, com um desfile considerado por muitos como dos mais empolgantes da história das escolas de samba. O enredo "O teu cabelo não nega", uma homenagem a Lamartine Babo, conseguiria aliar o esplendor barroco à originalidade brejeira, consagrando a genialidade do carnavalesco. Com passagens por outras escolas, como a Vila Isabel, em 1977, e a União da Ilha do Governador, em 1986, Arlindo Rodrigues consagrou-se o carnavalesco perfeito, capaz de expressar plasticamente toda a riqueza e originalidade da festa carnavalesca brasileira.

NO ALTO: *Figurino de Arlindo Rodrigues para a Mocidade Independente de Padre Miguel, Carnaval de 1976. Originalidade e requinte se aliam na obra do carnavalesco. (Arquivo Maria Augusta Rodrigues.)*

AO LADO: *Arlindo Rodrigues. (Foto Juarez. Arquivo Rosalina Rodrigues de Vincenzi.)*

sociais representava, entretanto, uma grande conquista tanto para as pessoas envolvidas diretamente com as escolas quanto para toda a cultura carioca e brasileira. Repetia-se, em outras bases, o processo de negociações que já ocorrera com o Pequeno Carnaval no início do século XX – quando os ranchos e cordões aceitaram seu progressivo enquadramento na nova organização carnavalesca em troca de reconhecimento de suas manifestações – e com o samba na década de 1920 – que se beneficiaria do interesse de músicos como Noel Rosa pelas batidas do ritmo "marginal" praticado nos morros cariocas. Dessa vez eram as escolas de samba que perdiam uma certa "pureza original" de um lado para ganharem, por outro, o reconhecimento e a valorização advindos da sociedade brasileira como um todo. Ao "aceitarem" o que foi chamado então de "invasão da classe média", as escolas de samba cariocas davam um importante passo para seu definitivo reconhecimento como instituição cultural nacional de um país que buscava se impor como um espaço de pluralidade e de inclusão. Uma outra conseqüência dessa abertura das escolas para as diversas camadas da sociedade seria o aumento de importância dos movimentos de valorização das "raízes" do samba e das "velhas tradições" representada pela reverência que se estabelecia com as "grandes escolas". Por outro lado, se de início as escolas de samba traziam mais de um samba temático para cantar nos primeiros concursos na Praça Onze, a valorização do enredo faz surgir uma nova categoria de composição musical, o samba-enredo, composto com o objetivo de descrever a história que seria mostrada pelas fantasias e alegorias no desfile. O sucesso dessas composições, principalmente a partir dos anos 1960, faria com que elas passassem a competir com as marchinhas na empolgação dos bailes carnavalescos. A partir do Carnaval de 1968, as principais escolas de samba passavam a gravar um disco anual possibilitando a difusão dos sambas nas rádios de todo o Brasil. Na década de 1970 esse disco tornar-se-ia um campeão de vendas anual, competindo com os grandes nomes da música brasileira pelo primeiro lugar nas paradas. A produção de marchinhas para o Carnaval começava a decair e acabaria perdendo definitivamente o lugar para o samba-enredo no Carnaval.

Mangueira, Portela, Império Serrano e Salgueiro passariam a centralizar a "essência" do samba brasileiro e a se alternar nas primeiras posições dos campeonatos durante os primeiros de quarenta anos de concursos. Essa situação perduraria até 1976, quando o crescimento de novas escolas de samba como Beija-Flor, Mocidade

As "quatro grandes"

Até meados dos anos 1970, o primeiro lugar no campeonato entre as escolas de samba do Rio de Janeiro alternava-se entre quatro escolas, chamadas, por isso mesmo, de as "quatro grandes": Mangueira, Portela, Império Serrano e Salgueiro.

Nos 22 desfiles realizados entre 1954 e 1975 somente por seis vezes uma escola não incluída entre as quatro grandes conseguiria romper a barreira do quinto lugar: Unidos da Capela (em 1960), Unidos de Vila Isabel (em 1966 e 1967), Mocidade Independente de Padre Miguel (em 1970 e 1972) e Imperatriz Leopoldinense (em 1975) todas elas classificadas em quarto lugar, com exceção da Unidos da Capela que, por questões políticas, acabou sendo considerada campeã, junto com as cinco primeiras colocadas.

Essa primazia fez com que cada uma dessas quatro escolas atingisse repercussão nacional, contando com torcedores fanáticos que exaltavam as características de suas agremiações.

Mangueira. (Juca Martins / Olhar Imagem)

Império Serrano. (Fernando Maia / Agência O Globo.)

Salgueiro. (Fernando Maia / Agência O Globo.)

Portela. (Fernando Maia / Agência O Globo.)

A Mangueira, com suas cores verde e rosa, era conhecida como a mais tradicional das escolas, berço do "verdadeiro" samba.

A Portela, com as cores azul e branco e simbolizada por sua águia, era a mais popular e luxuosa de todas acumulando também o maior número de campeonatos. O Império Serrano trazia em seu verde e branco a marca da coragem e da politização através dos sambas do grande compositor Silas de Oliveira e de enredos corajosos como "Heróis da Liberdade". O Salgueiro, por fim, representava com suas cores vermelho e branco o ideal negro, incorporado a escola no final da década de 1950, e a idéia de modernidade e inovação.

A supremacia das quatro grandes só seria rompida em 1976, quando a até então pequena Beija-flor de Nilópolis conquistaria o surpreendente título de campeã do Carnaval com o enredo "Sonhar com rei dá leão". A partir daí a situação vai se inverter. Nos 28 Carnavais seguintes, somente por oito vezes uma das antigas quatro grandes iria se sagrar campeã: Império Serrano (em 1982), Portela (em 1984), Mangueira (em 1984, 1986, 1987, 1998 e 2002) e Salgueiro (em 1993). As novas rainhas da passarela passavam a ser agremiações antes consideradas pequenas como Beija-flor de Nilópolis (oito campeonatos entre 1976 e 2004), Imperatriz Leopoldinense (oito campeonatos) e Mocidade Independente (cinco campeonatos).

Independente de Padre Miguel e Imperatriz Leopoldinense iria romper essa hegemonia com um novo discurso que colocava em xeque as "tradições", sobrepujadas a partir de então pelo caráter espetacular das apresentações. A partir de 1985 – após a inauguração da Passarela do Samba no ano anterior – a criação da poderosa Liga Independente das Escolas de Samba marcaria o ingresso das escolas na era empresarial. Cada vez mais desvinculadas, e menos dependentes, do poder público, as principais escolas de samba cariocas, todas associadas à LIESA, passariam a gerir seus desfiles, e suas disputas, a partir dos interesses das agremiações, numa espécie de volta do Carnaval carioca ao período anterior à década de 1930. Apontada por muitos críticos como um retrocesso, por afastar do poder público as decisões sobre o futuro da parte mais notável da festa popular do Rio de Janeiro, essa nova forma de organização teria o grande mérito de separar o desfile das escolas de samba daquilo que se convencionou chamar de Carnaval Popular do Rio de Janeiro.

Ao se "separar" do maior evento carnavalesco do país, a folia das ruas cariocas voltaria a atrair a atenção e a participação da população que, mirando-se na Banda de Ipanema, surgida em 1965, reocuparia as ruas da cidade com outras bandas, blocos e

A rainha da Ilha e o rei de Nilópolis

Um carro com 111 crianças fechava apoteoticamente o desfile idealizado por Joãosinho Trinta para a Beija-Flor, no Carnaval de 1988. Homenageando a Abolição da Escravatura, o carnavalesco idealizou uma espécie de reunião dos deuses do Antigo Egito com os orixás da África negra. (Jorge Araújo /Folha Imagem.)

A reviravolta na forma de apresentação das escolas de samba acontecida na segunda metade dos anos 1970 deve-se, principalmente ao caráter de espetáculo assumido pelos desfiles. Por causa disso, outros valores passariam a se somar àqueles tradicionais e a interferir no gosto do público e, algumas vezes, nos resultados da competição.

Dois personagens se destacam por sua contribuição a essa nova fase do carnaval das escolas de samba: Joãosinho Trinta e Maria Augusta.

Trazido para o as escolas de samba por Arlindo Rodrigues em 1963, como colaborador na elaboração das alegorias do Salgueiro, João Jorge Trinta assumiria sozinho a criação de um Carnaval em 1974, no mesmo Salgueiro que se sagraria campeão com o enredo "O rei de França na ilha da assombração". Mas foi por sua atuação na

Beija-flor de Nilópolis que o carnavalesco se tornaria nacionalmente conhecido. O tri-campeonato alcançado pela escola sob o comando do artista deixaria uma marca importante na festa carnavalesca. A opção pelo luxo visual, pela grandiosidade dos carros alegóricos (que nas mãos de João Trinta alcançariam proporções anteriormente inimagináveis) e pela ampliação das fantasias (incorporando golas, palas esplendores e chapéus cada vez maiores) fizeram surgir o que ficou conhecido como superescola de samba. Acusado de esconder os sambistas, privilegiando os efeitos visuais extravagantes e gigantescos, João Trinta responderia com sua célebre frase: "Pobre gosta de luxo, quem gosta de miséria é intelectual". Responsável por grandes momentos do Carnaval brasileiro – como o fabuloso desfile da Beija-flor de Nilópolis em 1988, em colaboração com o figurinista Viriato Ferreira ("Sou negro, do Egito à liberdade"), ou o sempre louvado Carnaval de 1989 ("Ratos e urubus larguem a minha fantasia") que apresentou o comentado Cristo-mendigo, o carnavalesco deixaria sua marca na grandiosidade e no luxo que tomariam conta da disputa entre as escolas de samba do Rio de Janeiro a partir de então.

Paralelamente ao esplendor trazido por Joãosinho Trinta, uma outra forma de apresentação igualmente criativa se impunha. Ligado à originalidade e aos materiais alternativos, esse Carnaval mais simples e popular seria marcado pelo trabalho desenvolvido pela carnavalesca Maria Augusta na União da Ilha do Governador. Aluna de Fernando Pamplona na Escola de Belas Artes da UFRJ, a artista plástica entraria para o Carnaval das escolas de samba em 1969 quando ajudou nos trabalhos de barracão do Salgueiro. Em 1977, já então carnavalesca da escola de samba União da Ilha do

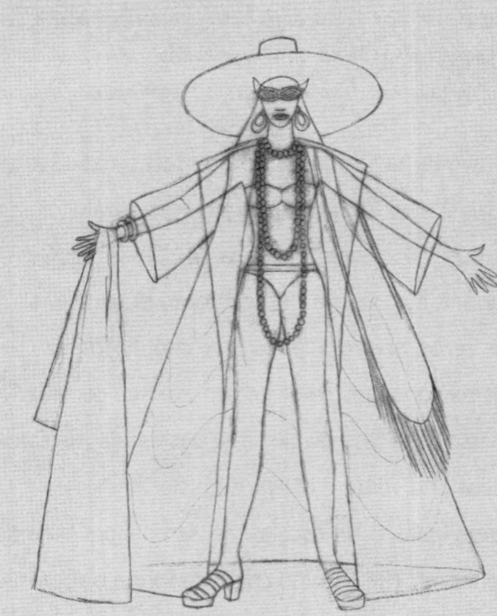

A sofisticada simplicidade das alegorias e dos figurinos criados por Maria Augusta para a União da Ilha do Governador marcaram uma verdadeira revolução nos desfiles das escolas de samba brasileiras. O detalhe de alegoria e os esboços de fantasias da carnavalesca, realizados para o desfile de 1977, traduzem a imagem de leveza e humor incorporada pela agremiação. (Acervo Maria Augusta Rodrigues.)

Governador, realiza um desfile que marcaria época por sua originalidade, simplicidade e comunicação com o público. Intitulado simplesmente de "Domingo", o enredo apresentava, pela primeira vez, um tema do cotidiano, destacando as atividades da população urbana brasileira num dia de lazer. Fantasias marcadas pelo "luxo da cor" (em oposição ao "luxo do brilho", segundo explicação da carnavalesca) em que pipas, balões e pranchas de surfe faziam às vezes de adereços, criaram um modelo de desfile alternativo, privilegiando a descontração e a soluções plásticas sofisticadamente populares. Uma forma de apresentação que marcaria uma espécie de contraponto moderno ao esplendor barroco característico dos desfiles.

Em uma carta dirigida à escola de samba União da Ilha do Governador após o Carnaval de 1977, Júlio Medaglia Filho resume os dois caminhos apresentados no desfile daquele ano:

"A única grande injustiça cometida foi a não-premiação da 'União da Ilha', em favor de uma outra concepção carnavalesca que mais tem a ver com Cecil B. de Mille, com Ziegfield Folies, com Hollywood dos anos 40 do que aquilo que só sabemos fazer, (...) – o carnaval alegria (...). A 'Beija-Flor' (...) gastou 6 bi para engalanar o seu desfile. (...) Não se deixem iludir, amigos da 'União da Ilha'. Façam exatamente o contrário. Gastem a metade no próximo carnaval e sambem o dobro."

Esses dois caminhos, aparentemente tão opostos, marcariam os desfiles das escolas de samba do Rio de Janeiro nas últimas décados do século XX e abririam espaço para Carnavais que procuram articular luxo e originalidade, uma das características dos desfiles na virada para o século XXI.

organizações carnavalescas que surgem a cada ano, como o Simpatia é Quase Amor ou Suvaco do Cristo, que arrastam milhares de pessoas pelas ruas da zona sul do Rio de Janeiro a cada ano. Por sua vez, os desfiles das principais escolas cariocas iriam refletir essa nova organização em apresentações cada vez mais elaboradas, com sambas-enredos embalados, criados especialmente para permitir a compreensão do enredo e uma boa resposta da platéia, associados a uma dedicação cada vez maior aos aspectos visuais e narrativos dos desfiles. Carnavalescos como Rosa Magalhães (a maior campeã dos vinte primeiros anos do Sambódromo), Max Lopes e Renato Lage estabeleciam um novo padrão de qualidade estética para os desfiles, no qual os detalhes visuais e as novidades tecnológicas tornavam-se tão importantes quanto as "tradições" do canto e da dança. Todas essas modificações imporiam um novo modelo para as escolas que buscavam associar os elementos tradicionais às necessidades resultantes da nova postura "empresarial" do desfile.

A banda na rua

Após os investimentos oficiais no Carnaval carioca da década de 1930, com a implantação do corso e das batalhas de confete em Copacabana, entre outras providências, a folia de rua da Zona Sul do Rio de Janeiro conheceu um razoável crescimento tornando-se um dos pólos carnavalescos da cidade. Com o passar dos anos, entretanto, as atenções dirigiam-se cada vez mais aos bailes de salão e ao desfile das escolas de samba, que começavam a monopolizar os investimentos oficiais e a atrair para o centro da cidade a afluência da classe média. Essa passava a se envolver com o chamado Carnaval popular, relegando as outras atividades foliãs a um segundo plano.

O declínio dos ranchos, cordões e blocos, muitos dos quais sediados em bairros da Zona Sul da cidade, acentuava a sensação de decadência do Carnaval de rua em bairros como Flamengo, Botafogo, Copacabana e Ipanema. Foi então que uma turma de rapazes freqüentadores dos bares de Ipanema se lembrou de uma divertida tradição carnavalesca que tinham presenciado em Minas Gerais: o desfile da Filarmônica Embocadura de Ubá que, conforme relata o emérito folião Cláudio Pinheiro, "desfilava pelas ruas da cidade, com seus integrantes cada um tocando, se assim se poderia dizer, um instrumento musical. O som resultante, nulo em harmonia, era todavia forte o suficiente para, com sua irresistível desarrumação melódica e extremo descompasso, despreocupadamente caótico, tornar-se hilariante. Um desfile contagiante para todos."

No Carnaval de 1965, inspirados pelo sucesso da brincadeira mineira, o grupo de cerca de trinta amigos, do qual se destacava Albino Pinheiro, reuniu seus instrumentos e partiu da Praça Gal. Osório, no coração de Ipanema, para conquistar o bairro. O som produzido pela turma não devia ser nada agradável, mas, ao que parece, a alegria foi contagiante. Com o passar dos anos, a tal banda incorporou músicos profissionais às suas apresentações enquanto atraía cada vez mais gente para seus desfiles. O nome, Banda de Ipanema, impôs-se naturalmente, aproveitando-se da fama do bairro que já se tornava o grande pólo de irradiação da contracultura urbana brasileira.

A Banda de Ipanema lançou uma moda que tomaria conta do país. A partir de então, a turma mais intelectual passava a se interessar pela festa carnavalesca mais espontânea, numa espécie de resposta à oficialização da folia. Resultado: em pouco tempo várias outras bandas surgiram no Rio de Janeiro, e no Brasil, numa espécie de onda que carregaria multidões.

A Banda já criou algumas tradições. Entre elas a ausência de carro de som e de corda, pois ela é aberta a cariocas de qualquer estado e a brasileiros de qualquer país, como dizem seus fundadores. Seu percurso começa sempre na Praça Gal. Osório passando pela praia de Ipanema. Ao alcançar a Igreja de Nossa Senhora da Paz a Banda costuma tocar a música *Carinhoso* em homenagem a Pixinguinha. A cada ano são escolhidos um padrinho e uma madrinha para o desfile.

Já foram homenageados com esta alta honraria carnavalesca gente como Eneida, Leila Diniz, Tom Jobim, Clementina de Jesus, Emilinha Borba, Luiza Brunet e Cartola, uma variedade que representa muito bem o espírito eclético da folia carioca.

O lema da Banda de Ipanema – Yolhesman Crisbeles – não quer dizer absolutamente nada e até hoje desafia qualquer interpretação.

Desfilando na praia que lhe deu o nome, a Banda de Ipanema foi alçada à categoria de Patrimônio Imaterial da Cidade do Rio de Janeiro em 2004.
(Daniela Conti / Agência O Dia.*)*

Por dentro de uma escola de samba

A organização de uma escola de samba em desfile no Carnaval atual reflete as muitas tensões e influências pelas quais esses grupos passaram desde sua lenta organização iniciada na década de 1930. Os principais elementos que compõem uma escola de samba contemporânea são:

As alas: originadas dos grupos de foliões que desfilavam nas ruas do Rio de Janeiro desde a segunda metade do século XX, as alas são um conjunto de pessoas usando, na maioria das vezes, uma mesma fantasia e desfilando coesa.

A ala das baianas: espécie de reverência aos grupos de mulheres que desfilavam nos ranchos e cordões do início do século XX com suas roupas de baianas, e que participaram das primeiras escolas de samba, essa ala compõe-se, atualmente, de um conjunto de, no mínimo, cem mulheres usando fantasias caracterizadas por amplas saias rodadas.

A bateria: grupo de ritmistas tocando várias espécies de instrumentos de percussão, desde os pequenos tamborins, com seus sons agudos, aos grandes surdos, responsáveis pela pulsação rítmica do samba. A proporção entre os diferentes tambores, assim como suas batidas, são as responsáveis pela identidade sonora de cada escola de samba.

O puxador: responsável por cantar o samba-enredo durante o desfile, sua principal função é animar os componentes e fazer com que todos cantem com empolgação, "puxando" a passagem da escola. Jamelão, o grande intérprete da Mangueira, não gosta dessa denominação.

A comissão de frente: originalmente era composta pelas figuras importantes da escola que desfilavam na frente da agremiação envergando a roupa típica do malandro elegante ou mesmo fraque e cartola. A partir da década de 1980, a comissão de frente foi perdendo sua função de simples apresentadora do desfile e incorporando características teatrais, tornando-se, desse modo, uma espécie de introdução ao espetáculo.

Baiana da Imperatriz Leopoldinense.
(Felipe Ferreira / Coleção do autor.)

Selminha Sorriso e Claudinho, porta-bandeira e mestre-sala da Beija-flor. (Marcelo Regua / Agência O Dia.)

A tradicional águia do carro abre-alas da Portela (Ana Carolina Fernandes / Folha Imagem.)

O casal de porta-bandeira e mestre-sala: Responsáveis pela apresentação da bandeira da escola, a dupla mantém a função dos antigos mestre-sala e porta-estandarte presente nos ranchos, blocos e cordões. A dança do par, influenciada originalmente pelos minuetos e contradanças da elite, tornou-se uma espécie de balé popular com códigos e passos característicos.

A rainha de bateria: personagem polêmico surgido na Mocidade Independente de Padre Miguel em 1986, quando Monique Evans desfilaria pela primeira vez à frente da bateria da escola. Atualmente o posto de rainha de bateria tornou-se objeto de disputa entre passistas tradicionais da escola e modelos profissionais.

As alegorias: divididas entre carros alegóricos (imensas estruturas com rodas, muitas vezes motorizadas, que ocupam toda a largura da passarela) e tripés (alegorias menores, de quatro rodas, capazes de serem deslocadas por um ou dois empurradores) esses elementos visuais têm crescido em importância de ano para ano desde o advento das chamadas superalegorias, em 1976, na Beija-flor de Nilópolis. Boa parte da história contada pelo enredo está presente nos elementos visuais das alegorias, tais como as esculturas, os destaques e as composições.

Os destaques e as composições: geralmente apresentando-se sobre os grandes carros alegóricos, destaques e composições são elementos fantasiados representando os principais momentos do enredo. A diferença entre os dois reside, principalmente, no luxo e grandiosidade das fantasias. Os destaques normalmente representam conceitos ou personagens únicos enquanto que as composições se apresentam, muitas vezes, como grupos usando fantasias similares.

A organização do desfile: A tarefa de colocar os cerca de quatro mil desfilantes na passarela cabe aos diretores de harmonia. Do bom desempenho dessa função, que busca organizar a apresentação sem interferir na alegria e espontaneidade dos desfilantes, depende a qualidade do desfile.

POPULAR E ESPETACULAR

Essas duas vertentes do Carnaval carioca, uma ligada à valorização do Carnaval de rua e outra à organização do "espetáculo" das escolas de samba, gerariam frutos. De um lado a proliferação de grupos carnavalescos reunindo amigos de bairro, colegas de profissão ou freqüentadores de bares apontaria para uma revalorização das ruas da cidade numa espécie de retorno às antigas brincadeiras que tomavam o Centro do Rio de Janeiro na segunda metade do século XIX. Desprovidos de regras oficiais, os grupos que reocupam as ruas do Carnaval carioca procuram organizar-se cada um a seu modo, subvertendo classificações e propondo novas formas de divertimento, muitas vezes surgidas nas franjas da festa "oficial". Classificar esses novos e inusitados formatos será tarefa dos futuros pesquisadores.

Um bom exemplo dessa folia contemporânea é a nova centralidade exercida pelo Sambódromo, ou Passarela do Samba.

As escolas de samba que cresceram de importância a partir dos anos 1970, com a participação cada vez maior da classe média brasileira em seus desfiles, viram seus antigos ensaios de quadra transformarem-se em local de convívio, deixando de ser um ensaio propriamente dito para tornar-se um grande baile ao som da bateria. Escolas mais freqüentadas, como a Portela, por exemplo, passariam a realizar outros ensaios em dias de semana, ampliando as atividades sociais e a oferta de lazer para as pessoas envolvidas com o samba. Desde a inauguração do Sambódromo, no Carnaval de 1984, o espaço idealizado por Darcy Ribeiro, vinha se mantendo apenas como uma espécie de palco preparado para um espetáculo que acontecia somente nos dias de Carnaval. Entretanto, a partir da década de 1990, com o surgimento dos primeiros "ensaios técnicos", realizados na pista do próprio Sambódromo, o evento foi aos poucos assumindo o caráter de um verdadeiro desfile antecipado, atraindo cada vez mais pessoas interessadas em assistir à passagem das escolas sem fantasias ou alegorias, mas com seus componentes cantando e dançando o samba, ao som da bateria e do puxador, numa preparação para a apresentação oficial. Organizado de modo que uma ou duas escolas possam ensaiar em dias previamente estabelecidos, esses ensaios técnicos vêm tendo um público cada vez maior com o passar dos anos, buscando, ao que parece, um momento de contato simples e direto com o ritmo e a música, sem a mediação das fantasias e grandes alegorias, reservadas para o momento da disputa nos dias do desfile oficial. Em 1999, o número de pessoas interessadas em assistir à

O impacto causado pelo conjunto alegórico representando o mar, elaborado por Rosa Magalhães para o desfile da Imperatriz Leopoldinense de 1992, com o enredo "Não existe pecado abaixo do Equador", é um exemplo das novidades trazidas pelos novos artistas responsáveis pela criação visual dos desfiles das escolas de samba. (Ivo Gonzáles / Agência O Globo.)

passagem das escolas escaladas para ensaiar já chegava a centenas de pessoas. A partir dos preparativos para o Carnaval de 2001, milhares de espectadores passaram a ocupar a área de desfile, fazendo com que, já nos ensaios para o Carnaval 2004, as arquibancadas passassem a ser abertas para poderem acomodar o público que outrora se comprimia na laterais da pista. Criava-se, desse modo, uma nova "tradição" carnavalesca no Rio de Janeiro e uma nova "funcionalidade" para as arquibancadas do Sambódromo, normalmente vazias fora do período carnavalesco, numa demonstração do caráter eminentemente dinâmico da festa carnavalesca.

Um modelo... mas nem tanto

Por outro lado, o grande sucesso das escolas de samba faria com que seu formato de apresentação fosse copiado por diversas festas carnavalescas no Brasil e no mundo, e sua forma de organização se tornasse uma espécie de modelo ideal a ser

O Sambódromo

Criado por Oscar Niemeyer, o Sambódromo carioca (nome popular da Passarela do Samba Professor Darcy Ribeiro) foi construído no tempo recorde de 120 dias para o Carnaval de 1984, servindo de modelo para outras construções similares por todo o país.

Com setecentos metros de extensão, a imensa estrutura de concreto que ocupa boa parte da antiga rua Marques de Sapucaí, abriga cerca de sessenta mil pessoas em seus camarotes, frisas, cadeiras de pista e arquibancadas. Composto de dez setores (sete do lado ímpar e três do lado par) o Sambódromo termina no imenso arco da apoteose que se tornou um verdadeiro marco dos desfiles realizados no local.

Pela Passarela do Samba do Rio de Janeiro apresentam-se as escolas de samba do Grupo Especial e dos grupos imediatamente abaixo (Grupo A e Grupo B), além das escolas mirins. Fora do período carnavalesco, os prédios abrigam uma escola pública com cerca de oito mil alunos.

Acusado, por muitos carnavalescos, de pouco adaptado aos desfiles das escolas, o Sambódromo do Rio de Janeiro já sofreu diversas modificações desde sua construção. Criado para acabar com o "monta-desmonta" característico das arquibancadas de madeira, a Passarela do Samba necessita ser anualmente adaptada às novas necessidades, que incluem a montagem e desmontagem de frisas e cadeiras sobre estruturas de madeira.

Alguns setores do Sambódromo (como o 1, o 6 e o 13) são eminentemente populares. O setor 2 consiste em grupos de camarotes dispostos em três andares. Os setores restantes (3, 4, 5, 7, 9 e 11) possuem áreas de frisas, camarotes e arquibancadas.

seguido. Na verdade, a difusão do formato das escolas de samba cariocas pelo Brasil se daria a partir de meados da década de 1940, quando grupos carnavalescos nos moldes das escolas do Rio de Janeiro começavam a se organizar em todo o Brasil, como as escolas de samba Bambas da Orgia e Imperadores do Samba, em Porto Alegre, Novo Império, em Vitória, X-9, em Santos, Garotos do Céu, no Recife ou Nenê de Vila Matilde, em São Paulo. Mas será a partir da década de 1960 que a difusão do carnaval ao estilo da "Capital do Samba" tomaria de roldão quase todas as cidades importantes do país. Entretanto, apesar de buscarem reproduzir, em seus Estados, as normas e formas das escolas cariocas, esses novos grupos carnavalescos espalhados pelo Brasil acabariam por desenvolver uma maneira própria de se apresentar, preservando certas "tradições cariocas" e subvertendo outras tantas de acordo com os diferentes processos culturais de cada região. Um bom exemplo disso é a figura da porta-estandarte nas escolas de samba de Porto Alegre. Provavelmente influenciada pelos estandartes das sociedades e blocos populares da folia porto-alegrense do século XIX e início do século XX, a presença da porta-estandarte é um elemento de identidade das escolas de samba da região e de sua diferenciação do modelo carioca, em que as escolas apresentam uma bandeira no lugar do estandarte.

Outro exemplo desse processo de adaptação pode ser acompanhado atualmente no desfile das escolas de samba paulistanas. Surgidas, em sua grande maioria, na década de 1970, provenientes, muitas delas, de antigos blocos ou cordões, as escolas do Carnaval de São Paulo vêm buscando estabelecer uma linguagem própria, capaz de diferenciá-las do ideal carioca que as inspirou. Altamente organizadas e contando com uma passarela de excelente nível para seu desfile, esses grupos conheceram uma ascensão vertiginosa na última década e já contam com uma grande presença de público e com ampla divulgação de seus desfiles, transmitidos para todo o país pela televisão na sexta-feira e sábado de Carnaval para não coincidir com os dias do desfile das escolas do Rio de Janeiro. Escolas como Camisa Verde, Rosas de Ouro e Vai-Vai passaram a ser conhecidas nacionalmente, desfrutando de um prestígio que começa a ultrapassar as fronteiras do Estado. A batida peculiar do samba apresentado pelas escolas paulistanas aliada ao gosto pela coreografia em suas alas de "passo marcado" apontam para uma individualidade cada vez maior desses grupos.

Outros grupos, também denominados escolas de samba, existem em diversos países como o Japão, Finlândia, Inglaterra, França, Alemanha, Estados Unidos, Áustria, Suécia, Austrália, Holanda, Itália e Polônia. Muitos deles buscam repetir o formato

Agência RBS.

O Século, 1886.

A porta-estandarte Guislaine Pereira se apresenta no Carnaval de 2004, em Porto Alegre, carregando o estandarte da escola de samba Estado Maior da Restinga. O uso do estandarte em lugar da bandeira é uma tradição das escolas de samba gaúchas, que repetiram o costume de suas Grandes Sociedades.

das escolas de samba cariocas em suas apresentações. Outros, entretanto, estruturam-se como conjuntos de samba, escolas de dança ou blocos carnavalescos que pouco têm a ver com o que no Brasil seria chamado de escola de samba. Repete-se aqui, em escala global, o mesmo fenômeno que se apresenta no Carnaval carioca de rua atual e que existia na festa de finais do século XIX, ou seja, uma inclassificável diversidade de formatos de brincadeiras unidas pelo interesse comum com relação à folia brasileira.

Mais uma vez nos deparamos com o caráter mutável e até certo ponto, inclassificável da folia. Essa saudável, e recorrente, confusão é um dos principais indicadores da vitalidade da festa carnavalesca à brasileira, capaz de se renovar e se reproduzir em bases sempre diferentes. O Carnaval carioca, por tantas décadas considerado como um padrão para a folia nacional, encontra, nesses novos tempos, sua função. Não mais um exemplo a ser copiado rigidamente e fora do qual não existiria Carnaval, mas como um ponto de partida ou um tema incentivador para o surgimento de outros Carnavais com o jeito e cara de tantos outros lugares foliões no Brasil e no mundo.

Carnaval do Recife

O Carnaval dos grupos e dos ranchos, das escolas de samba do Rio de Janeiro não é o Carnaval do Recife, o Carnaval da participação coletiva popular na onda humana que se desloca, contorce e vibra na coreografia, a um tempo pessoal e geral do *frevo*, com a sugestão irresistível de suas marchas-frevos pernambucanas, insubstituíveis e únicas.

A festa negra

O parágrafo acima faz parte do verbete "Carnaval" do *Dicionário do folclore brasileiro*, de Câmara Cascudo e já deixava clara, em meados do século XX, a intenção de se criar uma identidade para a folia carnavalesca recifense, definindo-a a partir de sua diferenciação com o formato da festa carioca. Identificar uma "origem" e uma "evolução" particulares para o Carnaval do Recife seria um modo de dar um caráter próprio à brincadeira que tomava conta da cidade desde sua fundação, com o indefectível Entrudo. As festas negras de congos, bastante comuns em Pernambuco já no século XVIII, são destacadas como sua grande "raiz" carnavalesca. Mauro Mota, em seu livro *Terra e gente*, ressalta o interesse oficial que esses festejos atraíam, já no século XIX, relatando uma cena, descrita pelo viajante Koster, que acontecera em Itamaracá, em 1801, por ocasião da investidura de um certo Dom Domingos como rei do Congo:

> Estando nós todos com assentos, juiz, escrivão, procurador, tesoureiro e mais vogais desta santa irmandade, demos posse a Dom Domingos Marques de Araújo, primeiro rei do Congo deste lugar da Boa Vista, por ordem e despachos, que tivemos dos magistrados deste país.

Festa representando a coroação de reis negros eram comuns no Brasil do século XVIII. O uso de grandes guarda-sóis, chamados também de umbelas ou pálios, acabou sendo incorporado à identidade visual dos maracatus.
(Carlos Julião. Coroação de um Rei Negro nos Festejos de Reis, *aquarela sobre papel, Biblioteca Nacional, RJ.)*

Ao destacarem essas relações entre o poder e as festas negras em Pernambuco, os historiadores do Carnaval pernambucano do século XX, procuravam ressaltar o caminho peculiar percorrido pela folia da região, destacando suas diferenças com relação ao Carnaval que se fazia no Rio de Janeiro na época e conquistando seu espaço na diversidade carnavalesca nacional.

Herdeiro "direto" dos congos negros, o maracatu seria erigido como a grande matriz popular do Carnaval da região, ressaltando-se a própria origem do nome, vinculada ao termo genérico "maracatu", usado, já no século XIX, para designar ajuntamento de negros durante as festas em honra a Nossa Senhora do Rosário. A partir dos anos 1888, com o fim da escravidão, essas reuniões festivas negras, já então ligadas aos terreiros de xangô, ou candomblé, teriam passado a ocorrer em outros momentos comemorativos, como o período de Carnaval, por exemplo. No livro *O frevo pernambucano,* Leonardo Dantas Silva, ressalta o preconceito que havia contra esses maracatus, classificados pelo *Diario de Pernambuco,* de 18 de maio de 1880, como "estúpidos folguedos africanos" apresentando "cenas supinamente imorais", com "batuques dos barbarescos instrumentos e das desafinadas vozes dos cantores". Vistos como uma espécie de oposição aos gostos da elite da época, os maracatus seriam eleitos como a verdadeira essência popular da festa carnavalesca pernambucana apresentando-se como uma expressão característica da região.

A FESTA BRANCA

Importante centro urbano do país desde sua fundação, a cidade do Recife, muitas vezes chamada de "segunda capital do Império", buscava manter-se atualizada com as modas e costumes da corte. Sua festa carnavalesca não era uma exceção e, desde cedo, os bailes e passeios repetiam, na cidade nordestina, o que se via no Rio de Janeiro. Em 1848, o *Diario de Pernambuco*, de 18 de fevereiro, destacava que "Pernambuco, cuja capital rivaliza em luxo e polidez com a Corte desse Império" realizaria seu primeiro baile de máscaras público, inaugurando um costume que passaria a ocupar os teatros da cidade nos dias de Carnaval durante todo o século XIX. Assim como acontecia na capital do país, em pouco tempo grupos de mascarados se deslocavam pelas ruas da cidade. "O gosto pelas máscaras desenvolveu-se prodigiosamente neste ano", afirmava o *Diario de Pernambuco*, de 14 de fevereiro de 1853. "O que porém houve de mais interessante [no Carnaval], foram os passeios dos máscaras pelas ruas da cidade, ora a pé, ou a carro, ou a cavalo", descreve o mesmo jornal um ano depois em sua edição de 4 de março. Na década de 1860, já se tem notícia dos primeiros passeios organizados de grupos, aos moldes das sociedades carnavalescas cariocas. Em 1870, conforme relata Rita de Cássia Barbosa de Araújo, as participações das sociedades Asmodeu, Garibaldina e Comuna Carnavalesca já eram anunciadas nos bailes do Teatro Santo Antônio, enquanto que o Teatro Ginásio Dramático contaria com a presença das sociedades Pândegos do Recife, Folgazões Carnavalescos, Clube dos Barrigudos e Lariqueiros. Em 1885, alguns desses grupos, como o Cavalheiros da Época e o 33, passam a ser conhecidos como Clubes de Alegorias e Críticas, contando com carros alegóricos, fantasias, grandes estandartes de veludo bordados a ouro e pedrarias, fanfarra de clarins, orquestra e alegorias com críticas à política e aos costumes da época. O sucesso desses grupos pode ser medido nas recepções realizadas pelos moradores das ruas por onde eles passavam, nos moldes do que acontecia na capital do Império. Comitês expressamente reunidos para esse fim eram organizados, como a Comissão Carnavalesca da Rua da Imperatriz que, em 15 de fevereiro de 1885, declarava que não poupara esforços para "cumprir o seu dever, decorando a mesma rua com a elegância e modéstia exigíveis em tais casos", segundo Leonardo Dantas Silva.

Paralelamente à proliferação desses grupos mais ligados às elites, entretanto, repetir-se-ia no Recife o que já ocorria no Rio de Janeiro, onde outras brincadeiras carnavalescas procuravam ocupar o espaço festivo da cidade, dialogando com a folia proposta pela burguesia. É assim que, por exemplo, já em 1854, pode-se ler no *Diario de Pernambuco*, de 6 de março, comentários sobre um grupo que desfilou pela cidade, numa "imitação dos costumes africanos, na maneira por que fazem os seus ordinários divertimentos, os seus maracatus". O texto prossegue destacando a "imitação" fiel dos personagens negros, com a presença de um "rei de uma nação africana, debaixo de grande umbela, acompanhado de seus súditos [...] dançando e saracoteando ao som dos mais esdrúxulos instrumentos". Leonardo Dantas Silva, em sua introdução à *Antologia do Carnaval do Recife*, considera que este grupo era composto de pessoas brancas imitando um grupo negro. Entretanto o mais provável é que este "maracatu" fosse mesmo um desfile de congo negro durante os dias de carnaval, como ocorria no Rio de Janeiro em relação aos cucumbis. A descrição do passeio desse maracatu não deixa clara a composição do grupo, mas, qualquer que seja ela, o importante é notarmos as relações entre diferentes formas de se ocupar o espaço carnavalesco e as conseqüências disso, ou seja, a formação de uma folia múltipla, expressão de um diálogo entre as diversas "culturas" presentes no Carnaval recifense. Em 1872, o *Diario de Pernambuco*, de 10 de fevereiro, já noticiava que no dia seguinte a Nação Velha de Cambinda percorreria diversas ruas da cidade, parando em frente à igreja do Rosário de Santo Antônio "onde se soltarão algumas girândolas de fogo", seguindo depois para o centro do Recife.

Além dos conjuntos negros, outros tipos de grupos populares, ou seja, não diretamente ligados ao padrão carnavalesco da burguesia, ocupavam as ruas da cidade no Carnaval. Em 1857, o *Diario de Pernambuco*, de 3 de março, descrevia um conjunto de foliões que desfilavam imitando engenheiros ingleses ligados à construção da estrada de ferro e da iluminação a gás da cidade. Imitando os gestos e trajes dos estrangeiros, o grupo andava pelas ruas "levantando plantas e traçando nivelamentos", caricaturando as figuras dos funcionários numa espécie de crítica carnavalesca bem-humorada. Em 1869, ainda de acordo com Leonardo Dantas Silva, surgiria o Clube dos Azucrins, considerado o primeiro dos Clubes Pedestres do carnaval pernambucano e famoso por "azucrinar" quem quer que passasse por seu caminho. Após a Abolição da Escravatura, aumenta o número das chamadas sociedades populares e, já em 1889, surgem o Clube dos Vassourinhas, o Clube

Borboleta e o Clube Caninha Verde, que reuniam componentes das classes mais baixas em seus desfiles.

O resultado da presença desses múltiplos festejos nas ruas da cidade seria, assim como no Rio de Janeiro, a percepção, por parte da elite, de que a festa carnavalesca do Recife estaria saindo de seu controle e voltando, de um certo modo, para os velhos tempos da bagunça do Entrudo. A chamada "volta do Entrudo" é um tema que se repetirá ciclicamente na imprensa, tanto no Recife quanto no Rio de Janeiro, em Porto Alegre e em tantas outras cidades que buscavam "civilizar" seu Carnaval em finais do século XIX.

Entretanto, apesar de similar ao que acontecia nas ruas do centro da capital do país, todo esse processo ocorrido na folia do Recife produziria outros tipos de brincadeiras, reflexos das peculiaridades do espaço urbano e da sociedade recifense. Enquanto no Rio de Janeiro a burguesia procurava seguir o exemplo parisiense, na capital pernambucana, e nos principais centros urbanos brasileiros, o grande modelo era a festa fluminense, sem se desprezar, é claro, as influências vindas diretamente de Paris. Organizava-se, desse modo, uma folia carnavalesca peculiar da cidade do Recife que refletiria questões locais, nacionais e globais, num processo que pode ser projetado para a compreensão dos Carnavais de todas as cidades brasileiras.

A grande expressão da folia de Pernambuco acabaria sendo, entretanto, o frevo, ritmo peculiar da região que seria classificado como uma das formas "regionais" de manifestação da cultural nacional a partir dos anos 1920, dentro do contexto de definição do Brasil como um país orgulhosamente mestiço, tal como se deu com o maxixe e o samba. As origens do frevo como ritmo e coreografia estavam longe de se estabelecer como uma raiz essencialmente negra, apresentando-se, na verdade, como um excelente exemplo dos múltiplos diálogos entre as formas carnavalescas presentes nas ruas recifenses.

Os frevos "europeus"

Os primórdios do frevo foram estabelecidos a partir da definição de alguns momentos fundadores de sua história, como, por exemplo, o surgimento do Clube Carnavalesco Vassourinhas, em 1º de março de 1889, destacando-se a origem popular de seus componentes, basicamente trabalhadores e pessoas de baixa renda. Chamados de Clubes Pedestres, esses grupos seriam definidos como uma espécie de oposto dos Clubes de Alegorias e Críticas, mais próximo, em composição, objetivos

A movimentação frenética é uma das mais destacadas características dos desfiles dos frevos pernambucanos. (Leo Caldas/Titular.)

e formato de desfile, às sociedades carnavalescas do grande Carnaval carioca. A presença de porta-estandarte, pessoas desfilando com sombrinhas coloridas e um grupo fantasiado de morcego abrindo alas são algumas características que os Clubes Pedestres teriam em comum com os futuros Clubes de Frevo. Desfilando acompanhados de uma banda em formação militar, os "cordões" (como também eram chamados esses grupos) costumavam parar em locais predeterminados para cantar fados e árias de óperas e realizar uma série de manobras. Esses movimentos em grupo eram coordenados por um mestre-baliza e se realizavam ao som de marchas e dobrados muitas vezes acompanhados pelo coro dos participantes. Os nomes desses grupos podiam ter origem jocosa – como o "Viúvas destroçadas" ou o "Vasculhadores", ou referir-se à profissão de seus componentes – como o "Carvoeiros", o "Pescadores do Pontal" ou o "Empalhadores do Feitosa".

O grande evento que marcaria o "surgimento" dos Clubes de Frevo estaria, entretanto, ligado a um Clube de Alegorias e Críticas, destacando a mistura conceitual entre esse tipo de brincadeira, considerada como característica da elite, e as formas de folia populares. O Clube de Alegorias e Críticas dos Caraduras, criado em 1901, desfilava com um carro sobre o qual uma banda militar tocava marchas e polcas aceleradas. Em suas paradas o grupo apresentava uma espécie de pastoril cômico com homens representando as pastoras em esquetes chulos. Quando voltava a se deslocar, o clube arrastava consigo uma multidão que, interessada em continuar vendo as cenas, seguia os carros pulando ao som das músicas aceleradas. O pulante contingente humano, composto principalmente de pessoas mais pobres, capoeiras, ex-escravos e desordeiros em geral, era chamado de "frevedouro". Aliás, o termo "frevo" acabaria se tornando bastante comum, na década de 1910, sendo usado para denominar qualquer situação extremamente animada. "Olha o frevo!" era uma exclamação difundida durante o Carnaval, usada tanto para se referir à alegria dos bailes quanto das ruas. Essa terminologia, associada à folia exacerbada, acabaria por dar o nome aos animados grupos e ao novo ritmo da folia do Recife.

Os frevos "negros"

Outras "origens", entretanto, se apresentam para esses grupos de frevo, procurando destacar a influência negra em sua formação e ressaltando o papel dos escravos de ganho que trabalhavam no porto da cidade. Esses negros costumavam trabalhar em grupos de cinco a oito homens que, juntos, eram usados para conduzir pesados volumes pelas ruas do Recife. Para que todos pudessem andar no mesmo passo, o grupo era encabeçado por uma espécie de capataz que, empunhando um galho ou uma bandeira, guiava os carregadores e entoava cantos com o objetivo de manter a animação e o ritmo, ajudando também a abrir passagem entre o povo. Na Festa de Reis, geralmente dia de folga do trabalho, esses homens costumavam sair pelas ruas comemorando, formando uma espécie de cortejo no qual um dos participantes era carregado nos ombros dos companheiros sobre uma grande caixa. O grupo cantava versos em ritmo de marcha alegre e desfilava na frente da casa de seus fregueses, onde era saudado com foguetórios.

Além desse, um outro tipo de grupo se disseminava pelo Recife: as maltas de capoeiras. Esses temidos rapazes costumavam ligar-se às bandas de música que existiam na cidade criando-se grupos "inimigos" com grande rivalidade entre si, tal como se observava entre os capoeiras infiltrados nos cordões rivais do Rio de Janeiro. A reunião dessas duas manifestações coletivas, os cortejos de carregadores e as bandas apoiadas pelos capoeiras, acabaria por gerar os chamados Clubes Carnavalescos Pedestres que, a partir de 1880, passavam a integrar os festejos de rua do Carnaval do Recife. Em 1886 já existiam muitos desses grupos, como o Clube dos Simpáticos (com artistas que desfilavam acompanhados de música), o Mimo de Amor, o Sociedade Musical Arte e União (que desfilava com elaboradas fantasias) e o Clube Carnavalesco dos Mandarins (com componentes fantasiados de chineses, acompanhados de uma filarmônica, cantando madrigais), numa variedade de formas e estilos bastante similar à das ruas do Rio de Janeiro no mesmo período.

No início do século XX, alguns desses Clubes Carnavalescos Pedestres apresentavam-se sem alegorias ou carros, destacando-se, basicamente, por seus "cantos" e "manobras". Essas eram executadas ao som de marchas vibrantes tocadas por bandas de músicas e intercaladas com árias de ópera, tangos, polcas e valsas. As manobras eram exaustivamente ensaiadas e representavam temas, como o que os Caiadores apresentaram em 1909, intitulado "Defender Momo contra os deuses de Baco". Cada clube tinha um estandarte ricamente bordado com seu nome, insígnias e símbolos.

De acordo com essa versão estabelecida para explicar o surgimento dos grupos de frevo, seus passos característicos teriam sido produtos de uma lenta elaboração a partir das coreografias realizadas, ao ritmo da música de inspiração européia, pelos populares que acompanhavam os clubes pedestres. Esses, inspirados pelo acento vibrante da orquestra, dançavam livremente com passos individuais marcados por gestos de agressividade e de defesa típicos dos capoeiras. Essa dança "desregrada" e "quente", influenciada pela movimentação característica da luta de capoeira, acabaria se tornando o frevo, com sua coreografia concentrada, principalmente, nos movimentos das pernas. Nascido para acompanhar o ritmo da música, esses movimentos acabariam, por sua vez, influenciando as próprias músicas que acompanhavam. Desse diálogo entre dança e ritmo teria surgido o frevo.

O frevo "pernambucano"

Produto da reunião de diversos discursos marcados pelas duas narrativas básicas – a origem européia e a origem negra –, os clubes de frevo se tornariam a característica mais marcante do carnaval pernambucano expressando as diferentes tensões da sociedade e sintetizando diversas de suas contradições.

A história da trajetória dos Clubes de Frevo, a partir do início do século XX, procuraria solucionar o "problema" da grande variedade de grupos que existiam originalmente ressaltando aqueles que mais se identificavam com a festa popular, em oposição à folia imposta pela elite. Destaca-se, desse modo, o desprezo inicialmente devotado a esses grupos de frevo pelos jornais, porta-vozes da burguesia, que os consideravam sem espírito, pornográficos e dispensáveis. A coisa chegaria a tal ponto que, em 1904, a polícia decidiria proibir os passeios dos clubes pedestres pela cidade, com o apoio de órgãos da imprensa que propõem uma reavaliação dos divertimentos carnavalescos do Recife e sua reclassificação sob critérios de maior ou menor periculosidade. De acordo com essas diretrizes, as manifestações que se mostrassem capazes de se integrar à ordem constituída seriam toleradas, ao passo que as consideradas ofensivas seriam extintas. Os clubes carnavalescos que se enquadrassem dentro dos critérios estabelecidos seriam considerados inofensivos e ganhariam *status* oficial. Muitos dos "grupos perigosos" adaptar-se-iam às regras e passariam a contar com o apoio da imprensa. Em 1908, o *Jornal Pequeno* institui prêmios para o clube mais garboso, para o de vestuário mais chique e para o de orquestra mais afinada, num movimento de organização e integração em tudo semelhante às ações que "enquadraram" os ranchos e cordões no Carnaval carioca do mesmo período.

Destaca-se a origem da palavra "frevo", que teria aparecido pela primeira vez num aviso de ensaio do Clube Carnavalesco Empalhadores do Feitosa, publicado em 9 de fevereiro de 1907, no *Jornal Pequeno*, significando, como sempre, uma espécie de corruptela do verbo ferver. Em 1908, o termo frevo já seria, finalmente, usado na imprensa para designar os grupos do Carnaval do Recife.

O importante a se perceber nessas três narrativas complementares é a estreita relação entre seus discursos e as diferentes questões que cada um deles busca destacar. A origem remota, a origem negra e a expressão popular do ritmo e da brincadeira carnavalesca são vozes das conversas e negociações que ajudaram a definir o frevo e sua importância para o Carnaval brasileiro.

O FREVO "NACIONAL"

A partir de final dos anos 1920, o Carnaval pernambucano procura se integrar à festa brasileira buscando um lugar para o frevo dentro do pensamento que definia a nova nação mestiça. A organização dos Clubes de Frevo passa a estabelecer diferentes características para o ritmo que se classificaria em "frevo de rua (instrumental e de andamento rápido), "frevo-canção" (de andamento moderado, próprio para ser cantado) e "frevo-de-bloco" (para orquestra de cordas e madeiras, com uma introdução alegre e uma segunda parte mais lenta para ser cantada por coro feminino). Em finais de 1934, é fundado no Rio de Janeiro o grupo de frevo Clube Carnavalesco Misto Vassourinha, aproveitando-se do incentivo que o prefeito Pedro Ernesto, nascido no Recife, procurava dar ao Carnaval carioca.

A organização crescente da festa carnavalesca recifense vai refletir, como aconteceu no Rio de Janeiro, a estruturação cada vez mais "oficial" da brincadeira e sua integração à economia nacional através do turismo.

Após uma curta experiência de organização em 1932, é criada, em 1935, a Federação Carnavalesca Pernambucana. Um dos principais objetivos da entidade era, ao que parece, reduzir a influência das idéias comunistas sobre os Clubes Pedestres do Recife, o que o fato de seu primeiro presidente, J. P. Fish, ser um americano parece corroborar. De acordo com seus estatutos de fundação, um dos principais objetivos da Federação era "moldar o carnaval no sentido do tradicionalismo histórico e educacional", organizando os desfiles e impondo-lhes um caráter "cultural" ligado às tradições pernambucanas. Uma publicação editada para o Carnaval de 1938, intitulada *Anuário do Carnaval Pernambucano 1938*, chega a sugerir uma série de fantasias com temas regionais valorizando os assuntos históricos – como Maurício de Nassau, Felipe Camarão ou Fidalgo holandês – ou ligados a produtos típicos da região – como fantasias de siri, maracujá ou macaxeira.

A partir de 1955, a folia do Recife torna-se uma festa oficial e passa a ser organizada pelo Departamento de Documentação e Cultura da Prefeitura que privilegiaria o Carnaval como espetáculo, em detrimento da festa mais livre das ruas.

As fantasias sugeridas pelo Anuário do Carnaval Pernambucano 1938 *procuravam acentuar o caráter orgulhosamente regional da folia de Pernambuco, buscando, com isso, integrá-la dentro de um projeto cultural nacional que passava a valorizar as peculiaridades e diferenças dos estados brasileiros. Elaboradas sobre uma silhueta básica comum a todos os trajes, as indumentárias tentavam minimizar o caráter subversivo da festa e destacar seu espírito delicado e decente.*
(Anuário do Carnaval Pernambucano, *1938. Arquivo do autor.)*

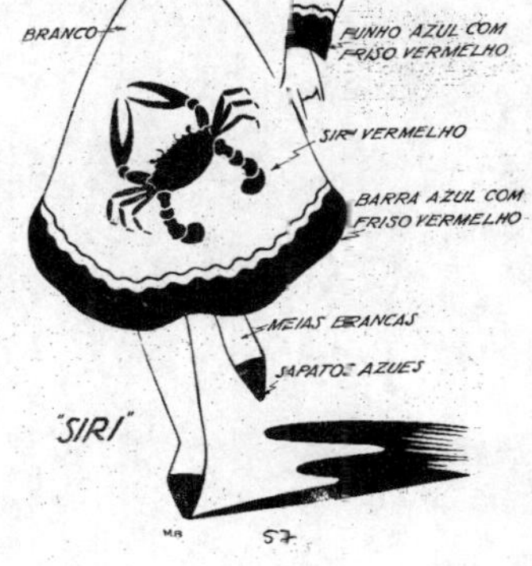

Estabelecem-se os vários tipos de grupos carnavalescos do Carnaval pernambucano como os frevos e maracatus. Em 1967, a pesquisadora Katarina Real, em seu livro *O folclore no Carnaval do Recife*, classificaria essas brincadeiras em diversas categorias, como clubes de frevo (ou simplesmente Clubes), troças (mais simples que os clubes de frevo e desfilando de dia), blocos (cantando melodias suaves ao estilo dos antigos ranchos cariocas), escolas de samba (aos moldes dos grupos cariocas), maracatus (também chamados de nações ou maracatus de baque virado), maracatus rurais (ou maracatus de orquestra ou ainda maracatus de baque solto, ligados aos folguedos populares como pastoris e folias de reis), cabocolinhos (com seus componentes desfilando vestidos de índios), entre outros.

Como se vê, o caminho percorrido pelo Carnaval do Recife é, assim como o do Rio de Janeiro, um ótimo exemplo das intrincadas relações e interesses envolvidos na formação e definição das festas carnavalescas através do estabelecimento de seus discursos fundadores e de seu progressivo enquadramento dentro da festa oficial. Em ambos os casos, a "oficialização" iria atender não somente aos interesses das elites, que passam a controlar os significados das festas, mas também traria vantagens para os grupos populares, que assim conseguiriam o reconhecimento e a valorização de manifestações normalmente relegadas a um segundo plano em termos culturais. O samba no Rio de Janeiro e o frevo no Recife são considerados produtos genuinamente brasileiros, dois ritmos fundadores, nos quais outras modalidades musicais também se inspirariam. Além disso, tanto no Rio de Janeiro quanto no Recife, o progressivo enquadramento do Carnaval popular daria espaço ao surgimento de novas formas de brincadeiras capazes de renovar a folia carnavalesca.

O caboclo-de-lança é um dos elementos que fazem parte do Maracatu Rural. Suas principais características são as compridas lanças, as grandes cabeleiras feitas geralmente de papel celofane cortado em tiras, as imensas golas de panos coloridos e bordados, e os chocalhos presos na altura das nádegas. (Rosa Gauditano/Studio R.)

Carnaval da Bahia: os trios elétricos

As histórias envolvendo a origem do Carnaval de Salvador são um excelente exemplo da construção de uma identidade organizada através da ligação de uma festa "recente" com manifestações "ancestrais".

Quase todos os textos disponíveis sobre a folia carnavalesca baiana, escritos a partir da década de 1970, procuram ressaltar seu caráter popular e "africano", estabelecendo uma identidade para sua festa capaz de diferenciá-la daquela do Rio de Janeiro, que atraía a atenção da imprensa do país e do mundo. Uma estratégia bastante semelhante à adotada nos anos 1950 pelo Carnaval do Recife. Ambos buscando se definir como carnavais essencialmente "populares" em oposição ao Carnaval "espetáculo" carioca.

Ao elaborar sua história, a festa baiana, procurou diminuir a importância das manifestações carnavalescas brancas, reduzindo suas descrições a pequenas citações sobre o antigo Entrudo, e às primeiras tentativas de controlá-lo por parte das autoridades através da criação de comissões que contratavam grupos musicais e distribuíam máscaras para a população. O projeto de organização das comissões parece ter funcionado e, em 1870, um grupo denominado Bando Anunciador seria o responsável por abrir os festejos e incentivar a população a participar da brincadeira. Em 1884, a festa já possui alguma organização com a presença da elite passeando em suas carruagens abertas além de desfiles de clubes e sociedades, como a Fantoches da Euterpe, a Cruzeiro da Vitória ou a Iniciantes do Progresso. As brincadeiras populares, bastante isoladas da festa organizada pela burguesia, manifestavam-se em alguns grupos negros como a Embaixada Africana, os Filhos da África, ou os Pândegos da África e mais tarde nos blocos da Baixa do Sapateiro e nos "caretas", espécie de mascarados com o corpo coberto, ao estilos dos Clóvis do Rio de Janeiro.

Considerada, por seus historiadores, como uma festa "menor" até meados do século XX, a folia da capital baiana era marcada pela resistência da elite branca da cidade em assimilar as manifestações negras e pelas características peculiares da cultura dos escravos africanos ali fixados, muito "orgulhosos" de sua tradições e, portanto, avessos a miscigenações e diálogos com outras culturas. Essa "divisão" se manteria até início dos anos 1950 quando um fato surpreendente seria eleito como o grande ato fundador da folia baiana.

No ano de 1951, cerca de quinze dias antes do Carnaval, o clube carnavalesco Misto Vassourinhas, famoso grupo de frevo do Recife, partiria de sua cidade para se apresentar no Carnaval do Rio de Janeiro. O clube já era velho conhecido dos cariocas, com a implantação em 1935 do primeiro clube de frevo na capital federal. Muito esperado, o grupo preparava-se para uma apresentação triunfal, pelas ruas da capital federal, no Carnaval de 1951. Sabendo que o navio que transportaria o clube entre o Recife e o Rio de Janeiro passaria por seu porto na semana anterior ao Carnaval, a prefeitura de Salvador decidiu convidá-lo para uma apresentação na cidade. No dia 31 de janeiro, uma quarta-feira, o Vassourinhas desembarcava em Salvador em formação de desfile,

> seu rico estandarte alçado ao vento, morcegos abrindo a multidão, balizas puxando dois cordões, diretoria vestida a rigor, damas de frente e fantasias de destaque, tudo ao som de uma fanfarra de 65 músicos que, com seus metais em brasa, viriam naquele momento revolucionar a própria história da musica popular brasileira,

conforme relata Leonardo Dantas Silva, sem disfarçar seu orgulho pelo glorioso acontecimento. O passeio do clube é descrito como triunfal, com os foliões de Salvador acompanhando o grupo numa verdadeira massa humana saltando ao som dos frevos. Esses haviam sido compostos especialmente para a apresentação no Carnaval carioca, denominando-se *Vassourinhas no Rio, Vassourinhas está no Rio* e *Um pernambucano no Rio,* além da já famosa *Marcha n.º 1*, conhecida em todo o Brasil como *Frevo dos Vassourinhas.* A animação da multidão parece ter sido tanta, que a uma certa hora, a própria banda teria sido engolfada na folia, causando um acidente em que um dos músicos acabou ferido na boca. O fato fez com que o desfile fosse interrompido e o Vassourinhas retornasse ao navio, seguindo sua viagem em direção ao Rio de Janeiro, sem ter passado pela Rua Chile, já então um importante espaço carnavalesco de Salvador. Frustrava-se, desse modo, a expectativa de um grande número de curiosos, que aguardavam a passagem do clube, fartamente divulgada pela prefeitura.

Mas a história não pararia por aí, ela continuaria, de forma épica, com a decisão de dois músicos, Dodô e Osmar, que impressionados com a animação demonstrada pela população durante a passagem do Vassourinhas partiram para organizar uma apresentação para o domingo de Carnaval, baseada no ritmo que contagiara a cidade. Os dois aproveitariam um velho automóvel, apelidado de Fobica, e sobre ele instalariam um sistema de som, ligado à bateria do carro, capaz de amplificar os acordes da guitarra e do violão elétrico usados pela chamada "dupla elétrica" durante sua passagem pela Rua Chile, tocando os mesmos frevos apresentados pelo Vassourinhas. No ano seguinte, já com um novo músico unindo-se aos dois companheiros, o trio passa a desfilar sobre um caminhão iluminado e dotado de alto-falantes mais potentes, patrocinado pelos refrigerantes Fratelli Vita. Estabelecia-se, a partir daí, o "ponto zero" da história do "trio elétrico". Em 1959, o grupo se apresentaria no carnaval do Recife, sob o patrocínio da Coca-Cola, fechando, desse modo um ciclo onde toda uma série de mitos modernos se articularam.

Os caminhões que carregavam os trios cresceriam de tamanho na década de 1960, ampliando, ao mesmo tempo, sua potência sonora. Os diversos trios que já existiam nessa década começaram a organizar seus passeios e a restringir os grupos de foliões que os acompanhavam através da instituição de uma corda para evitar invasões e de roupas capazes de identificar seus seguidores, as mortalhas, geralmente grandes camisões estampados.

Em 1969 a o grande sucesso musical de Caetano Veloso *Atrás do trio elétrico* daria uma contribuição decisiva para a divulgação nacional de uma brincadeira até então restrita aos Carnavais da Bahia e do Recife, cuja prefeitura, aliás, passaria a contratar o famoso Trio Elétrico Tapajós para animar a folia recifense.

A festa baiana se profissionalizaria cada vez mais e, em 1976, o Trio Elétrico Tapajós transforma-se numa empresa, administrando apresentações de trios em diversas folias pelo Brasil. Dois anos depois a vertente "afro" vai se incorporar à festa dos trios com o lançamento da música *Assim pintou Moçambique*, de Moraes Moreira.

Considerados como a "origem" do Carnaval afro-baiano, os grupos negros que desfilavam cantando pelas áreas periféricas de Salvador na década de 1890, com roupas e adornos importados da África, como o Embaixada Africana ou os Pândegos

O Carnaval de Salvador fixou-se como um grande baile a céu aberto onde os mais diversas tendências e ritmos musicais encontram seu lugar. Milhares de pessoas seguem os trios elétricos, como o Tapajós, numa euforia embalada por "samba, suor e cerveja". (Edson Ruiz/Agência O Globo.)

da África seriam definidos como os primeiros afoxés baianos. Em 1949, um grupo de estivadores do Porto de Salvador organiza o afoxé Filhos de Gandhi em homenagem ao líder pacifista indiano assassinado no ano anterior. Após sua incorporação ao Carnaval oficial dos trios, os afoxés começam a definir a feição africana da folia baiana, valorizada pelo surgimento do Movimento Negro e pelo conceito de "reafricanização" do Carnaval da Bahia, que estabeleceria uma linha evolutiva capaz de valorizar as origens negras da festa.

Na década de 1980 o Carnaval de Salvador já é visto como uma verdadeira "marca registrada", um produto mercadológico organizado em bases profissionais e comerciais. Um evento exportável na forma de folias que podem acontecer em qualquer lugar ou momento, denominado genericamente de "Carnaval fora de época". Eventos como Recifolia, Cabofolia ou Fortal tornam-se objetos do interesse de grandes empresas, desejosas de associar suas marcas a uma festa popular cada vez mais atraente.

Em suma, a festa carnavalesca baiana estabeleceu-se em bases bastante diversas dos outros grandes Carnavais brasileiros. Diferentemente das folias do Rio de Janeiro e do Recife, que adquiriram seu formato "oficial" a partir das idéias modernistas e nacionalistas dos anos 1920/1930, a festa baiana estabelece sua feição "definitiva" dentro de uma outra realidade brasileira. A visão do Brasil "tropicalista" de finais da década de 1960 procurava assumir os contrastes entre o arcaico e o moderno, entre os estrangeiro e o nacional, reunindo gêneros e influências numa mesma "geléia geral" que representaria as contradições da própria essência da brasilidade. É essa aproximação de "contradições" que estaria presente na formação do Carnaval baiano, capaz de juntar um ritmo "pernambucano" e uma guitarra elétrica "americana" ao candomblé "africano" e produzir uma festa carnavalesca "baiana" e, mais tarde "brasileira". Este processo, que não se fechava a patrocínios de empresas, à utilização de novas tecnologias ou de técnicas comerciais, tornava-se, com o apoio da indústria fonográfica, o novo Carnaval brasileiro, assumindo, despudoradamente, ou carnavalescamente, sua ligação com o *marketing* e com a cultura popular mais profunda. Ilê Aiyê e Coca-Cola reunidos para expressar a "alma" de um povo. "Viva Iracema! Viva Ipanema!", ensinava Caetano Veloso.

"Tradições" em mutação

A partir dos anos 1980, as festas carnavalescas brasileiras seguiriam a trilha aberta pela folia à baiana e passariam a buscar uma organização mais empresarial para valorizar seus eventos. A chamada "retomada da profissionalização" do Carnaval de Salvador seria representada pela organização de circuitos para a passagem dos trios (com áreas reservadas para camarotes de celebridades disputadas a peso de ouro), decoração do centro da cidade de acordo com temas preestabelecidos (tais como "O Movimento Tropicalista" ou "A Cultura da Paz") e um investimento maciço em programas de divulgação e recepção de turistas.

No Rio de Janeiro, a construção da Passarela do Samba e a fundação da Liga Independente das Escolas de Samba são os grandes marcos da organização empresarial de seu Carnaval, que realiza eventos cada vez mais grandiosos procurando gerar uma imagem global do Carnaval na disputa com a festa baiana pela coroa de maior festa popular do mundo.

Recém-chegado nessa batalha, o carnaval paulistano, que conta com uma imponente passarela e com a organização de uma Liga das Escolas, aos moldes da festa carioca, já começa a se impor como um terceiro pólo carnavalesco importante. A transmissão dos desfiles de suas principais escolas em cadeia nacional foi um grande impulsionador da festa de São Paulo, funcionando do mesmo modo que o rádio e o cinema para a folia do Rio de Janeiro e a indústria fonográfica para a de Salvador. As grandes verbas publicitárias, o interesse das indústrias de bebidas e a afluência de turistas são os grandes troféus dessa disputa.

Visto através das lentes da mais poderosa mídia do momento, a televisão, os três principais pólos da folia brasileira atual seriam as festas do Rio de Janeiro, Salvador

Um verdadeiro rio de abadás e turbantes brancos toma o circuito das ruas de Salvador durante o Carnaval numa festa que mescla raízes africanas ancestrais às mais modernas técnicas de marketing, *resultando numa esfuziante fusão de tradição e modernidade. (Adenor Gondim/ NImagem.)*

e São Paulo. Festas importantes, como as do Recife e de Olinda, de São Luís e de Porto Alegre perderam espaço nos meios de divulgação apesar de toda sua história e da incrível mobilização popular atual. Entretanto, a integração de novos meios de comunicação e divulgação como a Internet, por exemplo, pode apontar para novas questões e novas relações de poder na disputa carnavalesca brasileira.

Cinema e Carnaval

De acordo com Domingos Demasi, em seu livro, *Chanchadas e dramalhões*, o chamado "filmusicarnavalesco" surgiria no Brasil nos anos 1930 com os filmes *Alô, alô, Brasil*, de 1935, e *Alô! Alô! Carnaval*, de 1936, produzidos pela Cinédia, que contavam com a participação de Carmen Miranda. Mas foi a partir da fundação da Atlântida Cinematográfica, no Rio de Janeiro, que as músicas carnavalescas passariam a contar com a veiculação nas famosas e populares "chanchadas". *Samba em Berlim*, de 1943, *Esse mundo é um pandeiro*, de 1946, *Carnaval no fogo*, de 1949, *Tudo azul*, de 1951, *Carnaval na Atlântida*, de 1953, *Carnaval em Marte*, de 1954 e *Quem roubou meu samba*, de 1958 são alguns exemplos desses filmes que misturavam alguma ação com toda uma série de números musicais que incluíam as marchinhas e os sambas que fariam sucesso no Carnaval.

Envolta em serpentinas, Emilinha Borba, eleita a favorita da Marinha, em 1947, canta a música Cisne Branco, no filme Estou aí?, *de 1949. (Arquivo CEDOC/Funarte.)*

O Trio de Ouro (Raul Sampaio, Lurdinha Bittencourt e Herivelto Martins) apresenta um número musical no filme Está com tudo, *de 1953. Ao fundo, um grupo carnavalesco com ritmistas, cabrochas e porta-estandarte. (Cinemateca do MAM.)*

Uma verdadeira apoteose carnavalesca incrementa a apresentação do cantor Blecaute no filme Marujo por acaso, *de 1954. Praticamente completa, uma escola de samba desce o morro cenográfico. Notar as baianas estilizadas com cestinhos de flores na cabeça e a variedade de estampados em suas roupas. (Arquivo CEDOC/Funarte.)*

Artistas populares como Virgínia Lane, Emilinha Borba, as irmãs Batista e Nelson Gonçalves apresentavam-se em números musicais ingênuos e cativantes, cercados de baianas, confetes e elementos cenográficos alusivos às músicas e à folia que ajudavam a fixar as imagens do Carnaval brasileiro divulgando-as por todo o país.

O Carnaval nas ondas da WWW

Festa viva e ligada a seu tempo, o Carnaval brasileiro não ficaria de fora das grandes influências da rede mundial de computadores, a Word Wide Web (WWW). Desde meados da década de 1990, quando a primeira *homepage* sobre Carnaval brasileiro foi colocada no ar (a extinta *Samba Brasil*), a presença na Internet de páginas ligadas à folia nacional tem aumentado de forma consistente. Atualmente quase todos os grupos e eventos carnavalescos importantes do país possuem sua *homepage*. O Galo da Madrugada, do Recife, a Parafolia, de Belém, o Bloco Eva, de Salvador, as escolas de samba Imperadores do Samba, de Porto Alegre, Acadêmicos do Salgueiro, do Rio de Janeiro e Rosas de Ouro, de São Paulo são alguns exemplos. A difusão de portais oficiais centralizando toda espécie de informações, como os da Sociedade Amantes do Samba Paulista, da Liga Independente das Escolas de Samba do Rio de Janeiro ou o *Site Oficial do Carnaval de Salvador*, ampliam a oferta de informação divulgando internacionalmente as festas que acontecem no país no período carnavalesco.

Além disso, *homepages* não oficiais ligadas à cobertura dos eventos carnavalescos vêm ocupando um espaço deixado livre pela chamada grande imprensa e começam a se tornar veículos importantes para a troca de informações. Sites como *Academia do Samba*, *O Carnaval Carioca* e *Papo de Samba*, produtos da determinação e do empenho pessoal de jornalistas e amantes do carnaval, tem realizado um trabalho inédito de divulgação de assuntos ligados ao Carnaval.

Entretanto, a maior modificação que a Internet vem promovendo com relação à festa carnavalesca encontra-se na imensa possibilidade de atuação e contato diretos colocados à disposição do folião, que passa a ter uma influência muito maior sobre a própria festa. Nesse sentido, as listas de discussão têm se revelado um importante terreno de troca de informações e opiniões entre pessoas interessadas em Carnaval que anteriormente encontravam-se dispersas pelo país e pelo mundo. A possibilidade de convívio virtual amplia as conversas, as críticas e os elogios que, a partir dessas comunidades acabam por repercutir, mesmo que indiretamente, sobre os responsáveis pelas decisões ligadas à folia. Foliões de Fortaleza opinam sobre os desfiles do Carnaval carioca. Grupos se reúnem (virtual ou fisicamente) para discutir a justiça, ou não, do resultado oficial das disputas. Pessoas que nunca haviam conseguido se aproximar do fazer carnavalesco encontram espaço para apresentar seu trabalho. Premiações e julgamentos paralelos são organizados. Em suma, um processo impossível de ser detido, que mais cedo ou mais tarde acabará influenciando a próprio caminho que será trilhado pela festa carnavalesca.

A lista de discussão pioneira no Brasil, a "rio-carnaval", fundada em julho de 1998, tornou-se um marco nesse processo. Dela saíram diversas outras listas (como a "planeta samba" e a "monarcas do samba") e uma premiação extra-oficial do Carnaval carioca que vem se tornando mais cobiçada

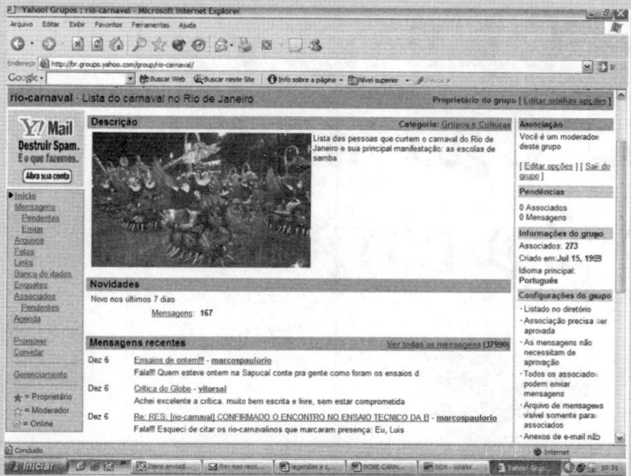

Página de abertura da lista de discussão "rio-carnaval", a primeira a reunir gente interessada em trocar informações sobre o Carnaval. A partir desse movimento inicial outras listas iriam surgir ampliando as discussões e a influência dessa forma moderna de diálogo.

a cada ano que passa, o prêmio Samba-Net, capitaneado pelo carnavalesco Luiz Fernando Reis. A "abadaweb", de Salvador, e a "Carnaval-SASP", de São Paulo, são outros exemplos dessas associações que estão modificando a correlação de forças capazes de influenciar a organização das festas carnavalescas brasileiras.

Endereços das páginas citadas:

Galo da Madrugada (http://www.truenet.com.br/galo/galo.html)
Parafolia (http://www.parafolia.com.br)
Bloco Eva (http://www2.uol.com.br/blocoeva)
Imperadores do Samba (http://www.imperadores.com.br)
Acadêmicos do Salgueiro (http://www.salgueiro.com.br)
Rosas de Ouro (http://www.sociedaderosasdeouro.com.br)
Sociedade Amantes do Samba Paulista (http://www.sasp.com.br)
Liga Independente das Escolas de Samba do Rio de Janeiro (http://liesa.globo.com)
Site Oficial do Carnaval de Salvador (http://www.carnaval.salvador.ba.gov.br)
Academia do Samba (http://www.academiadosamba.com.br)
O Carnaval Carioca (http://www.ocarnavalcarioca.com.br)
Papo de Samba (http://www.papodesamba.com.br)
Rio-Carnaval (http://br.groups.yahoo.com/group/rio-carnaval)
Planeta Samba (http://br.groups.yahoo.com/group/planetasamba)
Monarcas do Samba (http://br.groups.yahoo.com/group/monarcasdosamba)
Prêmio Samba-Net (http://www.sambanet.com.br)
Abadaweb (http://br.groups.yahoo.com/group/abadaweb)
Carnaval-SASP (http://br.groups.yahoo.com/group/carnaval)

Grande Carnaval, Pequeno Carnaval, outro Carnaval

Muito tem-se falado sobre o fim do Carnaval no Brasil. A festa carioca costuma ser acusada de ter-se transformado num espetáculo que só pode ser desfrutado por quem possa pagar a alto preço do ingresso do Sambódromo. A folia baiana, por sua vez, já vem sofrendo com acusações de elitismo, onde só quem pode arcar com o alto preço de um abadá tem direito a brincar nas áreas nobres próximas aos trios elétricos ou assistir à sua passagem nos camarotes. O Carnaval emergente da capital paulista luta contra o fato de ser apontado como uma festa "artificial", inventada como uma espécie de grande programa televisivo. O portentoso Carnaval do eixo Recife-Olinda tem dificuldades em obter a merecida repercussão nacional a que estava acostumado. Aparentemente reduzida a um número cada vez menor de eventos cada vez mais grandiosos, a folia brasileira contemporânea não parece fazer jus a sua longa história.

Entretanto, se formos vasculhar o passado carnavalesco nacional, perceberemos, rapidamente, que as narrativas do fim do Carnaval surgiram junto com a própria festa. Leitores já escreviam para os jornais fluminenses de meados do século XIX reclamando que os passeios das sociedades estavam fazendo desaparecer o bom e velho Entrudo Familiar. Em finais do século XIX, no auge da proliferação de grupos carnavalescos nas ruas do Rio de Janeiro, liam-se matérias lamentando a ausência das Grandes Sociedades e informando que praticamente não houve festa naquele ano e que o Carnaval estava definhando e com dias contados. Muitos dos animados grupos de capoeiras do Carnaval do Recife eram vistos apenas como uma reunião de desordeiros e uma ameaça ao Carnaval das Sociedades. As escolas de samba da folia de Salvador foram solenemente ignoradas pela história que buscava uma característica peculiar para o Carnaval baiano. Pouco se fala sobre os caiapós paulistas, precursores dos cordões da festa na cidade. Todos esses esquecimentos são, entretanto, partes de uma estratégia de disputas e batalhas entre as diferentes forças que procuram constantemente determinar o que é, e o que não pode ser, o verdadeiro Carnaval. Os "vencedores" dessas disputas tiveram seus pontos de vista reconhecidos como legítimos e suas festas carnavalescas alçadas à categoria de "verdadeiro" Carnaval. As outras brincadeiras eram e são, desse modo, chamadas de Entrudo, de selvageria, de incivilidade nos tempos mais antigos e de baderna ou violência, como é o costume contemporâneo.

Desqualificar a "outra" festa sempre foi uma das "armas" mais comuns, e efetivas, na batalha pelo Carnaval. Passa-se, com isso, a impressão de que só existe uma maneira de se divertir. No Rio de Janeiro e em São Paulo seriam as escolas de samba, em Salvador, os trios, no Recife, os frevos, ignorando-se que, em cada uma dessas cidades e em tantas outras, existem outras formas de brincadeira que ainda não são consideradas dignas de serem incluídas no "verdadeiro" Carnaval. Os interesses por trás dessa limitação são muitos. Tomemos o exemplo do Rio de Janeiro acusado de resumir seu Carnaval ao desfile das escolas de samba. As maiores interessadas nisso são, é claro, as próprias escolas que assumem com prazer o posto de grandes representantes do "maior carnaval do mundo". Mas as redes de televisão, os jornais, a indústria do turismo e até os as outras cidades carnavalescas têm muito a lucrar com essa redução do Carnaval carioca a um único evento. O mesmo pode ser dito com relação à festa de Salvador, com as atenções cada vez mais concentradas no desfile dos trios.

Entretanto, a verdade está muito longe de ser apenas essa. Nem o Carnaval do Rio de Janeiro pode ser reduzido a suas fantásticas escolas, nem a folia baiana pode ser compreendida apenas através de seus empolgantes trios. Como sempre aconteceu desde que o Carnaval é Carnaval muita coisa está rolando fora da luz dos holofotes. Algumas dessas "coisas" são claramente perceptíveis e quem for a Salvador nos dias de Carnaval vai saber que fora dos "circuitos" acontece uma outra festa, não tão encantadora quanto a que se presencia em torno dos trios, ou pelas reportagens da televisão, mas certamente tão animada quanto a outra e, muitas vezes, mais carregada de verdade. O mesmo se dá no Rio de Janeiro que ferve nos blocos e bandas dos subúrbios e da Zona Sul numa festa que possui tudo aquilo que as escolas de samba são acusadas de terem perdido: simplicidade, loucura e participação popular. Em São Paulo, Recife, Porto Alegre, Florianópolis ou Brasília a coisa se dá da mesma maneira, com a festa carnavalesca surgindo nos lugares onde menos se imagina e nas formas mais inesperadas. São essas "outras" brincadeiras que dão suporte às manifestações "oficiais". É a existência do pequeno grupo folião do Bexiga que faz com que o desfile do sambódromo paulistano não seja apenas uma invenção de *marketing*. São os pagodeiros de Copacabana que dão sustentação, ou "sustança", ao grande evento que é o desfile da Portela, situada em Oswaldo Cruz, no outro extremo da cidade. É a turma da bagunça barata fora das cordas que justifica a fantástica coreografia dos adereços de mão dos trios baianos. Mesmo desqualificadas e desconsideradas são essas "pequenas" folias que fazem correr o sangue carnavalesco pelas veias do Brasil.

O Carnaval não pode e nem deve prescindir de seus grandes ícones, como o Galo da Madrugada que arrasta milhões de foliões pelas ruas do centro do Recife, o Chiclete com Banana que sacode Salvador ou a Mocidade Independente que deslumbra e mexe com o Sambódromo, no Rio de Janeiro. Mas esses grandes momentos, por sua vez, não poderiam existir sem a brincadeira das ruas de Parati, ou os Caboclinhos de Goiana, no interior de Pernambuco.

Somos brasileiros e carnavalescos não somente porque participamos dos grandes eventos da folia, sob a luz dos holofotes, mas também, e principalmente, porque bordamos o estandarte do maracatu Estrela Brilhante, no Recife, cantamos *Sublime pergaminho* com a escola de samba Unidos de Lucas, no Rio de Janeiro, levamos nossos filhos para brincar na troça Eu Acho é Pouquinho, em Olinda, empurramos alegorias no desfile da Combinados de Sapopemba em São Paulo, vendemos acarajé na praça Castro Alves em Salvador e ainda agradecemos e só pedimos a Deus a glória e graça de podermos ainda desfrutar de muitos Carnavais.

Tendo sido razoavelmente importante na década de 1960, quando desfilou com o samba Sublime Pergaminho, *obra-prima da música brasileira, a escola de samba Unidos de Lucas desfila a singeleza de suas alegorias no Grupo de Acesso do Rio de Janeiro em 1990. A luta dessa e de tantas outras pequenas agremiações para subsistirem no Carnaval do nosso país, a força que impulsiona componentes a cantar e dançar seus sambas, frevos, maracatus, afoxés ou antigas marchinhas, a abnegação e o prazer de desfilar, o carinho e a dedicação a seu pequeno grupo carnavalesco, são o grande patrimônio imaterial que une nosso povo numa festa que chamamos Carnaval Brasileiro mas que poderia se chamar simplesmente Brasil.*
(Jorge William/Agência O Globo.)

Cronologia do Carnaval brasileiro

1553 • Primeira referência ao Entrudo no Brasil, obtida nas "Denunciações do Santo Ofício em Pernambuco" no Engenho Camarajibe, perto da cidade de Olinda.

1835 • Primeiros bailes mascarados públicos no Brasil, no Hotel Itália e no Café Neuville, no Rio de Janeiro, de acordo com Vivaldo Coaracy, em seu livro *Memórias da cidade do Rio de Janeiro.*

1837 • Artigo condenando o "emporcalhamento" provocado pela brincadeira do Entrudo, publicado no *Diario de Pernambuco* de 6 de fevereiro de 1837.

1841 • Primeiro baile de máscaras em Porto Alegre.
• Postura municipal proíbe o jogo do Entrudo no Rio de Janeiro.

1844 • Primeiro baile mascarado público, no teatro São Pedro de Alcântara, de acordo com Frédéric Mauro, em seu livro *La vie quotidienne au Brésil au temps de Pedro Segundo: 1831-1889.*

1845 • O Hotel de Itália anuncia baile à fantasia para o dia 19 de fevereiro.
• Primeiros bailes de máscaras particulares no Recife.

1846 • Primeiro baile de Carnaval no Rio de Janeiro, de acordo com Mary Karasch.
• Primeiro baile mascarado do Rio de Janeiro, realizado em 23 de fevereiro de 1846, no Teatro São Januário conforme comentário de Silvio Romero no livro *Festas e tradições populares do Brasil* de Mello Moraes Filho.
• Regulamento sobre bailes mascarados, datado de 27 de março, publicado no Rio de Janeiro, informa que são proibidos os assobios, gritos e assuadas no salão, "sendo respeitado o segredo dos dominós e mascaras".
• Primeiro desfile de José Nogueira de Azevedo Paredes, lançando o zé pereira, de acordo com Haroldo Costa, em seu livro *100 anos de Carnaval no Rio de Janeiro.*

1847 • Primeiros bailes de máscaras públicos no Recife, no Teatro Público e no Teatro de Apolo.

1848 • Anúncio de baile no Tívoli, informado que às quatro horas da tarde dos dias 5 e 7 de março sairá do estabelecimento "um rico carro com mascarados que percorrerão as principais ruas da cidade" e convocando a população a acompanhá-lo

1851 • Fundação do Congresso das Sumidades Carnavalescas e da Sociedade Carnavalesca União Veneziana.

1852 • Surgimento do zé pereira de acordo com Luiz Edmundo.

1853 • O baile à fantasia do Clube Paraíso apresenta a seu público uma maquete da novidade do momento: o trem a vapor.

1855 • Primeiro préstito carnavalesco do Congresso das Sumidades Carnavalescas, no dia 14 de fevereiro.
• Fundação da Euterpe Comercial, futura Tenentes do Diabo.

1856 • O Congresso das Sumidades Carnavalescas convida o compositor Verdi a compor dois hinos para serem cantados no Carnaval durante seus desfiles.
• Pela primeira vez um trecho de ruas (Rua das Violas entre Candelária e Quitanda) se enfeita para receber o desfile das sociedades no Rio de Janeiro.

1857 • Texto publicado no *Jornal do Commercio*, de 23 de fevereiro, sugere que se determinassem "um certo numero de ruas para o passeio" dos mascarados e dos grupos carnavalescos em geral.
• O Recreio Carnavalesco Pavunense apresenta, em seu desfile pelas ruas do Rio de Janeiro, a provável primeira alegoria a desfilar dentro de um grupo organizado do Carnaval.

1858 • A União Veneziana organiza um préstito suntuoso que marcou época.
• Primeiras sociedades carnavalescas em Florianópolis: Sociedade Harmonia Carnavalesca e Sociedade União Carnavalesca.
• A Sociedade Euterpe Comercial realiza seu primeiro passeio, no Rio de Janeiro.

1859 • O Teatro Ginásio Dramático anuncia seu primeiro baile, a se realizar no dia 6 de março, com a presença do Congresso das Sumidades Carnavalescas e da União Veneziana.
• Notícias de baile mascarado em Florianópolis.

1860 • Primeiro baile mascarado em Salvador, no Teatro São João.

• Primeira Sociedade Carnavalesca em São Paulo: Sociedade Carnavalesca Piratininga.

1861 • Incêndio no prédio nº 12 da Rua Direita debelado com a ajuda dos Zuavos, que abandonaram o baile do teatro São Pedro para ajudar na tarefa (12 de fevereiro).
• Último ano da Procissão das Cinzas no Rio de Janeiro.

1862 • Uma Marcha do Boi Gordo desfila no Carnaval do Rio de Janeiro sob a luz de archotes.
• Primeiras sociedades carnavalescas no Recife.
• A *Revista Ilustrada* publica a primeira representação gráfica do Rei Momo, feita por Henrique Fleiuss.

1866 • O periódico *Semana Ilustrada* de 18 de fevereiro noticia a presença de zé pereiras no Carnaval.

1867 • O *Jornal do Commercio* de 27 de fevereiro noticia a utilização, no período do Carnaval, de "uns esguichos finíssimos de água mais ou menos cheirosa, a que puseram o nome de bisnaga".
• Primeiro desfile dos Tenentes do Diabo (sob o nome Euterpe Comercial Tenentes do Diabo).
• Surgem os Democráticos, sob o nome de Democráticos Carnavalescos.
• Primeiro baile carnavalesco em São Paulo, no Teatro do Largo do Palácio.

1868 • Anúncio do passeio da Sociedade Carnavalesca Quecumby, no Rio de Janeiro. (*Jornal do Commercio*, de 22 de fevereiro.)
• Anúncio de fogo de bengala, "para queimar nas ruas à passagem das sociedades carnavalescas". (*Jornal do Commercio*, de 23 de fevereiro.)
• Artigo destaca a presença, na apresentação do Club X, no Rio de Janeiro, de "um carro triunfal da altura de uma pirâmide" e de "dois verdadeiros e legítimos camelos, montados por dois asiáticos." (*Semana Ilustrada*, de 1º de março.)
• Organiza-se o provável primeiro esquema de trânsito para as festas carnavalescas do Rio de Janeiro.
• A Estrada de Ferro D. Pedro II, no Rio de Janeiro, coloca à disposição da população carioca um trem extraordinário, à meia-noite, partindo "da corte" para o então longínquo subúrbio de Cascadura no último dia de Carnaval.
• Encenação, no Alcazar Lírico, da peça *Les pompiers de Nanterre*.

1869 • O Club X, cria, "um prêmio para a rua que mais brilhantemente se adornar". (*Jornal do Commercio*, de 7 de fevereiro.)

• Para Mello de Moraes Filho este ano marca a chegada de uma nova geração de entidades carnavalescas que vieram "ocupar o cenário pouco povoado do passado e assistir à agonia das derradeiras associações que faleciam".
• Fenianos nascem como dissidência da Euterpe Comercial Tenente do Diabo.
• A Companhia Teatral Jacinto Heller apresentar uma peça curta intitulada *O Zé Pereira carnavalesco* onde se canta, pela primeira vez a versão para o português do tema de *Les pompiers de Nanterre*, que se tornaria a música característica do zé pereira.

1872 • O periódico *Semana Ilustrada*, de 18 de fevereiro, sugere, pela primeira vez, a unificação dos itinerários das sociedades.

1874 • Desfilam pela primeira vez no carnaval de Porto Alegre a Sociedade Carnavalesca Esmeralda e a Sociedade Carnavalesca Os Venezianos.

1875 • Anúncio de aluguel de janelas para o carnaval, à Rua do Ouvidor, esquina da Direita. (*Jornal do Commercio*, 9 de fevereiro.)

1877 • Algumas sociedades anunciam que não passarão pela Rua do Ouvidor devido à "chuva de estalos e bisnagas com que têm sido festejadas estes últimos anos na sua passagem", alem do excesso de gente que tem causado brigas e confusões. (*Jornal do Commercio*, de 9 de fevereiro.)
• Primeira referência aos pufes, segundo Eneida de Moares.

1881 • Primeiro desfile unificado das sociedades, que se apresentaram pela Rua do Ouvidor conforme uma ordem preestabelecida, segundo o *Jornal do Commercio*, de 2 de março.

1883 • Discussões sobre a possibilidade de um adiamento do Carnaval por motivos de salubridade. O Carnaval, entretanto se realiza.
• Os Fenianos, Democráticos e Tenentes do Diabo desfilam cada um com seu roteiro.
• Os Tenentes do Diabo têm carros censurados.

1884 • Primeira sociedade carnavalesca em Salvador: Clube Carnavalesco Cruz Vermelha.

1885 • Não houve desfile das principais sociedades do Rio de Janeiro.

1886 • O *Diário de Notícias* realiza um pleito para que o povo vote na Sociedade campeã do Carnaval do Rio de Janeiro.

1887 • Para evitar encontros as sociedades Tenentes do Diabo, Fenianos e Democráticos concordam em seguir o mesmo itinerário em suas grandes passeatas de terça-feira.

1888 • Trezentas mil pessoas se utilizam de bondes e trens para assistirem o Carnaval no centro do Rio de Janeiro. (*Revista Ilustrada*, de 18 de fevereiro.)

1891 • Nova tentativa das sociedades de organizarem os horários e itinerários comuns para seus desfiles.

1892 • Carnaval transferido, por motivos de salubridade, para os dias 26, 27 e 28 de junho.
• Uso dos *confetti* durante o Carnaval.
• Batalha de flores em Petrópolis.

1894 • Carnaval foi proibido em razão da Revolta da Armada.
• Com o fim da Revolta, em 14 de março, várias comemorações tomam conta da cidade, incluindo-se um baile dado pelo Fenianos. O dia 24 de março, sábado de aleluia, transformou-se no único dia de Carnaval daquele ano.

1895 • Dois carros do préstito dos Fenianos pegam fogo durante o desfile. (*Jornal do Commercio*, de 27 de fevereiro.)
• Publicado o livro *Festas e tradições populares do Brasil* de Mello Moraes Filho.

1897 • Não houve desfile das Grandes Sociedades.

1898 • Não houve desfile das Grandes Sociedades.

1902 • Conflito travado entre os foliões dos cordões Estrela de Dois Diamantes e Flor da Primavera resulta em dois mortos no Rio de Janeiro.

1904 • Durante o Carnaval, desfila pelas ruas do Rio de Janeiro um carro original fazendo "reclamo" da Pasta Americana, para polimento de calçados. (*Jornal do Commercio*, de 15 de fevereiro.)
• Batalhas de flores organizadas por Pereira Passos no Campo de Santana, "com desfiles de carruagens ornamentadas, à maneira de Nice", segundo Brasil Gerson, em seu livro *História das ruas do Rio.*
• Reorganização fixa o nome Clube Tenentes do Diabo, segundo Eneida de Moraes.

1905 • Inauguração da Avenida Central no dia 15 de novembro.

1906 • O *Jornal do Commercio* de 23 de fevereiro publica edital de polícia regulamentando o sistema viário da cidade para o Carnaval, incluindo as linhas de bondes das diversas companhias, os carros de praça, os tílburis e todo tipo de veículos, além dos préstitos.

• Primeira batalha de confete oficial do Carnaval brasileiro, acontecida na Avenida Beira-Mar, no Rio de Janeiro.
• Aparecem os primeiros lança-perfumes, em embalagem de vidro, no Carnaval.
• Primeiro Carnaval da Avenida Central.

1907 • Presidente Affonso Penna, acompanhado de membros de sua família e das casas civil e militar, participa da batalha de confete na Avenida Beira Mar.
• Fundada a Sociedade Dançante Carnavalesca Ameno Resedá.

1908 • Populares destroem uma arquibancada construída por um industrial na Avenida Central com o objetivo de vender lugares para assistir aos passeios. (*Jornal do Commercio* de 22 de fevereiro.)
• Uma outra arquibancada de quarenta metros para ser alugada nos dias de Carnaval é construída na Avenida Central, esquina com a rua do Miguel Couto. (*Jornal do Comercio* de 28 de fevereiro.)
• 176 grupos são oficialmente autorizados a se apresentarem durante o Carnaval carioca. (*Jornal do Commercio* de 28 de fevereiro.)
• Ameno Resedá desfila pela primeira vez, com o tema "Corte Egipciana".

1909 • Engenho Novo, Meyer, Todos os Santos, Engenho de Dentro, Encantado, Piedade, Cascadura e Madureira realizam importantes festas carnavalescas. (*Jornal do Commercio* de 22 de fevereiro.)
• Os ranchos desfilam com grande destaque na segunda-feira de Carnaval.
• Batalha de *confetti* promovida pela Prefeitura do Distrito Federal. (*Jornal do Commercio* de 22 de fevereiro.)
• Primeiro concurso de Ranchos organizado pelo *Jornal do Brasil.*

1910 • Arquibancadas são construídas na frente e ao lado do Pavilhão Internacional, na Avenida Central para as famílias que queiram apreciar o desfilar dos carros das sociedades carnavalescas. (*Jornal do Commercio*, de 8 de fevereiro.)

1911 • No domingo de Carnaval o Ameno Resedá se apresenta, com o enredo "Corte de Belzebu", no Palácio Guanabara para o Presidente da República Hermes da Fonseca e seus convidados.

1912 • Morte do Barão do Rio Branco. O Carnaval é transferido para depois da Quaresma, começando no domingo 7 de abril. Os desfiles das Grandes Sociedades e bailes são adiados, mas a festa popular acontece normalmente.

1913 • Jornal *O Imparcial* organiza um concurso para os estandartes dos clubes, ranchos e cordões.

1915 • A música *Ai, Filomena. Se eu fosse como tu...* é o grande sucesso carnavalesco.

1916 • A música *O meu boi morreu* é o grande sucesso do Carnaval.

• Por causa das fortes chuvas na terça-feira os desfiles foram adiados para o dia 19 de março.

• De acordo com Almirante, em sua *História do Rio pela música* (citado por Brasil Gerson), nasce o samba na casa da Tia Ciata na Cidade Nova.

1917 • O samba *Pelo telefone* é gravado.

1920 • Além do auxílio de três contos concedidos aos grandes clubes carnavalescos a prefeitura do Rio de Janeiro resolveu ajudar as Pequenas Sociedades e os ranchos com 200$000. (*Jornal do Commercio,* de 15 de fevereiro.)

1921 • A casa *Parc Royal* publica um livreto com as canções compostas para o Carnaval do ano. (*Jornal do Commercio,* de 6 de fevereiro.)

• Concurso de ranchos promovido pelo *Jornal do Brasil.*

• O jornal *O Imparcial* realiza concurso para ranchos, blocos e cordões.

1922 • Um grupo de baianas do morro da Mangueira é convidado para se apresentar oficialmente na Exposição do Centenário da Independência.

1923 • A segunda-feira é chamada de o Dia dos Ranchos.

1924 • Tarsila do Amaral volta de Paris, sendo levada até Madureira para conhecer o carnaval popular carioca, pintando, no mesmo ano, o quadro *Carnaval em Madureira.*

1926 • Surgem os lança-perfumes em embalagem de metal.

1928 • Realizada uma filmagem dos ranchos e grandes clubes visando à propaganda do Carnaval do Rio de Janeiro no exterior.

• A Avenida Rio Branco recebe a primeira decoração oficial para o Carnaval, feita por Luiz Peixoto.

• O dia 12 de agosto é estabelecido como o da fundação da primeira escola de samba.

1929 • Zé Espinguela organiza aquela que muitos consideram como a primeira disputa entre grupos de samba.

1932 • Primeiro Baile do Teatro Municipal do Rio de Janeiro.

• Primeiro concurso oficial entre escolas de samba do Rio de Janeiro, patrocinado pelo jornal *Mundo Sportivo.*

1933 • Primeiro desfile do Rei Momo (provavelmente um boneco) pelas ruas do Rio de Janeiro.

1935 • Primeira aparição da Rainha Moma, Frederica Coração de Leoa, no Rio de Janeiro.

1936 • Primeiro concurso de fantasias do Baile do Teatro Municipal do Rio de Janeiro.

1943 • Fundada a Associação dos Cronistas Carnavalescos.

1947 • Fundação da escola de samba Império Serrano.

1953 • Fundação da escola de samba Acadêmicos do Salgueiro.

1956 • Surge o bloco Bafo da Onça.

1961 • Surge o bloco Cacique de Ramos.
• Lei federal proíbe o uso dos lança-perfumes.

1963 • A cidade de Santos organiza a Primeira Convenção Nacional de Reis Momos.

1964 • Isabel Valença, destaque do Salgueiro, ganha o concurso de fantasias do Teatro Municipal do Rio de Janeiro com a indumentária Rainha Rita de Vila Rica, a mesma com a qual ela desfilara, um dia antes, na escola de samba Acadêmicos do Salgueiro.

1965 • Primeiro desfile da Banda de Ipanema nas ruas do Rio de Janeiro.

1967 • O Rei Momo torna-se o monarca oficial do Carnaval carioca.

1968 • Lançado o primeiro disco com sambas-enredo de escolas de samba do Rio de Janeiro.

1976 • A Beija-flor de Nilópolis surpreende o público apresentando a primeiras superalegorias do desfile das escolas de samba do Rio de Janeiro.
• Pela primeira vez uma escola de samba não incluída no grupo das "quatro grandes" – a Beija-flor de Nilópolis – vence o concurso das escolas de samba cariocas.

1984 • Inaugurado o Sambódromo do carnaval do Rio de Janeiro.

1986 • Monique Evans apresenta-se pela primeira vez na função de rainha de bateria, desfilando pela Mocidade Independente de Padre Miguel.

1998 • Criada a "Rio-Carnaval", primeira lista de discussão do Carnaval brasileiro na Internet.

Leitura recomendada

As sugestões de leitura que se seguem dirigem-se ao leitor interessado em ampliar e aprofundar os temas desenvolvidos, ou meramente apontados, na presente obra. Os livros recomendados são uma seleção pessoal do autor, estando classificados de acordo com o principal assunto abordado por cada um. Decidiram-se excluir das recomendações as monografias, dissertações e teses acadêmicas, assim como as obras em língua estrangeira, em razão da óbvia dificuldade em obtê-las. Alguns livros fora de catálogo foram, entretanto, incluídos, confiando-se nos acervos das bibliotecas distribuídas em todo o país.

SOBRE O CARNAVAL EM GERAL

Carnavais, malandros e heróis

DAMATA, Roberto. *Carnavais, malandros e heróis: para uma sociologia do dilema brasileiro.* Rio de Janeiro: Editora Guanabara, 1990.

Esse importante estudo sobre questões da sociedade brasileira aborda diretamente o tema carnavalesco em três de seus artigos. O autor procura dar uma visão da folia como uma festa que expõe as questões sociais através de inversão dos valores tradicionais. A hierarquização da sociedade brasileira seria, nesse modo de pensar, uma das explicações para as liberdades presentes no Carnaval do Rio de Janeiro e, por conseguinte, do país. Obra bastante citada mas pouco lida. Indispensável para a construção de uma crítica ao Carnaval como momento de inversão do cotidiano.

Carnaval, carnavais

SEBE, José Carlos. *Carnaval, Carnavais.* São Paulo: Ática, 1986.

Um dos poucos livros em português a abordar consistentemente questões referentes à história do carnaval na civilização ocidental procurando dar uma visão ampla da festa destacando suas diversas influências no mundo e no Brasil.

Carnaval brasileiro: o vivido e o mito

QUEIROZ, Maria Isaura Pereira de. *Carnaval brasileiro: o vivido e o mito.* São Paulo: Brasiliense, 1992.

Os quatro artigos que compõem o livro, todos de excelente qualidade, procuram traçar um painel da festa carnavalesca brasileira, e carioca. Destacam-se os primeiro e o último artigos por sua contribuição à compreensão do Carnaval brasileiro como uma mitologia decorrente das ações da festa lusitana e das reações a ela. Todos os textos, entretanto, são básicos para quem quer que deseje se aprofundar na questão carnavalesca do Brasil.

SOBRE O CARNAVAL CARIOCA

História do Carnaval carioca

MORAES, Eneida de. *História do carnaval carioca.* Rio de Janeiro: Record, 1987.

Seguramente a obra mais importante, e mais impactante, jamais escrita sobre o Carnaval em nosso país. O painel abrangente da folia carioca, traçado pela autora em 1957, exerceu enorme influência sobre os estudos carnavalescos posteriores a sua publicação. A organização dos capítulos e a classificação das brincadeiras carnavalescas em categorias isoladas fixou-se praticamente como uma regra inquestionável. O estilo da autora, leve, cheio de humor e de fácil compreensão contribuiu para a grande difusão da obra tornando Eneida um verdadeiro ícone dos estudos carnavalescos brasileiros. A leitura crítica do livro é indispensável.

Carnaval: seis milênios de história.

ARAÚJO, Hiram. *Carnaval: seis milênios de história.* Rio de Janeiro: Gryphus, 2003.

Clássico instantâneo, o forte do livro são seus dados sobre o Carnaval do Rio de Janeiro, incluindo os resultado do concurso das escolas de samba desde sua origem até hoje e os premiados nos concurso de fantasias do teatro Municipal, entre muitas outras informações úteis e curiosas. Apresenta, também, alguns textos sobre o Carnaval de outras cidades (como Salvador, Belém, Pelotas e São Paulo, por exemplo) e sobre a festa carnavalesca no mundo. Fonte de consulta imprescindível.

Ecos da folia

CUNHA, Maria Clementina Pereira. *Ecos da folia: uma história social do carnaval carioca entre 1880 e 1920.* São Paulo: Companhia das Letras, 2001.

Importante estudo da folia de rua do Rio de Janeiro, destacando as relações entre as diferentes categorias das brincadeiras carnavalescas. Obra de fôlego que realiza análises profundas das questões envolvendo Carnaval e sociedade com destaque para a atuação dos grandes clubes e para a formação da festa popular. Boas ilustrações e excelente documentação. Leitura altamente recomendada.

Inventando Carnavais

FERREIRA, Felipe. *Inventando Carnavais: o surgimento do Carnaval carioca no século XIX e outras questões carnavalescas.* Rio de Janeiro: Editora UFRJ, 2005.

Utilizando um inédito enfoque espacial, o livro aborda a formação do Carnaval no Rio de Janeiro desde a implantação dos bailes mascarados, no século XIX, até as vésperas do surgimento das escolas de samba nos anos 1930. Em outros capítulos são analisadas as festas carnavalescas das cidades francesas de Paris e Nice destacando-se as relações dessas folias com aquela implantada no Brasil. A profusão de citações e o rigor da pesquisa ampliam ainda mais o interessa da obra.

O Carnaval das letras

PEREIRA, Leonardo Affonso de Miranda. *O Carnaval das letras.* Campinas: Unicamp, 2004.

Através da análise de diversos textos literários ligados à folia no Rio de Janeiro do século XIX, o autor faz uma ampla discussão do carnaval carioca abordando desde o Entrudo até o surgimento das diversas sociedades carnavalescas. Imprescindível para se compreender os mecanismos que agem na organização da festa carnavalesca.

O Carnaval carioca através da música

ALENCAR, Edigar. *O Carnaval carioca através da música.* Rio de Janeiro/São Paulo: Livraria Freitas Bastos, 1965.

Os principais fatos que marcaram o Carnaval da cidade do Rio de Janeiro vistos através do enfoque musical, com grande destaque para o período de 1900 a 1935.

Tia Ciata e a Pequena África no Rio de Janeiro

MOURA, Roberto. *Tia Ciata e a Pequena África no Rio de Janeiro.* Rio de Janeiro: Secretaria Municipal de Cultura, Dep. Geral de Doc. e Inf. Cultural, Divisão de Editoração, 1995.

Apesar de não ser uma obra exclusivamente dedicada ao Carnaval, o livro é uma das grandes referências quando se trata da folia acontecida na Praça Onze. Questões ligadas aos primeiros grupos de samba e aos pagodes acontecidos nas casas das famosas "tias" baianas são detalhadas a partir do estudo de um dos espaços urbanos mais importantes para formação da festa carnavalesca carioca atual.

A subversão pelo riso

SOIHET, Rachel. *A subversão pelo riso.* Rio de Janeiro: Editora Fundação Getúlio Vargas, 1998.

Análise do Carnaval do Rio de Janeiro concentrada em sua fase mais "popular", a partir de finais do século XIX até a década de 1940, com destaque para as questões que envolvem a repressão à folia do povo.

SOBRE O CARNAVAL DE RECIFE/OLINDA

Festas: máscaras do tempo

ARAÚJO, Rita de Cássia Barbosa de. *Festas: máscaras do tempo: entrudo, mascarada e frevo no Carnaval do Recife.* Recife: Fundação Cultural Cidade do Recife, 1996.

Obra de valor inestimável, apresenta uma ampla e consistente análise do Carnaval na cidade do Recife desde seus primeiros bailes, em meados da década de 1840, até o surgimento do frevo nas primeiras décadas do século XX. Os capítulos sobre festas públicas e Entrudo que abrem a publicação são de grande valia para o estudioso do Carnaval brasileiro. Leitura obrigatória.

Antologia do Carnaval do Recife

DANTAS, Leonardo e MAIOR, Mário Souto (orgs). *Antologia do Carnaval do Recife.* Recife: Fundação Joaquim Nabuco/Editora Massangana, 1991.

Obra reunindo diversos textos importantes abordando vários aspectos do Carnaval da cidade do Recife. De especial relevância, por sua abrangência, é a introdução escrita por Leonardo Dantas, apresentando um excelente resumo da história do Carnaval da capital pernambucana.

O folclore no Carnaval do Recife

REAL, Katarina. *O folclore no Carnaval do Recife.* Rio de Janeiro: MEC, 1967.

Aborda as diferentes manifestações do Carnaval do Recife sob o enfoque etnográfico.

SOBRE O CARNAVAL DE PORTO ALEGRE

O Carnaval de Porto Alegre no século XIX.

DAMASCENO, Athos. *O Carnaval porto-alegrense no século XIX.* Porto Alegre: Livraria do Globo, 1970.

Excelente fonte de dados sobre o Carnaval fora do eixo Rio de Janeiro-Recife-Salvador, o livro destaca a existência do imponente carnaval que tomava conta das ruas da capital gaúcha na primeira metade do século XIX, ressaltando sua decadência no final do período.

Coisas para o povo não fazer

LAZZARI, Alexandre. *Coisas para o povo não fazer: carnaval em Porto Alegre (1870-1915).* Campinas: Editora da Unicamp, 2001.

Bom estudo do Carnaval de Porto Alegre enfocando as questões sociais envolvidas na ascensão e queda dos desfiles das grandes sociedades em sua disputa com o Carnaval popular da cidade na virada para o século XX.

SOBRE O CARNAVAL DE SALVADOR

O país do Carnaval elétrico

GÓES, Fred de. *O país do Carnaval elétrico.* Salvador: Corrupio, 1982.

Um dos poucos livros que abordam o Carnaval de Salvador busca traçar a história dos trios elétricos destacando suas origens e sua influência na construção da moderna folia carnavalesca soteropolitana.

SOBRE AS ESCOLAS DE SAMBA

As escolas de samba do Rio de Janeiro

CABRAL, Sérgio. *As escolas de samba do Rio de Janeiro.* Rio de Janeiro: Lumiar Editora, 1996.

Reedição atualizada de outros livros do autor, a obra traça um impressionante painel abrangendo desde os acontecimentos que envolveram o surgimento das primeiras escolas de samba até modificações mais recentes. Ao final, uma série de entrevistas com personalidades do samba proporciona um rico material de análise, com destaque para os depoimentos de Ismael Silva e Fernando Pamplona, entre muitos outros.

Carnaval carioca: dos bastidores ao desfile

CAVALCANTI, Maria Laura Viveiros de Castro. *Carnaval carioca: dos bastidores ao desfile.* Rio de Janeiro: Funarte/Editora UFRJ, 1994.

Obra definitiva sobre a organização social das escolas de samba carioca. Através da análise dos preparativos da escola de samba Mocidade Independente de Padre Miguel para o Carnaval de 1992 a autora esmiúça os múltiplos mecanismos que agem em todo o processo destacando a organização da escola e as diferentes funções de seus principais atores. Indispensável.

Brasil do samba-enredo

AUGRAS, Monique. *O Brasil do samba-enredo.* Rio de Janeiro: Editora Fundação Getúlio Vargas, 1998.

A autora procura destacar a relação entre o poder constituído e as escolas de samba através do estudo das letras e enredos das agremiações ressaltando as interferências oficiais manifestadas nas diversas regulamentações dos desfiles.

Fazendo Carnaval

MAGALHÃES, Rosa. *Fazendo Carnaval.* Rio de Janeiro: Nova Aguilar, 1977.

Fartamente ilustrado o livro revela o processo de execução plástica do carnaval apresentado por uma escola de samba exemplificado através dos trabalhos realizados pela autora para a escola de samba Imperatriz Leopoldinense.

Escolas de samba em desfile

JÓRIO, Amaury e ARAÚJO, Hiram. *Escolas de samba em desfile: vida, paixão e sorte.* Rio de Janeiro: s.e., 1969.

Estudo clássico sobre as escolas de samba carioca procura descrever essas agremiações destacando sua estrutura interna, sua organização em desfile e seus principais componentes. Um histórico das principais escolas da época e uma série de documentos com os regulamentos dos desfiles e concursos oficiais são material de valor inestimável.

Cartola: os tempos idos

BARBOZA, Marília Trindade e OLIVEIRA FILHO, Arthur de. *Cartola: os tempos idos.* Rio de Janeiro: Gryphus, 2003.

A vida do grande sambista Cartola serve de mote para os autores passarem em revista a sociedade que gerou o samba e os primeiros anos das escolas de samba. Fotos de excepcional valor documental. Ao final do volume a discografia completa do compositor e cantor amplia ainda mais o valor da obra.

Salgueiro: academia de samba

COSTA, Haroldo. *Salgueiro: academia de samba.* Rio de Janeiro: Record, 1984.

Relato emocionado e emocionante sobre a história da escola de samba Acadêmicos do Salgueiro que ajuda o leitor a entender a importância dessa agremiação para o moderno carnaval brasileiro. Com as letras e pautas musicais de todos os sambas-enredo, além de fotos inéditas, o livro chega até o Carnaval de 1984.

Mangueira: a nação verde-e-rosa

CABRAL, Sérgio. *Mangueira: a nação verde-e-rosa.* São Paulo: Prêmio, 1998.

A história da escola e samba Estação Primeira de Mangueira contada com detalhes através de texto e fotos de altíssima qualidade gráfica.

Paulo da Portela: traço de união entre duas culturas

SILVA, Marília Teixeira Barboza da e SANTOS, Lygia. *Paulo da Portela: traço de união entre duas culturas.* Rio de Janeiro: Funarte, Instituto Nacional de Música, Divisão de Música Popular, 1989.

Obra de fôlego contando a vida de um dos personagens mais importantes e influentes da cultura popular carioca. Através das narração da vida de Paulo da Portela as autoras traçam um amplo painel da história das escolas de samba do Rio de Janeiro.

O palácio do samba

GOLDWASSER, Maria Julia. *O palácio do samba: estudo antropológico da escola de samba Estação Primeira de Mangueira.* Rio de Janeiro: Zahar Editores, 1975.

Profunda análise de uma escola de samba através do viés antropológico. A organização social da agremiação e sua estruturação como uma unidade ideológica são analisadas a partir da reorganização espacial promovida pela construção da nova quadra de ensaios.

O marquês e o jegue

FERREIRA, Felipe. *O marquês e o jegue: estudo da fantasia para escolas de samba.* Rio de Janeiro: Altos da Glória, 1999.

Única obra a abordar a questão do figurino carnavalesco para escolas de samba, o livro faz uma análise da função do figurinista de Carnaval com destaque para o trabalho desenvolvido pela carnavalesca Rosa Magalhães para a Imperatriz Leopoldinense de 1992 a 1997.

Fala, Mangueira

SILVA, Marília Trindade Barboza da, CACHAÇA, Carlos e OLIVEIRA FILHO, Arthur L. de. *Fala, Mangueira.* Rio de Janeiro: José Olympio, 1980.

A história da escola de samba e do morro da Mangueira se entrelaça com as vidas dos grandes baluartes do samba responsáveis pelo sucesso da agremiação.

Natal: o homem de um braço só

ARAÚJO, Hiram e JÓRIO, Amaury. *Natal: o homem de um braço só.* Rio de Janeiro: Guavira Editores, 1975.

Escrito como uma série de pequenos artigos isolados o livro relembra fatos da vida do famoso presidente da Portela e de sua relação com o samba e as escolas de samba em geral.

Carnavais de guerra

TUPY, Dulce. *Carnavais de guerra: o nacionalismo no samba.* Rio de Janeiro: ASB Arte Gráfica e Editora, 1985.

O livro traça um amplo painel da história do samba e das escolas de samba com destaque para os carnavais da era Vargas. As ilustrações valorizam ainda mais o texto.

Serra, Serrinha, Serrano: o império do samba

VALENÇA, Rachel Teixeira e VALENÇA, Suetônio Soares. *Serra, Serrinha, Serrano: o império do samba.* Rio de Janeiro: José Olympio, 1981.

História das origens e dos desfiles da escola de samba Império Serrano destacando os grandes sambas-enredo da agremiação e sua origem nos grupos de jongo do morro da Serrinha. Contém as letras dos sambas apresentados pela escola desde sua fundação, em 1947, até 1981 e farta documentação fotográfica.

SOBRE OS BLOCOS E OUTRAS MANIFESTAÇÕES POPULARES

Blocos

PIMENTEL, João. *Blocos.* Rio de Janeiro: Relume Dumará, 2002.

Único livro dedicado exclusivamente aos blocos, essa importante forma de manifestação carnavalesca carioca. O texto fluente do autor resgata a história e a importância de grandes grupos populares do Rio de Janeiro, como o Bafo da Onça, o Cacique de Ramos e o Cordão do Bola Preta e destaca as novas agremiações como o Simpatia é Quase Amor e o Bloco de Segunda.

Cacique de Ramos: uma história que deu samba

PEREIRA, Carlos Alberto Messeder. *Cacique de Ramos: uma história que deu samba.* Rio de Janeiro: E-Papers Serviços Editoriais, 2003.

Obra dividida em duas partes. A primeira trata da história do bloco de empolgação Cacique de Ramos e a segunda aborda o fenômeno do pagode. Um estudo bastante aprofundado sobre o Carnaval carioca dos últimos anos do século XX, destacando a multiplicidade de narrativas que concorrem para o estabelecimento das tradições carnavalescas.

Ameno Resedá: o rancho que foi escola

EFEGÊ, Jota. *Ameno Resedá: o rancho que foi escola.* Rio de Janeiro: Letras e Artes, 1965.

Essa análise descritiva da história de uma das mais famosas agremiações carnavalescas populares do Rio de Janeiro acaba relatando uma parte da história do Carnaval das primeiras décadas do século XX.

Referências bibliográficas

ABREU, Martha. *O império do divino: festas religiosas e cultura popular no Rio de Janeiro, 1830-1900.* Rio de Janeiro/São Paulo: Nova Fronteira/FAPESP, 1999.

ALBIN, Ricardo Cravo. *O Livro de Ouro da MPB.* Rio de Janeiro: Ediouro, 2003.

ALENCAR, Edigar de. *O Carnaval carioca através da música.* Rio de Janeiro/São Paulo: Freitas Bastos, 1965.

ALMEIDA, Manuel Antônio. *Memórias de um sargento de milícias.* Rio de Janeiro: Ediouro, 2001.

ARAÚJO, Hiram. *Carnaval: seis milênios de história.* Rio de Janeiro: Griphus, 2000.

ARAÚJO, Rita de Cássia Barbosa de. *Festas: máscaras do tempo: Entrudo, mascarada e frevo no Carnaval do Recife.* Recife: Fundação Cultural Cidade do Recife, 1996.

ATAÍDE, José. *Olinda, Carnaval e povo.* Olinda: Fundação Centro de Preservação dos Sítios Históricos de Olinda, 1982.

BOULENGER, Jacques. *De la walse au tango: la danse mondaine du 1er Empire à nos jours.* Paris: A l'Enseigne du Masque d'Or, 1920.

CABRAL, Sérgio. *As escolas de samba do Rio de Janeiro.* Rio de Janeiro: Lumiar Editora, 1996.

CÂMARA CASCUDO, Luis da. *Dicionário do folclore brasileiro.* Belo Horizonte: Itatiaia, 1984.

CAVALCANTI, Nireu. *O Rio de Janeiro setecentista: a vida e a construção da cidade da invasão francesa até a chegada da corte.* Rio de Janeiro: Jorge Zahar, 2004.

COARACY, Vivaldo. *Memórias da cidade do Rio de Janeiro.* Belo Horizonte, São Paulo: Itatiaia, Editora da USP, 1988.

COLAÇO, Thais Luzia. *O Carnaval no Desterro: século XIX.* Dissertação de Mestrado. CCH/UFSC, 1988.

COSTA, Haroldo. *Salgueiro: academia de samba.* Rio de Janeiro: Record, 1984.

______________. *100 anos de Carnaval no Rio de Janeiro.* São Paulo: Irmãos Vitale, 2001.

CUNHA, Fabiana Lopes da. *Da marginalidade ao estrelato: o samba na construção da nacionalidade (1917-1945).* São Paulo: Annablume, 2004.

DAMASCENO, Athos. *O Carnaval porto-alegrense no século XIX.* Porto Alegre: Livraria do Globo, 1970.

DANTAS, Leonardo e MAIOR, Mário Souto (orgs.). *Antologia do Carnaval do Recife.* Recife: Fundação Joaquim Nabuco/Editora Massangana, 1991.

DEMASI, Domingos. *Chanchadas e dramalhões.* Rio de Janeiro: Funarte, 2001.

EDMUNDO, Luiz. *Recordações do Rio antigo.* Rio de Janeiro: Biblioteca do Exército Editora, 1950.

______________. *O Rio de Janeiro do meu tempo.* Rio de Janeiro: Xenon, 1987.

EFEGÊ, Jota. *Ameno Resedá: o rancho que foi escola.* Rio de Janeiro: Letras e Artes, 1965.

______________. *Figuras e coisas do Carnaval carioca.* Rio de Janeiro:Funarte, 1982.

GASTINEAU, Benjamin. *Le Carnaval.* Paris: Gustave Havard Éditeur, 1855.

GERSON, Brasil. *História das ruas do Rio.* Rio de Janeiro: Lacerda Ed., 2000.

GONÇALVEZ, Renata de Sá. *Os ranchos pedem passagem: o Carnaval do Rio de Janeiro do começo do século XX.* Dissertação de mestrado. Rio de Janeiro: Programa de Pós Graduação em Sociologia e Antropologia/IFCS/UFRJ, 2003.

GRIMBERG, Martine. "Carnaval et societé urbaine a la fin du XVe siècle". In: JACQUOT, Jean e KONIGSON, Elie. (orgs.). *Les fêtes de la Renaissance III.* Paris: Éditions du Centre National de Recherche Scientifique, 547-53, 1975.

GUIMARÃES, Helenise Monteiro. *Carnavalesco, o profissional que "faz escola" no Carnaval carioca.* Dissertação de Mestrado. Rio de Janeiro: Escola de Belas Artes/UFRJ, 1992.

KARASCH, Mary C. *A vida dos escravos no Rio de Janeiro: 1808-1850.* São Paulo: Companhia das Letras, 2000.

LADURIE, Emmanuel Le Roy. *O Carnaval de Romans.* São Paulo: Companhia das Letras, 2002.

LAZZARI, Alexandre. *Coisas para o povo não fazer: Carnaval em Porto Alegre (1870-1915).* Campinas: Editora da Unicamp, 2001.

MAURO, Frédéric. *La vie quotidienne du Brésil au temps de Pedro Segundo: 1831-1889.* Paris: Hachete, 1980.

MORAES FILHO, Mello. *Festas e tradições populares do Brasil.* Belo Horizonte/Rio de Janeiro: Itatiaia, 1999.

MORAES, Eneida de. *História do Carnaval carioca.* Rio de Janeiro: Record, 1987.

MOTTA, Mauro. *Terra e Gente.* Recife: Universidade do Recife, 1963.

PIMENTEL, João. *Blocos.* Rio de Janeiro: Relume Dumará/Prefeitura, 2002.

PRIORE, Mary del. *Festas e utopias no Brasil colonial.* São Paulo: Brasiliense, 2000.

QUEIROZ, Maria Isaura Pereira de. *A burguesia se diverte no reinado de Momo: sessenta anos de evolução do Carnaval na cidade de São Paulo (1855-1915).* Tese de Mestrado. São Paulo: Faculdade de Filosofia, Letras e Ciências Humanas da USP, 1984.

______________. *Carnaval brasileiro: o vivido e o mito.* São Paulo: Brasiliense, 1992.

REAL, Katarina. *O folclore no Carnaval do Recife.* Rio de Janeiro: MEC, 1967.

RIO, João do. *A alma encantadora das ruas: crônicas.* Rio de Janeiro: Secretaria Municipal de Cultura, Dep. Geral de Doc. e Inf. Cultural, Divisão de Editoração, 1995.

SILVA, Leonardo Dantas e MAIOR, Mário Souto. *Antologia do Carnaval do Recife.* Recife: Fundação Joaquim Nabuco/Editora Massangana, 1991.

SILVA, Leonardo Dantas. *O frevo pernambucano.* Recife: Fundação Joaquim Nabuco, 1990.

SILVA, Marília T. Barboza da e SANTOS, Lygia. *Paulo da Portela: traço de união entre duas culturas.* Rio de Janeiro: FUNARTE, Instituto Nacional de Música, Divisão de Música Popular, 1989.

TOUSSAINT-SAMSON (Mme). *Une parisienne au Brésil.* Paris: P. Ollendorf, 1883.

VÁRIOS AUTORES. *Les capitales du monde.* Paris: Hachette, 1896.

VAGALUME (Francisco Guimarães). *Na roda do samba.* Rio de Janeiro: Tipografia São Benedito, 1933.

VELLOSO, Mônica Pimenta. *Modernismo no Rio de Janeiro: turunas e quixotes.* Rio de Janeiro: Editora Fundação Getulio Vargas, 1996.

Outros títulos da Coleção:

O Livro de Ouro da Comunicação, Silvana Gontijo

Silvana Gontijo se impôs uma tarefa extraordinária: nada mais nada menos do que mergulhar neste estrepitoso universo de sons, imagens e palavras para nele encontrar as raízes da comunicação humana e, eventualmente, o seu significado. Das pinturas rupestres aos blogs, nada lhe escapou; a aventura intelectual pela qual ela nos conduz não podia ser mais fascinante e – num mundo que se afoga no excesso de informação – mais atual e necessária.

O Livro de Ouro da História do Brasil (Edição revista e ampliada), Mary del Priore e Renato Pinto Venâncio

Exímios narradores, ao mesmo tempo que historiadores renomados, atentos aos documentos e às mais recentes pesquisas e ferramentas de investigação, Mary del Priore e Renato Pinto Venâncio destacam os principais momentos da história do país – os 300 anos de período colonial, a Independência, a República, a Industrialização e, avançando nesta nova edição, a globalização e o novo lugar do Brasil no mundo.

O Livro de Ouro das Religiões, John Bowker (Org.)

Desde os tempos imemoriais, o homem viu na religião o esteio para o dia-a-dia e a motivação para os seus maiores empreendimentos. O Livro de Ouro das Religiões apresenta esta jornada do espírito humano em sua busca do transcendente. Com material iconográfico de beleza ímpar e escrito por especialistas do campo da religião, este livro é uma obra de referência, que vai dos rituais xamânicos da Coréia aos templos batistas do Peru, das catedrais medievais às sinagogas e ao lar judaico.

O Livro de Ouro da Ópera, Milton Cross

A ópera é uma das expressões artísticas mais completas e combina várias linguagens numa forma de expressão única. O Livro de Ouro da Ópera nos transporta para este mundo de entretenimento, ao mesmo tempo aristocrático e popular, e nos apresenta a algumas das grandes estrelas do teatro lírico universal: Puccini, Rossini, Bizet, Verdi, Wagner, entre outros.

O LIVRO DE OURO DA MPB, Ricardo Cravo Albin
O LIVRO DE OURO DOS PAPAS, Paul Johnson
O LIVRO DE OURO DAS REVOLUÇÕES, Mark Almond
O LIVRO DE OURO DA EVOLUÇÃO, Carl Zimmer
O LIVRO DE OURO DOS SANTOS, Nilza Botelho Megale
O LIVRO DE OURO DA AMAZÔNIA, João Meirelles Filho
O LIVRO DE OURO DO FUTEBOL, Celso Unzelte
O LIVRO DE OURO DOS HERÓIS DA HISTÓRIA, Will Durant
O LIVRO DE OURO DA MITOLOGIA ERÓTICA, Shahrukh Husain
O LIVRO DE OURO DA BÍBLIA, J.W. Rogerson
O LIVRO DE OURO DAS FLORES, Cecília Beatriz L. da Veiga
O LIVRO DE OURO DA MENTE, Rita Certer
O LIVRO DE OURO DA FELICIDADE, Dalai Lama
O LIVRO DE OURO DA MITOLOGIA, Thomas Bulfinch
O LIVRO DE OURO DO ZEN, David Scott e Tony Doubleday
O LIVRO DE OURO DA HISTÓRIA DO MUNDO, J.M. Roberts
O LIVRO DE OURO DOS SONHOS, Gayle Delaney
O LIVRO DE OURO DAS CIÊNCIAS OCULTAS, Friedrich W. Doucet
O LIVRO DE OURO DA HISTÓRIA DA MÚSICA, Otto Maria Carpeaux
O LIVRO DE OURO DOS MISTÉRIOS DA ANTIGÜIDADE, Peter James e Nick Thorpe
O LIVRO DE OURO DO UNIVERSO, Ronaldo Rogério de Freitas Mourão
O LIVRO DE OURO DAS PROFECIAS DE NOSTRADAMUS, Francis X. King
O LIVRO DE OURO DOS DEUSES E DEUSAS, Elizabeth Hallam, Tessa Clark e Cecilia Walters

Próximos lançamentos:

O LIVRO DE OURO DAS PROFECIAS, Tony Allan
O LIVRO DE OURO DOS LIVROS, Carlos Heitor Cony e Renato Pompeu
O LIVRO DE OURO DO SEXO, Regina Navarro Lins
O LIVRO DE OURO DOS QUADRINHOS, Flávio Braga e Carlos Eugênio Baptista

Este livro foi composto em Adobe Garamond e impresso pela Gráfica Alaúde sobre papel offset 75g. Foram produzidos 5000 exemplares para a Ediouro em janeiro de 2005.